TOUTE LA LUMIÈRE
QUE NOUS NE POUVONS VOIR

ANTHONY DOERR

TOUTE
LA LUMIÈRE
QUE NOUS
NE POUVONS VOIR

roman

*Traduit de l'américain
par Valérie Malfoy*

ALBIN MICHEL

« *Les Grandes Traductions* »

*Ce livre est publié sous la direction
de Francis Geffard*

À Wendy Weil
1940-2012

En août 44, la cité fortifiée de Saint-Malo, fleuron de la Côte d'Émeraude en Bretagne, fut presque entièrement anéantie par les flammes... Sur les 865 bâtiments intra-muros, il n'en restait que 182 et tous étaient plus ou moins endommagés.

Philip Beck

Sans la radio, nous n'aurions jamais pu prendre le pouvoir ni l'exercer comme nous l'avons fait.

Joseph Goebbels

Zéro

7 août 1944

Tracts

À l'aube, ils tombent en masse du ciel, passent par-dessus les remparts, caracolent au-dessus des toits, descendent lentement entre les hautes maisons. Des rues entières en bouillonnent, taches blanches sur les pavés. *Message urgent aux habitants de cette ville. Dispersez-vous dans la campagne.*

La marée monte. La lune, petite, jaune, est presque toute ronde. Sur les toits des hôtels du front de mer, à l'est, et dans les jardins par-derrière, une demi-douzaine d'unités d'artillerie américaines flanquent des obus incendiaires dans la bouche de mortiers.

Bombardiers

Ils traversent la Manche à minuit. Ils sont douze et portent des noms de chansons : *Stardust*, *Stormy Weather*, *In the Mood* et *Pistol-Packin' Mama*. Au loin, la mer glisse, tachetée de blanc par l'écume des vagues. Assez vite, les navigateurs peuvent distinguer les îlots rocheux dans le clair de lune, alignés sur l'horizon.

La France.

La radio crépite. Délibérément, presque paresseusement, les bombardiers perdent de l'altitude. Des filaments rouges s'élèvent des postes de DCA disséminés sur la côte. De sombres épaves de navires apparaissent, échoués ou détruits, l'un amputé de son étrave, l'autre palpitant dans les flammes. Sur une île à l'écart, des moutons se sauvent, zigzaguant entre les rochers.

À bord de chaque avion, un homme guette à travers son viseur et compte jusqu'à vingt. Quatre, cinq, six, sept. Pour eux, cette cité fortifiée, dressée sur son promontoire, et qui se rapproche peu à peu, a l'air d'une dent cariée, une chose noire et pourrie, un dernier abcès à crever.

La fille

En haut d'une maison étroite, au 4 rue Vauborel, cinquième et dernier étage, une jeune aveugle de seize ans, Marie-Laure Leblanc, s'agenouille au-dessus d'une table basse entièrement occupée par une maquette. C'est la cité de Saint-Malo avec ses centaines de maisons, boutiques et hôtels particuliers comprises dans ses murs. Il y a la cathédrale et sa flèche ajourée, le château fort, les rangées de demeures hérissées de cheminées. Une fine jetée en bois s'arrondit autour de la plage du Môle, une délicate verrière octogonale coiffe la halle aux poissons, des bancs minuscules, certains pas plus gros que des pépins de pomme, parsèment les jardins publics.

Du bout des doigts elle effleure le parapet qui couronne les remparts, dessinant une irrégulière forme en étoile tout autour de la maquette. Voilà l'esplanade en haut des murs où quatre couleuvrines sont pointées vers le ciel. « Bastion de la Hollande », murmure-t-elle et ses doigts descendent quelques marches. « Rue des Cordiers. Rue Jacques-Cartier. »

Dans un coin de la chambre, deux seaux en tôle galvanisée sont remplis d'eau à ras bord. Remplis-les chaque fois que tu en as l'occasion, lui a dit son grand-oncle. La baignoire au second aussi. Qui sait quand l'eau courante reviendra ?

Ses doigts retournent à la flèche de la cathédrale. Vers la Porte de Dinan.

15

Pendant toute la soirée elle s'est promenée ainsi à travers cette maquette, attendant son grand-oncle Étienne qui est sorti la veille tandis qu'elle dormait et qui n'est pas encore rentré. Maintenant il fait nuit de nouveau, l'aiguille a fait le tour du cadran, tout le quartier est calme et elle ne parvient pas à dormir.

Elle commence à entendre les bombardiers au moment où ils ne sont plus qu'à cinq kilomètres. Un bruit de fond qui augmente. La rumeur dans un coquillage.

Lorsqu'elle ouvre la fenêtre, ce bruit est plus prononcé. Sinon, la nuit est d'un calme sinistre : ni moteur, ni voix, ni fracas. Pas de sirènes. Pas de bruits de pas sur les pavés. Pas même de mouettes. Juste la marée qui vient lécher les murailles, tout près.

Mais ce n'est pas tout.

Quelque chose flotte, tout près. Repoussant la persienne de gauche, elle passe les doigts sur celle de droite. Une feuille de papier coincée entre les lattes.

Elle la porte à ses narines. Odeur d'encre fraîche. De gasoil, peut-être. Papier neuf – il n'est pas dehors depuis longtemps.

Marie-Laure reste postée à la fenêtre, hésitante. En chaussettes, dos à la chambre, avec les coquillages disposés au-dessus de l'armoire, les galets le long des plinthes. Sa canne est calée dans l'angle. Son gros roman en braille l'attend, ouvert et retourné sur le lit. Le grondement des avions s'amplifie.

Le garçon

À quelques rues de là, un peu plus au nord, Werner Pfennig, jeune soldat de première classe aux cheveux tout blancs, est réveillé par un vague ronflement saccadé. À peine plus qu'un ronron. Mouches butant contre une vitre.

Où est-il ? L'odeur douceâtre, un peu chimique, de lubrifiant pour armes. Celle de térébenthine que dégage le bois des caisses de munitions. Celle de naphtaline des vieux dessus-de-lit – il se trouve dans un hôtel. Ah oui. L'hôtel des Abeilles.

C'est encore la nuit. Il est encore tôt.

Côté mer, sifflements et coups de tonnerre : la défense anti-aérienne allemande monte au créneau.

Un caporal de la Flak se hâte dans le couloir, vers l'escalier. « Va à la cave ! », lance-t-il par-dessus son épaule, et Werner allume alors sa torche, fourre sa couverture dans son paquetage, et sort.

Il n'y a pas si longtemps, l'hôtel des Abeilles était un établissement pimpant aux volets bleu vif, avec une partie brasserie où l'on pouvait déguster des huîtres servies sur de la glace pilée, des serveurs à nœud papillon astiquant les verres derrière le zinc. Il y avait vingt et une chambres, avec vue sur la mer, et dans le salon une cheminée gigantesque. Le weekend, les Parisiens venaient y boire un verre, et auparavant quelques émissaires de la République – ministres, sénateurs, abbés et amiraux – et au temps jadis, des corsaires burinés : assassins, pillards, flibustiers, marins.

Mais avant cette reconversion, c'était au XVIIᵉ siècle la demeure d'un corsaire qui, fortune faite, cessa ses brigandages pour étudier les abeilles dans les environs de Saint-Malo, noircissant ses calepins et mangeant le miel à même les rayons. Au-dessus des portes, on voit encore des bourdons sculptés dans les linteaux en chêne. La fontaine couverte de lierre dans la cour a la forme d'une ruche. Ce qu'il préfère, ce sont les cinq fresques défraîchies au plafond des pièces du dernier étage, où des abeilles grandes comme des enfants flottent sur un fond bleu, gros faux-bourdons paresseux et ouvrières aux ailes diaphanes. Au-dessus de la baignoire en cuivre de forme hexagonale, une reine de deux mètres soixante-dix de long, aux yeux multiples et à l'abdomen tapissé de fourrure dorée, se recroqueville.

En l'espace de quatre semaines, l'hôtel est devenu tout autre chose : une forteresse. Un détachement d'Autrichiens de la DCA a condamné toutes les fenêtres, retourné tous les lits. On a consolidé l'entrée, bourré la cage d'escalier de caisses d'obus. L'établissement, qui – côté mer – est de plain-pied avec les remparts au niveau du troisième étage, accueille désormais un 88 – vieille pièce d'artillerie anti-aérienne qui tire des obus de 9,4 kilos avec une portée de 15 kilomètres.

Sa Majesté, c'est ainsi qu'ils l'appellent, et cette semaine ces types l'ont bichonnée comme des abeilles ouvrières bichonnent leur reine. La graissant, repeignant son fût, lubrifiant ses rouages, disposant des sacs de sable à ses pieds comme autant d'offrandes.

La royale *acht acht*, une souveraine fatale censée les protéger tous.

Werner est encore dans l'escalier, pas loin du rez-de-chaussée, quand elle fait feu à deux reprises, coup sur coup. C'est la première fois qu'il l'entend tirer d'aussi près et c'est comme si l'hôtel venait d'être décapité. Il trébuche, se bouche

18

les oreilles. Les murs en tremblent jusqu'aux fondations, et cette vibration se répercute de bas en haut.

Au-dessus de sa tête, il entend les Autrichiens se démener, recharger, et les miaulements décroissants des deux obus projetés au-dessus de la mer, déjà loin. L'un des soldats, réalise-t-il, est en train de chanter. On dirait même qu'ils sont plusieurs – peut-être qu'ils sont tous en train de chanter : huit types de la Luftwaffe, qui n'en ont plus pour longtemps, entonnent un chant d'amour à leur reine.

Werner suit le faisceau de sa torche à travers le salon. Le canon tonne une troisième fois, du verre se brise à proximité, des tonnes de suie dégringolent de la cheminée, et les murs de l'hôtel sonnent comme des cloches. C'est à vous déchausser les dents.

Il parvient à tirer à lui la porte de la cave et fait une pause, la vue brouillée.

– Alors, ça y est ? Ils arrivent ?

Mais il n'y a personne pour lui répondre.

Saint-Malo

Partout en ville, les derniers habitants non évacués se réveillent, gémissent, soupirent. Vieilles demoiselles, prostituées, hommes de plus de soixante ans. Indécis, collaborateurs, incrédules, ivrognes. Religieuses de tous ordres. Les pauvres. Les entêtés. Les aveugles.

Certains se précipitent vers les abris anti-aériens. D'autres se disent que c'est juste un exercice. D'autres encore s'attardent pour rafler une couverture, un missel, ou un jeu de cartes.

Le Jour J, c'était il y a deux mois. Cherbourg a été libéré, Caen aussi, puis Rennes. La moitié de l'ouest de la France est libre. À l'est, les Soviétiques ont repris Minsk. Les forces de l'Armée de l'intérieur polonaise mènent l'insurrection dans Varsovie, quelques journaux se sont enhardis jusqu'à suggérer que le vent a tourné.

Mais pas ici. Pas cette dernière citadelle au bout du continent, cet ultime « point fort » allemand sur la côte bretonne.

Ici, chuchote-t-on, les Allemands ont rénové deux kilomètres de galeries souterraines sous les murailles médiévales. Ils ont construit de nouvelles défenses, de nouvelles conduites, de nouvelles issues de secours, tout un labyrinthe d'une ahurissante complexité. Sous le fort de la Cité d'Alet qui s'élève sur sa pointe rocheuse, plus haut sur la Rance, face à la vieille cité, il y a une salle des pansements, des soutes à munitions, et même un hôpital, du moins à ce qu'on dit. Il y a la climatisation, un réservoir d'eau d'une contenance de deux cent mille litres, une ligne directe avec Berlin. Il y a des pièges qui crachent des flammes, un réseau de casemates avec viseur périscopique. Ils ont assez de stock pour balancer des obus dans la mer tous les jours, toute la journée, pendant toute une année.

Ici, dit-on, un millier d'Allemands sont prêts à mourir. Ou cinq mille. Peut-être plus.

Saint-Malo : l'eau cerne la cité de toutes parts. Son rattachement au reste de la France est ténu : une chaussée surélevée, un pont, une langue de sable. Ils sont : « Malouins d'abord, Bretons peut-être, Français s'il en reste. »

Par temps d'orage, son granit prend des reflets bleus. Les jours de grandes marées, la mer s'infiltre dans les sous-sols jusqu'au cœur de la ville. Lorsqu'elle se retire, on peut voir émerger une multitude d'épaves aux flancs colonisés par les anatifes.

Au cours de son histoire, ce petit promontoire en a connu des sièges.

Mais rien de comparable.

Une grand-mère serre un bambin grincheux contre sa poitrine. Un ivrogne, qui pissait dans une ruelle à l'extérieur de Saint-Servan, une commune voisine, ramasse un tract sur une haie. *Message urgent aux habitants de cette ville Dispersez-vous dans la campagne.*

Sur les îles au large, des batteries anti-aériennes lancent des éclairs, et dans la vieille ville les grosses pièces d'artillerie allemandes crachent des obus qui miaulent par-dessus la mer, et trois cent quatre-vingts Français emprisonnés au fort National, bastion dressé sur son rocher, à quatre cents mètres de la plage, se blottissent dans la cour éclairée par la lune et scrutent le ciel.

Après quatre années d'occupation, qu'annonce donc le vrombissement de ces bombardiers ? La délivrance ? L'éradication ?

Crépitements d'armes légères. Grosse caisse de la DCA allemande. Une dizaine de pigeons, qui étaient perchés sur la flèche de la cathédrale, se laissent tomber à pic et virent en direction de la mer.

4 rue Vauborel

Plantée dans sa chambre, Marie-Laure Leblanc hume un tract qu'elle ne peut pas lire. La sirène ulule. Elle referme les persiennes et la fenêtre. À chaque seconde, les avions se rapprochent ; chaque seconde est une seconde perdue. Elle devrait se ruer au rez-de-chaussée. Gagner le coin de la cuisine où une petite trappe ouvre sur une cave pleine de poussière, de tapis rongés par les souris et de vieilles malles qui n'ont pas été ouvertes depuis longtemps.

Mais elle revient vers la table au bout du lit et s'agenouille devant la maquette.

De nouveau, ses doigts trouvent les remparts, le Bastion de la Hollande, le petit escalier qui en descend. À cette fenêtre-ci, juste là, dans la ville réelle, une femme bat ses tapis tous les dimanches. De celle-là, un garçon lui cria un jour : *Regarde où tu vas, t'es aveugle ou quoi ?*

Les carreaux vibrent. La DCA lâche une autre salve d'obus. La Terre tourne un peu plus sur son axe.

Sous ses doigts, la minuscule rue d'Estrées croise la minuscule rue Vauborel. Ses doigts tournent à droite, effleurent des embrasures. Un deux trois. Quatre. Combien de fois a-t-elle fait cela ?

Le 4 : pigeonnier délabré de son grand-oncle Étienne. Où elle vit depuis quatre ans. Où elle se trouve agenouillée au cinquième étage, seule, tandis qu'une escadrille de bombardiers américains fonce dans sa direction.

Elle presse la mini porte d'entrée, un pêne invisible se libère et la petite maison se désolidarise de l'ensemble. C'est à peu près le volume d'un paquet de cigarettes.

À présent, les bombardiers sont si proches que le sol commence à trembler sous ses genoux. Dans le couloir, les pampilles du lustre au-dessus de l'escalier carillonnent. Marie-Laure imprime à la cheminée une torsion de quatre-vingt-dix degrés. Puis elle fait coulisser les trois panneaux de bois formant le toit, et la retourne.

Un caillou tombe dans sa paume.

C'est froid. Gros comme un œuf de pigeon. En forme de poire.

Marie-Laure serre la maison dans une main et le caillou dans l'autre. La chambre semble toute frêle, vulnérable. Comme si des doigts de géant étaient sur le point d'en perforer les murs.

– Papa ?

Cave

Sous le vestibule de l'hôtel des Abeilles, une cave de corsaire a été taillée dans le roc. Derrière les caisses, placards et rangées d'outils, les murs sont en granit. Trois madriers, rapportés de quelque forêt druidique par un attelage de chevaux, il y a des siècles, soutiennent le plafond.

Une ampoule projette des ombres changeantes.

Installé sur un pliant, devant un établi, Werner Pfennig vérifie l'alimentation et coiffe ses écouteurs. La radio est un émetteur-récepteur sous boîtier d'acier avec une antenne 160m. Elle lui permet de communiquer avec un équipement identique à l'étage, deux autres batteries anti-aériennes dans la ville, et le poste de commandement de la garnison souterraine situé un peu plus haut sur la Rance.

L'émetteur-récepteur bourdonne – il chauffe. Un observateur extérieur transmet des coordonnées, qu'un artilleur répète. Werner se frotte les yeux. Derrière lui, des trésors confisqués s'entassent jusqu'au plafond : tapisseries roulées, horloges comtoises, armoires et très grandes peintures de paysages toutes craquelées. Sur une étagère en face, huit ou neuf têtes en plâtre – Dieu sait à quoi elles pouvaient bien servir.

Frank Volkheimer, le robuste Oberfeldwebel, descend l'étroit escalier de bois et passe la tête sous les poutres. Il lui sourit et prend place dans un fauteuil de style tapissé de soie jaune, sa carabine en travers de ses énormes cuisses où elle a l'air d'un jouet.

– Ça commence ? demande Werner.

Volkheimer acquiesce. Il éteint sa torche et ses paupières aux cils étrangement féminins clignent dans la pénombre.

– Ça va durer longtemps ?

– Non. Ici, on est en sécurité.

L'ingénieur, Bernd, est le dernier à arriver. C'est un petit homme aux cheveux ternes, affecté d'un strabisme divergent. Il referme la porte derrière lui, replace la barre et s'assoit sur une marche, les traits crispés. Peur ou détermination – c'est difficile à dire.

Maintenant que la porte est fermée, le hululement des sirènes s'atténue. Au-dessus de leurs têtes, l'ampoule faiblit.

L'eau, songe Werner. J'ai oublié l'eau.

Une seconde batterie anti-aérienne tire depuis un autre quartier de la ville, puis le 88 à l'étage tonne de nouveau, puissant, meurtrier, et Werner suit le sifflement des obus dans le ciel. Il pleut des cascades de poussière du plafond. À travers ses écouteurs, il peut encore entendre les Autrichiens chanter.

– ... *auf d'Wulda, auf d'Wulda, da scheint d'Sunn a so gulda...*

Volkheimer gratte distraitement une petite tache sur son pantalon. Bernd souffle dans ses mains en coupe. L'émetteur grésille, sensible à la vitesse des vents, à la pression atmosphérique, aux trajectoires. Werner songe au passé : Frau Elena penchée sur lui pour nouer ses lacets. La circonvolution des étoiles devant la lucarne. Sa petite sœur, Jutta, avec un édredon sur les épaules et un écouteur à l'oreille.

À l'étage, les Autrichiens chargent un nouvel obus dans la culasse fumante du canon, revérifient la traverse et se bouchent les oreilles à l'instant du tir, mais ici Werner n'entend que les voix radiophoniques de son enfance. *La déesse de l'Histoire abaisse son regard vers la Terre. C'est seulement à travers les feux les plus brûlants que la purification peut s'opérer.* Il voit une forêt de tournesols mourants. Il voit une nuée d'étourneaux jaillir d'un arbre.

Bombardement

Dix-sept, dix-huit, dix-neuf, vingt. À présent, la mer défile à toute vitesse sous les viseurs. Puis, voici des toits. Deux appareils plus petits marquent le corridor avec de la fumée, le bombardier de tête largue sa cargaison, et onze autres l'imitent aussitôt. Les bombes tombent en diagonale ; les forteresses volantes remontent et décampent.

De sinistres taches noires obscurcissent le ciel. Le grand-oncle de Marie-Laure, interné avec plusieurs centaines d'autres dans le fort National, à quatre cents mètres du rivage, cligne des yeux et un proverbe de l'Ancien Testament, lointain souvenir d'une ennuyeuse heure de catéchisme, lui revient en mémoire : *Les sauterelles n'ont point de roi, mais elles sortent toutes par divisions.*

Horde démoniaque. Sacs de haricots renversés. Une centaine de rosaires cassés. Il y a mille métaphores, toutes aussi inadéquates : quarante bombes par appareil, quatre cent quatre-vingts en tout, trente-six tonnes d'explosifs.

Une avalanche s'abat sur la ville. Un ouragan. Des tasses à café dégringolent. Des tableaux se décrochent. Ensuite, on n'entend plus les sirènes. On n'entend plus rien. Le vrombissement est devenu assez puissant pour causer des lésions à l'oreille interne.

Les pièces d'artillerie tirent leurs derniers obus. Douze bombardiers se replient, intacts, dans le ciel bleu.

Au cinquième étage du 4 rue Vauborel, Marie-Laure rampe sous le lit et presse le diamant et la maisonnette contre sa poitrine.

Dans la cave de l'hôtel des Abeilles, l'ampoule au plafond s'éteint.

Un

1934

Muséum national d'histoire naturelle

Marie-Laure Leblanc est une fillette de six ans, grande pour son âge et au visage semé de taches de rousseur, dont la vue se dégrade rapidement à l'époque où son père l'emmène visiter le musée où il travaille. Le guide est un vieux gardien bossu, lui-même à peine plus grand qu'un gamin. De sa canne il frappe le sol pour qu'on l'écoute, puis entraîne la douzaine d'enfants à travers les jardins et dans les galeries.

Ils regardent des mécaniciens soulever un fémur de dinosaure fossilisé à l'aide de poulies. Ils voient une girafe empaillée dans un placard, le dos pelé. Ils scrutent l'intérieur de tiroirs de taxidermistes pleins de plumes, de serres et d'yeux en verre. Ils feuillettent un herbier vieux de deux cents ans, orné d'orchidées, de marguerites, de plantes.

Finalement ils gravissent seize marches et découvrent la galerie de Minéralogie. Le guide leur montre des agates du Brésil, des améthystes violettes et une météorite sur un piédestal qui est, affirme-t-il, aussi ancienne que le système solaire. Puis ils descendent à la file indienne deux escaliers en colimaçon et passent par plusieurs corridors avant de stationner devant une porte en acier percée d'un seul trou de serrure.

– Fin de la visite, dit-il.

– Et derrière cette porte, qu'est-ce qu'il y a ? demande une gamine.

– Derrière cette porte, il y a une autre porte fermée à clé, un peu plus petite.

– Et derrière ?

– Une troisième porte, encore plus petite.

– Et derrière ?

– Une quatrième, et une cinquième, et ainsi de suite, jusqu'à la treizième, une porte pas plus grande qu'une chaussure.

Les enfants se penchent en avant.

– Et alors... ?

– Derrière la treizième porte, – le guide fait un moulinet de sa main fantastiquement ridée – se trouve l'Océan de Flammes.

Perplexité. Trémoussements.

– Allons donc ! Vous n'avez jamais entendu parler de l'Océan de Flammes ?

Les enfants font non de la tête. Marie-Laure lève les yeux vers les ampoules suspendues à trois mètres d'intervalle au plafond. Chacune crée un halo aux couleurs de l'arc-en-ciel qui tourbillonne dans son champ de vision.

Le guide accroche sa canne à son poignet et se frotte les mains.

– C'est une longue histoire. Ça vous intéresse ?

Ils font signe que oui et il se racle la gorge.

– Il y a bien longtemps, sur l'actuelle île de Bornéo, un prince ramassa un beau caillou bleu dans le lit d'un cours d'eau à sec. Mais en retournant au palais, il fut attaqué par des brigands et poignardé en plein cœur.

– En plein cœur ?

– C'est vrai ?

– Chut ! fait un petit garçon.

– On lui déroba ses bagues, son cheval, tout. Mais comme le petit caillou se trouvait dans son poing, les brigands ne l'avaient pas vu. Le prince réussit à se traîner jusque chez lui. Là, il perdit connaissance et resta entre la vie et la mort pendant dix jours. Au onzième jour, au grand étonnement des infirmières qui le soignaient, il se redressa et ouvrit le poing, révélant la pierre. Les médecins du sultan, son père, crièrent au miracle, dirent qu'on ne pouvait pas survivre à une blessure pareille. Les femmes, que cette pierre devait avoir des vertus singulières. Les joailliers du sultan, eux, affirmèrent autre chose : que c'était le plus gros diamant brut qu'on eût jamais vu. Le plus doué des lapidaires passa quatre-vingts jours à le facetter, après quoi il devint d'un bleu lumineux, le bleu des mers tropicales, mais avec une touche de rouge au centre, comme des flammes à l'intérieur d'une goutte d'eau. Le sultan le fit sertir dans une couronne pour le prince, et on dit que lorsque celui-ci la portait au soleil, l'effet était si éblouissant qu'on ne distinguait plus son visage.

— Alors, c'est bien vrai ? demanda une fillette.

— Chut ! dit le petit garçon.

— On appela ce diamant l'Océan de Flammes. Certains croyaient que le prince était un dieu, et qu'aussi longtemps qu'il détiendrait cette pierre, il serait immortel. Mais il arriva ce phénomène étrange : plus le prince arborait cette couronne, plus les malheurs s'abattaient sur lui. En l'espace d'un mois, l'un de ses frères se noya, un autre succomba à une morsure de serpent. Quelque temps après, son père périssait d'une maladie. Et comme si ça ne suffisait pas, les éclaireurs annoncèrent qu'une grande armée était en train de se rassembler à l'est. Le prince convoqua les conseillers de son père. Tous décrétèrent qu'il fallait se préparer à la guerre, sauf un prêtre, qui affirma avoir fait un rêve. Dans ce rêve, la Déesse de la Terre lui disait qu'elle avait fabriqué et jeté dans la rivière l'Océan de Flammes à l'intention de son amant, le Dieu des Mers, mais lorsque la rivière s'était asséchée et que le prince avait ramassé ce diamant, elle était devenue folle de rage. Et elle avait maudit cette pierre, et quiconque la détiendrait.

Tous les enfants tendent l'oreille. Marie-Laure aussi.

– La malédiction était plus précisément celle-ci : le possesseur serait immortel, mais tant que ce diamant serait en sa
possession, le sort s'acharnerait sur tous les êtres chers à son
cœur. En revanche, s'il le jetait dans la mer, le livrant ainsi à
son véritable destinataire, alors la malédiction serait levée...
Le prince, devenu sultan, réfléchit pendant trois jours et
trois nuits, et décida finalement de le conserver. Ce diamant
lui avait sauvé la vie, il se croyait donc invulnérable... Et le
prêtre eut la langue tranchée.

– Aïe ! fait le plus jeune des garçons.

– Quel idiot ! fait la plus grande des filles.

– Les envahisseurs pillèrent et saccagèrent le palais, tuant
tous ceux qui s'y trouvaient, et le prince disparut. Pendant
deux cents ans on n'entendit plus parler de l'Océan de
Flammes... Certains pensaient que le diamant avait été
retaillé en de plus petites pierres, d'autres que le prince
l'avait toujours sur lui, qu'il était au Japon ou en Perse,
qu'il était devenu un humble fermier à l'éternelle jeunesse.
C'est là que s'arrête l'histoire. Jusqu'au jour où un négo-
ciant, au cours d'un voyage en Inde, dans la région de Gol-
conde et ses mines, vit un gros diamant poire. Cent
trente-trois carats. Pureté quasi parfaite. Gros comme un
œuf de pigeon, et aussi bleu que l'océan, mais avec une
flamme rouge au centre. Il en fit exécuter un moulage et
l'expédia à un amateur, un duc de Lorraine, le prévenant
de cette rumeur de malédiction. Mais cet homme s'enticha
du joyau. Aussi le marchand le rapporta-t-il en Europe, et
le duc le fit monter sur le pommeau de la canne dont il ne
se séparait jamais.

– Oh oh...

– Un mois plus tard, la duchesse avait contracté une maladie de la gorge. Deux de leurs plus fidèles domestiques tom-
bèrent du toit et se rompirent le cou. Puis leur fils unique
mourut des suites d'une chute de cheval. Bien que n'ayant

36

jamais eu meilleure mine, le duc n'osait plus sortir et appré-
hendait les visites. Finalement, il demanda au roi de garder
ce diamant dans son musée – dans un coffre fabriqué tout
exprès qui ne pourrait être rouvert que deux cents ans plus
tard.

— Et alors ?

— Alors, il s'est passé cent quatre-vingt-seize ans depuis...

Les enfants se taisent. Plusieurs comptent sur leurs doigts.
Puis, ils lèvent la main tous ensemble.

— On peut le voir ?

— Non.

— Ouvrir la première porte ?

— Non.

— Et vous, vous l'avez vu ?

— Non.

— Alors qui vous dit que c'est bien là ?

— Il faut croire en la légende.

— Ça vaut cher, monsieur ? Ça pourrait acheter la tour
Eiffel ?

— Un diamant aussi gros et rare pourrait sûrement acheter
cinq tours Eiffel !

Soupirs.

— Toutes ces portes, c'est contre les voleurs ?

— Et si, dit le gardien avec un clin d'œil, c'était pour faire
barrage à la malédiction... ?

Le silence retombe. Deux ou trois enfants reculent d'un
pas.

Marie-Laure retire ses lunettes, et tout se brouille.

— Pourquoi ne pas le jeter dans la mer ? dit-elle.

Le gardien la regarde. Les autres enfants aussi.

— Jeter *cinq* tours Eiffel ? lance un grand.

Rire général. Marie-Laure prend l'air perplexe. Ce n'est
qu'une porte en acier avec une serrure en laiton.

La visite se termine, les enfants se dispersent et Marie-
Laure retourne dans la Grande Galerie avec son père. Elle

37

repousse ses lunettes sur son nez et ôte une feuille qui était dans ses cheveux.

– Tu t'es bien amusée, ma chérie ?

Un moineau tombé des chevrons se pose à ses pieds. Marie-Laure tend la main. Le moineau penche la tête, indécis, puis s'envole à tire-d'aile.

Un mois plus tard, elle est aveugle.

Zollverein

Werner Pfennig grandit à cinq cents kilomètres de Paris dans un endroit nommé le Zollverein : un complexe industriel de mille six cents hectares autour d'une mine de charbon près d'Essen, dans le bassin de la Ruhr. Un pays d'acier et d'anthracite, criblé de trous. Cheminées qui fument et locomotives qui vont et viennent sur des conduites surélevées – arbres dépouillés, dressés au sommet de terrils comme des mains de squelette surgies des Enfers.

Werner et sa petite sœur, Jutta, sont élevés dans le home d'enfants, un orphelinat en petites briques rouges dans Viktoriastrasse dont les pièces sont habitées par la toux d'enfants malades, les pleurs des nouveau-nés, les malles cabossées où sommeillent les dernières possessions des parents défunts : robes rapiécées, argenterie ternie, daguerréotypes jaunis représentant des pères engloutis par la mine.

Les premières années de Werner sont les plus difficiles. Les hommes se disputent le travail aux portes du Zollverein, un œuf de poule coûte deux millions de reichsmarks, et le rhumatisme articulaire aigu fait des ravages dans l'établissement. Ni beurre ni viande. Les fruits ne sont plus qu'un souvenir. Certains soirs, la directrice n'a rien d'autre à offrir à ses pupilles que des gâteaux à base de poudre de moutarde et d'eau.

Mais Werner, huit ans, semble flotter. Il est trop petit pour son âge, a les oreilles décollées et parle d'une voix douce et haut perchée. La blancheur de ses cheveux étonne. Neigeuse, laiteuse, crayeuse. Une couleur qui est l'absence de couleur. Tous les matins il noue ses lacets, fourre des journaux sous son manteau pour se protéger du froid et commence à questionner le monde. Il capture des flocons de neige, des têtards, des grenouilles en hibernation ; il parvient à se faire donner du pain par des boulangers qui n'en ont pas à vendre ; il réapparaît régulièrement dans la cuisine avec du lait frais pour les nourrissons. Et il fabrique aussi : boîtes en carton, biplans rudimentaires, petits voiliers avec un gouvernail qui fonctionne.

Régulièrement, il étonne la directrice par ses questions qui n'ont pas de réponse : « Pourquoi on a le hoquet, Frau Elena ? »

Ou : « Si la lune est si grosse, pourquoi paraît-elle si petite ? »

Ou : « Une abeille sait-elle qu'elle va mourir si elle pique quelqu'un ? »

Frau Elena est une religieuse protestante d'origine alsacienne qui aime plus les enfants que la discipline. Elle chante des chansons françaises d'une voix stridente, a un faible pour le vin cuit, et s'endort régulièrement debout. Certains soirs, elle leur permet de se coucher tard et leur raconte des histoires en français qui ont pour sujet son enfance blottie contre les montagnes – six pieds de neige sur les toits, crieurs publics, rivières fumant dans le froid et vignes blanches de givre : tout un univers féerique.

– Les sourds, ils entendent battre leur cœur, Frau Elena ?

– Pourquoi la colle ne se colle pas à la paroi du flacon ?

Elle rit. Elle lui ébouriffe les cheveux, lui chuchote :

– On dit que tu es trop petit, Werner, que tu viens de rien, que tu ne devrais pas avoir de grands rêves. Mais moi, je crois en toi. Je crois que tu feras de grandes choses.

Ensuite, elle l'envoie se coucher dans le lit de camp qu'il s'est adjugé au grenier, placé sous une lucarne.

Parfois, Jutta et lui dessinent. La petite se faufile dans le lit de camp et, couchés sur le ventre, ils se passent et se repassent un crayon. Jutta, qui a deux ans de moins, est la plus douée. Elle aime par-dessus tout dessiner Paris, qu'elle ne connaît que par une seule photo, au dos d'un des romans d'amour de Frau Elena : toitures à la Mansart, immeubles dans la brume, la charpente en fer de la tour Eiffel. Elle dessine des gratte-ciel qui se tordent, des ponts compliqués, des grappes de silhouettes au bord d'une rivière.

D'autres fois, après la classe, il la remorque à travers le complexe minier dans un wagonnet de fortune. Ils descendent les longs chemins gravillonnés, passent devant des corons, des barils où brûlent des ordures, des chômeurs prostrés toute la journée sur des caisses retournées, figés comme des statues. De temps en temps, une roue se détache et Werner s'accroupit patiemment pour remettre les boulons. Tout autour d'eux, les travailleurs de la deuxième équipe s'engouffrent dans les baraques en traînant les pieds, tandis que ceux de la première retournent chez eux, le dos rond, la faim au ventre, avec des têtes de mort toutes noires sous le casque.

– Bonjour ! lance joyeusement Werner.

Mais en général, ils passent sans répondre, peut-être sans même le voir, les yeux sur la glaise, écrasés par la crise économique comme par l'austère géométrie du complexe.

Les deux enfants tamisent des tas de poussière d'un noir de jais, escaladent des montagnes de machines rouillées. Ils arrachent des baies aux ronces, cueillent des pissenlits dans les champs. Parfois, ils parviennent à glaner des épluchures de pommes de terre ou des fanes de carottes dans des poubelles ; ou alors ils ramassent du papier pour dessiner, de vieux tubes de dentifrice pour en extraire le reste de pâte qui, une fois sec, remplace la craie. De temps en temps, Werner remorque le wagonnet jusqu'à l'entrée principale du

41

Puits 9, le plus grand, qui est enveloppé de bruit, lumineux comme le témoin d'une chaudière, chevauché par le portique de l'élévateur de cinq étages. Balancement des câbles, coups de marteaux, gueulantes, c'est toute la cartographie d'une industrie plissée et ondulée qui s'étire au loin de tous côtés, et ils regardent les berlines remonter de la terre, les mineurs se répandre hors des baraques avec leurs gamelles pour se diriger vers la bouche de l'élévateur comme des insectes attirés vers un piège éclairé.

– Là-dessous, chuchote-t-il à sa sœur. C'est là-dessous que papa est mort.

Et tandis que la nuit descend, il la ramène en silence à travers les lotissements, deux enfants aux cheveux de neige dans un bas-fond de suie, rapportant leurs dérisoires trésors au 3 Viktoriastrasse, où Frau Elena contemple le poêle à charbon tout en chantant une berceuse en français d'une voix lasse, un bambin tirant sur les cordons de son tablier tandis qu'un autre hurle dans ses bras.

Dépôt des clés

Cataracte congénitale. Bilatérale. Inopérable. « Tu peux voir ceci ? » lui demandent les médecins. « Et cela ? » Marie-Laure ne verra plus rien jusqu'à la fin de ses jours. Des espaces jadis familiers – le quatre-pièces qu'elle occupe avec son père, le petit square entouré d'arbres au bout de la rue – sont devenus des labyrinthes truffés de pièges. Les tiroirs ne sont jamais à leur place. Les WC, un abîme. Un verre d'eau est trop près, trop loin. Ses doigts sont trop gros, toujours trop gros.

C'est quoi, être aveugle ? Là où devrait être le mur, ses mains ne trouvent rien. Là où devrait être le vide, un pied de table la blesse au tibia. Les voitures grondent dans la rue, des feuillages bruissent dans le ciel, le sang chuinte dans ses oreilles. Dans l'escalier, dans la cuisine, et même près de son lit, des voix d'adultes parlent de désespoir.

– Pauvre petite.

– Pauvre monsieur Leblanc.

– C'est malheureux, tout de même. Son père à lui qui meurt à la guerre, sa femme en couches. Et maintenant...

– Le sort s'acharne.

– Pauvre petite. Pauvre homme...

– Il devrait l'expédier quelque part.

Temps de détresse et d'ecchymoses – pièces qui tanguent comme des voiliers, portes à moitié ouvertes qui lui claquent

43

au nez. Son seul refuge, c'est son lit, quand elle est enfouie sous l'édredon et que son père fume dans le fauteuil juste à côté, sculptant une maquette, donnant ses petits coups de marteau, le papier de verre produisant un chuchotis rythmé et apaisant.

Le désespoir ne dure pas. Marie-Laure est trop jeune et son père trop patient. Le désespoir, assure-t-il, ça n'existe pas. Il y a la chance, et la malchance. Une légère orientation de chaque journée vers le succès ou l'échec. Mais les malédictions, non.

Six fois par semaine, il la réveille avant l'aube, et elle garde les bras en l'air le temps qu'il l'habille. Chaussettes, robe, pull-over. S'ils ont le temps, elle doit essayer de lacer ses chaussures elle-même. Puis ils boivent une tasse de café ensemble dans la cuisine : chaud, fort, aussi sucré qu'elle le souhaite.

À six heures quarante, elle reprend sa canne blanche, passe un doigt dans la ceinture de son père, et descend à sa suite les quatre volées de marches, remonte les six pâtés de maisons jusqu'au musée.

Il ouvre l'Entrée n° 2 à sept heures pile. À l'intérieur, les odeurs familières : rubans de machines à écrire, parquets cirés, poussière de roche. Les échos de leurs pas dans la Grande Galerie. Il salue un veilleur de nuit, puis un gardien, toujours ce même mot qui se répète : *Bonjour, bonjour.*

Deux tours à gauche, un tour à droite. Le trousseau de clés de son père tinte. Une serrure cède, une porte s'ouvre.

À l'intérieur du dépôt des clés, dans six vitrines, des centaines de clés sont accrochées. Il y a des ébauches et des passe-partout, des clés bénardes à l'anneau travaillé, des clés de monte-charges et des clés d'armoires. Des clés longues comme l'avant-bras de Marie-Laure et d'autres plus petites que son pouce.

Son père est le serrurier en chef du Muséum d'histoire naturelle. Entre les laboratoires, les entrepôts, quatre musées

44

publics distincts, la ménagerie, les serres, les hectares de jardins médicinaux ou décoratifs et une douzaine de portails et pavillons, il estime à douze mille le nombre de serrures au total. Personne ne serait en mesure de le contredire.

Tous les matins, il se poste à l'extérieur du dépôt pour distribuer les clés aux employés : les gardiens de zoo sont les premiers à arriver, le personnel administratif débarque vers huit heures, les techniciens, bibliothécaires et collaborateurs scientifiques défilent ensuite, puis les chercheurs, au compte-gouttes. Tout est numéroté et codé par couleur. Tous les employés, depuis les conservateurs jusqu'au directeur, ne doivent jamais se séparer de la ou des clés. Nul n'est autorisé à quitter son bâtiment en les emportant, ou à les laisser sur un bureau. Après tout, le musée possède des jades du XIIIe siècle d'une valeur inestimable, des cavansites d'Inde et des rhodochrosites du Colorado ; derrière une serrure conçue par son père, il y a un bol de pharmacie florentin sculpté dans du lapis-lazuli qui attire des spécialistes du monde entier.

Son père l'interroge. Clé de coffre ou de cadenas, Marie ? Clé de placard ou à verrou ? Il la met à l'épreuve au sujet de l'emplacement des vitrines, le contenu des armoires. Il place sans arrêt des objets insolites dans ses mains : ampoule, poisson fossilisé, plume de flamant rose.

Tous les matins, pendant une heure – même le dimanche –, il l'installe devant un alphabet braille. *A*, c'est un point en haut à gauche. *B*, deux points à gauche, l'un sous l'autre. *Jean-va-chez-le-boulanger. Jean-va-chez-le-crémier.*

L'après-midi, elle l'accompagne dans sa ronde. Il lubrifie des verrous, restaure des portes d'armoire, fait reluire des plaques de propreté. Les couloirs succèdent aux couloirs, les galeries aux galeries. D'étroits corridors débouchent sur d'immenses bibliothèques ; des portes vitrées ouvrent sur des serres chaudes aux suffocantes odeurs d'humus, de papier journal humide et de lobélies. Il y a des ateliers de menuisier,

45

de taxidermiste, des hectares de rayonnages et de tiroirs à spécimens, des musées entiers au sein du musée.

Certains après-midi, il la laisse dans le laboratoire de M. Gérard, un spécialiste des mollusques dont la barbe sent en permanence la laine mouillée. À chaque fois, le professeur s'interrompt dans sa tâche pour déboucher une bouteille de Cahors et lui parler de sa voix légère des récifs qu'il a vus dans sa jeunesse : les Seychelles, le Belize, Zanzibar. Il l'appelle Laurette ; il mange du canard rôti tous les jours, à trois heures de l'après-midi. Son esprit abrite un catalogue apparemment inépuisable de noms latins.

Sur le mur du fond, il y a des placards aux tiroirs innombrables, qu'il lui permet d'ouvrir l'un après l'autre pour tenir des coquillages dans ses mains : buccins, olives, volutes impériales de Thaïlande, conques araignées de Polynésie – le musée en possède plus de dix mille spécimens, plus de la moitié des espèces connues dans le monde entier, et Marie-Laure en manipule la plupart.

– Celui-ci, Laurette, appartenait à un escargot de mer violet, un escargot aveugle qui ne vit qu'à la surface des océans. Il se fabrique des bulles de mucus, qui forment une espèce de radeau. Ensuite, il se laisse porter par les courants, se nourrissant des invertébrés aquatiques qui flottent. Mais si jamais il perd son radeau, il coule et meurt...

Un *Carinaria* est simultanément léger et lourd, dur et mou, lisse et rugueux. Le murex sur le bureau du professeur l'enchante. Les épines creuses, les spires striées, l'orifice profond – c'est une forêt de piquants, de grottes et de textures : tout un royaume.

Ses mains bougent sans arrêt, s'informant, sondant, testant. Les plumes sur la poitrine d'une mésange naturalisée sont d'une douceur merveilleuse, son bec pique comme une aiguille. Le pollen au bout des anthères de tulipe est moins de la poudre que de minuscules boulettes huileuses. Toucher réellement quelque chose – écorce d'un sycomore dans les jardins, lucane épinglé au département d'Entomologie, l'intérieur merveilleusement poli d'une coquille Saint-Jacques dans l'atelier de M. Gérard – c'est l'aimer.

À la maison, son père range leurs souliers dans le même cagibi, suspend leurs manteaux à la même patère. Pour atteindre la table de la cuisine, Marie-Laure franchit six espaces délimités par des bandes au sol ; elle suit un bout de ficelle qu'il a tiré entre cette table et les WC. Il sert le dîner dans un plat rond et indique l'emplacement des aliments comme sur un cadran d'horloge. Pommes de terre à six heures, ma chérie. Champignons à trois heures. Puis il allume une cigarette et reprend sa place à son établi, dans un coin de la cuisine. Il est en train de fabriquer une maquette de tout le quartier, les immeubles aux hautes fenêtres, les chéneaux, la laverie et la boulangerie, la petite place au bout de la rue avec ses quatre bancs et ses dix arbres. Quand la nuit est douce, Marie-Laure ouvre la fenêtre de sa chambre et écoute le silence qui descend sur les balcons, les façades et les cheminées, languissant et paisible – à la longue, le quartier réel et l'autre finissent par se confondre dans son esprit.

Le mardi, les musées sont fermés. Son père et elle font la grasse matinée, ils boivent du café sirupeux. Ils se promènent jusqu'au Panthéon ou au marché aux fleurs, ou bien le long de la Seine. De temps en temps, ils vont chez le libraire. Il lui tend un dictionnaire, un journal, un magazine plein de photos.

– Combien de pages, Marie-Laure ?

Elle passe l'ongle sur la tranche.

– Cinquante-deux ? Sept cent cinq ? Cent trente-neuf ?

Il lui caresse les cheveux, la soulève dans les airs. Il dit qu'elle fait son émerveillement. Il dit qu'il ne la quittera jamais. Jamais.

Radio

Werner, neuf ans, est en train de fureter parmi des ordures, derrière une remise, quand il découvre ce qui ressemble à une grosse bobine de fil. Un cylindre enveloppé de fil de cuivre pris en sandwich entre deux disques en bois. Trois fils électriques effilochés en jaillissent. Il y a un petit écouteur pendu à l'extrémité de l'un d'eux.

Jutta, sept ans, visage rond entouré d'un toupet blanc, est accroupie auprès de lui.

– Qu'est-ce que c'est ?

– Je crois, répond Werner, qui a l'impression qu'une porte dans le ciel vient de s'ouvrir, que c'est une radio.

Jusqu'à présent, il n'avait fait qu'en entrevoir : un gros meuble TSF à travers les rideaux en dentelle chez un fonctionnaire, une radio portative dans un dortoir de mineurs, une autre dans le réfectoire de la paroisse. Il n'en avait jamais touché.

Les enfants rapportent l'appareil en douce à l'orphelinat et l'examinent à la lumière artificielle. Ils le nettoient, démêlent l'écheveau de câbles, retirent la terre souillant l'écouteur.

Ça ne marche pas. D'autres enfants viennent se planter au-dessus d'eux et s'extasient, mais s'en désintéressent bientôt et concluent qu'il n'y a rien à en tirer. Mais Werner l'emporte au grenier et l'étudie pendant des heures devant la lucarne.

Il déconnecte tout ce qui peut l'être, dispose les éléments par terre et les expose, un par un, à la lumière.

Trois semaines plus tard, par un bel après-midi ensoleillé, alors que tous les autres gosses du Zollverein doivent être dehors, il remarque que le fil de cuivre le plus long, un mince filament entortillé des centaines de fois autour du cylindre central, a été entaillé en divers endroits. Lentement, méticuleusement, il le déroule, apporte le tout au rez-de-chaussée, et appelle Jutta pour lui demander de tenir les éléments tandis qu'il confectionne des épissures. Ensuite, il rembobine l'ensemble.

– Et maintenant, voyons…

Collant l'écouteur à son oreille, il passe ce qui doit être l'épingle d'accord le long du cylindre.

Friture. Puis, des profondeurs de l'écouteur, jaillit un flot de consonnes. Son cœur s'arrête – la voix semble résonner sous la coupole de son crâne.

Ce son s'évanouit aussi rapidement qu'il était venu. Il déplace l'épingle de quelques millimètres. Friture, de nouveau. Encore quelques millimètres. Rien.

Dans la cuisine, Frau Elena pétrit la pâte à pain. Des garçons crient dans la sente. Werner déplace l'épingle dans les deux sens.

Friture, friture.

Il est sur le point de tendre l'écouteur à Jutta lorsque – limpides et vierges de toute impureté, à peu près au milieu du cylindre – il entend des coups d'archet vifs et dramatiques sur les cordes d'un violon. Il s'efforce de tenir l'épingle parfaitement immobile. Un second violon se joint au premier. Jutta se rapproche ; elle observe son frère avec des yeux comme des soucoupes.

Un piano chasse les violons. Puis des instruments à vent. Les cordes s'emballent, les bois papillonnent derrière. D'autres instruments s'y mettent. Flûtes ? Harpes ? La musique file, semble se retourner sur elle-même.

– Werner ? chuchote la petite.

Il cille, doit refouler ses larmes. Le salon est comme avant : deux berceaux sous un crucifix, de la poussière qui flotte dans la gueule ouverte du poêle, des dizaines de couches de peinture sur les plinthes qui s'écaillent. Au-dessus de l'évier, une tapisserie représentant le village alsacien de Frau Elena sous la neige. Sauf qu'à présent, il y a la musique. Comme si, dans la tête de Werner, un orchestre minuscule s'était animé.

La pièce semble partir lentement en vrille. Sa sœur prononce son nom plus anxieusement et il lui passe l'écouteur.

– De la musique…, dit-elle.

Il ne bouge plus du tout. Le signal est si faible que, malgré la proximité de l'écouteur, il n'entend plus rien. Mais il voit le visage de sa sœur, où plus rien ne tressaille à part ses paupières, et dans la cuisine Frau Elena le regarde, la tête penchée, ses mains blanches de farine, tandis que deux autres garçons plus âgés que lui, qui rentraient en courant, s'arrêtent, sensibles au changement d'atmosphère, et que la petite radio est là, avec son antenne, par terre, au milieu d'eux comme un miracle.

Ramène-nous à la maison

En général, elle arrive à résoudre les casse-tête que son père a imaginés pour son anniversaire. Souvent, ils ont la forme d'une maison en bois qui renferme une babiole. Pour l'atteindre, il faut déjouer une série de chausse-trappes : trouver un joint avec ses ongles, faire coulisser le fond vers la droite, détacher un rail latéral, retirer la clé qui s'y dissimulait, déverrouiller la partie supérieure, et découvrir le bracelet niché à l'intérieur.

Pour ses sept ans, un petit chalet se trouve au milieu de la table de la cuisine, à la place du sucrier. Elle fait glisser un tiroir secret, trouve le double fond, en sort une clé en bois et insère celle-ci à l'intérieur de la cheminée. Là, l'attendait un carré de chocolat suisse.

– Quatre minutes ! fait son père en riant. Il faudra que je me surpasse l'an prochain...

Longtemps toutefois, à la différence de ces boîtes, la maquette du quartier garde tout son mystère. Ce n'est pas comme dans la réalité. Le carrefour de la rue de Mirbel et de la rue Monge, par exemple, tout près de l'appartement, ne ressemble en rien au véritable carrefour. Le vrai est un amphithéâtre de bruits et de parfums. En automne, ce sont les gaz d'échappement et l'huile de ricin, le pain chaud, le camphre provenant de la pharmacie, les delphiniums, les pois de senteur et les roses de la fleuriste. Les jours d'hiver, ce sont les marrons chauds. Les soirs d'été, tout est ralenti et somnolent, plein de conversations ensommeillées et de raclements de lourdes chaises en fer.

Mais le carrefour en réduction sent seulement la colle séchée et la sciure. Les rues sont désertes, les chaussées statiques. Sous ses doigts, ce n'est qu'un petit et insuffisant fac-similé. Son père persiste à lui demander d'y passer les doigts, d'identifier des maisons, les angles des rues. Et par un froid mardi de décembre, alors qu'elle a perdu la vue depuis plus d'un an, il l'emmène en haut de la rue Cuvier, juste à l'entrée du Jardin des plantes.

– Voilà, ma chérie, le chemin qu'on prend tous les matins. Après les cèdres, c'est la Grande Galerie.

– Je sais, papa.

Il la fait pivoter sur elle-même trois fois.

– Et maintenant, tu vas nous ramener à la maison.

Elle en reste muette de stupeur.

– Pense à la maquette, Marie.

– Mais c'est impossible !

– Je serai juste derrière toi. Il ne t'arrivera rien. Tu as ta canne. Tu sais où tu es.

– Non !

– Si.

Exaspération. Elle ne pourrait même pas dire si le jardin est devant ou derrière.

– Calme-toi, Marie. Un centimètre à la fois.

– C'est loin, papa ! Six pâtés de maisons, au moins...

– Exact, six pâtés de maisons. Sois logique. De quel côté faut-il aller tout d'abord ?

Mais le monde pivote et gronde. Croassements de corbeaux, coups de frein. À sa gauche, on frappe sur quelque chose de métallique avec ce qui pourrait être un marteau. Elle s'avance à petits pas jusqu'à ce que la pointe de sa canne rencontre le vide. Bordure du trottoir ? Une mare, un escalier, une falaise ? Elle pivote sur elle-même. Trois pas en avant. À présent, sa canne bute contre un mur.

– Papa ?

– Je suis là.

Six, sept, huit pas. Un vacarme assourdissant – un dératiseur qui sort d'une maison, sa pompe hurlante – les dépasse. À douze pas de là, la clochette fixée à la poignée d'une porte tinte, et les deux clientes qui sortaient de la boutique la bousculent au passage.

Marie-Laure lâche sa canne, fond en larmes.

Son père la soulève dans ses bras, la tient contre sa poitrine étroite.

– C'est si grand..., dit-elle.

– Tu y arriveras, Marie.

Non, elle n'y arrivera pas.

Renaissance

Tandis que les autres jouent à la marelle dans la sente ou nagent dans le canal, Werner reste seul au grenier pour étudier sa radio. Au bout d'une semaine il est capable de la démonter et de la remonter les yeux fermés. Condensateur, inducteur, bobine d'accord, écouteur. Un câble va vers la terre, l'autre vers le ciel. C'est la première fois qu'il se passionne à ce point pour quelque chose.

Il récolte des pièces dans des hangars : fragments de fil de cuivre, vis, tournevis tordu. Il persuade la femme du droguiste de lui donner un écouteur cassé, récupère un solénoïde sur une sonnette jetée aux ordures, le soude à une résistance, et fabrique ainsi un haut-parleur. En un mois il parvient à métamorphoser le récepteur, ajoutant des éléments ici et là, et le connectant à une source d'énergie.

Tous les soirs il transporte la radio au rez-de-chaussée et Frau Elena permet aux enfants d'écouter les programmes pendant une heure. Ils captent des bulletins d'information, des concerts, des opéras, des chœurs nationaux, des spectacles folkloriques – une douzaine d'enfants assis en arc de cercle et Frau Elena au milieu, à peine plus substantielle qu'une enfant elle-même.

Nous vivons une époque passionnante, dit la radio. *Nous ne nous plaignons pas. Nous planterons nos pieds ferme-*

ment dans notre terre et aucune agression ne nous en fera bouger.

Les plus âgées des filles aiment les radio-crochets, la gymnastique, un spot régulier intitulé *Suggestions de saison pour les amoureux* qui fait piailler les plus jeunes. Les garçons préfèrent les pièces radiophoniques, les actualités, les hymnes martiaux. Jutta aime le jazz. Werner aime tout. Violons, cors, tambours, discours – une bouche contre un micro lors d'une soirée lointaine et pourtant simultanée – la sorcellerie de tout cela le captive.

Faut-il s'étonner, demande la radio, *que le courage, l'assurance et l'optimisme emplissent peu à peu le cœur du peuple allemand ? La flamme d'une foi nouvelle n'est-elle pas en train de naître de cet esprit d'abnégation ?*

Et oui, il semble bien, au fil des semaines, qu'une renaissance s'opère. La production minière augmente, le chômage baisse. La viande apparaît sur la table du dimanche soir. Agneau, porc, saucisses – extravagances inconcevables il y a un an. Frau Elena achète un nouveau canapé tapissé de velours côtelé orange et une cuisinière avec des brûleurs dans des ronds noirs. Trois nouvelles bibles arrivent du consistoire à Berlin. Une lessiveuse est livrée côté jardin. Werner a un pantalon neuf. Jutta, une nouvelle paire de chaussures. Le téléphone sonne chez les voisins.

Un après-midi, rentrant de l'école, Werner s'arrête devant l'économat et colle sa figure à la vitrine : une cinquantaine de SA sont en train de parader, chacun avec sa chemise brune, son petit brassard rouge, qui avec des fifres, qui avec des tambours. Quelques officiers chevauchent de brillants destriers noirs. Au-dessus, suspendu à un fil métallique, un hydravion en fer-blanc avec ses patins de bois et une hélice en mouvement décrit une orbite obsédante. Werner le contemple longuement, s'efforçant de deviner le secret de son fonctionnement.

Le soir tombe, automne 1936, et Werner transporte la radio au rez-de-chaussée et la pose sur le buffet, tandis que les autres enfants s'en trémoussent d'avance. Le récepteur bourdonne en chauffant. Werner se recule, mains dans les poches. Par le haut-parleur, un chœur d'enfants chante : *Notre mettons tout notre espoir dans le travail, le travail, le travail, le travail glorieux pour la patrie.* Puis, débute une pièce sponsorisée par l'État à Berlin : des méchants s'introduisent dans un village, la nuit.

Les douze enfants sont cloués sur place. Dans cette dramatique, les méchants sont des propriétaires de grands magasins au nez crochu, des bijoutiers véreux, des banquiers corrompus. Ils vendent de la pacotille ; à cause d'eux, les bons commerçants font faillite. Bientôt, ils projettent d'assassiner des enfants allemands dans leurs lits. Enfin, un humble et vigilant voisin comprend tout. L'alerte est donnée ; les policiers sont de grands gaillards aux voix magnifiques. Ils enfoncent les portes. Ils débarrassent le village de ces parasites. Une marche patriotique retentit. Tout est bien qui finit bien.

Lumière

Mardi après mardi, elle échoue. Elle entraîne son père dans des détours sans fin qui la laissent furieuse, contrariée, et encore plus éloignée de l'appartement qu'au début de l'exercice. Mais au cours de l'hiver de sa huitième année, à sa grande surprise, elle commence à se repérer. Elle passe les doigts sur la maquette dans la cuisine, comptant les bancs, arbres, réverbères, porches. Chaque jour, un nouveau détail ressort – chaque grille d'égout, banc public, bouche d'incendie miniature a sa contrepartie dans la réalité.

Même quand elle se trompe, elle ramène son père toujours plus près de leur domicile. Quatre, trois, deux pâtés de maisons. Et par un mardi neigeux de mars, alors qu'il l'emmène jusqu'à un nouveau point de départ, tout près des quais, la fait pivoter trois fois sur elle-même, et dit : « Ramène-moi à la maison », elle s'aperçoit que, pour la première fois, la peur ne la prend pas aux tripes.

Au lieu de paniquer, elle s'accroupit sur le trottoir.

L'odeur vaguement métallique des flocons qui tombent l'environne. *Calme-toi. Écoute.*

Des automobiles passent le long des rues en éclaboussant les trottoirs, la neige fondue forme des rigoles. Elle entend les flocons passer à travers les branches des arbres. Elle distingue l'odeur des cèdres du Jardin des plantes, à quatre cents mètres. Ici, le grondement du métro sous la chaussée : c'est donc le quai Saint-Bernard. Là, le ciel se creuse, un bruit de branchages : c'est l'étroite bande de jardins derrière la galerie de Paléontologie. Par conséquent ils se trouvent à l'angle du quai et de la rue Cuvier.

Six pâtés de maisons, quarante immeubles, dix arbustes dans un jardin public. Cette rue-ci croise celle-là, qui croise celle-là. Un centimètre à la fois.

Son père tripote les clés dans ses poches. Devant eux, les hauts, majestueux bâtiments qui flanquent les jardins, répercutant le son.

– Allons à gauche, dit-elle.

Ils remontent la longue rue Cuvier. Un trio de canards vole dans leur direction, battant des ailes en harmonie, gagnant la Seine, et comme ils les survolent, elle croit voir les rayons de soleil se poser sur leurs ailes, touchant chacune de leurs plumes.

À gauche, dans la rue Geoffroy-Saint-Hilaire. À droite, dans la rue Daubenton. Trois, quatre, cinq bouches d'égout. Derrière elle, les grilles ouvertes du Jardin des plantes, avec leurs barreaux comme ceux d'une immense volière.

En face : la boulangerie, le boucher, l'épicerie de luxe.

– On peut traverser, papa ?

– Oui.

À droite. Tout droit. Ils remontent maintenant la rue, forcément. Juste derrière elle, son père doit marcher la tête renversée en arrière, pour faire un grand sourire au ciel. Marie-Laure en est sûre, même si elle ne voit rien, ne dit rien – les cheveux de son père sont mouillés par la neige, plaqués sur son crâne, son écharpe est de travers sur ses épaules, et il adresse un grand sourire radieux à la neige.

Les voici au milieu de la rue des Patriarches. Marie-Laure trouve le tronc du marronnier qui pousse devant la fenêtre de sa chambre au quatrième étage, l'écorce sous ses doigts.

Un vieil ami.

L'instant d'après, son père l'a soulevée par les aisselles, ils font l'avion. Elle sourit, et il éclate d'un rire pur et contagieux, un rire dont elle se souviendra toute sa vie. Tous deux tournoient sur le trottoir devant leur petit immeuble, riant en chœur tandis que la neige continue à goutter entre les branches.

Notre drapeau claque devant nous

Dans le Zollverein, au printemps de l'année où Werner a dix ans, les deux plus grands garçons de l'orphelinat – Hans Schilzer, treize ans et Herribert Pomsel, quatorze ans – chargent des sacs à dos fatigués sur leurs épaules et partent au pas de l'oie dans les bois. À leur retour, ils sont membres des Jeunesses hitlériennes.

Ils ont des frondes, des poignards, s'entraînent à tendre des embuscades, cachés derrière des banquettes de neige. Ils se joignent à une bande d'agressifs fils de mineurs qui traînent sur la place du marché, les manches retroussées, le short remonté sur les hanches. « Bonsoir, lancent-ils aux passants. Ou *heil* Hitler, si vous préférez ! »

Ils se font des coupes de cheveux identiques, luttent dans le salon, et se vantent de leur prochaine formation au tir à la carabine, des planeurs qu'ils piloteront, des tourelles de tanks qu'ils manœuvreront. *Notre drapeau représente les temps nouveaux,* scandent-ils. *Notre drapeau nous conduit dans l'éternité.* À table, ils grondent les petits qui admirent ce qui est étranger, une réclame pour une voiture anglaise ou un album en français.

Leur salut est comique, leur tenue frise le ridicule. Mais Frau Elena les regarde avec méfiance : il n'y a pas si longtemps, c'étaient des gamins livrés à eux-mêmes qui se cachaient dans leur lit et pleuraient après leur mère. Aujourd'hui, ce sont de jeunes voyous aux phalanges éclatées, qui ont des cartes postales avec le portrait du Führer pliées dans leur poche de poitrine.

Frau Elena parle de moins en moins souvent français en leur présence. Elle est consciente de son accent. Le moindre coup d'œil d'un voisin l'inquiète.

Werner fait profil bas. Sauter par-dessus des feux de joie, se barbouiller de cendre, martyriser les plus petits ? Déchirer les dessins de Jutta ? Mieux vaut passer inaperçu. Il lit des revues scientifiques populaires à l'économat. Il s'intéresse à la turbulence d'ondes, aux projets de tunnels jusqu'au centre de la Terre, aux « tambours parleurs » du Nigeria. Il achète un cahier et dessine des plans de chambre à brouillard, de détecteurs d'ions, de lunettes à rayons X. Pourquoi pas un petit moteur fixé aux berceaux pour aider les bébés à s'endormir ? Ou des ressorts tendus le long des axes du wagonnet pour monter les côtes plus facilement ?

Un représentant officiel du ministère du Travail du Reich vient à l'orphelinat parler des débouchés professionnels à la mine. Les enfants s'assoient à ses pieds dans leurs habits du dimanche. Tous les garçons, sans exception, explique-t-il, iront travailler à la mine dès l'âge de quinze ans. Il parle de gloire, de triomphes, et du bonheur d'avoir un emploi assuré. Lorsqu'il soulève et repose la radio de Werner sans faire aucun commentaire, celui-ci a l'impression que le plafond s'abaisse, que les murs se resserrent.

Son père là-dessous, à un kilomètre de profondeur. Son corps jamais retrouvé. Hantant encore les galeries.

– C'est de cette terre, affirme l'homme, de ce sous-sol, que la nation tire sa puissance. Charbon, acier, coke. Berlin, Francfort, Munich – rien n'existerait sans le Zollverein. C'est vous qui fournissez les bases de l'ordre nouveau, les munitions de nos armes, le blindage de nos tanks.

Hans et Herribert contemplent la ceinture de son pistolet d'un air ébloui. Sur le buffet, la radio de Werner babille :

Au cours de ces trois années, notre Führer a eu le courage d'affronter une Europe qui menaçait de s'effondrer...

C'est grâce à lui, et lui seul, que pour les enfants allemands, une vie allemande est de nouveau digne d'être vécue.

Le Tour du monde
en quatre-vingts jours

Seize pas pour aller jusqu'à la fontaine, six pour en revenir. Quarante-deux pour aller jusqu'à l'escalier, quarante-deux pour en revenir. Marie-Laure dessine des cartes dans sa tête, dévide une centaine de mètres de ficelle imaginaire, puis se retourne et rembobine. En Botanique, ça sent la colle et le papier buvard, les fleurs séchées. En Paléontologie, la poussière de roche, la poussière d'os. En Biologie, le formol et les fruits blets – c'est plein de bocaux gros et lourds où flottent des choses qu'on s'est contenté de lui décrire : pâles anneaux des crotales, mains de gorilles. En Entomologie, l'odeur est celle de boules antimites et d'huile : M. Gérard lui explique que c'est de la naphtalène. Les bureaux sentent le papier carbone, ou le cigare, ou le cognac, ou le parfum – ou encore tout cela à la fois.

Elle suit des câbles et des tuyaux, des rampes et des cordes, des haies et des trottoirs. Elle surprend des gens. Elle ne sait jamais si c'est allumé.

Les enfants ont plein de questions : Ça fait mal ? Tu fermes les yeux quand tu dors ? Comment tu sais l'heure qu'il est ?

Non, ça ne fait pas mal, explique-t-elle. Et il n'y a pas de ténèbres. Pas comme ils se l'imaginent. Tout est composé de réseaux et de treillis, de bouffées de bruits et de texture. Elle fait le tour de la Grande Galerie, navigue entre des lames de parquet grinçantes. Elle entend les allées et venues dans les escaliers du musée, un gamin qui pleurniche, la plainte d'une grand-mère éreintée, en train de s'asseoir sur un banc.

Des couleurs, aussi – encore un détail qui les étonne. Dans son imagination, ses rêves, tout a une couleur. Les bâtiments du musée sont beiges, châtains, noisette. Les savants qui y travaillent sont lilas, jaune citron, et brun-rouge. Des accords de piano restent suspendus dans le haut-parleur du petit poste TSF chez les gardiens, projetant leurs superbes noirs et leurs bleus compliqués dans le couloir, en direction du dépôt des clés. Les cloches d'église envoient des arcs bronze qui se répercutent contre les fenêtres. Les abeilles sont argentées. Les pigeons, roux, auburn, voire dorés. Les immenses cyprès devant lesquels ils passent tous les matins sont de chatoyants kaléidoscopes – chaque aiguille est un polygone de lumière.

Elle n'a pas de souvenirs de sa mère, mais l'imagine comme une brillance blanche, silencieuse. De son père irradient mille couleurs, opale, rouge fraise, feuille-morte, vert sauvage ; une odeur d'huile et de métal, la sensation d'un pêne qui s'enclenche dans sa gâchette, le bruit de son trousseau de clés qui tinte pendant qu'il marche. Il est vert olive quand il parle à un chef de service, un crescendo d'orange quand il s'adresse à Mlle Fleury qui travaille aux grandes serres, un rouge vif quand il tente de cuisiner. Il est d'un incandescent bleu saphir quand il se met à son établi, le soir, et fredonne tout bas en travaillant – le bout de sa cigarette est d'un bleu prismatique.

Elle s'égare. Des secrétaires ou des botanistes – un jour, l'adjoint du directeur – la ramènent au dépôt des clés. Elle est curieuse ; elle veut savoir la différence entre une algue et un lichen, un *Diplodon charruanus* et un *Diplodon delodontus*. Des hommes importants la prennent par le coude et l'escortent à travers les jardins ou l'accompagnent dans les escaliers. « Moi aussi, j'ai une fille », disent-ils. Ou : « Je l'ai trouvée parmi les colibris. »

– Toutes mes excuses, répond son père.

Il allume une cigarette, retire une clé après l'autre des poches de Marie-Laure.

– Qu'est-ce que je vais faire de toi ? lui susurre-t-il.

Pour ses neuf ans, à son réveil, elle découvre deux cadeaux. Le premier est une boîte en bois sans ouverture apparente. Elle la tourne et retourne. Il lui faut un moment pour réaliser qu'un des côtés est monté sur ressort – une pression et ça s'ouvre. À l'intérieur, une pâte de fruit, qu'elle avale aussitôt.

– Trop facile ! s'exclame-t-il en riant.

L'autre cadeau est lourd, enveloppé de papier et ficelé. À l'intérieur, un gros livre à reliure spirale. En braille.

– On dit que c'est pour les garçons. Ou les petites filles à l'âme d'aventurière...

Son sourire se devine.

Elle passe son doigt sur le titre en relief. *Le-Tour-du-monde-en-quatre-vingts-jours.*

– Papa, c'est trop cher !

– Ça, c'est mon affaire...

Ce matin-là, Marie-Laure rampe sous le comptoir du dépôt des clés et, couchée à plat ventre, applique ses dix doigts sur une ligne. Le braille a un aspect démodé, les points sont trop rapprochés. Mais au bout d'une semaine, la lecture est plus aisée. Elle retrouve le ruban qui sert de marque-pages, ouvre le livre, et le musée s'évanouit.

Le mystérieux Monsieur Fogg vit comme une machine. Jean Passepartout devient son docile domestique. Lorsque au bout de deux mois elle est arrivée à la dernière ligne, elle reprend depuis le début. La nuit, elle effleure du bout des doigts la maquette de son père ; le clocher, les vitrines. Elle imagine des personnages marchant dans les rues, bavardant dans les boutiques ; un boulanger d'un centimètre enfourne de microscopiques miches de pain ; trois minuscules cambrioleurs manigancent des mauvais coups en passant lentement en voiture devant la bijouterie ; des petites autos vrombissantes encombrent la rue de Mirbel, les essuie-glaces en action. Derrière une fenêtre du quatrième étage, rue des Patriarches, une version réduite de son père est assise à un établi miniature dans l'appartement exigu, juste comme dans la réalité, et ponce un bout de bois infinitésimal ; au fond de la pièce, une fillette chétive mais éveillée, un livre ouvert sur les genoux. Sous sa poitrine bat quelque chose d'énorme, quelque chose qui est plein de désir et qui n'a peur de rien.

Le Professeur

– Il faut jurer, dit Jutta. Tu le jures ?

Parmi des fûts rouillés, des chambres à air lacérées et la vase au bord du ruisseau, elle a exhumé dix mètres de fil de cuivre. Ses yeux sont de brillantes galeries.

Werner jette un coup d'œil aux arbres, au cours d'eau, et reporte son attention sur sa sœur.

– Je le jure !

Ensemble, ils rapportent le fil de cuivre en douce et le passent par des petits trous dans l'avant-toit, à l'extérieur du grenier. Puis, ils raccordent l'autre extrémité à leur petite radio.

Presque aussitôt, sur une bande à ondes courtes, ils entendent quelqu'un parler une drôle de langue pleine de z et de s.

– Du russe ?

Werner croit que c'est du hongrois.

Jutta n'est plus qu'un regard dans la pénombre et la chaleur.

– La Hongrie, c'est loin ?

– À un millier de kilomètres.

Elle en reste bouche bée.

Des voix, en fait, criblent le Zollverein de partout, transperçant les nuages, la poussière de charbon, le toit. L'air en fourmille. Jutta ouvre un registre correspondant à la graduation que Werner dessine sur la bobine d'accord, épelant soigneusement le nom de chaque grande ville qu'ils parviennent à capter. *Vérone 65, Dresde 88, Londres 100.* Rome. Paris. Lyon. Ondes courtes, la nuit : royaume des flâneurs et des rêveurs, des fous et des râleurs.

Après les prières, après l'extinction des feux, Jutta vient se glisser dans le lit de son frère, et au lieu de dessiner ensemble, ils écoutent côte à côte, jusqu'à minuit, une heure, deux heures du matin. Ils écoutent des bulletins d'information britanniques qu'ils ne comprennent pas, une femme de Berlin qui pontifie à propos du maquillage idéal pour une soirée cocktail.

Un soir, Werner et Jutta captent une émission truffée de parasites dans laquelle un jeune homme parle de la lumière d'une voix fragile, en français.

Le cerveau est, bien entendu, dans une obscurité totale. Il flotte dans un liquide transparent à l'intérieur du crâne, jamais éclairé. Et pourtant, le monde qui se construit dans notre esprit est plein de lumière. Il déborde de couleur et de vie. Alors, comment se fait-il, les enfants, que le cerveau, qui ne bénéficie d'aucune source lumineuse, édifie pour nous un monde plein de lumière ?

Le son siffle et craque.

– Qu'est-ce que c'est ? chuchote Jutta.

Werner ne répond pas. Le Français a une voix de velours. Son accent est très différent de celui de Frau Elena, et pourtant sa voix est si fervente, si hypnotique, que Werner en comprend le moindre mot. Il est question d'illusion d'optique, d'électromagnétisme ; il y a une pause et de la friture, comme si on retournait un disque, puis la voix s'enthousiasme pour le charbon.

Considérez un simple boulet de charbon, rougeoyant dans le poêle familial. Vous le voyez, les enfants ? Ce morceau de charbon était autrefois une plante verte, une fougère ou un roseau qui vivait il y a un million d'années, voire deux millions d'années, ou encore cent millions d'années. Vous imaginez cela ? Tous les étés, pendant toute la vie de cette plante, ses feuilles ont capté la lumière, emmagasinant l'énergie du soleil. Dans son écorce, ses tiges, ses feuilles. Car la plante se nourrit de lumière, tout comme nous nous nourrissons d'aliments. Puis, elle mourut et tomba, sans doute en milieu humide, et se décomposa en tourbe ; ensuite cette tourbe resta enfouie dans la terre pendant des années et des années – un temps infini à côté duquel votre existence ne serait qu'un soupir. Finalement, cette tourbe se solidifia, devenant comme une pierre, qui fut extraite par un homme, qui rapporta cela à la maison. Et aujourd'hui, c'est peut-être vous, les enfants, qui l'avez mise dans le poêle, et maintenant c'est ce soleil – un soleil vieux de centaines de millions d'années, qui réchauffe votre maison ce soir...

Le temps ralentit. Le grenier disparaît. Jutta aussi. A-t-on jamais parlé de façon aussi intime de ce qui intéresse le plus Werner ?

Ouvrez les yeux, conclut l'homme, *et voyez ce que vous pouvez avant qu'ils se ferment à jamais*, puis on entend un piano, un air mélancolique qui évoque un navire doré voguant sur des eaux sombres, une progression harmonique qui transfigure le Zollverein : les maisons se fondent dans la brume, les mines se rebouchent, les cheminées s'effondrent, une mer antédiluvienne envahit les rues et l'air est plein de promesses.

Océan de Flammes

Des rumeurs circulent à travers le musée. Elles filent, aussi vives et colorées que des foulards. Le musée envisage d'exposer un certain diamant, un joyau plus précieux que tout ce que comportent les collections.

– On dit qu'il est originaire du Japon. Il appartenait à un shogun au XIᵉ siècle, dit un taxidermiste à un collègue.

– Il paraît que c'était dans nos réserves, répond l'autre. Depuis longtemps, mais pour des raisons légales, on n'avait pas le droit de le montrer.

Un jour, c'est un rare agrégat d'hydroxycarbonate de magnésium. Un autre jour, un saphir étoilé qui brûle la peau. Ensuite, il s'agit d'un diamant, oui, un diamant. Certains l'appellent la Pierre du Berger, d'autres le Khon-Ma, mais bientôt tout le monde l'appelle l'Océan de Flammes.

Marie-Laure songe : quatre ans ont passé.

– Un diamant maléfique, dit un gardien. Il porte malheur à qui le détient. Il paraît que les neuf précédents propriétaires se sont tous suicidés.

Un autre déclare :

– Celui qui l'a tenu dans sa main sans avoir mis de gant meurt dans la semaine.

– Non ! Lui, il devient immortel, mais son entourage périt dans la semaine. Ou l'année…

– Il me le faut, ce truc ! s'exclame un tiers en riant.

Le cœur de Marie-Laure bat la chamade. Elle a dix ans, et sur l'écran noir de son imagination elle peut projeter n'importe quoi : voilier, combat à l'épée, un Colisée grouillant de couleurs. Elle a lu *Le Tour du monde en quatre-vingts jours* jusqu'à ce que le braille en soit mou et déliquescent. Pour son anniversaire, son père lui a offert un livre encore plus gros : *Les Trois Mousquetaires* d'Alexandre Dumas.

Elle entend dire que le diamant est vert pâle et gros comme un bouton de manteau. Puis, qu'il est gros comme une boîte d'allumettes. Le lendemain, il est bleu et aussi gros que le poing d'un bébé. Elle imagine une déesse en furie, arpentant les couloirs, lançant ses malédictions dans les galeries comme des nuages toxiques. Son père lui dit de juguler son imagination. Une pierre n'est qu'une pierre, la pluie n'est que de la pluie, et la malchance – c'est juste de la malchance. Certaines choses sont tout bonnement plus rares que d'autres, et voilà pourquoi les serrures ont été inventées.

– Mais, papa, tu crois que c'est vrai ?

– Le diamant ou la malédiction ?

– Les deux.

– Ce sont des légendes, Marie.

Pourtant, au moindre problème, le personnel murmure que c'est à cause du diamant. Panne d'électricité d'une heure : c'est le diamant. Une conduite fuyarde détruit des échantillons d'herbier : c'est le diamant. Lorsque l'épouse du directeur glisse sur une plaque de verglas, Place des Vosges, et se casse le poignet, la machine à cancans tourne à plein régime.

C'est à peu près à cette époque que le père de Marie-Laure est convoqué chez le directeur. Il y reste deux heures. Quand a-t-il déjà passé deux heures là-haut ? Jamais.

Presque aussitôt après, son père commence à travailler tout au fond de la galerie de Minéralogie. Pendant des semaines il fait des allées et venues en poussant un chariot plein de pièces détachées, travaillant longtemps après la fermeture, et

71

tous les soirs il revient au dépôt des clés en sentant la sciure et la brasure. Chaque fois qu'elle demande à l'accompagner, il refuse. Mieux vaut, dit-il, rester ici avec ses livres, ou à l'étage dans le laboratoire des mollusques.

Au petit déjeuner, elle revient à la charge.

– Tu es en train de fabriquer une vitrine spéciale pour exposer ce diamant ! Un genre de coffre-fort transparent...

Son père allume une cigarette.

– Va chercher ton livre, Marie. Il est temps d'y aller.

Les réponses de M. Gérard ne valent guère mieux.

– Tu sais comment les diamants – et tous les cristaux – grandissent, Laurette ? Par accumulation de couches infinitésimales, quelques centaines d'atomes tous les mois, qui se superposent. Millénaire après millénaire. Et c'est ainsi que les légendes se forment, elles aussi. Toutes ces pierres précieuses charrient des histoires. Celle-ci, qui excite tellement ta curiosité, a peut-être vu le sac de Rome par Alaric. Elle a pu briller dans les yeux des Pharaons. Qui sait si une reine n'a pas dansé toute la nuit, ainsi parée ? Si on n'a pas fait la guerre à cause d'elle ?

– Papa dit que les malédictions, c'est seulement des histoires pour décourager les voleurs. Il dit qu'il y a soixante-cinq millions de spécimens ici, et que pourvu qu'on ait le bon professeur, chacun peut présenter le même intérêt.

– Oui mais certaines choses exercent une attraction irrésistible... Les perles, par exemple, ou les coquilles senestres, celles dont la spirale s'enroule sur la gauche. Même les savants les plus sérieux ont la tentation, parfois, de glisser quelque chose dans leur poche. Qu'une chose aussi petite soit aussi belle... Aussi précieuse ! Pour résister à cela, il faut une force d'âme exceptionnelle.

Pendant quelques instants, ils gardent le silence.

– J'ai entendu dire que le diamant est comme un éclat de lumière issu du monde originel – du monde d'avant la chute..., dit Marie-Laure. Un éclat de lumière tombé du ciel...

– Tu voudrais savoir à quoi ça ressemble. C'est pourquoi tu es si curieuse !

Elle roule un murex entre ses doigts, le porte à son oreille. Dix mille tiroirs, dix mille chuchotements au sein de dix mille coquillages.

– Non, dit-elle. Je voudrais croire que papa ne s'en est pas approché.

Ouvrez les yeux

Werner et Jutta captent et recaptent l'émission du Français. C'est toujours au moment d'aller au lit, et toujours au milieu d'un texte de plus en plus familier.

Considérons aujourd'hui, les enfants, la fantastique machinerie qui s'ébranle à l'intérieur de notre tête quand on se gratte un sourcil... Ils suivent une émission sur les animaux marins, le pôle Nord. Jutta aime celle sur les aimants. Werner préfère celle sur la lumière : éclipses et cadrans solaires, aurores et longueur d'ondes. *Qu'est-ce que la lumière visible ? C'est la couleur. Mais le spectre électromagnétique s'étendant de zéro à l'infini, en réalité, mathématiquement, la lumière est en grande partie invisible.*

Werner aime se recroqueviller sous la lucarne pour imaginer des ondes radio telles des cordes de harpe d'un kilomètre de long, ondulant et vibrant au-dessus du Zollverein, volant à travers les forêts, les cités, passant à travers les murs. À minuit, Jutta et lui arpentent l'ionosphère, recherchant cette voix onctueuse et pénétrante. Une fois qu'ils l'ont trouvée, Werner se croit projeté dans une autre existence, un lieu secret où les grandes découvertes sont possibles, où un orphelin d'une ville minière peut résoudre un mystère vital caché dans le monde physique.

Sa sœur et lui reproduisent les expériences du Français. Ils fabriquent des vedettes avec des allumettes, des aimants avec des aiguilles à coudre.

– Pourquoi il ne dit pas où il est, Werner ?

– Il ne veut peut-être pas qu'on sache ?

– Il a l'air riche. Et solitaire. Je parie qu'il diffuse ses émissions depuis une belle maison, aussi grande que toute cette colonie, avec mille pièces et mille domestiques.

Werner esquisse un sourire.

– Possible.

De nouveau la voix, le piano. Est-ce son imagination ? – chaque fois qu'il entend l'un de ces programmes, la qualité semble se dégrader un peu plus, et le son diminue : comme si le Français émettait depuis un navire qui s'éloigne.

Au fil des semaines, auprès de sa sœur endormie, Werner contemple le ciel et l'impatience le gagne. La vie : c'est ce qui se déroule au-delà de la mine, au-delà des grilles. Là-bas, on examine des questions de la plus haute importance. Il se voit déjà en blouse blanche, arpentant un laboratoire : chaudron fumant, brouhaha de machineries, diagrammes complexes affichés au mur. Une lanterne à la main, il gravit un escalier en colimaçon jusqu'à un observatoire baignant dans le clair de lune et regarde à travers la lorgnette d'un grand télescope pointé vers le ciel.

Fondu enchaîné

Le vieux guide était peut-être timbré. L'Océan de Flammes n'a peut-être jamais existé, les malédictions sont peut-être de pures inventions, son père a peut-être raison : la Terre est composée de magma, de croûte continentale et d'océan. De gravité et de temps. Les pierres sont juste des pierres, la pluie juste de la pluie et la malchance juste de la malchance.

Ce soir-là, son père rentre plus tôt au dépôt des clés. Bientôt il se remet à l'emmener un peu partout, la taquinant sur les pyramides de sucre qu'elle verse dans son café ou vantant auprès des gardiens la supériorité de sa marque de cigarettes. On n'expose pas d'éblouissant joyau. Aucune catastrophe ne s'abat sur le personnel du musée. Marie-Laure ne succombe pas à une morsure de serpent, et elle ne dégringole pas non plus dans un égout en se brisant les reins.

Un matin, le jour de ses onze ans, elle découvre à son réveil deux choses à la place du sucrier. La première est un cube de bois laqué, entièrement composé de panneaux coulissants. Il faut treize gestes pour l'ouvrir, et elle découvre la combinaison en moins de cinq minutes.

– Bon sang ! s'exclame son père. Une vraie perceuse de coffre-fort !

À l'intérieur : deux bonbons Barnier. Elle les dépapillote et les fourre dans sa bouche.

La deuxième chose est un gros pavé avec un titre en braille sur la couverture. *Vingt-mille-lieues-sous-les-mers.*

– Le libraire m'a dit que c'était en deux tomes... L'année prochaine, si tout va bien, on pourra...

Elle commence sur-le-champ. Le narrateur, « l'honorable Pierre Aronnax », spécialiste des grands fonds sous-marins, travaille dans le même musée que son père ! Dans le monde entier, d'innombrables naufrages se produisent. Alors qu'il vient de rentrer d'une expédition scientifique en Amérique, Aronnax s'interroge sur ces mystérieux naufrages. Un écueil flottant ? Un narval géant ? Le mythique Kraken ?

Mais je me laisse entraîner à des rêveries qu'il ne m'appartient plus d'entretenir. Trêve de chimères...

Toute la journée, Marie-Laure lit, couchée à plat ventre. Logique, raison, science pure : autant de bonnes façons d'aborder un mystère, affirme Aronnax. Ni fables ni contes de fées. Ses doigts courent sur la corde raide des phrases. Dans son imagination, elle foule le pont d'une rapide frégate à deux cheminées : l'*Abraham Lincoln*. Elle voit New York reculer. Les forts la saluent de leurs plus gros canons. Des balises se dandinent au gré de la houle. Un bateau-phare à deux feux s'éloigne. Devant elle scintillent les prairies de l'Atlantique.

Principes de mécanique

Un adjoint du ministre et son épouse visitent le home d'enfants. D'après Frau Elena, ils font la tournée des orphelinats.
Tout le monde se débarbouille ; tout le monde se tient à carreau. Peut-être, se murmurent les enfants, qu'ils envisagent d'adopter ? Les grandes disposent les escalopes de foie d'oie et du pain noir dans les dernières assiettes non ébréchées de la maison tandis que le corpulent adjoint et sa rébarbative épouse inspectent le salon tels de grands seigneurs visitant un misérable taudis. Ensuite, Werner s'installe en bout de table, côté garçons, un livre sur les genoux. Jutta s'assoit avec les filles en face. Sa tignasse blanche est si frisottée qu'on dirait qu'elle a été électrocutée.
Bénissez-nous, Seigneur. Nous te rendons grâce pour tes bienfaits. Frau Elena ajoute une seconde prière à l'intention de l'adjoint du ministre, et le repas commence.
Les enfants sont nerveux. Même Hans Schilzer et Herribert Pomsel – en chemise brune – restent cois. L'épouse se tient toute droite comme si sa colonne vertébrale était taillée dans du chêne.
Son mari dit :
– Et chaque enfant a participé… ?
– Absolument ! Claudia, par exemple, a tressé la corbeille à pain. Et les jumelles ont préparé les foies.

78

La grosse Claudia Förster rougit. Les jumelles battent des cils.

L'esprit de Werner s'évade. Il est concentré sur sa lecture – *Principes de la mécanique*, de Heinrich Hertz. Le livre se trouvait dans le sous-sol de l'église, un peu moisi et piqué d'humidité. Le pasteur lui a permis de l'emporter, Frau Elena de le garder, et depuis quelques semaines Werner se collette avec tous ces épineux problèmes mathématiques. L'électricité, par exemple, peut être statique en soi. Mais associez-la au magnétisme et voilà que vous avez du mouvement – des ondes. Champs et circuit, conduction et induction. Espace, temps, masse. L'air grouille de tant de choses invisibles ! Comme il voudrait voir l'ultraviolet, l'infrarouge, les ondes radio qui peuplent le ciel obscurci, qui transpercent les murs de cette pièce !

Lorsqu'il redresse la tête, tous le dévisagent. Frau Elena a l'air inquiet.

– C'est un livre, monsieur… ! déclare Hans Schilzer.

Il s'en empare. Le volume est si lourd qu'il doit s'y prendre à deux mains.

Des rides creusent le front de l'épouse de l'adjoint. Werner se sent rougir.

L'adjoint tend une main potelée.

– Fais voir…

– C'est un livre juif… ? dit Herribert Pomsel. C'est un livre juif, hein… ?

Frau Elena semble sur le point de parler, puis se ravise.

– Hertz est né à Hambourg, dit Werner.

De but en blanc, Jutta déclare :

– Mon frère est très calé en mathématiques. Plus calé que tous ses maîtres. Un jour, il aura un grand prix. Il dit qu'on ira à Berlin étudier auprès des plus grands savants.

Les plus petits sont ébahis, les aînés ricanent. Werner contemple fixement son assiette. L'adjoint fronce les sourcils en tournant les pages. Hans Schilzer flanque un coup de pied à Werner par-dessous la table, et toussote.

Frau Elena dit :

– Jutta, ça suffit !

L'épouse de l'adjoint prend une bouchée de foie, mastique, avale et se tamponne les commissures des lèvres. L'adjoint repose le livre et le repousse, puis regarde ses paumes comme s'il s'était sali.

– Ton frère ira à la mine, dit-il. Et seulement à la mine. Dès ses quinze ans. Comme tous les autres garçons de cette maison.

Jutta fulmine, Werner fixe le foie figé dans son assiette avec des yeux brûlants, une violente sensation d'oppression, et jusqu'à la fin du repas on n'entend plus que des bruits de couteaux, d'enfants qui ruminent et avalent.

Rumeurs

Il y a de nouvelles rumeurs. Elles courent le long des sentiers du Jardin des plantes, se faufilent à travers les galeries du musée, se réverbèrent contre les hautes et poussiéreuses redoutes où de vieux botanistes racornis étudient des mousses exotiques. On dit que les Allemands approchent.

Les Allemands, d'après un jardinier, ont soixante mille planeurs de transport de troupes ; ils peuvent marcher pendant des jours sans manger ; ils violent toutes les écolières qu'ils croisent. Une femme au guichet affirme qu'ils ont sur eux des pilules à brouillard, des ceintures lance-roquettes ; leurs uniformes, chuchote-t-elle, sont faits d'une étoffe spéciale plus solide que l'acier.

Marie-Laure s'installe sur un petit banc près de la vitrine à mollusques et écoute ce qu'on dit dans les groupes qui passent. Un garçon lance :

– Ils ont une bombe qui s'appelle le Signal Secret. Quand on l'entend, on fait dans son froc !

Rires.

– Il paraît qu'ils distribuent du chocolat empoisonné.

– Il paraît qu'ils enferment les infirmes et les attardés mentaux partout où ils passent.

Mais chaque fois que Marie-Laure rapporte cela à son père, il répète le mot « Allemagne » avec une nuance interrogative, comme s'il le prononçait pour la première fois. Il dit que l'annexion de l'Autriche ne doit pas susciter l'inquiétude. La dernière guerre est encore dans toutes les mémoires et personne ne serait assez fou pour recommencer. Le directeur n'est pas inquiet, ni les chefs de service – alors les petites filles ne devraient pas l'être non plus.

Et en vérité, rien ne change, sinon le jour de la semaine. Tous les matins, Marie-Laure se réveille, s'habille et passe avec son père par l'entrée numéro 2, elle l'entend saluer le veilleur de nuit et le gardien. *Bonjour bonjour bonjour bonjour.* Les scientifiques et les bibliothécaires viennent toujours chercher leurs clés dans la matinée, ils étudient toujours leurs dents d'éléphants préhistoriques, leurs méduses exotiques, leurs herbiers. Les secrétaires parlent toujours chiffons. Le directeur arrive toujours dans une limousine Delage bicolore, et à midi les vendeurs ambulants poussent tranquillement leurs chariots à sandwiches dans les couloirs, proposant pain de seigle-œufs, œufs-pain de seigle.

Marie-Laure lit Jules Verne au dépôt des clés, aux toilettes, dans les couloirs. Elle lit sur les bancs de la Grande Galerie et le long des myriades de sentiers gravillonnés des jardins. Elle lit le premier tome de *Vingt mille lieues sous les mers* tant de fois qu'elle le connaît presque par cœur.

La mer est tout ! Elle couvre les sept dixièmes du globe terrestre... La mer n'est que le véhicule d'une surnaturelle et prodigieuse existence ; elle n'est que mouvement et amour ; c'est l'infini vivant.

La nuit, couchée dans son lit, elle voyage dans le ventre du *Nautilus* du capitaine Nemo, sous les tempêtes, tandis que des voûtes de corail dérivent au-dessus de sa tête.

M. Gérard lui apprend les noms des coquillages – *Lambis lambis, Cypraea moneta, Lophiotoma acuta* – et la laisse tâter les épines et ouvertures, les spires de chacune, tour à tour. Il explique les branches de l'évolution marine et les séquences des périodes géologiques. Dans ses meilleurs jours, elle entrevoit la durée des millénaires qui l'ont précédée : des millions d'années, des dizaines de millions.

– Presque toutes les espèces ayant jamais vécu se sont éteintes, Laurette. Il n'y a pas de raison de croire que pour nous, les humains, ce sera différent !

Il dit cela presque avec jubilation, son verre se remplit généreusement de vin, et elle imagine sa tête comme un placard aux mille petits tiroirs.

Tout l'été, l'odeur d'ortie, de marguerite et de pluie baigne les jardins. Son père et elle font cuire une tarte aux poires, qui brûle, alors son père ouvre toutes les fenêtres pour aérer et elle entend des notes de violon monter de la rue. Pourtant, au début de l'automne, une ou deux fois par semaine, à certains moments de la journée, alors qu'elle est assise sous les imposantes haies du Jardin des plantes, ou en train de lire près de l'établi de son père, elle relève les yeux de son livre et croit sentir des odeurs de kérosène sous le vent. Comme si tout un fleuve mécanique était en train de s'écouler lentement, irrévocablement, dans sa direction.

La course à l'excellence

Adhérer aux Jeunesses hitlériennes devient une obligation. Les garçons de la *Kameradschaft* de Werner apprennent à défiler, doivent se soumettre à des tests d'aptitude physique, et courir soixante mètres en douze secondes. Tout n'est que gloire, patrie, compétition et sacrifice.

Vivre loyalement, chantent-ils en marchant au pas, *combattre bravement et mourir avec le sourire.*

Travail scolaire, corvées, exercice. Werner veille la nuit pour écouter sa radio ou se guider à travers les mathématiques compliquées qu'il a recopiées dans *Principes de la mécanique* avant qu'on ne lui confisque ce livre. Il bâille à table, perd son sang-froid avec les petits. « Tu te sens bien ? » demande Frau Elena, en le dévisageant, et il détourne les yeux.

Les théories de Hertz sont intéressantes, mais c'est encore mieux de fabriquer quelque chose, de travailler de ses mains, de connecter ses doigts au moteur de son esprit. Werner répare la machine à coudre d'un voisin, la vieille horloge de l'orphelinat. Il fabrique un système de poulies pour ramener le linge qui sèche au soleil, et une alarme composée d'une pile, d'une sonnette et d'un fil isolé, pour que Frau Elena soit avertie si jamais un bambin s'aventure au-dehors. Il invente un tranche-carottes. Actionnez le levier, dix-neuf lames s'abattent et voilà vingt rondelles.

Un jour, la TSF d'un voisin tombe en panne et sur la suggestion de Frau Elena, Werner y jette un coup d'œil. Il dévisse le panneau de fond, remue les tubes. L'un d'eux n'est pas à sa place et il le remet dans son encoche. La radio ressuscite et le voisin s'extasie. Bientôt, il ne se passe pas de semaine sans qu'on vienne chercher le petit bricoleur. Quand on voit ce gamin de treize ans descendre du grenier en se frottant les yeux, avec sa tignasse blanche en bataille et la caisse à outils de sa fabrication, on le contemple avec toujours le même rictus sceptique.

Les vieux postes sont les plus faciles à réparer : circuit plus simple, tubes uniformes. C'est peut-être de la cire qui dégoutte du condensateur, ou du charbon accumulé sur une résistance. Mais même sur les plus modernes, il réussit en général à trouver la solution. Il démonte l'engin, examine les circuits, laisse ses doigts retracer les voyages des électrons. Source d'énergie, triode, résistance, bobine. Haut-parleur. Son esprit dissèque le problème, le désordre se fait ordre, l'obstacle se révèle, et bientôt c'est une affaire réglée.

Parfois, on lui donne quelques marks pour sa peine. Parfois, une mère de famille lui fait cuire des saucisses, enveloppe quelques biscuits dans une serviette, pour qu'il les rapporte à sa sœur.

Très vite, Werner est capable de dessiner dans sa tête une carte avec les emplacements de presque toutes les radios du coin : un poste à galène maison dans la cuisine du droguiste, un beau radio gramophone dix valves chez un chef de service, qui l'électrocutait chaque fois qu'il tentait de changer de station. Même la plus misérable masure abrite en général un Volksempfänger VE301 promu par l'État, une radio produite en masse, marquée de l'aigle et de la croix gammée, incapable de capter les ondes courtes, conçue seulement pour les fréquences allemandes.

La radio : un million d'oreilles reliées à une bouche unique. Par les haut-parleurs, à travers toute la mine, la voix saccadée du Reich grandit comme quelque arbre imperturbable ; ses sujets se suspendent à ses branches comme aux lèvres mêmes de Dieu. Et lorsque Dieu cesse de parler, ils cherchent désespérément à remédier à cela.

Sept jours par semaine, les mineurs amènent du charbon à la lumière, le charbon est pulvérisé, il alimente les fours à coke, le coke transite par d'immenses tours de refroidissement pour être convoyé jusqu'aux hauts-fourneaux où est réduit le minerai de fer, puis ce fer est raffiné pour devenir de l'acier, qui est coulé en billettes, chargé sur des barges qui l'emmènent vers la bouche avide du pays. *C'est seulement à travers les feux les plus brûlants*, chuchote la radio, *que la purification peut s'accomplir. C'est seulement à travers les épreuves les plus dures que les élus peuvent s'élever.*

Jutta chuchote :

– Une fille s'est fait virer de la piscine aujourd'hui. Inge Hachmann. Sous prétexte qu'on ne pouvait pas nous laisser nager avec une « sang-mêlé ». Ce serait malsain. Une sang-mêlé, Werner. Et nous, on n'est pas des sang-mêlé ? On a bien pour moitié le sang de notre père, et pour moitié celui de notre mère...

– Ça veut dire à moitié juif. Parle plus bas. On n'est pas à moitié juifs.

– On doit être à moitié quelque chose.

– On est complètement allemands. Pas à moitié quelque chose.

Herribert Pomsel a quinze ans, à présent ; il dort dans un dortoir de mineurs, travaille dans la seconde équipe comme gazier, et Hans Schilzer est désormais l'aîné des garçons à l'orphelinat. Hans fait des pompes à n'en plus finir, il a l'intention d'assister à un grand rassemblement à Essen. Il y a des bagarres dans les sentes, on dit qu'il aurait incendié une voiture. Une nuit, Werner l'entend crier sur Frau Elena, en bas. La porte d'entrée claque, les enfants se retournent dans leur lit. Frau Elena arpente le salon, ses chaussons chuchotent à gauche, à droite. Des berlines pleines de charbon passent en grinçant dans le noir. Des machines grondent au loin : pistons qui cognent, tapis roulants qui tournent. Sans à-coups – follement.

La marque de la Bête

Novembre 1939. Un vent froid chasse les grandes feuilles racornies des platanes le long des allées du Jardin des plantes. Marie-Laure est en train de relire *Vingt mille lieues sous les mers* – *Je voyais flotter de longs rubans de fucus, les uns globuleux, les autres tubulés, des laurencies, des cladostèphes, au feuillage si délié* – non loin de la grille de la rue Cuvier, quand un groupe d'enfants entre, piétinant les feuilles mortes.

Un garçon fait une réflexion, d'autres rient. Marie-Laure détache les doigts de son livre. Les rires tournoient, circulent. La première voix est soudain tout contre son oreille.

– Ils adorent les petites aveugles, tu sais…

Le garçon a le souffle court. Elle allonge le bras mais ne touche rien.

Elle ne saurait dire combien ils sont. Trois ou quatre, peut-être. C'est un gamin de douze ou treize ans. Elle se lève, serrant son livre contre sa poitrine, et entend sa canne rouler contre le bord du banc et tomber.

Une autre voix dit :

– Ils se taperont sûrement les aveugles avant les estropiées.

Le premier pousse un gémissement grotesque. Marie-Laure brandit son livre comme pour s'en faire un bouclier.

Le second dit :

– Ils leur feront faire des trucs…

– Des cochonneries…

Une voix d'adulte lance à distance :

– Louis, Pierre ?

– Qui êtes-vous ? dit Marie-Laure.

– Bye-bye, l'aveugle…

Puis : le silence. Marie-Laure écoute le bruissement des arbres, son sang fourmille. Pendant une longue minute, paniquée, elle rampe dans les feuilles mortes, au pied du banc, pour retrouver sa canne.

Dans les boutiques, on vend des masques à gaz. Les voisins recouvrent leurs fenêtres avec du carton. De semaine en semaine, la fréquentation du musée décline.

– Papa, si la guerre a lieu, qu'est-ce qu'on va devenir ?

– La guerre n'aura pas lieu.

– Mais si elle a lieu quand même ?

Sa main sur son épaule, le familier cliquetis des clés à sa ceinture.

– Nous n'avons rien à craindre, ma chérie. Le directeur a déjà fait le nécessaire pour que je ne figure pas sur la liste des réservistes. Je ne partirai pas.

Mais elle l'entend tourner vigoureusement les pages du journal. Il grille cigarette sur cigarette, travaille sans relâche. Les semaines se succèdent, les feuilles tombent, et son père ne l'encourage plus à aller faire un tour dans les jardins. Si seulement ils avaient un sous-marin inexpugnable comme le *Nautilus* !

Les voix rauques des secrétaires flottent devant la fenêtre du dépôt des clés.

– Ils s'introduisent de nuit dans les appartements. Ils piègent les placards de la cuisine, la cuvette des toilettes, les soutiens-gorge. T'ouvres ton tiroir à linge et *paf* ! plus de doigts !

Elle fait des cauchemars. Des Allemands remontent la Seine à la rame. Leurs embarcations glissent comme sur une nappe d'huile ; elles filent sans un bruit sous les arches des ponts. Ils tiennent des molosses enchaînés ; ces bêtes sautent hors des bateaux et bondissent devant les massifs de fleurs, les haies. Sur les marches de la Grande Galerie, ils reniflent l'air, écumant, féroces. Puis ils se précipitent à l'intérieur du musée, se répandent dans les différents services. Du sang gicle aux fenêtres.

Cher Professeur je ne sais pas si vous recevez ces lettres ou si la station radio vous communiquera celle-ci ou s'il y a même une station radio. Voilà deux mois, au moins, qu'on ne vous entend plus. Avez-vous cessé d'émettre ou bien est-ce un problème de notre côté ? Il y a un nouvel émetteur dans le Brandebourg : le Deutschlandsender 3. Mon frère prétend qu'il fait trois cent trente mètres de haut, c'est la deuxième plus haute construction du monde. En gros, ça écrase toutes les autres fréquences. La vieille Frau Streseman, l'une de nos voisines, affirme qu'elle peut entendre les émissions à travers ses plombages. Mon frère dit que c'est possible à condition d'avoir une antenne, un redresseur et un truc pour faire haut-parleur. Il dit qu'on peut utiliser une section de barbelé pour capter les signaux radio, donc peut-être que le plombage, ça marche aussi. Cette idée me plaît. Qu'en dites-vous, professeur ? Des dents musicales ? Frau Elena dit qu'il faut rentrer directement de l'école, à présent. Parce qu'on n'est pas des Juifs, mais des pauvres, et que c'est presque aussi dangereux. C'est défendu d'écouter une émission étrangère. On peut être condamnés aux travaux forcés, c'est-à-dire à casser des cailloux toute la journée, quinze heures par jour. Ou à fabriquer des bas nylon, ou à descendre à la mine. Comme personne ne m'aidera à poster cette lettre, même pas mon frère, j'irai moi-même.

Bonsoir. Ou *Heil Hitler* si vous préférez

Son quatorzième anniversaire tombe en mai. C'est l'année 1940 et les Jeunesses hitlériennes ne font plus rire personne. Frau Elena prépare un pudding, Jutta enveloppe un morceau de quartz dans du papier journal et les jumelles, Hannah et Susanne Gerlitz, défilent en rond dans la pièce, jouant aux soldats. Un petit de cinq ans – Rolf Hupfauer – est assis dans un coin du divan, les paupières lourdes. Une nouvelle venue – un bébé – trône sur les genoux de Jutta et lui suçote les doigts. Par la fenêtre, derrière les rideaux, la flamme au sommet du crassier claque et palpite.

Les enfants chantent, dévorent le pudding. Frau Elena dit : « C'est l'heure ! », et Werner éteint le récepteur. Tout le monde prie. Son corps lui semble très lourd lorsqu'il rapporte l'appareil au grenier. Dans les ruelles, des garçons de quinze ans se dirigent vers les élévateurs de mine, faisant la queue avec leurs casques à frontale devant les grilles. Il imagine la longue descente, les lumières tamisées qui passent, le bruit des câbles, le silence général tandis qu'ils s'enfoncent dans ces ténèbres perpétuelles où les hommes griffent le roc, à mille mètres sous terre.

Encore un an. Dans un an, on lui donnera un casque de mineur et on le fourrera dans une cage avec les autres.

Des mois qu'il n'a plus entendu le Français sur les ondes courtes. Une année s'est écoulée depuis qu'il a tenu l'exemplaire moisi des *Principes de la mécanique* pour la dernière fois. Il n'y a pas si longtemps, il rêvait de Berlin et ses grands savants : Fritz Haber, l'inventeur des engrais. Hermann Staudinger, l'inventeur des plastiques. Hertz, qui a rendu visible l'invisible. Tous ces grands hommes réalisant de grandes choses. *Je crois en toi*, disait Frau Elena. *Je crois que tu feras de grandes choses.* À présent, dans ses cauchemars, il parcourt les galeries des mines. Le plafond est lisse et noir ; des blocs s'abaissent à mesure qu'il s'avance. Les murs se fissurent ; il se courbe, rampe. Bientôt, il ne peut plus ni relever sa tête ni bouger les bras. Le plafond pèse des tonnes, un froid pénétrant s'en dégage, son nez s'écrase dans le sol. Juste avant de se réveiller, il sent craquer son crâne.

La pluie raccorde les nuages au toit, le toit à l'avant-toit. Werner presse son front contre la lucarne et regarde à travers les gouttes ; le toit du dessous se perd parmi une multitude de toitures mouillées, cernées par les murs immenses de la cokerie, des hauts-fourneaux, des usines à gaz, la tour d'extraction qui se dresse dans le ciel, la mine et les usines qui se succèdent sans trêve, hectare après hectare, à perte de vue, dévorant les villages, les villes, cette machine toujours plus rapide, en perpétuelle expansion qu'est devenue l'Allemagne. Et un million d'hommes sont prêts à donner leur vie pour elle.

Bonsoir. Ou *Heil Hitler*. Tout le monde choisit *Heil Hitler*.

Bye-bye, l'aveugle

La guerre lâche son point d'interrogation. Des circulaires sont distribuées. Les collections doivent être protégées. Une petite brigade de messagers commence à transporter des choses en province. Clés et serrures sont on ne peut plus demandées. Le père de Marie-Laure travaille jusqu'à minuit, jusqu'à une heure du matin. Chaque caisse doit être cadenassée, chaque bordereau de transport gardé en lieu sûr. Des véhicules blindés grondent devant les quais de chargement. Il y a des fossiles à sauvegarder, des manuscrits anciens ; il y a des perles, des pépites d'or, un saphir gros comme une souris. Peut-être y a-t-il, se dit Marie-Laure, l'Océan de Flammes.

Par certains côtés, ce printemps semble si calme : doux, tendre, chaque nuit est paisible et embaume. Pourtant, on sent une tension dans l'air, comme si la ville avait été bâtie sur la membrane d'une baudruche, qui est en train de gonfler jusqu'au point de rupture.

Les abeilles s'activent dans les allées fleuries du Jardin des plantes. Les platanes lâchent leurs graines et les grosses boules duveteuses s'accumulent sur les sentiers.

S'ils attaquent, pourquoi attaqueraient-ils, ils seraient fous d'attaquer.

Battre en retraite, c'est sauver des vies.

Plus de livraisons. Des sacs de sable apparaissent autour des grilles du musée. Deux soldats sur le toit de la galerie de Paléontologie scrutent les jardins à la jumelle. Mais la grande voûte des cieux reste vierge : ni zeppelin ni bombardier, ni surhommes parachutistes, juste les derniers oiseaux migrateurs qui sont de retour et les vents vif-argent du printemps qui muent, deviennent les brises plus lourdes, plus vertes, de l'été.

Rumeur, lumière, air. Jamais elle n'a connu mois de mai aussi beau. Le jour de ses douze ans, il n'y a pas de casse-tête à la place du sucrier à son réveil – son père est trop occupé. Mais il y a un livre : le second tome en braille de *Vingt mille lieues sous les mers*, épais comme un coussin.

Un frisson de plaisir la traverse jusqu'au bout des ongles.

– Comment...

– Bon anniversaire, Marie.

Les murs de l'appartement tremblent sous l'effet des meubles qu'on traîne, des malles qu'on remplit, des fenêtres qu'on condamne avec des clous. Ils vont jusqu'au musée, et son père fait distraitement cette remarque à l'intention du gardien qui les accueille à la porte :

– On dit que nous tenons la Seine.

Marie-Laure s'assoit par terre, dans le dépôt des clés, et ouvre son livre. Au début de la seconde partie, le professeur Aronnax n'a parcouru que six mille lieues. Il en reste tellement ! Mais il se passe cette chose étrange : les mots n'ont plus de sens. Elle lit : *Pendant cette journée, une formidable troupe de squales nous fit cortège*, mais la logique censée relier chaque mot au suivant lui échappe.

Quelqu'un dit :

– Le directeur est parti ?

Et un autre :

– Avant la fin de la semaine.

Les vêtements de son père sentent la paille, ses doigts empestent la graisse. Le travail, encore et toujours, puis quelques heures de sommeil avant de retourner au musée à l'aube. Des camions emportent squelettes, météorites et pieuvres dans des bocaux, des herbiers, de l'or égyptien, de l'ivoire sud-africain et des fossiles du Permien.

Le 1er juin, des avions survolent la ville, très haut, à travers les stratus. Lorsque le vent retombe, et qu'aucun moteur ne gronde à proximité, Marie-Laure peut les entendre à l'extérieur de la galerie de Zoologie : un ronron à mille six cents mètres d'altitude. Le lendemain, les stations radio commencent à s'évaporer. Les gardiens tabassent la TSF dans leur loge et l'inclinent de tous côtés, mais il n'en sort que des parasites. Comme si chaque antenne relais était une chandelle qu'on avait mouchée.

Durant ces dernières nuits à Paris, rentrant à pied avec son père à minuit, l'énorme livre serré contre sa poitrine, Marie-Laure croit sentir un frémissement dans l'air, dans les pauses entre les stridulations des insectes, comme le craquement de la glace sous un poids trop important. Comme si depuis toujours la ville n'avait été qu'un modèle réduit fabriqué par son père et que l'ombre d'une main gigantesque s'était abattue sur elle.

Ne croyait-elle pas qu'elle y habiterait jusqu'à la fin de ses jours avec son père ? Qu'elle passerait tous ses après-midi avec M. Gérard ? Que tous les ans, pour son anniversaire, son père lui offrirait une autre devinette et un autre roman, et qu'elle lirait tout Jules Verne, tout Dumas, et peut-être même Balzac et Proust ? Que son père fredonnerait toujours en confectionnant ses petits bâtiments le soir, et qu'elle saurait toujours combien il y a de pas à faire jusqu'à la boulangerie (quarante), puis jusqu'à la brasserie (trente-deux), et qu'il y aurait toujours du sucre en poudre à verser à la petite cuillère dans son café, à son réveil ?

Bonjour, bonjour.

Pommes de terre à six heures, Marie. Champignons à trois.

Et maintenant ? Maintenant que va-t-il se passer ?

Tricoter des chaussettes

Werner se réveille après minuit pour trouver sa petite sœur au pied de son lit de camp, la radio sur les genoux. Une feuille de papier par terre montre une ville imaginaire, pleine de fenêtres, juste ébauchée.

Jutta enlève l'écouteur et cligne des yeux. Dans la pénombre, sa tignasse rebelle a l'air plus éclatante que jamais : une torche blanche.

– À la Ligue des jeunes filles, chuchote-t-elle, on nous fait tricoter des chaussettes. Pourquoi toutes ces chaussettes ?

– Le Reich doit en avoir besoin.

– Et pour quoi faire ?

– Pour les soldats, Jutta. Laisse-moi dormir.

Comme par un fait exprès, un petit garçon – Siegfried Fischer – crie au rez-de-chaussée, et ils guettent le bruit des pas de Frau Elena dans l'escalier, les échos de sa sollicitude, puis le silence retombe.

– Toi, tout ce qui t'intéresse, c'est tes maths ! dit-elle. Tripoter des radios. Tu ne veux pas savoir ce qui se passe ?

– Qu'est-ce que tu écoutes ?

Elle croise les bras, remet l'écouteur sur son oreille et ne répond pas.

– C'est une émission défendue ?

– Qu'est-ce que ça peut te faire ?

– C'est dangereux.

Elle se bouche l'oreille.

– Les autres filles, chuchote-t-il, ça ne les gêne pas de tricoter des chaussettes. De collecter des journaux et tout ça.

– On est en train de bombarder Paris, dit-elle.

Elle parle à haute voix et il doit résister à l'envie de la bâillonner.

Jutta relève les yeux avec un air de défi. On la dirait agressée par un vent polaire.

– Voilà ce que j'entends à la radio, Werner. Nos avions sont en train de bombarder Paris...

Fuite

À travers tout Paris, on planque la porcelaine dans les caves, on coud des perles dans des ourlets, on cache des alliances en or dans des reliures. Au musée, les locaux administratifs se retrouvent dépouillés de leurs machines à écrire. Les couloirs se transforment en entrepôts de fortune au sol jonché de paille, de sciure et de bouts de ficelle.

À midi, le serrurier est convoqué chez le directeur. Assise en tailleur par terre, au dépôt des clés, Marie-Laure s'efforce de lire son roman. Le capitaine Nemo est sur le point d'emmener le professeur Aronnax et ses compagnons dans une promenade sous-marine à travers les bancs d'huîtres pour une chasse aux perles, mais Aronnax craint les requins et, bien qu'elle ait hâte de connaître la suite, les phrases se désintègrent sur la page. Les mots se resubdivisent en lettres, les lettres redeviennent des points inintelligibles. Comme si elle avait des moufles.

Au fond du couloir, dans la loge, un gardien tripote les boutons de la TSF mais ne capte que de la friture. Lorsqu'il éteint, le silence se referme sur le musée.

Faites que ce soit une devinette, un jeu compliqué inventé par papa, une charade à résoudre. La première porte, une serrure à combinaison. La seconde, un verrou. La troisième s'ouvrira si elle chuchote un mot magique par le trou de la

99

serrure. Rampe à travers treize portes, et tout redeviendra normal.

En ville, les cloches sonnent un coup. Une heure. Une heure trente. Son père n'est toujours pas de retour. À un moment donné, plusieurs coups distincts et sourds arrivent des jardins ou des rues alentour, comme si on lâchait des sacs de ciment depuis les nuages. À chaque impact, les milliers de clés tremblent du fond de leurs placards.

Personne ne passe dans le couloir. Une seconde série de secousses survient – plus proche, plus importante. Les clés tintent, le sol grince, et des filets de poussière semblent tomber du plafond.

– Papa ?

Rien. Ni gardien, ni concierge, ni charpentier, ni le cliquetis des hauts talons des secrétaires traversant le hall.

Ils peuvent marcher pendant des jours sans manger. Ils violent toutes les écolières qu'ils croisent.

– Y a quelqu'un ?

Comme sa voix est vite absorbée, comme les halls semblent vides ! C'est terrifiant.

Un instant plus tard, un bruit de clés et de pas, et son père l'appelle. Tout va très vite. Il ouvre de gros tiroirs, remue des dizaines de trousseaux de clés.

– Papa, j'ai entendu dire que...

– Dépêche-toi !

– Mon livre...

– Mieux vaut le laisser. C'est trop lourd.

– Laisser mon livre ?

Il la fait sortir, ferme à clé. Dehors, des ondes de panique semblent se propager d'arbre en arbre, comme les vibrations d'un séisme.

Son père dit :

– Où est le veilleur de nuit ?

Voix près du caniveau : des soldats.

Marie-Laure s'y perd. Ceci, c'est bien un grondement d'avions ? Et ça, une odeur de brûlé ? Parle-t-on allemand ?

Elle entend son père échanger des mots avec quelqu'un et lui remettre des clés. Ils sortent par la rue Cuvier, frôlant d'éventuels sacs de sable, ou des policiers muets, ou autre chose qu'on vient de planter au beau milieu du trottoir.

Six pâtés de maisons, trente-huit bouches d'égout. Elle les compte intégralement. Son père ayant condamné les fenêtres avec du contreplaqué, il fait une chaleur étouffante dans l'appartement.

– C'est l'affaire d'une minute, Marie-Laure. Après, je t'expliquerai...

Il bourre ce qui doit être son sac à dos. *Victuailles*, se dit-elle, s'efforçant d'en identifier le détail à l'oreille. Café. Cigarettes. Pain ?

Nouveau choc – les vitres tremblent. La vaisselle s'entrechoque dans les placards. Coups de klaxons au-dehors. Marie-Laure s'approche de la maquette, passe les doigts pardessus les maisons. Toujours là. Toujours là. Toujours là.

– Va faire pipi, Marie-Laure.

– Pas envie.

– On ne sait pas quand tu en auras de nouveau l'occasion.

Il lui fait enfiler son manteau d'hiver, bien qu'on soit à la mi-juin, et ils dévalent l'escalier. Rue des Patriarches, elle entend des piétinements à distance, comme si une multitude de gens se déplaçaient. Elle marche tout contre son père, serrant d'une main sa canne télescopique, se tenant de l'autre au sac à dos. Il n'y a plus de logique, c'est comme un cauchemar.

Droite, gauche, et toujours de longues étendues de pavés. Bientôt, ils empruntent des rues qu'ils n'avaient jamais traversées auparavant, au-delà des limites de la maquette paternelle. Marie-Laure a depuis longtemps cessé de compter ses pas lorsqu'ils atteignent une foule si compacte qu'elle sent la chaleur qui s'en dégage.

– On aura moins chaud dans le train, Marie. Le directeur nous a acheté des billets.

– On peut y aller ?

– La gare est fermée.

De la foule irradie une tension qui donne la nausée.

– Papa, j'ai peur.

– Ne me lâche pas.

Il l'entraîne dans une nouvelle direction. Ils traversent une voie publique grouillante de monde, remontent une ruelle qui sent la vase. Il y a toujours le cliquetis ténu des outils dans le sac à dos et ces incessants coups de klaxons.

La minute d'après, ils se retrouvent parmi une autre cohue. Des voix se répercutent contre un mur élevé. L'odeur de transpiration la suffoque. On crie des noms au mégaphone.

– Où on est, papa ?

– Gare Saint-Lazare...

Un bébé pleure. Ça sent l'urine.

– Les Allemands sont là, papa ?

– Non, ma chérie.

– Mais ils seront là bientôt ?

– À ce qu'on dit.

– Qu'est-ce qu'ils feront, une fois ici ?

– À ce moment-là, on sera dans un train.

À sa droite, un marmot hurle. Un homme à l'air paniqué exige qu'on le laisse passer. Une femme tout près lance des : « Sébastien, Sébastien », d'une voix plaintive.

– Il fait déjà nuit ?

– Pas encore. Reposons-nous un moment. Économisons notre souffle.

Quelqu'un dit :

– La 2e armée mutilée, la 9e amputée. Notre flotte anéantie.

Quelqu'un dit :

– C'est la débâcle.

Des malles traînées sur des dalles, un roquet qui jappe, on entend un coup de sifflet et une sorte de grosse machinerie se met en marche en toussotant, puis cale. Marie-Laure s'efforce de dominer sa frayeur.

– Mais on a des billets, bon sang ! s'écrie quelqu'un derrière elle.

Bousculade. L'hystérie se propage dans la foule.

– C'est comment, papa ?

– Quoi, Marie ?

– La gare. La nuit.

Elle l'entend allumer son briquet, un minuscule grésillement.

– Voyons... la ville est dans la pénombre. Pas de réverbère, pas de lumière aux fenêtres. Des projecteurs balaient le ciel de temps en temps, guettant des avions. Il y a une femme en robe longue. Une autre tient dans ses bras une pile d'assiettes.

– Et l'armée ?

– Il n'y a pas d'armée, Marie.

Il trouve sa main. Sa peur en est légèrement atténuée. Une gouttière est en train de déborder.

– Et maintenant, qu'est-ce qu'on fait ?

– On espère qu'il y aura un train.

– Et les autres ?

– Ils en font autant.

Herr Siedler

On frappe à la porte après le couvre-feu. Werner et Jutta sont occupés à faire leurs devoirs avec les autres enfants autour de la table commune. Avant d'aller ouvrir, Frau Elena épingle l'insigne du Parti à sa boutonnière.

Échappant à la pluie, un caporal avec un pistolet à la ceinture et un brassard à croix gammée s'avance. Sous ce plafond bas, il a l'air immense. Werner songe au récepteur d'ondes courtes planqué sous son lit, dans le coffret à pharmacie. *Ils savent*, se dit-il.

Le caporal regarde autour de lui – le poêle à charbon, le linge en train de sécher, les enfants chétifs – avec le même mélange de condescendance et d'hostilité. Son arme est toute noire – elle semble absorber toute la lumière de la pièce.

Werner risque un coup d'œil vers sa sœur ; elle ne regarde que le nouveau venu. Le caporal prend un livre sur la table – un album pour enfants, l'histoire d'un petit train qui parle – le feuillette entièrement avant de l'abandonner. Puis il dit quelque chose que Werner n'entend pas.

Frau Elena croise les mains sur son tablier et il comprend que c'est pour les empêcher de trembler.

– Werner, lui lance-t-elle d'une voix lente et rêveuse, sans détacher les yeux du caporal. Il dit qu'il a une TSF qui...

– Prends tes outils, dit l'homme.

En sortant, Werner ne jette qu'un regard en arrière : le front et les mains de Jutta sont collés à la fenêtre. Comme elle a la lumière dans le dos, son expression est indéchiffrable. Ensuite, la pluie fait écran.

Werner est deux fois plus petit que le caporal et pour ne pas se faire distancer il doit doubler le pas. Ils passent devant des maisons de la compagnie, la sentinelle au pied de la colline où résident les fonctionnaires de la mine. La pluie tombe en biais à travers les lumières. Les rares personnes qu'ils croisent font un large détour.

Werner n'ose rien demander. À chaque battement de cœur lui vient l'envie folle de prendre ses jambes à son cou.

Ils approchent de la grille de la plus grosse maison de la colonie, maison qu'il a vue des milliers de fois mais jamais d'aussi près. Un grand drapeau rouge, complètement trempé, pend d'une fenêtre à l'étage.

Le caporal frappe à la porte de service. Une domestique prend leurs manteaux, les secoue vigoureusement et les suspend à un portemanteau en laiton. Une odeur de pâtisserie flotte dans la cuisine.

Le caporal guide Werner jusqu'à une salle à manger où une femme au visage allongé, trois marguerites piquées dans les cheveux, feuillette un magazine, assise sur une chaise. « Quel temps ! » dit-elle, avant de se replonger dans sa lecture. Elle ne leur propose pas de s'asseoir.

Les galoches de Werner s'enfoncent dans un épais tapis rouge. Un lustre où brûlent des ampoules électriques est suspendu au-dessus de la table. Des roses s'entrelacent sur le papier peint. Un feu couve dans la cheminée. Sur les quatre murs sont accrochés des daguerréotypes encadrés montrant des ancêtres à l'air sévère. Est-ce ici qu'on met en état d'arrestation ceux qui écoutent des stations étrangères ? La femme tourne les pages de son magazine, l'une après l'autre. Ses ongles sont rose vif.

Un homme descend l'escalier, vêtu d'une chemise très blanche.

– Qu'est-ce qu'il est petit ! lance-t-il au caporal. C'est toi, le fameux bricoleur ?

Ses épais cheveux noirs semblent laqués.

– Rudolf Siedler, dit-il.

Il congédie le soldat d'un vague geste du menton.

Werner s'efforce de reprendre sa respiration. Herr Siedler boutonne ses manchettes et s'examine dans un miroir fumé. Ses yeux sont d'un bleu profond.

– Pas bavard, hein ? Voici l'objet du délit...

Il désigne un imposant poste Philco américain dans la pièce adjacente.

– Deux types ont déjà regardé... Et puis, on a entendu parler de toi. Ça vaut le coup d'essayer, non ? Elle... – il désigne la femme – elle veut absolument entendre son émission. Le bulletin d'information, bien entendu !

Au ton de sa voix, Werner comprend qu'il ne s'agit pas réellement de cela. La femme ne relève pas la tête. Herr Siedler sourit, comme pour dire : *Nous autres, on sait ce qu'il en est, hein, fiston ?* Ses dents sont minuscules.

– Prends ton temps...

Werner s'accroupit devant le poste et s'efforce de reprendre son sang-froid. Il l'allume, attend que les tubes chauffent, puis déplace le curseur soigneusement le long de la bande, de droite à gauche. Et vice versa. Rien.

C'est le plus beau poste qu'il ait jamais manipulé : panneau de contrôle incliné, réglage magnétique, le volume d'un frigo. Dix tubes, toutes ondes, superhétérodyne, avec cannelures et coffret en ronce de noyer. Ondes courtes, large bande de fréquences, gros atténuateur – cette radio vaut plus cher que tout ce que contient l'orphelinat. Herr Siedler pourrait probablement capter l'Afrique, s'il le souhaitait.

Des livres reliés verts et rouges tapissent les murs. Le caporal a disparu. Dans la pièce à côté, Herr Siedler se tient dans un cercle de lumière et parle au téléphone.

On ne va pas l'arrêter. C'est seulement pour un dépannage.

106

Il dévisse le fond et examine l'intérieur. Les tubes sont tous intacts et rien ne semble manquer. « Bon, se dit-il, réfléchissons. » Il s'assoit en tailleur, examine le circuit. L'homme, la femme, les livres et la pluie s'estompent, ne laissant que la radio et son écheveau de fils. Il s'efforce de visualiser les bondissants passages des électrons, la chaîne du signal comme un chemin à travers une ville bondée, le signal RF qui arrive là, passe par une grille d'amplificateurs, puis dans les condensateurs variables, les bobines du transformateur...

Ça y est. Deux entailles dans l'un des fils de résistance. Werner regarde par-dessus le couvercle du poste : à sa gauche, la femme lit son magazine ; à sa droite, Herr Siedler est toujours au téléphone. De temps en temps, il passe le pouce et l'index le long de son pantalon à fines rayures, pour en rafraîchir le pli.

Deux adultes peuvent-ils avoir loupé une chose aussi élémentaire ? C'était si simple ! Werner rembobine la piste résistive, réalise l'épissure, branche la radio. Lorsqu'il la rallume, il s'attendrait presque à voir jaillir des flammes. En fait : le babil langoureux d'un saxophone.

À la table, la femme repose son magazine et applique ses dix doigts sur ses joues. Werner se redresse. Sur le moment, il n'y a plus en lui que l'évidence de son triomphe.

– Il s'est contenté de réfléchir ! s'exclame-t-elle.

Herr Siedler met la main sur le micro du téléphone et regarde de leur côté.

– Il était assis là, une vraie petite souris et trente secondes plus tard... réglé !

Elle fait un moulinet de ses ongles laqués et éclate d'un rire puéril.

Herr Siedler raccroche. La femme va dans le salon et s'agenouille devant la radio – elle est jambes nues et ses mollets blancs et lisses apparaissent sous l'ourlet de sa jupe. Elle tourne le bouton. Crachotements, puis torrent de musique joyeuse. La radio émet un son vif, plein : Werner n'en avait jamais entendu de pareil.

— Oh !

De nouveau, elle rit.

Werner rassemble ses outils. Herr Siedler se tient devant la radio et semble sur le point de lui tapoter la tête.

— Remarquable ! dit-il.

Il l'entraîne vers la table de la salle à manger, ordonne à la domestique d'apporter le gâteau. Celui-ci apparaît aussitôt : quatre parts sur un plat tout blanc. Chacune est saupoudrée de sucre glace, coiffée d'une bonne couche de crème fouettée. Werner en est bouche bée. Herr Siedler glousse.

— La crème est interdite, je sais. Mais...

Il met un doigt sur ses lèvres.

— On peut toujours s'arranger. Sers-toi !

Werner prend une part. Le sucre glace se répand sur son menton. Dans l'autre pièce, la femme tripote le bouton et on entend des voix pontifiantes. Elle écoute un moment, puis applaudit, pied nus et à genoux. Les figures austères des daguerréotypes regardent tout cela de haut.

Il mange une part, une autre, puis une troisième. Herr Siedler le regarde, la tête légèrement de biais, amusé, pensif.

— Tu as une drôle de dégaine, tu sais ? Et ces cheveux... ! Comme si tu avais subi un grand choc. C'est qui, ton père ?

Werner secoue la tête.

— Ah. L'orphelinat ! Suis-je bête... Ressers-toi. Reprends du gâteau.

De nouveau, la femme applaudit. Le ventre de Werner gémit. Il sent sur lui le regard de cet homme.

— On dit que ce n'est pas un poste formidable ici, à la mine, déclare Herr Siedler. On dit : il ne serait pas mieux à Berlin ? Ou en France ? À un poste de commandement au front, à surveiller la progression des lignes, loin de toute cette...

Sa main désigne la fenêtre.

– ... suie ? Mais moi, je réponds que je suis au cœur des choses. Que c'est d'ici que vient notre énergie, et notre acier. Ici, c'est la fournaise du pays.

Werner se racle le gosier.

– Nous agissons dans l'intérêt de la paix.

C'est, mot pour mot, une phrase que Werner et sa sœur ont entendue à la radio il y a trois jours.

– Dans l'intérêt du monde.

Herr Siedler s'esclaffe. Une fois de plus, Werner est impressionné par le nombre et la taille minuscule de ses dents.

– Tu sais quelle est la plus grande leçon de l'Histoire ? C'est qu'elle est toujours écrite par les vainqueurs. La voilà, la leçon. Celui qui juge, c'est le vainqueur. On agit dans notre propre intérêt. Évidemment ! Montre-moi quelqu'un qui fait autrement. Le tout est de savoir où est son intérêt...

Il reste une seule part de gâteau. La radio ronronne, la femme glousse, et Herr Siedler n'a rien de commun avec les voisins de Werner, leur expression anxieuse, méfiante – l'expression de ceux qui sont habitués à voir des êtres chers s'enfoncer tous les matins dans les puits de la mine. Son visage est net et convaincu : un homme sûr et certain de son bon droit. Et à cinq mètres de là est agenouillée la femme aux ongles vernis et aux mollets tout lisses – une femme si complètement étrangère au monde de Werner qu'elle pourrait aussi bien venir d'une autre planète. Sortir de la grosse radio Philco.

– Habile de tes mains, dit Herr Siedler. D'une intelligence précoce. Il y a des établissements pour un garçon comme toi. Les écoles du général Heissmeyer. Les meilleures. On y enseigne aussi les sciences mécaniques. Décodage, propulsion spatiale, les secteurs de pointe !

Werner ne sait où poser son regard.

– C'est qu'on n'a pas d'argent...

– C'est le génie de ces établissements ! Ils cherchent à recruter dans les classes laborieuses, chez les ouvriers. Des garçons pas marqués par... – Herr Siedler prend l'air mécontent – les saloperies de la petite bourgeoise. Le cinéma et cetera. Ils veulent des bosseurs. Des garçons exceptionnels.

– Oui, monsieur.

– Exceptionnels, répète-t-il en hochant la tête, comme s'il ne parlait qu'à lui-même.

Il siffle, le caporal revient, casque à la main. Ses yeux se posent sur la dernière part de gâteau, furtivement.

– Il y a un comité de sélection à Essen. Je t'écrirai une lettre. Et prends ça...

Il lui tend soixante-quinze marks. Werner s'empresse d'empocher les billets.

Le caporal rit.

– Ça lui brûle les doigts, on dirait !

Mais l'attention de Herr Siedler est ailleurs.

– Je vais écrire à Heissmeyer, répète-t-il. C'est dans notre intérêt et le tien. Nous agissons dans l'intérêt du monde, hein ?

Il lui fait un clin d'œil. Puis le caporal donne à Werner un sauf-conduit, à cause du couvre-feu, et le raccompagne à la porte.

Werner rentre sans ressentir la pluie, tâchant d'absorber l'énormité de ce qui vient de se produire. Neuf hérons se dressent comme des fleurs dans le canal près de la cokerie. Une barge fait entendre sa corne de brume, des wagons à charbon vont et viennent avec fracas, et les coups sourds et réguliers de l'élévateur se répercutent dans la pénombre.

À l'orphelinat, presque tout le monde est couché. Frau Elena est assise juste dans l'entrée, avec une montagne de chaussettes propres sur les genoux et la bouteille de vin cuit entre ses pieds. Derrière elle, à la table, Jutta regarde Werner avec une intensité électrisante.

– Qu'est-ce qu'il voulait ? demande Frau Elena.

– Seulement que je répare la radio.

– Rien de plus ?

– Non.

– Ils t'ont posé des questions ? Sur toi ? Les enfants ?

– Non, Frau Elena.

Celle-ci pousse un gros soupir, comme si elle s'était retenue de respirer depuis deux heures.

– Dieu merci...

Elle se frotte les tempes à deux mains.

– Tu peux aller te coucher, maintenant, dit-elle à Jutta.

La petite hésite.

– Je l'ai réparée, dit Werner.

– Bravo, mon garçon.

Frau Elena boit une bonne rasade au goulot, ses yeux se ferment et elle renverse la tête en arrière.

– On t'a gardé ton assiette...

Jutta s'en va vers l'escalier, avec un air d'incertitude.

Dans la cuisine, tout semble exigu et noir de suie.

Frau Elena apporte une assiette. Dedans, une simple patate bouillie, coupée en deux.

– Merci, dit Werner.

Il a encore le goût du gâteau dans la bouche. Le balancier de l'horloge oscille. Le gâteau, la crème fouettée, l'épais tapis, les ongles roses et les mollets de Frau Siedler – ces sensations tournoient dans sa tête comme sur un manège. Il se revoit remorquer Jutta jusqu'au Puits 9 où leur père disparaissait soir après soir, comme si celui-ci allait pouvoir sortir de l'élévateur.

Lumière, électricité, éther. Espace, temps, masse. *Principes de la mécanique* de Heinrich Hertz. Les célèbres écoles de Heissmeyer. *Décodage, propulsion spatiale. Les secteurs de pointe !*

Ouvrez les yeux, disait le Français à la radio, *et voyez ce que vous pouvez avant qu'ils se ferment à jamais.*

– Werner ?

– Oui, Frau Elena ?

– Tu n'as pas faim ?

Frau Elena : c'est pour lui ce qui se rapproche le plus d'une mère. Werner mange, bien qu'il n'ait pas faim. Puis, il lui donne les soixante-quinze marks, elle écarquille les yeux en découvrant ce montant et lui en rend cinquante.

Au premier, après avoir entendu Frau Elena aller au cabinet et se coucher, alors que tout est absolument calme, il compte jusqu'à cent. Puis il se relève, sort la petite radio de sa boîte, enrichie des modifications apportées par lui – fils de remplacement, nouveau solénoïde, les notes de Jutta gravitant autour de la bobine d'accord –, l'emporte dans la ruelle derrière la maison et la fracasse à coups de brique.

Exode

Les Parisiens continuent à affluer entre les grilles. À une heure du matin, les gendarmes ne contrôlent plus la situation, et il n'y a plus ni arrivée ni départ de train depuis près de quatre heures. Marie-Laure s'est assoupie sur l'épaule de son père. Le serrurier n'entend ni coup de sifflet ni bruit d'attelage : pas de train. À l'aube, il décide de partir à pied.

Ils marchent toute la matinée. Paris s'éclaircit peu à peu – maisons basses et petits commerces, longues rangées d'arbres. À midi, ils en sont à se frayer un chemin à travers un convoi bloqué sur une nationale, près de Vaucresson, à quinze bons kilomètres de leur domicile – jamais elle ne s'était autant éloignée de l'appartement.

Du haut d'une butte, son père regarde en arrière : à perte de vue, des véhicules à la queue leu leu – fourgons et camionnettes, une rutilante Citroën traction cabriolet aux lignes fluides, coincée entre deux carrioles, des voitures à essieux en bois, certaines en panne d'essence, parfois avec tout le mobilier du ménage ficelé sur le toit, quelques-unes avec des basses-cours entières entassées sur des remorques, poules et cochons en cage, vaches qui se traînent à côté, chiens bavant contre les pare-brise.

Cette procession va quasiment au pas. Les deux voies sont embouteillées – tout le monde fuit vers l'ouest, tant bien que mal. Une femme passe à bicyclette, chargée de parures de théâtre. Un homme traîne sur une charrette à bras un fauteuil en cuir, où un chaton noir fait sa toilette. Des femmes poussent des landaus pleins de porcelaine, de cages à oiseaux, de verrerie. Un homme en smoking marche en criant : « Pour l'amour du ciel, laissez-moi passer », mais personne ne s'écarte et il ne va pas plus vite qu'un autre.

Marie-Laure reste auprès de son père, sa canne au poing. À chaque pas, une nouvelle question désincarnée virevolte autour d'elle : *C'est loin, Saint-Germain ? Y a à manger, tantine ? Qui a de l'essence ?* Elle entend des maris engueuler leur femme. On dit qu'un enfant a été renversé par un camion sur cette même route, un peu plus loin. L'après-midi, trois avions passent avec fracas à basse altitude ; des gens s'accroupissent sur place, certains hurlent, d'autres se jettent dans le fossé et mettent la tête dans les roseaux.

À la fin de la journée, ils ont dépassé Versailles. Marie-Laure a les talons en sang, ses chaussettes sont trouées et elle trébuche souvent. Lorsqu'elle déclare qu'elle n'en peut plus, son père la porte dans ses bras et gravit une colline à travers un parterre de fleurs de moutarde puis débouche dans un champ, non loin d'une fermette. Le champ n'a été fauché qu'à moitié ; le foin n'a été ni engrangé ni mis en bottes. Comme si le fermier s'était enfui en plein travail.

Du sac à dos il extrait une miche de pain, des chapelets de saucisses et ils mangent en silence, puis il lui prend les pieds, les met sur ses genoux. Entre chien et loup, il distingue une colonne grisâtre de véhicules, canalisée par les bas-côtés de la route. Le bêlement faible et stupéfait des klaxons. Quelqu'un appelle – on dirait que c'est un enfant qu'on recherche –, et le vent emporte cette voix.

– Qu'est-ce qui brûle, papa ?

– Rien.

– Ça sent la fumée.

Il lui enlève ses chaussettes pour examiner ses talons. Entre ses mains, les pieds de Marie-Laure sont légers comme des oiseaux.

– C'est quoi, ce bruit ?

– Des sauterelles.

– Il fait nuit ?

– Le soir tombe…

– On va dormir où ?

– Ici.

– Il y a des lits ?

– Non, ma chérie.

– Où va-t-on, papa ?

– Le directeur m'a donné l'adresse de quelqu'un qui va nous aider.

– Où ?

– À Évreux. On doit aller voir un certain Monsieur Grannot. Un ami du musée.

– C'est loin, Évreux ?

– À pied, on mettra bien deux ans.

Elle lui agrippe le bras.

– Je plaisante, Marie ! Ce n'est pas si loin Si on trouve un moyen de transport, on y sera demain. Tu verras.

Elle parvient à garder le silence pendant quelques instants. Puis :

– Et pour le moment ? dit-elle.

– Pour le moment on va dormir.

– Sans lit ?

– Avec l'herbe en guise de matelas. Tu vas peut-être aimer cela.

– Et à Évreux, on aura des lits, papa ?

– J'espère bien.

– Et s'il ne veut pas de nous ?

– Il voudra de nous.

– Et s'il ne veut pas ?

115

– Alors, on ira voir mon oncle. Ton grand-oncle. À Saint-Malo.

– Oncle Étienne ? Tu as dit qu'il était fou.

– En partie, oui. Aux trois quarts...

Elle ne rit pas.

– Et Saint-Malo, c'est loin ?

– Assez de questions, Marie. Monsieur Grannot nous hébergera volontiers. On dormira dans de grands lits moelleux.

– Il reste à manger, papa ?

– Un peu. Tu as encore faim ?

– Non. Il ne faut pas gaspiller la nourriture.

– Entendu. Ne gaspillons pas. Et maintenant, on va se taire et se reposer.

Elle s'allonge sur le dos. Il allume une autre cigarette. Plus que six. Des chauve-souris plongent et fondent en piqué à travers des nuées de moucherons qui se dispersent pour se reformer aussitôt. *Nous sommes des souris*, se dit-il, *et le ciel est plein de faucons.*

– Tu es courageuse, Marie-Laure.

L'enfant s'est déjà endormie. La nuit s'épaissit. Une fois sa cigarette consumée, il déplace les pieds de Marie-Laure qui étaient sur ses genoux, la recouvre de son manteau et ouvre le sac à dos. À tâtons, il trouve sa boîte d'outils pour travailler le bois : mini scies, semences, gouges, ciseaux à bois, papier de verre ultra fin. Bon nombre de ces outils appartenaient à son grand-père. Sous la doublure, il retire une petite bourse serrée par un cordon. Toute la journée il s'est retenu d'en vérifier le contenu. À présent il l'ouvre et répand ce contenu dans sa paume.

Le diamant est gros comme un marron. Même dans l'obscurité, il est d'un bleu qui rayonne. Et étrangement froid.

Le directeur avait parlé de trois répliques. En comptant le véritable diamant, ça fait quatre. L'un devait rester au musée. Les trois autres seraient envoyés dans trois directions.

116

Côté sud, avec un jeune géologue. Côté nord avec le chef de la sécurité. Et celui-ci, à l'intérieur de la boîte à outils de Daniel Leblanc, serrurier principal du Muséum d'histoire naturelle à Paris.

Trois faux. Un vrai. Mieux vaut, a dit le directeur, que personne ne sache s'il détient le vrai ou une reproduction. Et chacun, a-t-il dit en leur adressant un regard grave, devrait se comporter comme s'il détenait le vrai.

Le serrurier se dit que le diamant qu'on lui a confié n'est pas le véritable. On n'aurait jamais donné en connaissance de cause un diamant de cent trente-trois carats à un simple artisan. Et pourtant, plus il le regarde, moins il peut s'empêcher d'y penser : *Et si... ?*

Son regard survole le champ. Arbres, ciel, foin. L'obscurité tombe comme du velours. Déjà, quelques étoiles pâles. Marie-Laure a la respiration mesurée du dormeur. *Chacun devra se comporter comme s'il transportait l'authentique.* Le serrurier replace le diamant dans la petite bourse, qu'il range dans son sac à dos. Il sent son poids minuscule qui est là, comme s'il l'avait glissé à l'intérieur de son esprit : un nœud à son mouchoir.

Quelques heures plus tard, il se réveille pour voir la silhouette d'un avion occulter les étoiles. Son passage s'accompagne d'un léger bruit de déchirure. Et puis, il disparaît. Un instant plus tard, le sol est ébranlé.

Une fleur rouge s'épanouit dans un coin de ciel nocturne, au-delà d'un rideau d'arbres. Dans cette lumière sanglante, vacillante, il constate que cet avion n'était pas seul, que le ciel en regorge, une douzaine d'appareils qui fondent en piqué et remontent, fonçant dans toutes les directions, et pendant un bref instant il a l'impression que ce n'est pas en l'air qu'il regarde, mais vers le bas, comme si le ciel était la mer, et les avions des squales affamés, harcelant leur proie dans le noir.

Deux

8 août 1944

Saint-Malo

Des portes sont soufflées de leurs chambranles. Des briques, pulvérisées. De gros nuages joufflus de craie, de terre et de granit jaillissent vers le ciel. Les douze forteresses volantes ont déjà fait demi-tour, repris de l'altitude et retrouvé leur alignement au-dessus de la Manche, que les ardoises des toits n'ont pas fini de pleuvoir dans les rues.

Des flammes gambadent jusqu'en haut des murs. Des voitures en stationnement prennent feu, tout comme les rideaux, les abat-jour, les divans, les matelas et la plupart des vingt mille volumes de la bibliothèque publique. Les incendies s'unissent, se pavanent ; ils montent contre les flancs des remparts comme la marée, éclaboussent les ruelles, recouvrent les toits, s'engouffrent à travers un parking. La fumée chasse la poussière ; la cendre chasse la fumée. Un kiosque à journaux flotte, en flammes.

Du fond des caves et des cryptes, à travers toute la ville, des Malouins implorent le ciel : *Seigneur, sauvez cette ville et ses habitants, ne nous abandonnez pas, amen.* Des vieillards étreignent des lampes-tempête ; des enfants pleurent ; des chiens aboient. En un instant des poutres vieilles de quatre cents ans flambent dans des maisons mitoyennes. Tout un quartier de la vieille ville, coincé contre les murailles ouest, devient un brasier où les langues de feu, à leur maximum, atteignent une hauteur de cent mètres. L'appétit d'oxygène est tel que des objets plus lourds que des chats sont entraînés dans les flammes. Des enseignes de boutique pivotent, attirés par la fournaise ; une plante en pot glisse à travers les décombres et se renverse. Des martinets, chassés des cheminées, s'embrasent et volètent comme des étincelles par-dessus les remparts pour s'éteindre dans la mer.

Rue de la Crosse, l'hôtel des Abeilles, soulevé dans une spirale de flammes, se retrouve presque en état d'apesanteur, avant de retomber en morceaux.

4 rue Vauborel

Marie-Laure se recroqueville sous le lit, serrant dans une main la pierre et dans l'autre la petite maison. Des clous dans les madriers crient et soupirent. Des morceaux de plâtre, de brique et de verre pleuvent sur le sol, la maquette sur la table, et le matelas au-dessus de sa tête.

– Papa papa papa papa, dit-elle, mais son corps semble détaché de sa voix, et les mots produisent une cadence lointaine, désolée.

C'est comme si le sous-sol avait été infiltré par les racines d'un arbre géant, poussant au centre de la ville, dans un square inconnu, que cet arbre avait été arraché par la main même de Dieu, et que le granit venait avec, des monceaux, des blocs et agrégats se détachant en même temps qu'on déracine le tronc, puis les grosses tentacules des racines – cette ramification qui est comme un autre arbre ayant la tête en bas, enfoncé dans le sol, n'est-ce pas ainsi que M. Gérard l'aurait décrit ? –, les remparts s'écroulant, les rues se volatilisant, des manoirs immenses tombant comme des joujoux.

Peu à peu, miséricordieusement, le monde se stabilise. De l'extérieur, on entend un léger tintement, peut-être du verre qui pleut dans la rue. C'est à la fois beau et étrange, comme s'il pleuvait des pierres précieuses.

Où qu'il se trouve, comment son grand-oncle pourrait avoir survécu à cela ?

Quelqu'un pourrait-il même avoir survécu ?

Et elle ?

La maison craque, dégoutte, gémit. Puis, elle entend comme le vent dans des herbes hautes, en plus intense. Ce vent lacère les rideaux, les parties délicates à l'intérieur de son oreille.

Elle sent une odeur de brûlé, et comprend. Le feu. Les vitres de ses fenêtres ont explosé, et ça, c'est une chose qui brûle derrière les volets. Une chose immense. Le quartier. La ville entière.

Le mur, le sol et l'espace sous le lit restent frais. La maison n'est pas encore en feu, mais pour combien de temps ?

Calme-toi. Elle s'applique à gonfler ses poumons, à expirer. À les gonfler de nouveau. Elle reste là. Elle dit : « Ce n'est pas la réalité. »

Hôtel des Abeilles

De quoi se souvient-il ? Il a vu Bernd, l'ingénieur, fermer la porte de la cave et s'asseoir sur les marches. Il a vu Frank Volkheimer, le géant, dans le fauteuil de style, gratter quelque chose sur son pantalon. Puis, l'ampoule au plafond s'est éteinte, Volkheimer a allumé sa torche, un grondement terrible s'est jeté sur eux, un rugissement si formidable que c'était comme une arme en soi, consumant tout, ébranlant la croûte terrestre, et pendant un instant tout ce qu'il a pu voir, c'est cette torche se défilant comme une bestiole effrayée.

Ils ont été projetés. Pendant un instant, ou une heure, ou une journée – qui pourrait le dire ? – il est retourné dans le Zollverein, s'est retrouvé planté au-dessus d'une fosse qu'un mineur avait creusée pour deux mules au bord d'un champ, et c'était l'hiver, et Werner n'avait guère plus de cinq ans, et la peau des mules était devenue presque translucide au point qu'on voyait vaguement les os, et il y avait des grains de terre dans leurs yeux ouverts, et il avait assez faim pour se demander s'il n'y aurait pas quelque chose à manger sur ces carcasses.

Il a entendu une pelle cogner contre des cailloux.

Il a entendu sa sœur respirer.

Ensuite, comme si un cordon avait atteint la limite de son élasticité, il s'est retrouvé brutalement ramené dans la cave, sous l'hôtel des Abeilles.

Le sol ne tremble plus mais le bruit n'en a pas diminué pour autant. Il plaque sa main contre son oreille droite. Le grondement persiste, le bourdonnement d'un essaim d'abeilles, tout près.

– Il y a du bruit ? demande-t-il, mais il ne s'entend pas lui-même.

Tout le côté gauche de son visage est poisseux. Il a perdu ses écouteurs. Où est l'établi, la radio – et qu'est-ce que c'est, tous ces poids sur lui ?

De ses épaules, sa poitrine, ses cheveux, il retire des débris brûlants. Il trouve la torche, examine les autres, la radio. La sortie. Cherche à comprendre pourquoi il est devenu sourd. Démarche rationnelle. Il tente de se redresser sur son séant, mais le plafond s'est abaissé et il se cogne la tête.

Il fait chaud. Toujours plus chaud. On est enfermés dans une boîte, se dit-il, et cette boîte a été balancée dans la gueule d'un volcan.

Les secondes s'égrènent. Ou alors les minutes. Werner reste à genoux. La torche. Les autres. La sortie. Son ouïe. Les hommes de la Luftwaffe doivent être déjà en train de déblayer pour les secourir. Mais il ne parvient pas à trouver sa propre lampe-torche. Ni à se mettre debout.

Dans cette nuit totale, son champ de vision est étoilé d'une myriade de filaments rouges et bleus. Flammes ? Spectres ? Cela lèche le sol, puis s'élève jusqu'au plafond, et rougeoie étrangement, sereinement.

– On est morts ? s'écrie-t-il dans le noir. Est-ce qu'on est morts ?

Cinq étages plus bas

Le grondement des bombardiers s'est à peine estompé qu'un obus d'artillerie siffle par-dessus la maison et explose non loin avec un choc sourd. Des objets crépitent sur le toit – fragments d'obus ? parpaings ? – et Marie-Laure se dit tout haut : « Il faut descendre », se forçant à sortir de dessous le lit. Il n'est que temps. Elle replace le diamant à l'intérieur de la maison miniature, remet en place les panneaux du toit, tourne la cheminée dans l'autre sens et glisse le tout dans la poche de sa robe.

Où sont passées ses chaussures ? Elle se déplace en rampant, mais ses doigts ne trouvent que des morceaux de bois et de verre. Elle trouve sa canne et va en chaussettes jusqu'à la porte puis au fond du couloir. Ici, l'odeur de brûlé est plus prononcée. Le sol est toujours frais, les murs aussi. Elle se soulage dans les WC du cinquième et résiste au réflexe de tirer la chasse, sachant que la cuvette ne se remplira pas, puis vérifie encore le degré de chaleur avant de continuer.

Six pas jusqu'à la cage d'escalier. Un second obus hurle par-dessus sa tête, elle pousse un cri perçant, le lustre au plafond carillonne tandis que l'obus éclate un peu plus loin, dans le centre-ville.

Pluie de briques, de cailloux, et une plus lente averse de suie. Huit marches en colimaçon ; la deuxième et la cinquième grincent. Autour du noyau central, encore huit marches. Troi-

127

sième étage. Second. Ici, elle vérifie la présence du fil tendu par son grand-oncle sous le guéridon du téléphone, sur le palier. La clochette est suspendue et le fil reste tendu ; il court verticalement à travers le trou percé dans le mur. Personne n'est passé par là.

Huit pas dans le couloir, jusqu'à la salle de bains de l'étage. La baignoire est pleine. Des choses y flottent, plâtre écaillé du plafond, peut-être, et il y a de la saleté par terre sous ses genoux, mais elle approche ses lèvres de la surface et boit jusqu'à plus soif.

Elle retourne sur ses pas et descend jusqu'au premier, puis au rez-de-chaussée : pampres sculptés dans la rampe. Le portemanteau a basculé par terre. Il y a des fragments coupants – débris d'assiettes provenant du vaisselier de la salle à manger – et elle s'efforce d'avoir le pied léger.

Ici, certaines fenêtres ont dû également être soufflées : l'odeur de brûlé est bien là. Le manteau de son grand-oncle est accroché à la patère dans le hall ; elle l'enfile. Ici non plus, pas trace de ses chaussures – qu'en a-t-elle fait ? La cuisine est un fatras d'étagères et de casseroles renversées. Un livre de cuisine est retourné dans le passage, comme un oiseau abattu par un chasseur. Dans le placard, elle trouve une demi-miche de pain, ce qui reste de la veille.

Ici, au milieu de la pièce, la trappe de la cave. Elle déplace la table et tire sur l'anneau de fer.

Royaume des souris, humidité et odeur forte de coquillages échoués, comme si une immense marée était venue jusqu'ici autrefois, et avait pris son temps pour s'en aller. Marie-Laure hésite au-dessus de cette ouverture. Il y a l'odeur des incendies à l'extérieur et celle, froide et humide, presque contraire, qui monte à ses narines. Fumée : son grand-oncle affirme que c'est une suspension de particules, des millions et des millions de molécules de carbone à la dérive. Des fragments de salles à manger, de bistrots, d'arbres. D'êtres humains.

Un troisième obus d'artillerie arrive en hurlant sur la ville, depuis l'est. Une fois de plus, Marie-Laure palpe la petite maison dans sa poche. Puis elle prend le pain, sa canne, descend par l'échelle et referme la trappe.

Pris au piège

Une lumière émerge – lumière qui n'est pas le fruit, du moins l'espère-t-il, de son imagination : un faisceau ambré qui erre à travers la poussière. Il passe par-dessus des débris, éclaire un pan de mur écroulé, un morceau de rayonnage tordu ; se promène par-dessus deux placards métalliques qui ont été déformés et mutilés comme si une main gigantesque venue du ciel les avait déchirés en deux ; il luit sur des caisses à outils renversées, des plateaux perforés, brisés, et une dizaine de bocaux intacts, pleins de vis et de clous.

Volkheimer. C'est sa lampe-torche qu'il passe et repasse sur un fatras de décombres compactés dans l'angle du fond – pierres, ciment et bois éclaté. Werner ne comprend pas tout de suite que c'était l'escalier.

Ce qu'il en reste.

Tout ce coin-là n'est plus. Le pinceau lumineux s'y attarde pendant quelques instants, comme pour lui laisser le temps de comprendre, puis vire à droite et s'avance en flageolant vers une chose toute proche. À travers des nappes de poussière, Werner voit la silhouette du géant s'avancer entre des barres d'armature et des conduites, baissant la tête et trébuchant. Finalement, la lumière se stabilise. Tenant sa torche entre les dents, parmi les ombres dansantes, il soulève des morceaux de briques, mortier et plâtre, méthodiquement, des planches déchiquetées et des blocs de ciment – quelque chose est enfoui sous tout cela, une forme qui se précise petit à petit.

L'ingénieur. Bernd.

Son visage est plâtreux, mais ses yeux sont deux gouffres et sa bouche un trou lie-de-vin. Bernd a beau se lamenter, Werner ne l'entend pas à travers le vrombissement en dents de scie logé dans ses oreilles. Volkheimer le soulève – cet homme mûr est comme un enfant dans ses bras – et va, baissant la tête pour éviter le plafond affaissé, le déposer dans le fauteuil de style toujours placé dans l'angle et maintenant tout blanc.

Volkheimer met sa grosse main sur la mâchoire de Bernd et lui referme délicatement la bouche. Werner, tout près, ne perçoit aucun changement.

La structure qui les entoure est prise d'une nouvelle secousse, et une poussière brûlante descend de tous côtés.

Bientôt, la torche de Volkheimer balaie ce qui reste du plafond : les trois énormes poutres ont craqué, mais aucune n'a cédé tout à fait. Entre elles, le ciment est lézardé, des tuyaux ressortent à deux endroits différents. Le pinceau lumineux illumine l'établi renversé, le boîtier écrasé de la radio. Enfin, il se pose sur Werner. Celui-ci lève la main pour s'en défendre.

Volkheimer s'approche. Son gros visage plein de sollicitude se colle au sien. Large, familier, avec ses yeux enfoncés dans les orbites, sous la ligne du casque. Pommettes hautes et nez long, arrondi au bout comme une rotule Un menton comme un continent. Avec délicatesse, il lui touche la joue. Quand il retire ses doigts, c'est tout rouge.

Werner dit :

– Il faut qu'on sorte. Il faut trouver une autre issue.

Sortir ? font les lèvres de Volkheimer. Il secoue la tête. *Il n'y a pas d'autre issue.*

Trois

Juin 1940

Château

Deux jours après avoir fui Paris, Marie-Laure et son père arrivent dans la ville d'Évreux. Les restaurants sont condamnés, ou bondés. Deux femmes en robe du soir sont prostrées, côte à côte, sur les marches de la cathédrale. Un homme est allongé face contre terre entre les étals du marché, évanoui ou pire.

Plus de courrier. Les lignes télégraphiques sont à terre. Le journal le plus récent est vieux de trente-six heures. À la préfecture, la queue pour les coupons d'essence serpente sur le trottoir et descend jusqu'au coin de la rue.

Les deux premiers hôtels sont complets. Au troisième, on ne leur ouvre même pas. De temps en temps, le serrurier se surprend à regarder par-dessus son épaule.

– Papa, marmonne Marie-Laure, déconcertée. Mes pieds...

Il allume une cigarette – plus que trois.

– Ce n'est plus très loin, Marie.

À la sortie d'Évreux, vers l'ouest, la route se vide et la campagne devient toute plate. Il vérifie plusieurs fois l'adresse que le directeur lui a donnée : *M. François Grannot, 9 rue Saint-Nicolas.* Mais la maison de M. Grannot, quand ils arrivent, est en train de brûler. Dans le crépuscule, d'épaisses nappes de fumée montent lentement vers le ciel. Une voiture a défoncé le coin de la maison du gardien et arraché la grille

133

de ses gonds. La demeure – ou ce qu'il en reste – avait de l'allure : vingt portes-fenêtres en façade, grands volets fraîchement repeints, haies bien taillées. Un château.

– Ça sent le brûlé, papa...

Il lui fait remonter l'allée de gravier. Son sac à dos – ou peut-être est-ce le diamant tout au fond – semble de plus en plus lourd. Pas de flaques brillantes dans cette allée, pas de brigade de pompiers en train de s'activer. Des vases Médicis ont basculé sur les marches du perron. Un lustre est tombé au bas de l'escalier.

– Qu'est-ce qui brûle, papa ?

Sortant de la pénombre enfumée, un jeune homme avance dans leur direction, pas plus vieux que Marie-Laure, barbouillé de cendres, poussant une desserte roulante dans l'allée. Des pinces et cuillères en argent tintent, les roues cliquètent et se tordent. Un petit chérubin d'argent leur sourit aux quatre coins.

– C'est ici qu'habite François Grannot ?

L'autre ignore royalement aussi bien la question que celui qui la pose.

– Vous savez ce qui est arrivé à... ?

Le cliquetis s'éloigne.

Marie-Laure tire son père par la manche.

– Papa, par pitié !

Avec ce manteau qu'elle porte sur le fond d'arbres noirs, son visage paraît plus blanc et elle-même plus effrayée que jamais. A-t-il jamais exigé de sa fille pareil effort ?

– C'est une maison qui a brûlé, Marie. Il y a des gens qui en profitent.

– Quelle maison ?

– Celle pour laquelle on a fait tout ce chemin...

Par-dessus la tête de sa fille, il peut voir les restes fumants de chambranles rougeoyer par intermittence, au passage de la brise. Un trou dans le toit encadre le ciel assombri.

Deux autres jeunes émergent de la suie, trimbalant un portrait dans son cadre doré deux fois plus grand qu'eux, la
figure d'un aïeul mort depuis longtemps, au regard hostile.
Le serrurier lève les deux mains pour capter leur attention.

– Des bombardements ? dit-il.

– Il y a encore plein de trucs à l'intérieur, répond l'un.
La toile du tableau se gondole.

– Vous savez où est passé M. Grannot ?

– Il s'est enfui hier, dit son camarade. Avec les autres. À
Londres.

– Ne lui dites rien, déclare le premier.
Tous deux se hâtent de filer avec leur butin et se fondent
dans la pénombre.

– Londres ? murmure Marie-Laure. L'ami du directeur est
à Londres ?

Des feuilles de papier noirci volètent à leurs pieds. Des
ombres chuchotent dans les arbres. Un melon a roulé dans
le chemin comme une tête décapitée. Le serrurier n'en
peut plus. Toute la journée, kilomètre après kilomètre, il
s'est laissé aller à imaginer qu'on l'accueillerait avec un bon
repas. Petites pommes de terre brûlantes, dégoulinantes de
beurre. Échalotes, champignons, œufs durs et béchamel. Café
et cigarettes. Il tendrait le diamant à M. Grannot, celui-ci
chausserait son lorgnon et lui dirait : vrai ou faux. Puis,
il serait enterré dans le jardin ou placé dans une cachette
creusée dans un mur – et lui, il en serait débarrassé. Mission
accomplie. *Je ne m'en occupe plus.* On leur donnerait une
chambre, ils prendraient un bain. Peut-être même laverait-on
leurs vêtements. Peut-être que M. Grannot leur raconterait
des anecdotes amusantes sur son ami le directeur et au matin
les oiseaux chanteraient, le journal du jour annoncerait la fin
de l'invasion, des concessions raisonnables. Il retournerait au
travail, passerait ses soirées à fixer ses petites fenêtres dans de
petites maisons en bois. *Bonjour, bonjour.* Tout serait comme
avant.

Mais rien n'est comme avant. Les arbres restent immobiles, le château vient de brûler, et planté sur ce chemin, alors que le soir est tombé, le serrurier a cette pensée perturbante : *et si quelqu'un était lancé à nos trousses ? Quelqu'un sachant ce que je transporte ?*

Il s'empresse de ramener Marie-Laure sur la route.

– Papa, mes pieds !

Il fait passer son sac sur son ventre, lui fait nouer les mains autour de son cou, et la porte sur son dos. Ils repassent devant le pavillon démoli, la voiture accidentée, et tournent non pas en direction du centre-ville mais vers l'ouest. Des silhouettes à bicyclette passent. Des visages tendus, qui expriment les soupçons, la peur, ou tout cela à la fois. C'est peut-être le regard du serrurier qui est contaminé.

– Pas si vite ! le supplie Marie-Laure.

Ils se reposent dans les mauvaises herbes, à quelques mètres de la route. Il n'y a plus que la nuit qui descend, les cris des chouettes dans les arbres et des chauves-souris qui chassent les insectes au-dessus du bas-côté de la route. Un diamant, se dit le serrurier, ce n'est jamais qu'un morceau de carbone comprimé dans les entrailles de la terre pendant des millénaires et ramené à la surface par un conduit volcanique. Il est taillé, poli. Il ne peut pas faire l'objet d'une malédiction – pas plus qu'une feuille d'arbre, qu'un miroir, ou qu'une vie. Dans la vie, il n'y a que le hasard. Le hasard, et les lois de la physique.

De toute façon, ce truc, ce n'est jamais qu'un bout de verre. Une diversion.

Derrière lui, au-dessus d'Évreux, un mur de nuages s'embrase une fois, deux fois. La foudre ? Sur la route, il peut distinguer des étendues de foin et le délicat contour d'un corps de ferme – maison et grange. Rien ne bouge.

– Marie, je vois un hôtel.

– Tu as dit qu'ils étaient tous complets.

– Celui-ci a l'air accueillant. Viens. Ce n'est pas loin.

De nouveau, il la porte sur son dos. Encore un kilomètre. Les fenêtres de la ferme ne s'éclairent pas à leur approche. La grange se trouve à une centaine de mètres. Il s'efforce de tendre l'oreille, malgré les bourdonnements dans sa tête. Ni chiens, ni lampes. Ceux-là aussi ont dû s'enfuir. Il dépose sa fille devant le portail de la grange, frappe doucement, attend, frappe encore.

Le cadenas est un Burguet tout neuf, tout simple. Avec ses outils il en vient à bout facilement.

À l'intérieur, de l'avoine, des seaux d'eau et des taons décrivant des boucles paresseuses mais pas de chevaux. Il ouvre une stalle, aide Marie-Laure à s'installer dans un coin et à se déchausser.

– Voilà… L'un des clients vient d'amener ses chevaux dans le hall de l'hôtel, alors l'odeur va persister pendant un moment. Mais… que vois-je ? Le personnel l'expulse, il s'en va. Adieu, cheval ! Va dormir à l'écurie, s'il te plaît !

Elle a un air lointain. Hébété.

Il y a un potager derrière la ferme. Dans le demi-jour, il distingue des roses, des poireaux, des laitues. Des fraises, la plupart encore vertes. De tendres carottes blanches dont les fanes retiennent un peu de terre. Rien ne remue. Aucun fermier ne se montre à sa fenêtre avec son fusil. Le serrurier rapporte des légumes dans les pans de sa chemise. Il remplit un seau en fer-blanc au robinet, referme la porte de la grange et fait manger sa fille dans le noir. Puis il replie son manteau, lui fait y reposer sa tête, et lui essuie la figure avec sa chemise.

Plus que deux cigarettes. Inspire, expire.

Sers-toi de ta raison. Il y a une cause pour chaque chose, une solution pour chaque situation fâcheuse. Une clé pour chaque serrure. Tu peux retourner à Paris, ou bien rester ici, ou poursuivre ta route.

De l'extérieur, on entend hululer les chouettes. Des roulements de tonnerre, ou bien des obus – peut-être les deux. Il dit :

137

– Cet hôtel est très bon marché, Marie. Le patron m'a dit que c'était quarante francs la nuit mais seulement vingt francs si on fait son lit soi-même.

Il l'entend respirer.

– Alors j'ai dit : « On s'en charge. » Et il a répondu : « D'accord, je vais chercher des clous et un marteau. »

Marie-Laure ne sourit toujours pas.

– Et maintenant, on va chez l'oncle Étienne ?

– Oui, Marie.

– Qui est aux trois quarts fou ?

– Il se trouvait avec ton grand-père – son frère – quand il est mort. À la guerre. « Il a respiré un peu trop de gaz moutarde », c'est ce qu'on a dit à l'époque. À son retour, il voyait des choses...

– Quoi ?

Les roulements de tonnerre s'accentuent. La grange vibre légèrement.

– Des choses qui n'existaient pas.

Des araignées tissent leurs toiles entre les chevrons. Des papillons de nuit se cognent aux murs. Il se met à pleuvoir.

Examen d'entrée

Les examens d'admission dans les *Nationalpolitische Erziehungsanstalten*, les écoles d'élite du Reich, ont lieu à Essen, à vingt-deux kilomètres du Zollverein, dans une suffocante salle de danse où un trio de radiateurs gros comme des camions est collé au mur du fond. L'un d'eux fait un boucan de tous les diables et produit de la vapeur toute la journée malgré diverses tentatives pour l'éteindre. Des drapeaux du ministère de la Guerre d'une taille démesurée pendent au plafond.

Il y a une centaine de candidats – tous des garçons. Un représentant de l'école, en uniforme noir, les fait se placer sur quatre rangs. Des médailles sonnent sur sa poitrine tandis qu'il marche de long en large.

– Vous êtes là pour tenter d'entrer dans une école d'élite, déclare-t-il. Les examens se dérouleront sur huit jours. Nous ne prendrons que les plus forts, les plus purs !

Un autre représentant distribue des uniformes : chemise blanche, culotte courte blanche, chaussettes blanches. Les enfants se changent sur place.

Werner compte vingt-six autres garçons de son âge. Tous, sauf deux, sont plus grands que lui. Tous, sauf trois, sont blonds. Pas de binoclards.

Les garçons passent toute cette matinée-là dans leur nouvelle tenue, à remplir des questionnaires sur des écritoires. On n'entend que les crayons qui griffent le papier et les allées et venues des examinateurs, les coups de butoir du gros radiateur.

Où est né votre grand-père ? De quelle couleur sont les yeux de votre père ? Votre mère a-t-elle jamais travaillé dans un bureau ? Sur les cent dix questions relatives à son pedigree, Werner ne peut répondre avec précision qu'à seize. Pour le reste, il ne peut qu'imaginer.

D'où vient votre mère ?

On ne peut pas répondre au passé. Il écrit : *Allemagne.*

D'où vient votre père ?

Allemagne.

Quelle langue votre mère parle-t-elle ?

Allemand.

Il revoit Frau Elena ce matin-là, en chemise de nuit, dans le vestibule, s'affairant au-dessus de son sac, alors que les autres enfants dormaient encore. Elle avait l'air perdu, ahuri, comme si elle ne parvenait pas à digérer la vitesse à laquelle tout changeait autour d'elle. Elle disait qu'elle était fière de lui. Qu'il devait faire de son mieux. « Tu es un garçon intelligent. Tu t'en sortiras. » Elle n'arrêtait pas de lui rajuster son col. Lorsqu'il avait dit : « C'est seulement pour une semaine », les yeux de Frau Elena s'étaient embués lentement, comme si une sorte de submersion interne la gagnait peu à peu.

L'après-midi, les candidats courent. Ils rampent sous des obstacles, font des pompes, grimpent à des cordes qui tombent du plafond – cent enfants passent sous les yeux des examinateurs, interchangeables comme du bétail. Werner est neuvième à la course. Second à la corde lisse. Il ne sera jamais assez performant.

Dans la soirée, les garçons se répandent hors de la salle, certains retrouvent des parents à l'air fier, venus en automobile, d'autres s'évanouissent délibérément par deux ou trois dans les rues. Tous semblent savoir où ils vont. Werner se dirige seul vers un petit hôtel spartiate, à six rues de là, où il loue un lit à deux marks la nuit ; et il s'allonge au milieu des vagabonds qui parlent tout seuls, écoute les pigeons, les cloches et l'animation trépidante de la ville. C'est sa première nuit en dehors de la cité minière, et il ne peut s'empêcher de penser à Jutta, qui ne lui parle plus depuis qu'elle a découvert qu'il a démoli leur radio. Qui l'a fixé d'un regard si accusateur qu'il a dû détourner la tête. Ce regard disait : *Tu m'as trahie*, mais n'était-ce pas pour la protéger ?

Le lendemain matin, il y a les examens raciologiques. On ne lui demande pas grand-chose, sinon de lever les bras ou de ne pas cligner des yeux pendant qu'on braque une lampe-stylo sur ses pupilles. Il transpire, s'agite. Son cœur bat à une vitesse déraisonnable. Un technicien en blouse blanche, qui empeste l'ail, mesure la distance entre ses tempes, la circonférence de sa tête, l'épaisseur et le dessin de ses lèvres. Des compas mesurent ses pieds, la longueur de ses doigts, la distance entre ses yeux et son nombril. On mesure son pénis. L'angle de son nez est défini à l'aide d'un rapporteur.

Un autre technicien jauge la couleur de ses yeux d'après une gamme chromatique où figurent soixante nuances de bleu. Les yeux de Werner sont *himmelblau*, bleu ciel. Pour les cheveux, l'homme lui coupe une mèche et la compare à une trentaine d'autres sur un tableau de référence, qui va du plus au moins foncé.

– *Schnee*, marmonne l'homme, qui en prend note.

Neige. Les cheveux de Werner sont plus pâles que la référence la plus claire.

On teste sa vue, on lui fait une prise de sang, on relève ses empreintes digitales. À midi, il se demande ce qui pourrait bien rester à mesurer.

Ensuite, l'oral. Combien existe-t-il d'écoles d'élite du Reich ? Vingt. Qui sont nos plus grands athlètes olympiques ? Aucune idée. Quelle est la date anniversaire du Führer ? Le 20 avril. Qui est notre plus grand écrivain, qu'est-ce que le traité de Versailles, quel est notre avion le plus rapide ?

Le troisième jour, encore de la course à pied, de la corde lisse, des sauts. Tout est chronométré. Techniciens, représentants de l'école, examinateurs – chacun vêtu d'un uniforme d'une nuance subtilement distincte – griffonnent sur des blocs finement quadrillés et une masse de ces feuillets se retrouve placée dans des porte-documents en cuir marqués d'un double éclair doré.

Les candidats spéculent à voix basse.

– Il paraît qu'il y a dans ces écoles des voiliers, des fauconneries, des champs de tir.

– Il paraît qu'on n'en prendra que sept dans chaque tranche d'âge.

– Moi, on m'a dit seulement quatre.

On parle de ces écoles avec envie, bravade. Ils veulent désespérément être sélectionnés. Werner se dit : Moi aussi. Moi aussi.

Pourtant, à d'autres moments, en dépit de ses ambitions, il est gagné par un vertige : il voit Jutta tenant leur radio fracassée et éprouve un vague malaise.

Les candidats escaladent des murs ; ils disputent sprint après sprint. Le cinquième jour, il y en a trois qui abandonnent. Le sixième jour, quatre autres. D'heure en heure la salle semble se réchauffer progressivement, si bien qu'au huitième jour, l'air, les murs et le sol sont comme imprégnés d'une odeur de fauve. Pour l'épreuve finale, chaque jeune de quatorze ans doit grimper à une échelle clouée n'importe comment au mur. Une fois là-haut, à huit mètres du sol, la tête dans les chevrons, il est censé s'avancer sur une minuscule plate-forme, fermer les yeux et sauter pour atterrir dans un drapeau tenu par une dizaine de camarades.

Le premier à s'y risquer est un petit paysan corpulent originaire de Herne. Il grimpe à l'échelle assez vite, mais une fois sur la plate-forme, à une telle hauteur, il blêmit. Ses genoux flageolent affreusement.

– Mauviette, marmonne quelqu'un.

142

– Vertige, chuchote le voisin de Werner.

Un examinateur suit la scène sans s'émouvoir. L'adolescent jette un coup d'œil par-dessus le bord de la plate-forme, comme sur un précipice vertigineux, et ferme les yeux. Son corps oscille d'avant en arrière. Les secondes s'égrènent, interminables. L'examinateur consulte son chronomètre. Les mains de Werner se crispent sur son bout du drapeau.

Bientôt, toute la salle s'est arrêtée pour regarder, même les candidats des autres groupes d'âge. Le garçon oscille encore, paraît sur le point de s'évanouir. Même là, personne ne fait rien pour l'aider.

Lorsqu'il y va, il tombe de travers. Les candidats parviennent à manœuvrer le drapeau à temps, mais son poids le leur arrache des mains et il heurte le sol, les bras en avant, avec un bruit de bois qui casse.

Le garçon se redresse. Ses deux bras sont tordus, formant des angles atroces. Il les considère en battant curieusement des paupières, comme s'il cherchait à se rappeler comment il a fait pour atterrir ici.

Puis il se met à hurler. Werner détourne les yeux. Quatre garçons reçoivent l'ordre de transporter le blessé à l'extérieur.

Un par un, les autres gamins de quatorze ans escaladent l'échelle, tremblent, et sautent. L'un d'eux sanglote tout au long de sa chute. Un autre se foule la cheville à l'arrivée. Le second attend au moins deux minutes avant de sauter. Le quinzième regarde à travers la salle comme s'il considérait un froid et morne océan, puis il redescend par l'échelle.

Werner assiste à tout cela depuis sa place autour du drapeau. Quand son tour viendra, il ne faudra pas flancher, se dit-il. Sous ses paupières, il revoit le complexe sidé-rurgique du Zollverein, les aciéries crachant des flammes, des hommes qui se répandent hors des cages d'élévateur comme des fourmis, la gueule du Puits 9 par où son père a disparu. Jutta collée à la fenêtre, le regardant s'éloigner vers la maison de Herr Siedler. Le goût de la crème fouettée et du sucre glace, et les mollets lisses de l'épouse de Herr Siedler.

Exceptionnel. Remarquable.

On ne prendra que les plus forts, les plus purs.

La place de ton frère est à la mine, jeune fille.

Werner grimpe en vitesse à l'échelle. Les barreaux ont été grossièrement sciés et des échardes se plantent dans ses paumes. Vu d'en haut, le drapeau cramoisi avec son rond blanc et sa croix noire a l'air curieusement petit. Un cercle de visages pâles est levé dans sa direction. Il fait encore plus chaud ici, torride, et l'odeur de transpiration lui tourne un peu la tête.

Sans hésiter, il s'avance sur la plate-forme, ferme les yeux et saute. Il tombe au beau milieu du drapeau, et les garçons qui en tiennent les bords lâchent un râle collectif.

Il roule sur lui-même et se redresse sur ses pieds, indemne. L'examinateur clique sur son chronomètre, griffonne sur son écritoire, relève la tête. Leurs regards se croisent une fraction de seconde. Puis l'homme se penche derechef sur ses notes.

– *Heil Hitler* ! lance Werner.

Le suivant monte à l'échelle.

Bretagne

Au matin, un vieux camion de déménagement s'arrête à leur hauteur. Son père la hisse sur le plateau arrière, où une dizaine de personnes sont blotties sous une bâche imperméable. Le moteur rugit, pétarade ; le camion roule rarement à une vitesse supérieure à celle d'un piéton.

Une femme prie avec l'accent normand ; quelqu'un partage un pâté ; tout sent la pluie. Aucun Stuka ne pique sur eux pour les mitrailler. Aucune de ces personnes n'a encore vu d'Allemand. Pendant la moitié de la matinée, Marie-Laure s'efforce de se convaincre que la journée de la veille fut une sorte d'épreuve compliquée, concoctée par son père, que le camion ne s'éloigne pas de Paris mais s'en rapproche, que ce soir elle sera à la maison. La maquette sera à sa place dans l'angle, le sucrier au milieu de la table de la cuisine, la petite cuillère par-dessus. Par les fenêtres ouvertes, on entendra le crémier de la rue des Patriarches fermer sa boutique et baisser le rideau de fer sur ces merveilleuses odeurs comme chaque soir, le murmure du feuillage du marronnier, tandis que son père préparera du café et lui fera couler un bain en disant : « Tu t'en es bien tirée, Marie-Laure. Je suis fier de toi ! »

Le camion tressaute, quitte la nationale pour une route secondaire, puis un chemin de terre. Des buissons griffent ses flancs. Bien après minuit, passé Cancale, ils tombent en panne d'essence.

— Ce n'est plus très loin, lui chuchote son père.

Marie-Laure le suit, à moitié endormie. La route semble à peine plus large qu'un sentier. Il y a dans l'air une odeur de grain mouillé et de haies taillées. Sous le bruit des pas, elle distingue un grondement profond, presque un bruit blanc. Elle tire son père par la manche.

— Les Allemands ?

— L'océan...

Elle prend un air dubitatif.

— C'est l'océan, Marie. Je te le jure.

Il la porte sur son dos. Maintenant, c'est le cri des mouettes. Odeurs de pierres mouillées, de fientes d'oiseau, de sel, même si elle ignorait que le sel avait une odeur. La mer murmure dans une langue qui voyage à travers les pierres, l'air et le ciel. Que disait le capitaine Nemo ? *La mer n'appartient pas aux tyrans.*

— On arrive à Saint-Malo. La ville intra-muros.

Il raconte ce qu'il voit : une herse, des murailles défensives qu'on appelle des « remparts », des manoirs en granit, un clocher qui dépasse des toits. L'écho de ses pas ricoche contre de hautes maisons et retombe sur eux, il peine sous son poids, et elle est assez grande pour soupçonner que ce qu'il présente comme quelque chose de pittoresque et d'accueillant est peut-être en réalité étrange et horrible.

Des oiseaux poussent des cris étranglés au-dessus de sa tête. Son père tourne à gauche, puis à droite. Elle a l'impression d'avoir progressé pendant ces quatre journées vers le cœur d'un déconcertant labyrinthe et d'être à présent sur le point de pénétrer sur la pointe des pieds à l'intérieur d'un antre. Qui pourrait bien abriter un monstre assoupi.

— Rue Vauborel, dit son père, essoufflé. Ça doit être ici. Ou là ?

Il pivote, revient sur ses pas, grimpe une ruelle, se retourne.

– Tu ne peux pas demander à quelqu'un ?

– Tout est éteint, Marie. Ils dorment tous ou font semblant.

Finalement, ils atteignent une grille, il la dépose sur une margelle, presse une sonnette électrique, qui sonne tout au fond de la maison. Rien. Il recommence. Toujours rien. Il fait une troisième tentative.

– C'est la maison de ton oncle ?

– Oui.

– Il ne sait pas qui nous sommes, dit-elle.

– Il est en train de dormir. Et on devrait en faire autant.

Ils s'assoient, adossés à la grille. Fraîcheur du fer forgé. Une grosse porte en bois juste derrière. Elle repose sa tête contre l'épaule de son père. Il lui enlève ses chaussures. Le monde semble tanguer délicatement, comme si la ville partait légèrement à la dérive. Comme si, sur le rivage, le reste des Français n'avait plus qu'à se ronger les ongles, à s'enfuir, trébucher, pleurer et se réveiller dans une aube grise et engourdie, incapable de comprendre ce qui se passe. À qui appartiennent les routes à présent ? Et les champs ? Les arbres ?

Son père sort sa dernière cigarette et l'allume.

Du fond de la maison, on entend venir quelqu'un.

Madame Manec

À l'instant où il se présente, la respiration derrière la porte fait place à une expression de surprise. La grille grince, une porte en retrait s'ouvre.

– Par la Sainte Vierge ! dit une femme. Tu étais si petit quand...

– Ma fille. Marie-Laure, voici Mme Manec.

Marie-Laure esquisse une révérence. La main qui se pose sur sa joue est forte : une main de géologue ou de jardinier.

– Mon Dieu, il n'y a que les montagnes qui ne se rencontrent jamais ! Oh, ma mignonne, tes chaussettes ! Et tes talons... ! Tu dois être affamée.

Ils se retrouvent dans une entrée étroite. Marie-Laure entend le « clang » de la grille, puis la porte qu'on verrouille. Deux verrous, une chaîne de sûreté. On les emmène dans une pièce qui sent les fines herbes et la pâte qui lève : la cuisine. Son père lui déboutonne son manteau, l'aide à s'asseoir.

– Merci infiniment. Je sais qu'il est très tard..., dit-il, et la vieille dame – Mme Manec –, qui a surmonté son étonnement initial, est à présent plus vive, efficace.

Elle ne veut pas de leurs remerciements, ramène la chaise de Marie-Laure vers la table. Une allumette est grattée, de l'eau remplit un récipient, une glacière est ouverte et refermée. On entend le chuintement du gaz. L'instant d'après, une serviette chaude est appliquée sur son visage. Un bocal plein d'un liquide frais et sucré est placé devant elle. Chaque gorgée est un délice.

– Oh, la ville déborde de monde, dit Mme Manec, tout en s'affairant.

Elle doit être petite : elle a de grosses chaussures. Sa voix est basse, rocailleuse – une voix de marin ou de fumeur.

– Certains peuvent se payer l'hôtel ou des locations, mais beaucoup couchent dans des entrepôts, sur la paille, et ils n'ont pas grand-chose à manger. Je les prendrais bien, mais ton oncle... ça pourrait le perturber. Il n'y a plus d'essence, les bateaux anglais sont partis depuis belle lurette. Ils ont brûlé tout ce qu'ils laissaient sur place. Au début, je refusais d'y croire, mais Étienne écoutait la radio sans arrêt...

Œufs qu'on casse. Beurre qui grésille dans la poêle brûlante. Son père livre une version abrégée de leur fuite, les gares, les foules effrayées, omettant la halte à Évreux, mais bientôt toute l'attention de Marie-Laure se concentre sur ces alléchantes odeurs : œuf, épinards, fromage fondu.

Une omelette arrive. Elle se penche sur l'assiette fumante.

– Je peux avoir une fourchette, s'il vous plaît ?

La vieille dame rit – un rire sympathique. Aussitôt on lui glisse une fourchette dans la main.

L'omelette est légère comme un nuage. De l'or filé. Mme Manec dit :

– Elle apprécie, on dirait...

Et elle en rit encore.

Une seconde omelette apparaît bientôt. À présent, c'est son père qui dévore.

– Envie de pêches, ma chérie ? murmure Mme Manec, et Marie-Laure entend qu'on ouvre un bocal, verse du jus dans un bol. Quelques secondes plus tard, elle savoure des tranches de soleil sirupeuses.

– Marie ! dit son père. Et les bonnes manières, alors ?

– Mais c'est...

149

– Mange, mon enfant ! On a des réserves. J'en fais tous les ans.

Lorsque Marie-Laure a avalé le contenu de deux bocaux, Mme Manec lui essuie les pieds avec un linge, secoue son manteau, dépose la vaisselle dans l'évier, et dit :

– Cigarette ?

Alors, son père pousse un gémissement de gratitude, on gratte une allumette et les adultes fument.

Une porte s'ouvre, ou une fenêtre, et Marie-Laure entend la voix hypnotisante de la mer.

– Et Étienne ? dit son père.

– Un jour il se claquemure, le lendemain il mange comme un ogre.

– Il n'a toujours pas...

– Pas depuis une vingtaine d'années.

Les adultes doivent s'en dire davantage à mi-voix. Marie-Laure devrait sans doute être plus curieuse – au sujet de son grand-oncle qui voit des choses qui n'existent pas, au sujet du destin et tout le reste – mais elle est repue, son sang s'écoule à présent comme un flux doré dans ses artères et par la fenêtre ouverte, au-delà des remparts, les vagues se fracassent ; entre elle et l'océan, il n'y a plus que quelques pierres empilées, la bordure de la Bretagne, le balcon de la France – et peut-être que les Allemands sont en train d'avancer aussi inexorablement qu'une coulée de lave, mais Marie-Laure glisse dans un genre de rêve, ou bien est-ce le souvenir d'un rêve : elle a sept ans ou huit ans, est aveugle depuis peu, et son père s'est installé près de son lit, sculptant une toute petite pièce de bois en fumant, et la nuit descend sur les cent mille toits et cheminées de Paris, et tous les murs qui l'entourent s'effacent, les plafonds aussi, la ville entière part en fumée, et enfin le sommeil tombe sur elle comme une ombre.

Sélectionné

Tout le monde veut entendre son histoire. Ces examens ressemblaient à quoi, qu'est-ce qu'on lui a fait faire – dis-nous tout. Les plus jeunes le tirent par la manche, les plus âgés sont déférents. Ce rêveur aux cheveux de neige, qui a été sorti du ruisseau.

– Ils ont dit qu'on n'en avait accepté que deux dans mon groupe d'âge. Ou trois.

Depuis l'autre bout de la table, il sent peser sur lui l'attention brûlante de sa sœur. Avec ce qu'il restait de l'argent de Herr Siedler, il a acheté un Récepteur du Peuple pour trente-quatre marks quatre-vingts : une radio bivalve de faible puissance encore meilleur marché que les TSF de Goebbels qu'il réparait chez ses voisins. Sans modification, le récepteur ne capte que les émissions nationales allemandes. Rien d'autre. Rien d'étranger.

Les enfants se récrient, ravis, quand il leur montre. Jutta ne manifeste aucun intérêt.

Martin Sachse demande :

– Y avait beaucoup de maths ?

– Il y avait du fromage ? Des gâteaux ?

– Ils vous ont laissé tirer à la carabine ?

– Vous êtes montés dans un tank ? Je suis sûr que t'es monté dans un tank.

151

TOUTE LA LUMIÈRE QUE NOUS NE POUVONS VOIR

Werner déclare :
– Je n'ai même pas su répondre à la moitié des questions. Je ne serai jamais admis.

Mais si. Cinq jours après son retour, la lettre lui est remise en mains propres à l'orphelinat. Un aigle et une croix sur une belle enveloppe. Pas de timbre. Comme un envoi de Dieu.

Frau Elena est en train de faire la lessive. Les petits garçons sont agglutinés autour de la nouvelle radio – un programme d'une demi-heure intitulé *Le Coin des enfants*. Jutta et Claudia Förster ont emmené trois des filles les plus jeunes à un spectacle de marionnettes sur la place du marché. Jutta n'a pas dit deux mots à son frère depuis son retour.

Vous avez été sélectionné, dit la lettre. Werner doit aller se présenter à l'école d'élite n° 6, à Schulpforte. Planté dans le salon de l'orphelinat, il s'efforce de réaliser ce qui lui arrive. Murs lézardés, plafonds affaissés, bancs jumeaux qui ont porté d'innombrables gamins depuis que la mine fabrique des orphelins. Il a trouvé une issue.

Schulpforte. Un petit point sur la carte, près de Nambourg dans la Saxe. Trois cents kilomètres à l'est. C'est seulement dans ses rêves les plus audacieux qu'il osait espérer pouvoir aller aussi loin. Éberlué, il va avec ce papier dans l'allée où Frau Elena fait bouillir des draps parmi des volutes de vapeur.

Elle lit et relit.
– On ne pourra pas payer.
– C'est gratuit.
– C'est loin ?
– Cinq heures en train. Ils ont déjà payé le billet.
– Quand ?
– Dans deux semaines.

Frau Elena : mèches de cheveux plaquées sur ses joues, poches lie-de-vin sous les yeux, narines couperosées. Une fine croix contre sa gorge trempée. Est-elle fière ? Elle se frotte les yeux et hoche la tête distraitement.

– Ils vont fêter ça.

Elle lui rend la lettre et contemple dans la ruelle les denses rangées de cordes à linge et de caisses à charbon.

– Qui, Frau Elena ?

– Tout le monde. Les voisins.

Elle a un rire subit et surprenant.

– Les gens comme l'adjoint du ministre. L'homme qui t'a pris ton livre.

– Pas Jutta.

– Non, pas Jutta.

Il révise mentalement l'argument qu'il présentera à sa sœur. *Pflicht* : c'est-à-dire le devoir. L'obligation. Chaque Allemand a une mission. Chausser ses bottes et aller travailler. *Ein Volk, ein Reich, ein Führer.* Nous avons tous un rôle à jouer, sœurette. Mais avant le retour des filles, la nouvelle a déjà fait le tour du quartier. Des voisins se succèdent pour s'extasier, hocher la tête. Des femmes de mineurs apportent des jarrets de porc et du fromage ; elles font circuler entre elles la fameuse lettre ; celles qui savent lire la lisent à haute voix pour les autres, et Jutta trouve en revenant une pièce pleine de gens euphoriques. Les jumelles – Hannah et Susanne Gerlitz – se pourchassent autour du canapé, surexcitées, et le petit Rolf Hupfauer, six ans, entonne un chant patriotique, imité par plusieurs de ses camarades, et Werner ne voit pas Frau Elena parler à Jutta dans un coin du salon, ni la petite monter à toute allure l'escalier.

Quand la cloche annonce le repas du soir, elle ne descend pas. Frau Elena demande à Hannah Gerlitz de dire la prière, et annonce à Werner qu'elle va lui parler, qu'il devrait rester là, tout ce monde est là pour lui. Les mots flamboient dans son esprit comme des braises : *Vous avez été sélectionné.* Chaque minute qui passe est une minute de moins dans cette maison. Dans cette vie-là.

Après le repas, le petit Siegfried Fischer, cinq ans, fait le tour de la table, le tire par la manche et lui tend une photo déchirée d'un journal. Sur cette photo, six chasseurs-bombardiers sont suspendus au-dessus d'un banc de nuages montagneux. Des paillettes de soleil caressent le fuselage. Les foulards des pilotes flottent à l'horizontale.

Siegfried Fischer dit :

– Tu leur montreras, hein ?

Son visage exprime une confiance farouche : c'est comme s'il tirait un trait sur toutes les heures que Werner a passées dans cette maison, rêvant d'autre chose.

– Oui, je leur montrerai, dit Werner.

Les yeux de tous les enfants sont sur lui.

– Absolument, je leur montrerai !

Occupation

Marie-Laure est réveillée par des cloches d'église : deux trois quatre cinq. Vague odeur de moisi. Antiques oreillers de plumes. Toile de Jouy derrière le lit ventru où elle est assise. Quand elle tend les bras, elle peut presque toucher les murs de chaque côté.

La réverbération des cloches cesse. Elle a dormi une bonne partie de la journée. Quel est ce mugissement étouffé ? Des foules ? Ou est-ce toujours la mer ?

Elle pose les pieds au sol. Ses blessures aux talons l'élancent. Où est passée sa canne ? Elle s'avance à petits pas pour éviter de se cogner. Derrière les rideaux, une fenêtre hors de sa portée. En face de cette fenêtre, elle trouve une commode dont les tiroirs ne s'ouvrent qu'à moitié avant de heurter le lit.

Le climat, dans ce lieu : une chose sensible entre vos doigts.

Elle passe en tâtonnant le seuil. Et se retrouve où ? Dans un couloir ? Ici, le mugissement est plus faible, à peine une rumeur.

– Y a quelqu'un ?

Silence. Remue-ménage en bas, les grosses chaussures de Mme Manec qui gravissent les volées d'un escalier en colimaçon, ses poumons de fumeuse se rapprochant, deuxième étage, troisième – combien d'étages dans cette maison ? – à

présent sa voix se fait entendre – « Mademoiselle » – et elle
lui prend la main, la ramène dans la chambre, la fait s'asseoir
au bord du lit.

– Tu as besoin d'aller aux cabinets ? Ensuite, tu prendras
un bain. Tu as dormi comme un loir. Ton père est allé tenter d'envoyer un télégramme, même si je lui ai dit que c'est
peine perdue. Tu as faim ?

Mme Manec fait bouffer les oreillers, retape l'édredon.
Marie-Laure tâche de se concentrer sur une chose modeste,
une chose concrète. La maquette à Paris. Un coquillage dans
le laboratoire de M. Gérard.

– Toute la maison est à mon grand-oncle Étienne ?

– Absolument.

– Ça doit coûter cher...

Mme Manec se met à rire.

– Toi, tu vas droit au but, dis donc ! Ton grand-oncle
l'a héritée de son père, ton arrière-grand-père. C'était un
monsieur très fortuné.

– Vous l'avez connu ?

– Je travaille ici depuis l'époque où Monsieur Étienne était
un petit garçon.

– Mon grand-père aussi, vous l'avez connu ?

– Certainement.

– Je vais voir l'oncle Étienne ?

Mme Manec hésite.

– Sans doute pas.

– Mais il est bien là ?

– Oui, ma chérie. Il est toujours là.

– Toujours ?

Les bras de la vieille dame l'enveloppent.

– Voyons pour ce bain. Ton père t'expliquera tout à son
retour.

– Papa n'explique jamais rien. Il a seulement dit que
l'oncle Étienne a fait la guerre avec mon grand-père.

– En effet. Mais ton grand-oncle, après la guerre – Mme Manec cherche ses mots – ce n'était plus le même homme.

– Il était devenu peureux ?

– Il était perdu. Une souris prise au piège. Il voyait des morts traverser les murs. Des choses horribles au coin des rues. Aujourd'hui, il ne sort plus.

– Jamais ?

– Pas depuis des années. Mais c'est un prodige, tu verras. Il sait tout.

Marie-Laure écoute le craquement des poutres, le cri des mouettes et le bruit du ressac contre la fenêtre.

– On est très haut ? dit-elle.

– Au cinquième étage. La literie est bonne, non ? J'ai pensé que vous pourriez bien vous reposer, ici.

– La fenêtre ne s'ouvre pas ?

– Si, ma chérie. Mais il vaut mieux laisser les volets fermés tant que...

Marie-Laure est déjà debout sur son lit, passant les paumes le long du mur.

– On peut voir la mer d'ici ?

– On doit garder les fenêtres et les volets fermés. Mais peut-être que, si c'est pour une minute...

Mme Manec tourne une poignée, tire les deux battants à elle, repousse un volet. Le vent : immédiat, vif, doux, iodé, lumineux. Le mugissement monte et descend.

– Il y a des mollusques, là-bas, madame ?

– Des mollusques ? Dans l'océan ?

Encore ce rire.

– À la pelle ! Les mollusques t'intéressent ?

– Oui. J'ai déjà trouvé des petits-gris et des gros-gris, mais jamais d'escargot de mer.

– Eh bien, tu te trouves au bon endroit...

Mme Manec lui fait couler un bain chaud au deuxième étage. De la baignoire, Marie-Laure l'entend fermer la porte, le sol de la salle de bains exiguë gémit sous le poids de l'eau, et les murs craquent, comme si elle était à bord du *Nautilus* du capitaine Nemo. Ses douleurs aux talons s'atténuent. Elle enfonce sa tête sous l'eau. Ne jamais aller dehors ! Se cacher pendant des décennies dans cette étrange maison biscornue !

Le soir, on lui fait enfiler une robe amidonnée du temps jadis. Ils s'attablent dans la cuisine, son père et Mme Manec face à face, genoux contre genoux, fenêtres fermées, volets clos. Une TSF marmonne des noms de ministres d'une voix stressée, saccadée – de Gaulle à Londres, Pétain remplace Reynaud. Ils mangent un ragoût de poisson et des tomates vertes. Son père explique qu'il n'y a plus aucun trafic postal depuis trois jours. Les lignes télégraphiques ne fonctionnent plus. Le journal le plus récent a six jours. À la radio, une voix lit des avis de recherche.

M. Cheminoux réfugié à Orange recherche ses trois enfants, restés à Ivry-sur-Seine avec les bagages.

Francis à Genève cherche des informations sur Marie-Jeanne, vue pour la dernière fois à Gentilly.

Maman prie pour Luc et Albert, où qu'ils soient.

L. Rabier voudrait avoir des nouvelles de sa femme, vue pour la dernière fois à la gare d'Orsay.

A. Cotteret veut faire savoir à sa mère qu'il est sain et sauf à Laval.

Mme Meyzieu voudrait savoir où se trouvent ses six filles, envoyées en train à Redon.

– Tout le monde a perdu quelqu'un, marmonne Mme Manec, et le père de Marie-Laure éteint la TSF, dont les tubes cliquètent en se refroidissant.

À l'étage, en sourdine, la même voix continue son laïus. Ou est-ce son imagination ? Elle entend Mme Manec se lever et ramasser les bols. Son père lâche une bouffée de fumée, comme si ça encombrait ses poumons et qu'il avait hâte de s'en débarrasser.

Cette nuit-là, elle et son père montent l'escalier en colimaçon et se couchent côte à côte dans le même lit ventru du cinquième étage, où le papier peint se décolle. Son père tripote son sac à dos, le loquet de la porte, ses allumettes. Bientôt, c'est l'odeur familière de ses cigarettes : des Gauloises Caporal. Elle entend le bois craquer et gémir quand la fenêtre s'ouvre. Le sifflement de bienvenue du vent, ou peut-être est-ce la mer et le vent, son ouïe est incapable de faire la distinction. Avec, viennent les odeurs de sel, de foin, de marché aux poissons et de marais au loin, et absolument rien qui rappelle la guerre.

– On pourra aller voir la mer, papa ?

– Pas demain, en tout cas.

– Où est l'oncle Étienne ?

– Dans sa chambre, au quatrième étage, je suppose.

– À voir des choses qui n'existent pas ?

– On a de la chance de l'avoir, Marie.

– Lui et Mme Manec. Qu'est-ce qu'elle cuisine bien ! Un tout petit mieux que toi, non ?

– À peine...

Marie-Laure est heureuse de percevoir un sourire dans sa voix. Mais en filigrane, elle devine que ses pensées s'agitent comme des oiseaux en cage.

– Qu'est-ce que ça veut dire, papa, qu'ils nous *occupent* ?

– Ça veut dire qu'ils gareront leurs camions dans nos jardins publics.

– Ils nous feront parler leur langue ?

– Ils pourront faire avancer nos pendules d'une heure.

La maison grince. Les mouettes crient. Il allume une autre cigarette.

– C'est comme quand on est occupé à travailler ?

– C'est un contrôle militaire, Marie. Assez de questions pour le moment.

Silence. Vingt battements de cœur. Trente.

– Et si tout le monde refuse de changer d'heure ?

— Alors, il y aura beaucoup de monde en retard. Ou en avance.

— Tu te rappelles notre appartement, papa ? Mes livres, notre maquette et toutes ces pommes de pin au bord de la fenêtre ?

— Bien sûr.

— J'avais classé les pommes de pin par taille décroissante.

— Elles y sont toujours.

— Tu crois ?

— Je le sais.

— Non, tu ne le sais pas !

— Je n'en sais rien, mais je veux le croire.

— Est-ce que des soldats allemands couchent dans nos lits, en ce moment ?

— Non.

Marie-Laure s'efforce de ne pas bouger. C'est presque comme si elle pouvait entendre travailler le cerveau de son père.

— Tout ira bien, dit-elle.

Elle attrape son avant-bras.

— On va rester ici quelque temps, puis on rentrera à Paris, et les pommes de pin seront toujours à leur place, et mon Jules Verne sera au musée, là où on l'a laissé, et il n'y aura personne dans nos lits.

Le distant hymne de la mer. Bruit des bottes sur les pavés, en contrebas. Elle voudrait tant que son père lui dise : *Oui, voilà comment ça se passera ma chérie*, mais il ne dit plus rien.

Ne me raconte pas de mensonges

Il ne peut pas se concentrer sur ses devoirs, de simples conversations ou les corvées ménagères de Frau Elena. Dès qu'il ferme les yeux, une vision de cette fameuse école l'envahit : drapeaux vermillon, chevaux tout en muscles, laboratoires impeccables. L'élite des écoliers. Par moments, il se voit comme un symbole d'espoir sur qui tous les regards convergent. Mais à d'autres moments, flottant devant lui, il voit le petit gros, pendant l'épreuve du saut : son visage décomposé, tout là-haut. Sa chute. Et personne n'a rien fait pour l'aider.

Pourquoi Jutta refuse-t-elle de se réjouir pour lui ? Pourquoi, même au moment où il s'échappe, une voix intérieure le met-elle en garde ?

Martin Sachse dit : « Parle-nous encore des grenades ! »

Siegfried Fischer : « Et des faucons ! »

Par trois fois il révise ses arguments et par trois fois Jutta tourne les talons et s'en va. Heure après heure, elle aide Frau Elena à s'occuper des petits, va au marché, ou trouve un quelconque prétexte pour être serviable, occupée, dehors.

– Elle ne veut pas m'écouter, dit-il à Frau Elena.

– Essaie encore...

Tout à coup, voilà qu'il n'est plus qu'à un jour du départ. Il se réveille avant l'aube et trouve sa sœur endormie dans son petit lit, dans le dortoir des filles. Elle a la tête entre les bras, la couverture entortillée au niveau de la taille, et son oreiller est coincé entre le matelas et le mur – même dans le sommeil, cette image du refus. Au-dessus de son lit sont affichés des dessins fantastiques au crayon représentant le village de Frau Elena, et puis Paris, avec un millier de tours blanches sous des nuées d'oiseaux.

Il prononce son nom.

Elle s'empêtre davantage dans la couverture.

– Tu viens te promener avec moi ?

À sa grande surprise, elle se redresse sur son séant. Ils sortent alors que personne n'est encore réveillé. C'est lui qui mène, sans parler. Ils enjambent une clôture, puis une autre. Les lacets dénoués de Jutta traînent derrière elle. Des chardons égratignent leurs genoux. Le soleil levant est comme un trou d'épingle sur l'horizon.

Ils s'arrêtent au bord d'un canal d'irrigation. En hiver, c'est ici que Werner avait l'habitude de la remorquer, et ils voyaient passer des patineurs sur le canal gelé, des paysans avec des lames fixées aux pieds et du givre collé à leur barbe, par équipe de cinq ou six, formant des groupes compacts, disputant une course de plusieurs kilomètres entre de petites villes. Ils avaient l'expression de chevaux harassés par l'effort, et c'était toujours passionnant de les voir, de sentir la perturbation dans l'atmosphère amenée par leur vitesse, d'entendre leurs patins, un bruit allant décroissant – comme si son âme se détachait de lui pour aller faire des étincelles avec eux. Mais dès qu'ils avaient disparu au tournant, ne laissant que les traces des patins sur la glace, cette allégresse s'estompait et il ramenait Jutta à l'orphelinat avec une impression de solitude et d'abattement, le sentiment d'être plus pris au piège que jamais.

– On n'a pas vu de patineurs l'hiver dernier, dit-il.

Sa sœur regarde vaguement le fossé. Ses yeux sont mauves. Ses cheveux emmêlés, incoiffables et peut-être encore plus blancs que les siens. *Neige.*

162

Elle dit : « On n'en verra pas non plus cette année. »

Le complexe minier est une grosse chaîne montagneuse noire et fumante derrière elle. Même d'ici, Werner peut entendre un tam-tam mécanique au loin, la première équipe qui descend par l'élévateur tandis que l'équipe de nuit remonte – tous ces garçons aux yeux fatigués et aux visages noirs de suie s'élevant à la rencontre du soleil – et l'espace d'un instant il appréhende une énorme et terrible présence qui se profile derrière cette matinée.

– Je sais que tu es fâchée...

– Tu vas devenir comme Hans et Herribert.

– Mais non...

– À force de les fréquenter, si !

– Alors, tu veux que je reste ici ? Que j'aille à la mine ?

Un cycliste passe sur le chemin. Jutta fourre ses mains sous ses aisselles.

– Tu sais ce que j'écoutais ? Grâce à notre radio ? Avant que tu la démolisses ?

– Chut, Jutta ! S'il te plaît...

– Des émissions de Paris. Ils disaient le contraire de tout ce qu'on entend chez nous. Qu'on est des monstres. Qu'on commet des *atrocités*. Tu sais ce que signifie le mot *atrocité* ?

– Jutta...

– Faire comme tout le monde, tu trouves que c'est une bonne chose en soi ?

Doutes : glissants comme des anguilles. Werner les repousse. Jutta a seulement douze ans, c'est encore une enfant.

– Je t'écrirai toutes les semaines. Deux fois par semaine si je peux. Tu ne seras pas obligée de montrer mes lettres à Frau Elena si tu ne veux pas.

Jutta ferme les yeux.

– Ce n'est pas pour toujours, Jutta ! Deux ans, à peu près. La moitié des admis ne vont pas jusqu'au diplôme. Mais j'apprendrai peut-être quelque chose. On m'apprendra peut-être à être un bon ingénieur. Ou à piloter un avion, comme dit le petit Siegfried. Ne secoue pas la tête, on a toujours eu envie de voir l'intérieur d'un avion, non ? On volera vers l'ouest, toi et moi. Avec Frau Elena, si elle veut. À moins qu'on prenne le train. On traversera des forêts et des villages de montagne, tous ces endroits dont elle parlait quand on était petits. On pourra même aller jusqu'à Paris !

Lumière bourgeonnante. Le tendre frémissement de l'herbe. Jutta rouvre les yeux mais ne le regarde pas.

– Pas à moi. Tu peux te mentir à toi-même, Werner, mais pas à moi.

Dix heures plus tard, il est dans le train.

Étienne

Trois jours durant, elle ne voit pas son grand-oncle. Le matin du quatrième jour, alors qu'elle va à tâtons aux cabinets, elle marche sur quelque chose de dur. S'accroupissant, elle le repère avec ses doigts.

Texture lisse, à spirales. Une sculpture de plis verticaux, fendue par une spirale fuselée. Ouverture large et ovale. Elle chuchote : « Un escargot de mer. »

À côté, elle en trouve un second. Puis un troisième et un quatrième. Cette piste contourne les toilettes et descend une volée de marches jusqu'à la porte fermée du quatrième étage qu'elle sait être celle de son grand-oncle. À travers laquelle filtrent les chuchotements concertés de plusieurs pianos. Une voix dit : « Entre ! »

Elle s'attendait à une odeur de renfermé, de vieillesse, mais ça sent vaguement le savon, les livres, le varech. Un peu comme le laboratoire de M. Gérard.

– Oncle Étienne ?

– Marie-Laure ?

Sa voix est basse et douce, une pièce de soie qu'on garderait dans un tiroir pour ne la sortir que rarement, pour le plaisir de son contact. Elle s'avance et une main fraîche, squelettique, prend la sienne. Il va mieux, dit-il.

– Je regrette de n'avoir pas pu te rencontrer plus tôt.

On entend toujours les pianos ; on dirait qu'il y a une douzaine de pianistes à l'œuvre, comme si le son provenait de tous les côtés à la fois.

– Vous avez combien de radios, mon oncle ?

– Je te montre...

Il guide sa main jusqu'à une tablette.

– Celle-ci est stéréo. Hétérodyne. Je l'ai assemblée moi-même.

Elle imagine un pianiste en réduction, en smoking, jouant à l'intérieur. Ensuite, il lui fait toucher un gros meuble radio, puis un troisième, pas plus gros qu'un grille-pain. Onze postes en tout, déclare-t-il avec un orgueil enfantin.

– Je peux entendre des navires en mer. Madrid. Le Brésil. Londres. Un jour, j'ai capté l'Inde. Ici, au bord de la ville, à cette hauteur, la réception est impeccable.

Il la laisse piocher dans une boîte de fusibles, une autre d'interrupteurs. Il la mène à une bibliothèque : le dos de centaines de livres, une cage à oiseaux, des scarabées dans des boîtes d'allumettes, un piège à souris électrique, un presse-papier en verre dans lequel, dit-il, un scorpion a été enchâssé, des bocaux de connecteurs variés, une centaine d'autres choses qu'elle ne peut identifier.

Il a tout le quatrième étage – une seule grande chambre, en plus du palier – à lui. Trois fenêtres ouvrent sur la rue Vauborel en façade, trois autres sur la ruelle à l'arrière. Il y a un petit lit à l'ancienne, bordé par une courtepointe lisse et bien tendue. Petit secrétaire, canapé.

– Fin de la visite, dit-il, presque à mi-voix.

Son grand-oncle a l'air aimable, curieux, et tout à fait sain d'esprit. La sérénité : c'est ce que sa personne exprime plus que tout. La sérénité d'un arbre. Ou d'une souris clignant des yeux dans le noir.

Mme Manec apporte des sandwiches. Étienne n'a pas de Jules Verne, mais il a des Darwin, et il lui lit des passages du *Voyage du Beagle*, traduisant de l'anglais au fil des pages – *la variété des espèces chez les araignées sauteuses semble presque infinie...* La musique s'élève des radios, formant des volutes, et quelle merveille de sommeiller sur le canapé, de se sentir repue et réchauffée, soulevée par les phrases et transportée ailleurs...

Non loin de là, au bureau de poste, le père de Marie-Laure presse son visage contre la vitre pour voir deux side-cars allemands passer en vrombissant la Porte Saint-Vincent. Les volets des maisons sont tous fermés, mais entre les lattes, un millier de regards les scrutent. Les side-cars sont suivis de deux véhicules. Une Mercedes noire ferme le cortège. Le soleil ricoche sur les chromes et l'emblème du capot au moment où la petite procession stoppe dans une allée circulaire et gravillonnée, sous les hautes murailles rongées par le lichen du château de Saint-Malo. Un homme âgé, au hâle surnaturel – le maire, explique quelqu'un –, attend avec un mouchoir blanc dans ses grosses mains de marin, parcourues d'un infime tremblement.

Les Allemands sortent de leurs véhicules – plus d'une douzaine. Leurs bottes brillent et les uniformes sont impeccables. Deux ont des bouquets de fleurs dans les bras, un troisième tire un basset en laisse. Plusieurs regards étonnés se lèvent sur la façade du château.

Un petit homme en uniforme de capitaine s'extrait de la banquette arrière de la Mercedes et brosse la manche de sa capote. Il échange quelques mots avec un aide de camp à la silhouette svelte, qui traduit pour le maire. Celui-ci opine. Puis le petit homme disparaît derrière les énormes portes. Quelques minutes plus tard, l'aide de camp ouvre les volets d'une fenêtre à l'étage et contemple les toits un moment avant de dérouler un drapeau cramoisi par-dessus les briques et de le fixer par ses œillets au rebord de la fenêtre.

Jungmänner

C'est comme un château de conte de fées : huit ou neuf bâtiments de style gothique ou roman, nichés au pied des collines, avec leurs fenêtres à meneaux, leurs flèches et tourelles, des touffes d'herbe entre les tuiles. Une charmante rivière serpente entre les terrains d'athlétisme. Jamais – même quand les conditions étaient des plus favorables au Zollverein – Werner n'a respiré un air aussi pur.

Un chef de dortoir manchot débite le règlement :

– Voici votre uniforme de parade, votre uniforme d'exercice, votre tenue de gymnastique. Bretelles croisées dans le dos, parallèles devant. Manches retroussées aux coudes. Chacun de vous devra porter un poignard dans son fourreau, à sa ceinture, du côté droit. Levez le bras droit pour vous signaler. Alignez-vous toujours par rang de dix. Ni livre ni cigarettes ni aliments ni effets personnels – rien dans les casiers à part les uniformes, brodequins, couteau, cirage. Plus un mot après l'extinction des feux. Les lettres aux familles seront postées le mercredi. Vous vous dépouillerez de votre faiblesse, de votre lâcheté, de vos hésitations. Vous deviendrez comme une chute d'eau, une rafale de balles – vous vous précipiterez tous dans la même direction, au même pas, vers la même cause. Vous oublierez votre confort, vous ne penserez qu'à votre devoir. La nation sera votre seule et unique raison de vivre.

Compris ?

Oui, hurlent-ils. Ils sont quatre cents, en plus des trente instructeurs et des cinquante membres du personnel, sous-officiers et cuistots, palefreniers et gardiens. Certains cadets ont tout juste neuf ans. Les plus âgés, dix-sept. Visages juvéniles, nez pointu, menton pointu. Yeux bleus – forcément bleus.

Werner est logé dans un petit dortoir avec sept autres garçons de quatorze ans. Au-dessus de lui, il y a Frederick ; un garçon fluet, fin comme un roseau, au teint de lait. C'est un nouveau, lui aussi. Il est de Berlin. Son père est l'adjoint d'un ambassadeur. Quand il parle, son regard s'élève comme s'il cherchait quelque chose dans le ciel.

Tous deux prennent leur premier repas dans leurs uniformes neufs et amidonnés autour d'une table de ferme. Certains garçons parlent à mi-voix, d'autres s'isolent, ou bâfrent comme s'ils n'avaient pas mangé depuis des jours. À travers les trois fenêtres cintrées, l'aube projette une gerbe de rayons célestes.

Frederick agite les doigts et dit :

– Tu aimes les oiseaux ?

– Oui.

– Les corneilles, tu connais ? La corneille corbine est plus maligne que la plupart des mammifères. Y compris les singes. Certaines mettent des noix sur la route et attendent qu'une voiture vienne les écraser... Werner, on va être de grands copains, j'en suis sûr.

Un portrait du Führer trône dans chaque salle de classe. Les élèves sont assis sur des bancs, devant des pupitres au plateau gravé par tous ceux qui s'y sont ennuyés au fil du temps – hobereaux, moines, conscrits, cadets. Le premier jour, Werner passe devant la porte entrouverte du laboratoire des sciences techniques et aperçoit une salle aussi vaste que l'économat du Zollverein – paillasses flambant neuves et armoires vitrées abritant d'étincelants béchers, tubes, balances et becs Bunsen. Frederick doit le forcer à avancer.

Le deuxième jour, un phrénologue ratatiné fait un exposé dans le réfectoire. L'éclairage se tamise, le projecteur ronronne, et un graphique plein de cercles s'inscrit sur le mur du fond. Le vieux monsieur se tient sous l'écran et effleure cela de la pointe d'une queue de billard :

– Les ronds blancs représentent le sang allemand pur. Ceux avec du noir indiquent la proportion de sang étranger à l'espèce. Notez le groupe deux, numéro cinq.

La queue de billard martèle l'écran, qui ondule.

– Les unions entre un pur Allemand et une quart Juive sont toujours tolérables, vous voyez ?

Une demi-heure plus tard, Werner et Frederick lisent du Goethe en cours de poésie. Puis ils magnétisent des aiguilles en exercice pratique. Le chef de dortoir annonce des horaires d'une complication byzantine : lundi, mécanique, histoire de l'État, sciences raciales. Mardi, équitation, orientation, histoire militaire. Chacun – même les enfants de neuf ans – apprendra à nettoyer, démonter, et tirer avec une carabine Mauser.

L'après-midi, ils se harnachent de cartouchières et courent. Courir jusqu'aux abreuvoirs, jusqu'au drapeau, jusqu'au sommet de la colline. Courir en portant un camarade sur le dos, le fusil au-dessus de sa tête. Courir, ramper, nager. Et courir encore.

Les nuits pleines d'étoiles, les aubes mouillées de rosée, les déplacements en silence, l'ascétisme effréné – jamais Werner n'a eu la sensation d'appartenir à quelque chose d'aussi obsédant. Jamais il n'a ressenti une telle soif d'appartenance. Dans le dortoir, il y a des garçons qui parlent ski alpin, duels, clubs de jazz, gouvernantes et chasse au sanglier ; des garçons qui jurent avec une adresse consommée et d'autres qui parlent de cigarettes avec des noms de vedettes de cinéma, de « téléphoner au colonel », et d'autres qui ont une baronne pour mère. Il y a ceux qui ont été admis non en fonction de leur mérite mais parce que leur père travaille dans un ministère. Et cette façon de parler « Les chiens ne font pas des chats », « Je la féconderais en un clin d'œil. » Il y a des cadets qui font tout bien – posture parfaite, adresse au tir, brodequins si polis que les nuages s'y reflètent. Il y en a qui ont le teint comme du beurre, des pupilles bleu saphir et un réseau ultra fin de veines bleues entrelacées au dos des mains. Mais pour le moment, sous la férule de l'administration, ce sont tous les mêmes, tous des *Jungmänner*. Ils se précipitent dans les couloirs ensemble, avalent des œufs au plat au réfectoire ensemble, paradent dans la cour, répondent à l'appel, saluent les couleurs, tirent à la carabine, courent, font leur toilette et souffrent ensemble. Chacun est une motte de glaise et le potier qu'est le corpulent et rougeaud commandant façonne quatre cents pots identiques.

Nous sommes jeunes, nous sommes déterminés, nous n'avons jamais fait de compromis, nous avons encore tant de châteaux à détruire !

Werner oscille entre épuisement, confusion, et exaltation. Que son existence ait pris un tournant aussi décisif l'étonne. Pour tenir en respect ses doutes, il apprend par cœur des chansons ou les itinéraires pour se rendre en salle de classe, ou bien il se représente le laboratoire des sciences techniques : neuf tables, trente tabourets, bobines, condensateurs variables, amplificateurs, batteries, fers à souder enfermés dans des armoires miroitantes.

Au-dessus de lui, à genoux sur sa couchette, Frederick observe les oiseaux par la fenêtre ouverte à travers une paire de jumelles anciennes, et note sur le barreau du lit les espèces aperçues. Un trait sous *grève jougris*, six sous *rossignol progné*. Dans le parc, un groupe d'élèves âgés de dix ans marchent en brandissant des torches et des drapeaux frappés de la croix gammée en direction de la rivière. La procession marque une pause et une bourrasque agite les flammes. Puis, elle repart, la chanson pénétrant le dortoir comme un nuage palpitant.

Ô, élevez-moi dans la hiérarchie
Et qu'on m'épargne une mort vulgaire
Je ne veux pas mourir en vain
Mais tomber sur le mont sacrificiel

Vienne

Le Stabsfeldwebel Reinhold von Rumpel a quarante et un ans, ce qui n'est pas trop vieux pour espérer une promotion. Il a des lèvres rouges et moites, des joues pâles, presque translucides comme des filets de sole crue, et un sens de la correction qui lui fait rarement défaut. Il a une femme qui souffre de ses absences sans se plaindre, et qui dispose des chatons de porcelaine par couleur, du plus clair au plus foncé, sur deux tablettes dans leur salon de Stuttgart. Il a aussi deux filles qu'il n'a pas vues depuis neuf mois. L'aînée, Veronika, est d'un sérieux à toute épreuve. Les lettres qu'elle lui adresse comportent des expressions comme *résolution sacrée, orgueilleuse réussite*, et *sans pareil dans l'Histoire*.

Son rayon, c'est les diamants ; il sait tailler et polir des gemmes aussi bien que n'importe quel diamantaire aryen en Europe, et repère souvent les faux au premier coup d'œil. Il a étudié la cristallographie à Munich, fait son apprentissage de polisseur à Anvers, s'est même rendu – par un bel après-midi ensoleillé – dans Charterhouse Street à Londres, où, derrière une devanture anonyme, on lui a demandé de retourner ses poches avant de l'emmener au troisième étage, de lui ouvrir trois portes, et de l'installer à une table où un homme à la moustache aux pointes bien cirées l'a laissé

172

examiner un diamant brut de quatre-vingt-douze carats originaire d'Afrique du Sud.

Avant la guerre, sa vie était assez agréable : il exerçait la profession d'expert au premier étage d'un immeuble, derrière l'ancienne chancellerie de Stuttgart. Parfois on lui apportait des pierres et il en estimait la valeur. Parfois il retaillait des diamants ou donnait son avis sur des projets de facettage de haut niveau. S'il trompait parfois ses clients, il se disait que c'était la règle du jeu.

Grâce à la guerre, son poste a pris de l'ampleur. À présent il a la chance de faire ce que nul n'a fait depuis des siècles – depuis la dynastie moghole, les Khans. Peut-être même dans toute l'Histoire. La capitulation de la France ne date que de quelques semaines, mais déjà il a vu des choses inimaginables. Un globe du XVIIe siècle aussi gros qu'une petite voiture, avec des rubis à la place des volcans, des saphirs agglutinés aux pôles, et des diamants pour les capitales mondiales. Il a tenu – tenu ! – un manche de dague serti d'émeraudes. Pas plus tard qu'hier, sur la route de Vienne, il a pris possession d'un service en porcelaine de cinq cent soixante-dix pièces avec un diamant marquise incrusté au bord de chaque assiette. D'où viennent ces trésors confisqués par la police, il ne l'a pas demandé. Il les a personnellement déjà mis dans des caisses scellées et numérotées au pochoir avant de les charger à bord d'un train où ils sont surveillés jour et nuit.

En attendant qu'on l'appelle à de plus hautes fonctions. En attendant une promotion.

Cet après-midi-là, dans une poussiéreuse bibliothèque spécialisée, à Vienne, le Stabsfeldwebel von Rumpel suit à travers des piles de revues une secrétaire trop maigre qui porte des souliers bruns, des bas bruns, une jupe brune, et un corsage brun. Elle déplie un escabeau, y grimpe, tend la main.

Voyages faits aux Indes Orientales, 1676, Tavernier.

Voyages entrepris dans les pays méridionaux de l'Empire de Russie, 1793, Professeur Pallas.

Gemmes et pierres précieuses, 1898, Streeter.

On dit que le Führer dresse une liste d'objets précieux qui se trouvent en Europe et Russie. On dit qu'il veut transformer la ville autrichienne de Linz, en faire une cité empyréenne, la capitale culturelle du monde. Des boulevards, un mausolée, une acropole, un planétarium, une bibliothèque, un opéra – le tout en marbre et granit, le tout immaculé. Au centre, un musée d'un kilomètre de long : une mine recelant les plus beaux objets d'art de toute la planète.

Ce document est réel, paraît-il. Quatre cents pages.

Il s'assoit à une table, parmi les piles. Il essaie de croiser les jambes, mais une légère grosseur à l'aine le gêne aujourd'hui : bizarre, mais indolore. La petite bibliothécaire effacée lui apporte les ouvrages. Il feuillette lentement le Tavernier, le Streeter, les *Esquisses sur la Perse* de Murray. Il lit des passages sur le diamant Orloff de trois cents carats, originaire de Moscou, sur le Nour-al-Ayn, le Vert de Dresde de 40,7 carats. Dans la soirée, il trouve ce qu'il cherchait : l'histoire du prince qui ne pouvait pas être tué, d'un moine qui l'avait averti de la malédiction, de l'aristocrate qui croyait avoir acheté cette même pierre, quelques siècles plus tard.

L'Océan de Flammes. Bleu-gris avec une touche de rouge au centre. Cent trente-trois carats. Soit perdu, soit légué au roi de France en 1738 à la condition qu'il soit enfermé pendant deux cents ans.

Il relève les yeux. Lampes suspendues, rangées de livres aux tranches vieil or. L'Europe est son terrain de chasse, et il doit y trouver un petit caillou.

Les Boches

Son père dit que leurs armes brillent comme si on n'en avait jamais fait usage. Que leurs bottes sont cirées et leurs uniformes impeccables. Qu'on les dirait sortis d'un train climatisé.

Les dames qui s'arrêtent à la porte de la cuisine par deux ou trois disent à Mme Manec que les Boches achètent toutes les cartes postales exposées sur les tourniquets des drogueries, qu'ils achètent des poupées de son, des abricots confits et des gâteaux rassis aux devantures des pâtisseries. Les Boches achètent des chemises chez Verdier et de la lingerie chez Morvan, ils réquisitionnent des quantités phénoménales de beurre et de fromage, ils ont sifflé tout le champagne du caviste.

Hitler, chuchotent-elles, visite en touriste les monuments de Paris.

Le couvre-feu est décrété. La musique qui peut s'entendre à l'extérieur est *verboten*. Les bals sont *verboten*. La France est en deuil et doit se conduire dignement, déclare le maire. Mais de qui détient-il son autorité – cela n'est pas clair.

Lorsque son père est dans les parages, elle l'entend gratter une allumette. Ses mains virevoltent entre ses poches. Le matin, il se trouve soit dans la cuisine de Mme Manec, soit au débit de tabac, ou encore au bureau de poste où il attend

patiemment son tour de téléphoner. L'après-midi, il bricole
– une porte de placard dégondée, une lame d'escalier qui
grince. Il interroge Mme Manec sur la fiabilité des voisins.
Il tripote sans arrêt le fermoir de sa boîte à outils au point
que Marie-Laure le supplie d'arrêter.

Un jour, Étienne s'installe à côté d'elle et lui fait la lecture
de sa voix fragile ; le lendemain il a soi-disant la « migraine »
et se cloître dans son bureau. Mme Manec donne à Marie-
Laure du chocolat, des parts de gâteau ; ce matin, elles
pressent des citrons dans une carafe d'eau sucrée, et Marie-
Laure a le droit d'en boire autant qu'elle veut.

– Combien de temps il reste enfermé, madame Manec ?
– Parfois, juste un jour ou deux. Parfois plus longtemps.

Elle entame sa seconde semaine à Saint-Malo. Marie commence à avoir l'impression que sa vie, comme *Vingt mille
lieues sous les mers,* a été coupée en deux. Il y a le volume 1,
quand ils vivaient à Paris, et maintenant c'est le volume 2,
où les Allemands circulent à moto à travers ces étranges
ruelles et où son grand-oncle se volatilise dans sa propre
maison.

– Papa, quand est-ce qu'on part ?
– Quand j'aurai des nouvelles de Paris.
– Pourquoi on doit dormir dans cette petite chambre ?
– Je suis sûr qu'on pourrait s'installer en bas, si tu préfères.
– Et la chambre en face ?
– Étienne et moi, on est d'accord pour ne pas l'utiliser.
– Pourquoi ?
– C'était celle de ton grand-père.
– Pourquoi je ne peux pas aller au bord de l'eau ?
– Pas aujourd'hui, Marie.
– On ne peut pas faire le tour du pâté de maisons ?
– Trop dangereux.

Elle voudrait hurler. Quel danger ? Quand elle ouvre la
fenêtre de sa chambre, elle n'entend ni cris, ni explosions,
seulement ces oiseaux que son grand-oncle appelle « fous

de Bassan », la mer, et le grondement rare d'un avion très haut dans le ciel.

Elle passe des heures à comprendre la maison. Le rez-de-chaussée est le domaine de Mme Manec : propre, navigable, fourmillant toujours de visiteuses venues colporter des ragots dans la cuisine. Puis, la salle à manger, le salon, un vaisselier chargé d'assiettes dans le hall, qui vibre quand on passe à côté, et dans la cuisine une porte d'accès à la chambre de Mme Manec : lit, lavabo, pot de chambre.

Onze marches en colimaçon mènent au premier étage, qui évoque une grandeur passée : l'ancienne chambre de la bonne, la lingerie. De ce palier, raconte Mme Manec, on avait lâché le cercueil de la grand-tante d'Étienne. « Il s'est retourné et elle a dévalé les marches jusqu'au rez-de-chaussée. Tout le monde avait l'air horrifié, sauf elle ! »

Au deuxième étage, encore plus de fouillis : cartons pleins de bocaux, de disques en métal, de scies rouillées ; seaux remplis de composants électriques ; manuels techniques entassés autour des toilettes. Au troisième, il y a des piles partout, dans les pièces, les corridors et dans l'escalier : paniers remplis de pièces détachées, cartons à chaussures débordant de vis, maisons de poupées 1900 fabriquées par son arrière-grand-père. L'immense bureau d'Étienne colonise tout le quatrième étage, alternativement profondément calme ou plein de voix, de musique, de grésillements.

Et puis, le cinquième étage : à gauche la coquette chambre de son grand-père, à droite celle qu'elle partage avec son père, et les WC sur le palier. Quand le vent souffle, c'est-à-dire presque tout le temps, avec les murs qui craquent et les volets qui claquent, les pièces encombrées et l'escalier resserré autour de son noyau central, la maison semble à l'image de son grand-oncle : méfiante, isolée, mais pleine de merveilleuses vieilleries.

Dans la cuisine, les amies de Mme Manec s'agitent autour de Marie-Laure. À Paris, il paraît qu'on fait la queue pendant des heures pour obtenir sa ration de pain. Les gens mangent leurs animaux de compagnie, massacrent des pigeons à coup de briques pour en faire de la soupe. Il n'y a plus de porc, plus de lapin, plus de chou-fleur. Un vernis bleu doit être appliqué sur les phares des voitures, et la nuit la ville est aussi silencieuse qu'un cimetière : ni bus ni train, presque plus d'essence. Attablée devant une assiette de biscuits, Marie-Laure imagine que ces vieilles dames ont les mains noueuses, les yeux vitreux et des oreilles géantes. Par la fenêtre on entend la stridulation d'une hirondelle, des pas sur les remparts, le chant des drisses dans les mâts, des chaînes d'ancre qui grincent dans le port. Fantômes. Allemands. Escargots de mer.

Hauptmann

Le Dr Hauptmann – homme de petite stature aux joues roses – quitte son manteau à boutons de cuivre et le suspend au dossier de sa chaise. Ce professeur de sciences techniques ordonne aux élèves d'aller chercher les coffrets en métal qui se trouvent dans un placard fermé à clé, au fond du laboratoire.

À l'intérieur, des engrenages, lentilles, fusibles, ressorts, chaînes et résistances. Il y a une grosse bobine de fil de cuivre, un petit marteau et une pile grosse comme une chaussure – Werner n'avait jamais eu un matériel de cette qualité à sa disposition. Planté près du tableau, le petit professeur dessine un schéma de câblage pour un oscillateur de pratique du code Morse. Il repose sa craie, presse le bout de ses doigts fuselés, et demande aux élèves de construire le circuit avec le contenu du kit. « Vous avez une heure. »

La plupart blêmissent. Ils flanquent tout sur les tables et touchent timidement les pièces comme si c'étaient des babioles tombées d'une autre planète. Frederick sort les siennes au hasard et les mire à la lumière.

Pendant un moment, Werner se retrouve dans le grenier de l'orphelinat, un essaim de questions en tête. *Qu'est-ce que la foudre ? Si on vivait sur Mars, jusqu'à quelle hauteur pourrait-on sauter ? Quelle est la différence entre deux fois vingt-cinq et deux fois cinq et vingt ?* Puis il sort la pile, deux feuilles de métal, des petits clous, et le marteau. En moins d'une minute, il a construit un oscillateur conforme au schéma.

Le petit professeur fronce les sourcils. Il teste le circuit, qui fonctionne.

— Bon, dit-il, et il se campe devant la table de Werner, les mains dans le dos. Et maintenant, prenez dans votre kit le disque magnétique, un fil de cuivre isolé, une vis, et la pile.

Même si ses instructions sont censées s'adresser à toute la classe, il ne regarde que lui.

— Vous n'avez droit qu'à cela. Qui est capable de construire un moteur simple ?

Certains fourragent dans leur boîte sans conviction. La plupart se contentent du rôle de spectateur.

Werner sent comme un projecteur braqué sur lui. Il met la tête de la vis en contact avec l'aimant, sa pointe contre le pôle négatif de la pile. Lorsqu'il presse une extrémité du fil contre le pôle positif de la pile, et relie l'autre extrémité à la partie extérieure de l'aimant, vis et aimant se mettent à tournoyer. Il n'a pas mis plus de quinze secondes.

La bouche du Dr Hauptmann est entrouverte. Son visage a rougi sous la poussée d'adrénaline.

— Comment t'appelles-tu ?

— Pfennig, monsieur !

— Que sais-tu faire d'autre ?

Werner étudie les pièces détachées sous ses yeux.

— Une sonnette ? Une balise Morse ? Un ohmètre ? dit-il.

Les autres élèves se dévissent le cou. Les lèvres du Dr Hauptmann sont roses et ses paupières d'une finesse improbable. Comme s'il le surveillait même quand il cligne des yeux. Il dit : « Vas-y. »

Divan volant

On voit apparaître des affiches au marché, sur des troncs d'arbres place Chateaubriand. Remise volontaire des armes. Les récalcitrants seront fusillés. Le lendemain, à midi, c'est tout un défilé – paysans venus de loin, en charrette tirée par une mule, vieux marins au pas lourd avec d'antiques pétoires, quelques chasseurs qui regardent à leurs pieds, l'air scandalisé, en remettant leurs fusils.

À la fin, l'ensemble forme un monceau pitoyable, quelque trois cents armes à feu, la moitié rouillée. Deux jeunes gendarmes les entassent à l'arrière d'un véhicule, remontent la ruelle, empruntent la chaussée surélevée et disparaissent. Ni discours ni explication.

– Papa, est-ce que je peux sortir ?

– Bientôt, ma puce.

Mais il a la tête ailleurs ; il fume au point que c'est comme s'il voulait se réduire lui-même en cendres. En ce moment, il veille jusque tard dans la nuit, travaillant frénétiquement à une maquette de Saint-Malo soi-disant destinée à sa fille, ajoutant de nouvelles maisons chaque jour, édifiant des remparts, traçant des rues, afin qu'elle puisse se reconnaître dans la ville tout comme elle se reconnaît dans leur quartier de Paris. Bois, colle, clous, papier de verre : au lieu de la réconforter, les bruits et les odeurs de sa diligence maniaque ne

181

la rendent que plus anxieuse. À quoi bon apprendre les rues de Saint-Malo ? Pendant combien de temps encore resteront-ils ici ?

Dans son bureau du quatrième étage, elle écoute son grand-oncle lui lire une autre page du *Voyage du Beagle*. Darwin a chassé le nandou en Patagonie, étudié les hiboux du côté de Buenos Aires et escaladé les parages d'une chute d'eau. Il s'intéresse aux esclaves, aux rochers, à la foudre, aux pinsons, et à l'usage de se frotter le nez chez les Maoris pour se saluer. Elle apprécie tout spécialement les passages sur les ténébreuses côtes d'Amérique du Sud et leurs impénétrables murailles d'arbres, ces brises du large chargées de l'odeur du varech et des cris des phoques qui mettent bas. Elle imagine Darwin la nuit, se penchant par-dessus le bastingage pour sonder les vagues luminescentes, suivant les traces des pingouins marquées par des sillages d'un vert fluorescent.

– Bonsoir, dit-elle à Étienne, debout sur le canapé qui est dans le bureau. Je ne suis peut-être qu'une petite fille de douze ans, mais je suis aussi une brave exploratrice française qui vient participer à vos aventures.

Étienne prend l'accent anglais :

– Bonsoir, mademoiselle. Venez donc dans la jungle avec moi et mangeons de ces papillons. Ils sont gros comme des assiettes et pas forcément toxiques, qui sait ?

– J'ai très envie de goûter à ces papillons, monsieur Darwin, mais d'abord, je voudrais commencer par ces biscuits.

Un autre soir, ils jouent au Divan Volant. Ils s'installent côte à côte sur le canapé, et Étienne dit :

– Où allons-nous, ce soir, mademoiselle ?

– Dans la jungle !

Ou :

– À Tahiti !

Ou :

– Au Mozambique !

– Oh, là c'est un long voyage, dit-il d'une voix changée, lisse, veloutée, une voix traînante de chef. Là, nous sommes dans l'océan Atlantique, et tout miroite au clair de lune. Tu sens l'océan ? Le froid ? Le vent dans tes cheveux ?

– Et maintenant, on est où ?

– À Bornéo. On survole la cime des arbres, des grandes feuilles brillent, et il y a par-là des caféiers, tu sens ?

Et Marie-Laure hume en effet quelque chose, soit que son oncle passe des grains de café sous son nez, soit qu'ils sont réellement en train de voler au-dessus des caféiers de Bornéo – elle ne veut pas trancher.

Ensuite, ils visitent l'Écosse, la ville de New York, Santiago. Plus d'une fois ils enfilent leur manteau d'hiver pour aller sur la lune.

– Tu ne sens pas à quel point nous sommes devenus légers, Marie ? Le plus léger tressaillement te fait bouger !

Il l'installe sur la chaise de bureau à roulettes et la fait tournoyer à en perdre haleine, au point qu'elle ne peut plus rire, tant elle a mal aux côtes.

– Tiens, goûte-moi ce rafraîchissant morceau de lune, lui dit-il, et elle sent dans sa bouche ce qui ressemble très fort à du fromage.

À la fin, ils retrouvent leur place sur le canapé, retapent les coussins, et peu à peu la pièce se rematérialise autour d'eux.

– Ah, dit-il plus doucement, tandis que son accent s'amenuise, et qu'une infime trace de frayeur perce de nouveau dans sa voix. Nous voici rentrés à la maison.

La somme des angles

Werner est convoqué dans le bureau du professeur des sciences techniques. Un trio de gracieux lévriers circule autour de lui dès qu'il a franchi le seuil. La pièce est éclairée par une paire de lampes en laiton à abat-jour vert, et dans la pénombre il distingue des étagères chargées d'encyclopédies, de maquettes de moulins à vent, de télescopes miniatures, de prismes. Le Dr Hauptmann se tient derrière son grand bureau, dans son manteau à boutons de cuivre, comme si lui aussi venait seulement d'arriver. De petites boucles encadrent son front ivoire ; il retire ses gants de cuir un doigt après l'autre.

— Mets une bûche dans l'âtre, je te prie.

Werner traverse la pièce en zigzag et ranime les braises. Dans un coin, il y a en fait une tierce personne, une silhouette imposante qui somnole dans un fauteuil conçu pour des individus bien plus petits. C'est Frank Volkheimer, un étudiant en fin de cycle, un colosse originaire de quelque village boréal, une légende pour les plus jeunes. Volkheimer est censé avoir traversé une rivière en portant trois bambins au-dessus de sa tête ; il est censé avoir soulevé l'arrière de la voiture du commandant de façon à ce qu'on puisse glisser un cric sous l'essieu. On dit qu'il a écrasé la trachée d'un communiste de ses mains. Qu'il a attrapé par le museau et énucléé un chien errant juste pour s'immuniser contre la douleur des autres êtres vivants.

On l'appelle le Géant. Même dans cette lumière faible et vacillante, Werner voit courir des veines sur ses avant-bras, comme du lierre.

– Jamais un étudiant n'était venu à bout du moteur, dit Hauptmann, qui tourne en partie le dos à Volkheimer. Pas sans aide.

Il a un drôle d'accent – autrichien peut-être.

Comme Werner ne sait que dire, il se tait. Il tisonne les braises une dernière fois, soulevant des étincelles dans la cheminée.

– La trigonométrie, tu connais, cadet ?

– Seulement ce que j'ai pu apprendre tout seul.

Hauptmann sort une feuille de papier d'un tiroir et note quelque chose.

– Tu sais ce que c'est ?

Werner cligne des yeux.

$$\ell = \frac{d}{\tan \alpha} + \frac{d}{\tan \beta}$$

– Une formule...

– Tu sais à quoi ça sert ?

– Je crois que c'est une façon d'utiliser deux points connus pour trouver le troisième, qui constitue l'inconnue.

Le regard du professeur s'anime, comme s'il avait trouvé une chose infiniment précieuse juste devant lui, par terre.

– Si je te donne les points connus et une distance entre eux, tu peux trouver la solution ? Tu peux dessiner ce triangle ?

– Je crois.

– Installe-toi à mon bureau. Prends ma chaise. Voici un crayon...

Une fois assis, l'extrémité de ses brodequins ne touche pas le sol. Le feu dégage beaucoup de chaleur. Il oublie le

Géant et ses bottes énormes, sa mâchoire façon parpaing. Il oublie le petit professeur qui fait les cent pas devant le foyer, l'heure tardive, les chiens et les étagères qui regorgent de choses intéressantes. Il n'y a que ceci :

$$\tan \alpha = \sin \alpha \,/ \cos \alpha$$

$$\text{et } \sin(\alpha+\beta) = \sin \alpha \cos \beta + \cos \alpha \sin \beta$$

Maintenant d peut être mis au début de l'équation.

$$d = \frac{\ell \sin\alpha \, \sin\beta}{\sin(\alpha+\beta)}$$

Werner introduit les chiffres du Dr Hauptmann dans l'équation. Il imagine deux observateurs dans un champ, qui mesurent la distance entre eux, puis lèvent les yeux vers un point de repère éloigné : navire qui passe ou cheminée. Lorsqu'il demande une règle à calcul, le professeur la lui passe aussitôt, s'étant attendu à cette demande. Werner la prend sans tourner la tête et commence à calculer les sinus.

Volkheimer observe. Le petit professeur va et vient, les mains dans le dos. Le feu pétille. On n'entend que le halètement des chiens et le déplacement du curseur.

Enfin, il dit :

— Seize virgule quarante-trois, Herr Doktor.

Il dessine le triangle, marque les distances de chaque segment et rend le papier. Hauptmann procède à une vérification dans un livre relié de cuir. Volkheimer remue légèrement dans son fauteuil ; son regard est à la fois curieux et indolent. Le professeur a mis la main sur le bureau pendant sa lecture, l'air soucieux et absent, comme s'il attendait l'inspiration. Soudain, Werner est saisi d'un sombre pressentiment, mais le regard de Hauptmann revient sur lui et son appréhension retombe.

– Dans ton dossier de candidature, on signale que tu voudrais plus tard étudier l'électromécanique à Berlin. Et que tu es orphelin, exact ?

Autre coup d'œil à Volkheimer. Werner acquiesce.

– Ma sœur...

– Le travail d'un scientifique, cadet, est déterminé par deux choses. Tu comprends ?

– Je crois.

– Nous vivons des temps exceptionnels, cadet.

L'émotion gonfle sa poitrine. Des lieux éclairés par des feux de cheminée, tapissés de livres – voilà où se passent les choses importantes.

– Tu iras travailler au labo après le réfectoire. Tous les soirs. Même le dimanche.

– Oui, professeur.

– Tu commences demain.

– Oui, professeur.

– Volkheimer ici présent veillera sur toi. Emporte ces biscuits.

Le professeur sort une boîte en métal ornée d'une faveur.

– Et respire, Pfennig... Tu ne peux pas retenir ton souffle chaque fois que tu es dans mon laboratoire.

– Oui, professeur.

Un air froid sifflote à travers les couloirs, si pur que Werner en a le tournis. Un trio de papillons de nuit rampe au plafond du dortoir. Il se déchausse, plie son pantalon dans l'obscurité et pose les biscuits par-dessus. Frederick l'épie du haut de sa couchette.

– Où t'étais passé ?

– J'ai des gâteaux secs, murmure Werner.

– J'ai entendu un hibou royal, tout à l'heure.

– Chut ! fait une voix à proximité.

Werner lui tend un biscuit. Frederick chuchote :

– Tu connais ? Un oiseau de proie très rare. Gros comme un planeur. Sûrement un jeune mâle cherchant un nouveau territoire. Il était dans l'un des peupliers près du terrain d'exercice.

– Oh, dit Werner.

Des lettres grecques glissent sous ses paupières. Triangles isocèles, bêta, sinusoïdes. Il se voit lui-même en blouse blanche, passant à grands pas devant des machines.

Un jour il sera certainement distingué par un grand prix.

Décodage, propulsion spatiale, les secteurs de pointe.

Nous vivons des temps exceptionnels.

On entend le chef de dortoir traîner ses bottes dans le couloir. Frederick réintègre sa couchette.

– J'ai pas pu le voir, chuchote-t-il, mais je l'ai clairement entendu.

– Ta gueule ! dit une autre voix. On va se faire incendier !

Frederick ne dit plus rien. Werner cesse de mastiquer. On n'entend plus les bottes : soit le surveillant est parti, soit il est juste derrière la porte. Dehors, quelqu'un est en train de fendre du bois, et Werner écoute les coups de masse contre le coin d'acier et les respirations haletantes et craintives tout autour de lui.

Le Professeur

Étienne est en train de lui lire du Darwin quand il s'arrête net.

– Oncle Étienne ?

Il respire fébrilement, lèvres pincées, comme s'il soufflait sur une cuillerée de soupe brûlante. Il chuchote :

– Il y a quelqu'un...

Marie-Laure n'entend rien. Ni bruits de pas, ni coups frappés à la porte. Mme Manec passe le balai sur le palier à l'étage supérieur. Étienne lui tend le livre. Elle l'entend débrancher une radio, s'empêtrer dans les câbles.

– Oncle Étienne ? répète-t-elle, mais il est en train de quitter son bureau, descend l'escalier – sont-ils en danger ? – et elle le suit à la cuisine, où elle l'entend peiner pour déplacer la table.

Il tire un anneau au milieu du sol. Sous la trappe, une trémie carrée qui dégage une abominable odeur de poisson pourri.

– Attention à la marche. Vite !

Est-ce une cave ? Qu'a vu son oncle ? Elle a posé le pied sur le premier barreau de l'échelle quand Mme Manec débarque avec ses gros souliers.

– Voyons, monsieur Étienne !

La voix de celui-ci monte.

189

– J'ai entendu du bruit. Quelqu'un.

– Vous allez lui faire peur. Ce n'est rien, Marie-Laure. Viens donc...

Marie-Laure recule. Là-dessous, son grand-oncle se murmure des comptines.

– Je vais passer un moment avec lui, madame Manec. On pourrait peut-être lire encore un peu de Darwin, oncle Étienne ?

La cave, sans doute, n'est qu'une simple fosse salpêtrée dans la terre. Ils s'assoient sur un tapis roulé, trappe ouverte, et entendent Mme Manec fredonner en préparant du thé au-dessus de leurs têtes. Étienne tremble légèrement à son côté.

– Tu savais, lui dit Marie-Laure, qu'on a une « chance » sur un million d'être frappé par la foudre, d'après M. Gérard ?

– Au cours d'une vie – ou d'une année ?

– Je ne sais pas.

– Tu aurais dû lui demander.

De nouveau, cette respiration saccadée. Comme si tout son être lui ordonnait de prendre la fuite.

– Que se passe-t-il si tu sors ?

– Je suis mal à l'aise.

Sa voix est à peine audible.

– Qu'est-ce qui te met mal à l'aise ?

– Le fait d'être dehors.

– C'est-à-dire ?

– Les grands espaces.

– Les espaces ne sont pas forcément grands. Ta rue n'est pas très grande...

– Pas autant que celles que tu connais.

– Tu aimes les œufs et les figues. Les tomates. On en a mangé ce midi. Ça pousse bien dehors !

Il a un petit rire.

– C'est sûr...

– Le monde ne te manque pas ?

Il ne dit rien ; elle non plus. Tous deux chevauchent les spirales de la mémoire.

— J'ai le monde entier ici, dit-il, tapotant la couverture du Darwin. Et dans mes postes de radio. Juste au bout de mes doigts.

Son oncle a presque l'air d'un enfant, ascétique dans ses besoins et complètement libéré de toute obligation temporelle. Pourtant, elle voit bien qu'il est hanté par des peurs si immenses, si multiples, qu'elle peut presque toucher physiquement cette terreur qui palpite au fond de lui. Comme si une bête soufflait tout le temps contre les carreaux de son esprit.

— Peux-tu me faire encore la lecture ? demande-t-elle, et Étienne rouvre le livre, chuchote : « *Mais le terme "délicieux" est bien trop faible pour exprimer les sentiments d'un naturaliste qui, pour la première fois, erre dans une forêt brésilienne...* »

Au bout de quelques paragraphes, Marie-Laure dit sans préambule :

— Parle-moi de cette chambre là-haut. Celle en face de la mienne.

Il s'arrête. De nouveau, cette respiration fébrile.

— Il y a une petite porte au fond, dit-elle, mais c'est fermé à clé. Qu'est-ce qu'il y a derrière ?

Il garde le silence si longtemps qu'elle craint de l'avoir fâché, mais il se relève alors et ses genoux craquent comme du petit bois.

— Tu as la migraine, mon oncle ?

— Viens...

Ils remontent jusqu'en haut. Au niveau du palier du cinquième étage, ils tournent à gauche, et il pousse la porte de ce qui était la chambre de son grand-père. Elle a déjà passé les mains sur ce qu'elle contient à plusieurs reprises : une rame en bois fixée au mur, une fenêtre habillée de longs rideaux. Un petit lit. Une maquette de bateau sur une étagère. Au fond, il y a une armoire à glace si énorme qu'elle ne peut ni atteindre le sommet ni toucher les deux côtés à la fois en tendant ses bras.

– C'était ses affaires, tout ça ?

Étienne ouvre la petite porte juste à côté.

– Viens…

Elle avance à tâtons. Chaleur sèche, confinée. Souris qui détalent. Ses doigts trouvent une échelle.

– Ça mène à la mansarde. Ce n'est pas très haut.

Sept échelons. Au sommet, elle se tient debout ; elle devine un espace profond, sous pente, au niveau du pignon. Tout juste a sa hauteur.

Étienne grimpe derrière elle et lui prend la main. Son pied bute contre des câbles par terre ; ils se faufilent entre des cartons poussiéreux, enjambent un chevalet. Il la guide à travers ce bazar jusqu'à une sorte de banquette de piano au fond, et l'aide à s'y installer.

– C'est le grenier. En face, la cheminée. Mets les mains sur la table. Là…

Partout des boîtiers en métal. Tubes, bobines, interrupteurs, cadrans, au moins un phonographe. Tout ce coin du grenier est en fait une sorte de machine. Le soleil cuit les ardoises au-dessus de leurs têtes. Étienne la coiffe d'un casque. À travers les écouteurs, elle l'entend tourner une manivelle, appuyer sur un interrupteur, et là, comme placé juste au milieu de sa tête, un piano joue un air simple et doux.

La musique s'efface, et une voix crépitante dit : *Considérez un simple boulet de charbon, rougeoyant dans le poêle familial. Vous le voyez, les enfants ? Ce morceau de charbon était autrefois une plante verte, une fougère ou un roseau qui vivait il y a un million d'années, voire deux millions d'années, ou encore cent millions d'années…*

Au bout d'un moment, la voix fait place au piano. Son oncle lui retire le casque.

– Quand j'étais petit, dit-il, mon frère était doué pour tout, mais sa voix était sa qualité la plus remarquable. Les sœurs de Saint-Vincent auraient voulu créer un chœur autour d'elle. On rêvait, Henri et moi, de graver des disques et de les vendre. Lui, il avait la voix, moi j'étais le cerveau de l'organisation, et en ce temps-là tout le monde voulait un phonographe. Or, il n'y avait pratiquement rien pour la jeunesse sur le marché. Nous avons donc contacté une maison de disques à Paris, qui s'est montrée intéressée, et j'ai rédigé dix scripts sur la science, que Henri s'est exercé à lire, après quoi on a procédé à l'enregistrement. Ton père, qui était encore tout petit, venait nous écouter. C'est l'une des périodes les plus heureuses de ma vie.

– Et puis, vous êtes partis à la guerre...

– On est devenus téléphonistes. Notre mission, c'était de maintenir les lignes de communication entre les premières lignes et l'arrière. La nuit, l'ennemi tirait au pistolet des fusées éclairantes au-dessus des tranchées, des étoiles éphémères qui restaient suspendues en l'air par des parachutes pour signaler d'éventuelles cibles aux snipers. Tous les soldats se figeaient alors. Parfois, quatre-vingts ou quatre-vingt-dix de ces fusées étaient tirées, coup sur coup, et la nuit prenait la teinte blafarde, étrange, du magnésium. Tout était calme, on n'entendait que les grésillements des fusées, puis le sifflement d'une balle qui fusait des ténèbres pour se loger dans la boue. On s'efforçait de rester côte à côte. Mais parfois, j'étais paralysé ; pas moyen de remuer, même pas les doigts. Même pas les paupières. Alors Henri restait près de moi, et il me débitait à l'oreille ces scripts, ces émissions qu'on avait enregistrées. Parfois toute la nuit. Inlassablement. Comme pour tisser une sorte d'écran protecteur autour de nous. Jusqu'au matin.

– Mais il est mort.

– Et moi pas.

Cela, réalise-t-elle, est l'origine de sa peur, de toute peur. Qu'une lumière impossible à bloquer vous dénonce et permette à la balle d'atteindre son but.

– Qui a fabriqué tout ceci, oncle Étienne ? Cette machine ?

– Moi. Après la guerre. Ça m'a pris des années.

– Comment ça marche ?

– C'est un transmetteur radio. Cet interrupteur-ci – il guide sa main – allume le micro, et celui-là le phonographe. Voici l'ampli, les tubes à vides, les bobines. L'antenne se déploie le long de la cheminée. Douze mètres. Tu sens le levier ? L'énergie est comme une onde, et le transmetteur envoie des cycles fluides de ces ondes. Ta voix crée une perturbation dans ces cycles...

Elle n'écoute plus. C'est poussiéreux, troublant et envoûtant tout à la fois. Quel âge a tout ceci ? Dix ans ? Vingt ans ?

– Qu'est-ce que tu diffusais ?

– Les enregistrements de mon frère. La maison de disques à Paris ne s'y intéressait plus, mais moi, chaque nuit, je passais les dix disques que nous avions gravés, au point de les user. Et ce morceau...

– Au piano ?

– « Clair de lune », de Debussy.

Il effleure un cornet en métal.

– Je plaçais le micro dans le pavillon du phonographe, et voilà...

Elle se penche au-dessus du micro, dit : « Salut à tous. » Il fait entendre son rire cristallin.

– Et des enfants vous écoutaient ?

– Je n'en sais rien.

– Ça peut transmettre jusqu'à quelle distance ?

– Loin.

– Jusqu'en Angleterre ?

– Facilement.

– ... Paris ?

194

– Oui. Mais je n'essayais pas d'atteindre l'Angleterre. Ni Paris. Je croyais que si la diffusion était assez puissante, mon frère m'entendrait. Que je pourrais lui apporter la paix, le protéger comme il m'avait protégé.

– Tu diffusais la voix de ton frère à son intention ? Après sa mort ?

– Et Debussy.

– Il n'a jamais répondu ?

Le grenier craque. Quels fantômes se glissent le long des murs à présent, s'efforçant de les espionner ? La peur de son grand-oncle est presque palpable.

– Non, dit-il. Il n'a jamais répondu.

À Jutta, ma sœur chérie,

On dit en cachette que le Dr Hauptmann a des relations haut placées. Il ne répondra pas ██████████████████████ *Mais il veut que je l'assiste tout le temps ! Je vais au labo le soir et il me fait travailler aux circuits d'une radio qu'il teste en ce moment. La trigonométrie aussi. Il veut que je sois le plus inventif possible ; il dit que l'inventivité, c'est l'énergie du Reich. Il a demandé à un étudiant en fin de cycle, qu'on appelle le Géant, de rester planté auprès de moi, un chronomètre en main, pour voir à quelle vitesse je calcule. Triangles triangles triangles. Je dois me taper dans les cinquante calculs par soir. On ne me dit pas pourquoi. Si tu voyais tout le fil de cuivre qu'il y a ici ; ils ont* ████████ *Lorsque le Géant passe, tout le monde s'écarte.*

Le Dr Hauptmann dit que rien n'est hors de notre portée. Il dit que le Führer a recruté des savants pour l'aider à contrôler la météo. Que le Führer veut mettre au point une fusée pouvant atteindre le Japon. Qu'il bâtira une ville sur la lune.

À Jutta, ma sœur chérie,

Aujourd'hui, à l'entraînement, le commandant nous a parlé de Reiner Schicker. C'était un jeune caporal et son capitaine avait

196

besoin qu'un de ses hommes se glisse derrière les lignes ennemies pour repérer ses défenses. Il demanda un volontaire et Reiner Schicker fut le seul. Mais le lendemain, il fut pris. Le lendemain ! Les Polonais le torturèrent à l'électricité. Les doses furent si fortes que son cerveau se liquéfia, d'après le commandant, mais avant cela, il fit cette déclaration stupéfiante : « Je regrette seulement de n'avoir qu'une seule vie à donner pour la patrie ! »

Tout le monde dit qu'une grande épreuve nous attend. Une épreuve plus dure que toutes les autres.

Frederick dit que cette histoire c'est ▮▮▮▮▮▮▮▮▮▮▮▮▮▮▮▮▮▮▮▮▮▮▮▮▮▮▮▮▮▮▮▮*. La présence du Géant – Frank Volkheimer – fait qu'on me respecte. Je lui arrive quasiment à la taille. On dirait déjà un homme. Il a la loyauté de Reiner Schicker. Dans ses mains, son cœur, ses tripes. Dis à Frau Elena que je mange énormément ici, mais que personne ne fait de gâteaux comme les siens. Dis au petit Siegfried d'être joyeux. Je pense à vous chaque jour. Sieg Heil.*

À ma sœur chérie Jutta,

Hier, c'était dimanche et pour l'entraînement on est allés dans la forêt. Comme la plupart des chasseurs sont au front, les bois sont pleins de martres et de chevreuils. Les autres garçons se sont planqués dans les affûts pour parler de victoires magnifiques et qu'on traversera bientôt la Manche pour écraser les ▮▮▮▮▮▮▮▮▮▮ ▮▮▮▮▮▮▮▮▮▮▮▮▮▮▮▮▮▮ *et les chiens du Dr Hauptmann sont revenus avec chacun un lièvre dans la gueule mais Frederick, lui, il est revenu avec plein de baies dans sa chemise, il s'était lacéré les manches dans les ronces, la housse de ses jumelles était déchirée et j'ai dit : Tu vas attraper la crève, alors il a contemplé sa tenue comme s'il tombait de la lune ! Frederick reconnaît tous les oiseaux rien qu'à leur chant. Au-dessus du lac on a entendu des alouettes, des vanneaux, des pluviers, et un busard et sûrement une dizaine d'autres que j'ai oubliés. Frederick te plairait je pense. Il voit ce que les autres ne voient pas. J'espère que ta toux s'arrange et celle de Frau Elena aussi. Sieg Heil.*

Parfumeur

Il s'appelle Claude Guernec mais tout le monde l'appelle
« le Gros Claude ». Depuis une dizaine d'années, il tient une
parfumerie dans la rue Vauborel : commerce aléatoire, qui
rapporte seulement quand on sale la morue et que même les
pierres de la ville commencent à empester.

Mais de nouvelles opportunités se présentent, et le Gros
Claude n'est pas homme à les laisser passer. Des paysans du
côté de Cancale lui procurent de la viande d'agneau et des
lapins. Claude transporte lui-même à Paris, en prenant le train,
cette viande dans les valises en vinyle assorties de son épouse.
Argent facile : certaines semaines il peut se faire jusqu'à cinq
cents francs. Loi de l'offre et de la demande. Il y a toujours
des contretemps, forcément : un maillon de la chaîne qui flaire
quelque chose et veut sa dîme. Il faut un cerveau comme le
sien pour démêler les complexités de cette affaire-là.

Aujourd'hui, il rissole : la sueur dégouline dans son dos.
Saint-Malo est en train de rôtir. Octobre est là, et des vents
froids et vifs devraient affluer de l'océan ; les feuilles devraient
voler dans les ruelles. Mais la brise est venue et elle est repar-
tie. Comme s'il n'approuvait pas ce qui se passe ici.

Tout l'après-midi, Claude trône dans sa boutique au-dessus
des centaines de petits flacons de parfums – floral, oriental,
fougères – exposés dans son présentoir vitré, rose, carmin,

bleu layette, personne n'entre, et un ventilateur électrique qui oscille lui envoie de l'air du côté droit, du côté gauche, et il ne lit pas, ne bouge pas, sauf pour tendre régulièrement la main sous son tabouret et attraper une poignée de biscuits dans une boîte ronde en fer-blanc.

Vers seize heures, une petite compagnie de soldats remonte tranquillement la rue Vauborel. Ils sont minces, ont le visage rose saumon, le regard grave ; ils portent leur arme en bandoulière, canon vers le bas, comme une clarinette. Ils se taquinent et ont sous leur casque cette merveilleuse touche d'or.

Claude sait qu'il devrait leur en vouloir, mais il admire leurs qualités de soldat et leur tenue, la netteté de tous leurs gestes. Ils semblent toujours aller dans une direction précise et ne pas douter que c'est la bonne. C'est ce qui manque aux Français.

Les soldats tournent au coin de la rue Saint-Philippe et disparaissent. Les doigts de Claude tracent des ronds sur la vitre du présentoir. À l'étage, sa femme passe l'aspirateur ; il entend l'engin circuler. Il s'est presque assoupi quand il voit le Parisien qui habite chez Étienne Leblanc sortir de la maison. Un type au nez en bec d'aigle qui rôde devant le bureau de poste, taillant au couteau des petites boîtes en bois.

Le Parisien va dans la même direction que les soldats allemands, mais en plaçant son talon contre la pointe de l'autre pied. Arrivé au bout de la rue, il jette quelques mots sur son bloc, opère une rotation à 180 degrés, et rebrousse chemin. Une fois au bout du pâté de maisons, il lève les yeux sur celle des Riou et prend encore des notes. Coup d'œil vers le haut, coup d'œil vers le bas. Mesurant. Mordillant la gomme de son crayon, comme s'il était mal à l'aise.

Le Gros Claude va à la fenêtre. Ceci pourrait être une opportunité. Les autorités d'occupation seront curieuses d'apprendre qu'un inconnu prend des mesures et dessine des maisons. On voudra savoir à quoi il ressemble, qui parraine son activité. Qui l'a autorisée.

Très bien. Parfait.

Le temps des autruches

Ils ne rentrent toujours pas à Paris. Elle ne sort toujours pas. Marie-Laure compte les jours depuis qu'elle est bouclée dans la maison d'Étienne. Cent vingt. Cent vingt et un. Elle songe à l'émetteur au grenier, à la voix de son grand-père volant au-dessus des mers – *Considérez un simple boulet de charbon, rougeoyant dans le poêle familial* – cinglant comme Darwin depuis Plymouth Sound jusqu'au Cap-Vert, la Patagonie, les îles Malouines, par-dessus les vagues, par-dessus les frontières.

– Une fois que tu auras fini cette maquette, on pourra s'en aller ?

Le papier de verre va et vient.

Ce que racontent ces femmes dans la cuisine de Mme Manec est terrible et difficile à croire. Des cousins de Paris dont personne n'avait entendu parler depuis des lustres écrivent à présent des lettres pour supplier qu'on leur envoie des chapons, des jambons, des poules. Le dentiste vend du vin par la poste. Le parfumeur égorge des agneaux et les trimballe en train jusqu'à Paris, où il les vend à prix d'or.

À Saint-Malo, les habitants sont condamnés à des amendes pour avoir fermé leurs portes à clé, élevé des colombes, stocké de la viande. Le champagne disparaît. Plus de contact visuel. Plus de bavardage sous les porches. Plus de bains de soleil, plus de chansons, plus de promenades d'amoureux sur les remparts, le soir – ces règles ne sont pas édictées, mais c'est du pareil au même. Des vents glaciaux soufflent de l'Atlantique et Étienne se barricade à l'intérieur de l'ancienne chambre de son frère, et Marie-Laure supporte la longue litanie des heures en passant les doigts sur les coquillages dans l'antre de son grand-oncle, les classant par taille, espèce, morphologie, contrôlant et recontrôlant cette classification, s'assurant qu'elle n'a pas fait d'erreur.

Tout de même, ne pourrait-elle pas sortir pendant une demi-heure ? Au bras de son père ? Mais chaque fois qu'il refuse, une voix résonne, issue d'une cellule de sa mémoire :

Ils se taperont sûrement les aveugles avant les estropiées.

Leur feront faire des cochonneries.

Hors des murs de la ville, quelques bateaux militaires patrouillent au large, le chanvre est mis en bottes, expédié et filé pour en faire des cordages, des câbles ou des filins de parachute, des mouettes lâchent des huîtres, des moules ou des palourdes en plein vol, et ce soudain fracas sur le toit la fait sursauter dans son lit. Le maire annonce une nouvelle taxe, et certaines amies de Mme Manec marmonnent qu'il les a vendus aux Allemands, qu'il leur faudrait « un homme à poigne », mais d'autres demandent ce qu'il pourrait bien faire. C'est ce qu'on appelle le « temps des autruches ».

– C'est nous qui avons la tête dans le sable, madame Manec ? Ou eux ?

– Peut-être tout le monde…, ronchonne-t-elle.

Mme Manec a pris l'habitude de s'endormir à table à côté d'elle. Elle met du temps à apporter le repas jusqu'à la chambre d'Étienne, au quatrième étage, en soufflant. Le matin, elle cuisine tandis que tout le monde est encore endormi ; à midi, elle sort en ville, cigarette au bec, pour aller apporter des gâteaux ou un plat cuisiné aux malades et aux réfugiés, et à l'étage le père de Marie-Laure s'active sur la maquette, ponçant, clouant, coupant, mesurant, travaillant chaque jour plus frénétiquement, comme confronté à une date limite connue de lui seul.

Le plus faible

L'adjudant chargé de l'entraînement est « le Commandant », un maître d'école trop zélé nommé Bastian qui a une démarche expansive, de la bedaine, et une capote frémissante de médailles de guerre. Sa figure est vérolée, ses épaules semblent taillées dans l'argile tendre. Il porte des bottes cloutées et ferrées à longueur de journée, et les cadets disent pour plaisanter qu'il devait déjà les avoir dans le ventre de sa mère.

Bastian exige qu'ils mémorisent des cartes, étudient l'angle du soleil, coupent leur propre ceinture dans du cuir de vache. Tous les après-midi, qu'il pleuve ou qu'il vente, il se tient sur un terrain et braille des maximes forgées par l'État : « Notre prospérité dépend de notre férocité. La seule chose qui protège votre chère grand-mère, ce sont vos poings. »

Un antique pistolet est pendu à son ceinturon ; les cadets les plus ardents lèvent sur lui des regards brillants. Werner le croit capable d'une violence sévère et chronique.

– Un corps paramilitaire, explique-t-il, tout en faisant tournoyer une longueur de tuyau d'arrosage, dont le bout frôle le nez d'un garçon, c'est comme un corps humain. Tout comme nous demandons à chacun d'entre vous de s'endurcir, votre groupe doit apprendre à éliminer ses faiblesses.

Un après-midi d'octobre, Bastian choisit un gamin qui a les pieds plats.

– Toi, tu seras le premier. Qui es-tu ?

– Bäcker, chef !

– Bäcker. Dis-nous, Bäcker : qui est le maillon faible de ce groupe ?

Werner tremble ; il est le plus petit des cadets de sa tranche d'âge. Il s'efforce de bomber le torse, de se grandir. Le regard de Bäcker parcourt la rangée.

– Lui, chef ?

Werner respire. Bäcker en a désigné un autre, un peu plus loin sur sa droite, l'un des rares garçons bruns. Ernst Trucmuche. Choix sans surprise : Ernst n'est effectivement pas très bon au sprint. Il doit encore s'affirmer sur ses cannes de serin.

Le commandant le fait sortir du rang. La lèvre inférieure du garçon tremble quand il se retourne pour faire face au groupe.

– Inutile de pleurnicher, dit le commandant, qui indique vaguement le fond du terrain, où une rangée d'arbres coupe la friche.

– Tu as un avantage de dix secondes. Rejoins-moi avant eux. Compris ?

Ernst ne dit ni oui ni non. Bastian mime la frustration.

– Quand je lève la main gauche, tu cours. Lorsque je lève la main droite, c'est à vous, bande d'abrutis...

Et de partir en se dandinant, le bout de tuyau d'arrosage autour du cou, le pistolet se balançant à son côté.

Soixante garçons attendent, haletants. Werner songe à Jutta, ses cheveux opalescents, son regard vif et ses manières bourrues : ce n'est pas elle qu'on prendrait pour le maillon faible. Ernst Trucmuche tremble de partout maintenant, y compris des poignets et des chevilles. Lorsque le commandant est à deux cents mètres environ, il se retourne et lève la main gauche.

Ernst cavale, les bras presque rigides, ses jambes comme sorties de leurs gonds. Bastian compte à rebours en commençant par dix.

– Trois ! lance sa voix lointaine. Deux. Un.

À zéro, son bras droit se lève et le groupe se déchaîne. Le brun a au moins cinquante mètres d'avance, mais aussitôt la meute gagne du terrain.

Coudes au corps, cinquante-neuf adolescents se lancent à la poursuite d'un seul. Werner se maintient au milieu du groupe qui se délite, le cœur battant, rempli d'une sombre confusion, se demandant où est Frederick, pourquoi ils pourchassent ce gamin, et ce qu'ils sont censés faire s'ils le rattrapent.

Sauf que dans la partie atavique de son cerveau, il sait exactement ce qu'ils feront.

Quelques meneurs sont d'une rapidité exceptionnelle ; ils gagnent sur la silhouette solitaire. Ernst a beau se démener comme un diable, ce n'est visiblement pas un sprinter, et il s'essouffle. Les herbes ondulent, les arbres sont sectionnés transversalement par le soleil, la meute se rapproche, et Werner s'indigne : comment peut-on être aussi lent ? Pourquoi ne s'est-il pas entraîné ? Comment a-t-il pu réussir le concours d'entrée ?

Le plus rapide des cadets plonge vers la chemise du garçon. Ernst va être capturé et Werner se demande si, quelque part, il ne le souhaite pas. Mais l'enfant atteint le commandant une fraction de seconde avant le déferlement collectif.

Abandon obligatoire

Marie-Laure doit revenir à la charge trois fois pour que son père consente à lire à haute voix l'avis à la population : *Les habitants doivent déposer tous les appareils récepteurs de TSF en leur possession. Les postes doivent être livrés au 27 rue de Chartres avant demain midi. Quiconque omettra de se conformer à cet ordre sera arrêté comme saboteur.*

Pendant un moment, plus personne ne dit rien, et Marie-Laure sent grandir en elle une angoisse familière.

– Il est...

– Dans l'ancienne chambre de ton grand-père, dit Mme Manec.

Demain midi. La maison est bourrée d'appareils TSF et de pièces détachées.

Mme Manec va frapper à la porte de la chambre, mais ne reçoit pas de réponse. Dans l'après-midi, ils emballent le matériel dans l'antre d'Étienne, Mme Manec et son père débranchant les radios et les mettant dans des caisses, tandis que Marie-Laure, depuis le canapé, suit à l'oreille l'évacuation des postes : le vieux Radiola 5, un GMR Titan, un GMR Orphée. Une radio rurale Delco 32 volts qu'Étienne a fait venir des États-Unis en 1922.

Son père place le plus gros poste dans un carton et le descend avec un diable. Marie-Laure reste là, les doigts engourdis sur ses genoux, et pense à la machine au grenier, ses câbles et interrupteurs. Un poste fabriqué pour parler aux spectres. Est-ce vraiment un appareil TSF ? Faut-il en parler ? Papa et Mme Manec sont-ils au courant ? On ne dirait pas. Ce soir-là, la brume envahit la ville, traînant une froide odeur de marée ; ils mangent dans la cuisine, et Mme Manec va déposer une assiette devant la porte de la chambre où Étienne est reclus, frappe à la porte, mais on ne lui ouvre pas et l'assiette reste intacte.

– Qu'est-ce qu'ils font de toutes ces radios ? demande Marie-Laure.

– Ils les envoient en Allemagne, répond son père.

– À moins qu'ils les flanquent à la mer, dit Mme Manec. Allons, ma chérie, bois ta tisane. Ce n'est pas la fin du monde. Pour cette nuit, je vais vous rajouter une couverture...

Le lendemain, Étienne reste enfermé dans la chambre de son frère. Sait-il ce qui se passe dans cette maison ? À dix heures du matin, le père de Marie-Laure commence à véhiculer les postes jusqu'à la rue de Chartres, un voyage, deux voyages, trois voyages, et quand il revient pour charger la dernière radio, Étienne n'a toujours pas réapparu. Tenant la main de Mme Manec, Marie-Laure entend claquer la grille, puis les tressautements de l'essieu de la remorque que son père pousse rue Vauborel, puis le silence.

Muséum

Le Stabsfeldwebel Reinhold von Rumpel se réveille tôt. Il se sangle dans son uniforme, empoche sa loupe et ses brucelles, roule ses gants blancs. À six heures du matin, il est dans le hall de l'hôtel en grande tenue, souliers cirés, l'arme dans son étui. Le patron lui apporte du pain et du fromage dans un panier d'osier foncé, joliment recouvert d'une serviette en coton : tout est au point.

Quel plaisir de marcher dans la ville avant le lever du soleil, avec les réverbères encore éclairés, le brouhaha d'une journée parisienne qui commence. Comme il remonte la rue Cuvier et s'engage dans le Jardin des plantes, les arbres ont un aspect brumeux et énigmatique : des parasols brandis juste pour lui.

Il aime être en avance.

À l'entrée de la Grande Galerie, deux veilleurs de nuit se raidissent. Ils jettent un coup d'œil aux galons sur son col et aux manches, ravalent leur salive. Un petit homme en costume de flanelle noir descend en s'excusant ; c'est l'adjoint du directeur. On ne l'attendait pas avant une heure.

– Nous pouvons parler français, déclare von Rumpel.

Derrière lui rapplique un autre homme au teint coquille d'œuf qui, de toute évidence, fuit son regard.

– Nous serions très honorés de vous montrer nos collections, marmonne l'adjoint. Voici le minéralogiste, le professeur Hublin.

Hublin cligne des yeux par deux fois, l'air d'un animal acculé. Les deux veilleurs de nuit assistent à la scène depuis le fond du couloir.

– Je vous débarrasse de votre panier ?

– Pas la peine.

La galerie de Minéralogie est si longue qu'on n'en voit quasiment pas la fin. Dans certaines sections, il y a des successions de vitrines vides ; des formes sur les étagères tapissées de feutre marquent la place des objets absents. Von Rumpel déambule tranquillement, son panier au bras, absorbé par ce qu'il voit. Quels trésors ils ont laissés ! Un magnifique ensemble de cristaux topaze jaunes sur une matrice grise. Un beau fragment de béryl rose comme un cerveau cristallisé. Une colonne de tourmaline violette de Madagascar, si belle qu'il ne peut s'empêcher de la caresser. Bournonite, apatite sur muscovite, zircon naturel aux couleurs d'arc-en-ciel, douzaines d'autres minéraux dont il ignore les noms. Ces gens-là doivent manipuler en l'espace d'une semaine plus de gemmes qu'il n'en verra jamais dans sa vie.

Chaque pièce est enregistrée dans d'énormes in-folio accumulés au cours des siècles. Le blafard Hublin lui en montre des pages. « Louis XIII a commencé la collection comme un Droguier, jade pour les reins, argile pour l'estomac, et ainsi de suite. Il y avait déjà deux cent mille entrées dans le catalogue en 1850, un inestimable héritage minéral... »

De temps en temps, von Rumpel tire son calepin de sa poche et griffonne quelques notes. Il prend son temps. À la fin, l'adjoint croise ses doigts sur sa ceinture.

– Alors, impressionné ? Ça vous a plu ?

– Beaucoup.

Les ampoules électriques au plafond sont espacées, et le silence dans cette pièce immense est oppressant.

– Mais…, dit-il en articulant très lentement. Et les collections qui ne sont pas présentées au public ?

Les deux Français échangent un coup d'œil.

– Vous avez vu tout ce que nous pouvons vous montrer, monsieur le Feldwebel.

Von Rumpel reste courtois. Civilisé. Paris n'est pas la Pologne, après tout. Tant qu'à faire des vagues, autant s'y prendre en douceur. On ne peut pas juste s'approprier les choses. Que disait son père ? *Considère les obstacles comme des occasions, Reinhold. Comme des inspirations.*

– Y a-t-il un endroit où on peut parler ?

Le bureau de l'adjoint du directeur occupe un coin du deuxième étage poussiéreux, dominant les jardins : lambris en bois de noyer, ambiance surchauffée, papillons et scarabées épinglés dans des cadres alternés. Au mur, derrière son bureau d'une demi-tonne, l'unique tableau : un portrait au fusain du biologiste français Jean-Baptiste Lamarck.

L'adjoint du directeur s'assoit à son bureau, et von Rumpel en face, son panier entre les pieds. Le minéralogiste est resté debout. Une secrétaire au long cou apporte du thé.

Hublin dit :

– Nous sommes en permanence dans une démarche d'acquisition. Dans le monde entier, l'industrialisation met en péril les dépôts de minéraux. Nous collectons le plus de spécimens possible. Pour un conservateur, tous ont la même valeur.

Von Rumpel rit. Il apprécie cette tentative pour jouer le jeu, mais ne voient-ils pas que le gagnant est déjà connu ? Il pose sa tasse et dit :

– J'aimerais voir vos spécimens les plus protégés. Et je m'intéresse en particulier à l'un d'eux, qui n'est, je crois, que récemment sorti de vos coffres.

L'adjoint passe la main dans ses cheveux et déchaîne un blizzard de pellicules.

— Monsieur le Feldwebel, les minéraux que vous avez vus ont contribué aux grandes découvertes de l'électrochimie, des lois fondamentales de la cristallographie mathématique. Le rôle d'un musée national n'est pas d'obéir à la mode ou aux caprices des collectionneurs, mais de sauvegarder pour les générations futures…

— J'attendrai, dit von Rumpel en souriant.

— C'est sûrement un malentendu, monsieur. Vous avez vu tout ce qu'on peut vous montrer.

— J'attendrai de voir ce que vous ne pouvez pas me montrer…

L'adjoint du directeur pique du nez dans son thé. Le minéralogiste se dandine sur place ; il semble aux prises avec une fureur intérieure.

— Je suis très patient, reprend le Feldwebel. C'est mon seul point fort. Je n'ai jamais été bon en athlétisme ou en mathématiques, mais tout petit déjà, j'étais doué d'une patience peu commune. J'attendais auprès de ma mère, pendant qu'elle était chez le coiffeur. Je pouvais rester des heures sur ma chaise, sans magazine, ni jouet, sans même balancer les jambes. Toutes ces dames étaient très impressionnées.

Les deux Français s'agitent. Au-delà de la porte du bureau, qui écoute ?

— Asseyez-vous donc, si vous voulez, dit von Rumpel à Hublin, tapotant la chaise voisine.

Mais Hublin ne s'assoit pas. Le temps passe. Von Rumpel boit sa dernière goutte de thé et repose la tasse très soigneusement au bord du bureau. Quelque part, un ventilateur électrique démarre, fonctionne, s'arrête.

— Qu'est-ce que nous attendons, monsieur le Feldwebel ? demande Hublin.

— J'attends que vous soyez francs.

— Si je puis…

— Restez, dit von Rumpel. Asseyez-vous. Je suis sûr que si vous avez des instructions à donner, la demoiselle qui ressemble à une girafe vous entendra, n'est-ce pas ?

L'adjoint croise et recroise les jambes. À présent, il est midi passé.

– Que diriez-vous de voir les squelettes ? lance-t-il. Le hall de l'Homme est spectaculaire. Et notre collection zoologique, tout à fait...

– J'aimerais voir les minéraux que vous ne présentez pas au public. L'un d'eux, en particulier...

La gorge de Hublin se marbre de blanc et de rose. Il ne s'assoit pas. L'adjoint semble résigné et il sort d'un tiroir une épaisse liasse de papiers qu'il se met à lire. Hublin fait mine de partir, mais von Rumpel dit :

– Restez, je vous prie, jusqu'à ce que le problème soit réglé.

Guerre d'usure, songe-t-il. Il suffit d'être le plus patient. Le téléphone de l'adjoint sonne, et il allonge le bras pour décrocher, mais von Rumpel lève la main, et la sonnerie retentit plusieurs fois dans le vide. Une demi-heure passe. Hublin contemple ses lacets, l'adjoint prend des notes dans son manuscrit avec un porte-plume, von Rumpel reste parfaitement immobile, puis on frappe à la porte.

– Messieurs... ? dit une voix.

– Nous n'avons besoin de rien, merci, lance von Rumpel. L'adjoint dit :

– J'ai d'autres dossiers à traiter, monsieur le Feldwebel.

Von Rumpel ne hausse pas le ton.

– Vous allez attendre ici. Tous les deux. Vous allez attendre avec moi jusqu'à ce que je voie ce qui m'intéresse. Ensuite vous pourrez retourner à vos importantes activités.

Le menton du minéralogiste tremble. Le ventilateur redémarre, s'arrête. Temporisateur réglé sur cinq minutes, se dit von Rumpel. Il guette le moment où ça reprendra. Puis, il soulève le panier, le pose sur ses genoux. Il désigne la chaise. Sa voix est douce.

– Asseyez-vous, professeur. Vous serez plus à l'aise.

Hublin ne s'assied pas. Il est deux heures de l'après-midi et les cloches sonnent dans une centaine d'églises. Des passants déambulent dans les allées. Les dernières feuilles mortes tombent en spirales jusqu'au sol.

Von Rumpel déroule sa serviette sur ses genoux, en sort le fromage. Il rompt le pain lentement, qui s'émiette généreusement sur sa serviette. Tout en mâchant, il peut presque entendre leurs ventres gargouiller. Il ne leur offre rien. À la fin, il s'essuie les commissures des lèvres.

– Vous vous faites une fausse idée de moi, messieurs. Je ne suis pas une brute. Je ne suis pas ici pour saccager vos collections. Elles appartiennent à toute l'Europe, à toute l'Humanité, n'est-ce pas ? Je suis ici seulement pour une petite chose. Une chose plus petite que l'os de la rotule...

Tout en disant cela, il regarde le minéralogiste. Qui détourne la tête, cramoisi.

– C'est absurde, monsieur le Feldwebel.

Von Rumpel replie sa serviette et la remet dans le panier qu'il repose au sol. Il lèche le bout de son doigt et enlève les miettes de sa tunique une par une. Puis, il regarde l'adjoint droit dans les yeux.

– Le lycée Charlemagne, c'est bien ça ? Rue Charlemagne ?

L'autre ouvre de grands yeux.

– L'école que fréquente votre fille ?

Von Rumpel pivote sur sa chaise.

– Et le collège Stanislas, professeur Hublin ? C'est bien là où vont vos jumeaux ? Rue Notre-Dame-des-Champs ? Ces charmants garçons vont bientôt rentrer à la maison, n'est-ce pas ?

Hublin s'appuie d'une main au dossier de la chaise vacante, et ses phalanges deviennent toutes blanches.

– L'un a un violon et l'autre un alto, exact ? Traverser toutes ces rues très passantes... Un long trajet à pied pour des enfants de dix ans.

L'adjoint se tient très droit sur sa chaise. Von Rumpel ajoute :

– Je sais qu'il n'est pas ici, messieurs. Le dernier des gardiens ne serait pas assez idiot pour laisser ce diamant ici,

213

mais j'aimerais savoir où vous le conservez. J'aimerais savoir quel est l'endroit que vous jugez le plus sûr.

Aucun des deux hommes ne dit rien. L'adjoint se remet à regarder son manuscrit, même s'il est clair qu'il ne lit pas. À quatre heures de l'après-midi, la secrétaire frappe à la porte, et une fois de plus von Rumpel la congédie. Il s'applique à se concentrer uniquement sur ses clignements d'yeux. Les pulsations au niveau du cou. D'autres s'y prendraient avec moins de finesse. Ils se serviraient d'un détecteur de mensonges, d'explosifs, du canon d'un pistolet, de leurs muscles. Von Rumpel se sert des matériaux les moins onéreux : minutes, heures.

Les cloches sonnent cinq heures. La lumière déserte les jardins.

— Monsieur le Feldwebel, de grâce…, dit l'adjoint.

Les mains à plat sur le bureau, il relève les yeux à présent.

— Il est très tard. Je dois aller me soulager.

— Ne vous gênez pas…

Von Rumpel désigne une poubelle en métal près du bureau.

Le minéralogiste fait la grimace. De nouveau, le téléphone sonne. Hublin se ronge les ongles. La douleur s'exprime sur le visage de son collègue. Le ventilateur ronronne. Dans les jardins, la clarté du jour abandonne les arbres mais von Rumpel attend toujours.

— Votre collègue, dit-il au minéralogiste, est un homme logique, n'est-ce pas ? Il ne croit pas aux légendes. Alors que vous, vous me semblez moins cartésien. Vous ne voulez pas y croire, mais…

Il secoue la tête.

— Vous avez eu ce diamant entre vos mains. Vous avez perçu son pouvoir.

— Ridicule ! dit Hublin.

Il roule des yeux comme un poulain effarouché.

— Ceci n'est pas une attitude civilisée. Nos enfants sont-ils sains et saufs ? J'exige que vous nous laissiez nous en assurer.

– Vous, un savant, ajouter foi aux légendes ! Vous avez foi en la raison, mais vous croyez aussi aux contes de fées. Déesses, malédictions...

L'adjoint inspire profondément.

– Assez ! dit-il. Assez !

Von Rumpel se réjouit. Déjà ? Il pouvait attendre deux jours de plus, ou trois, tandis que des rangées d'hommes se brisaient contre lui comme des vagues.

– Nos enfants sont-ils sains et saufs ?

– Cela dépend de vous.

– Je peux téléphoner ?

Von Rumpel acquiesce. L'adjoint saisit le combiné, dit : « Sylvie », écoute, puis raccroche. La femme entre avec un trousseau de clés. D'un tiroir du bureau, elle sort une autre clé sur un anneau. Simple, fine, toute en longueur.

Une petite porte fermée au fond de la galerie du rez-de-chaussée. Il faut deux clés pour l'ouvrir, et l'adjoint ne semble pas familier de la serrure. On descend un escalier de pierre en tire-bouchon ; là, l'adjoint ouvre une seconde porte. Ils serpentent à travers des dédales de couloirs, passent devant un gardien qui en lâche son journal et se redresse sur sa chaise. Dans un modeste espace de stockage plein de bâches, de palettes et de caisses, sous une feuille de contreplaqué, le minéralogiste révèle un simple coffre à combinaison que son collègue ouvre assez facilement.

Pas d'alarme. Juste ce gardien.

À l'intérieur du coffre se trouve une seconde boîte, bien plus intéressante. Elle est si lourde que les deux hommes doivent conjuguer leurs efforts pour la soulever.

Élégante, sans jointure visible. Pas de nom de fabricant, pas de cadran. Ce doit être creux mais on ne distingue ni charnières ni clous ni points de fixation – on dirait un bloc de bois massif poli. Travail de commande.

Le minéralogiste glisse une clé dans le petit et presque invisible trou du bas ; quand elle tourne, deux autres petits trous de serrure s'ouvrent du côté opposé. L'adjoint y insère les clés correspondantes ; elles débloquent cinq différents dispositifs de protection.

Trois cylindres se chevauchent, chacun dépendant du suivant.

– Ingénieux, murmure von Rumpel.

La boîte s'ouvre délicatement.

Dedans, une bourse en feutre.

– Ouvrez-la, dit-il.

Le minéralogiste regarde l'adjoint. L'adjoint prend la petite bourse, défait le cordon et renverse un petit morceau de tissu dans sa paume. D'un doigt, il écarte les plis. À l'intérieur, un diamant bleu, gros comme un œuf de pigeon.

L'armoire

Ceux qui transgressent le couvre-feu écopent d'une amende ou sont emmenés pour interrogatoire, même si Mme Manec rapporte qu'au Surcouf, il y a de la lumière toute la nuit et que des officiers allemands entrent et sortent en titubant à n'importe quelle heure, rentrant leur chemise et rajustant leur pantalon. Marie-Laure veille, guettant le moment où son grand-oncle sortira. Enfin, elle entend la porte au-delà du couloir s'entrouvrir et des frottements sur les lames du parquet. Une souris de bande dessinée s'aventurant hors de son trou.

Elle se lève en tâchant de ne pas réveiller son père, va dans le couloir.

– Oncle Étienne, n'aie pas peur…

– Marie-Laure ?

Son odeur, c'est l'hiver qui arrive, la tombe, la pesante inertie du temps.

– Comment ça va ?

– Mieux.

Ils restent plantés sur le palier.

– On a reçu un avis. Mme Manec l'a laissé sur ton bureau.

– Quel avis ?

– Tes radios…

Il descend au quatrième étage. Elle l'entend bredouiller. Doigts qui passent sur les étagères subitement dégarnies.

Vieux amis disparus. Elle s'attend à des cris de colère, mais saisit à la place des bribes d'une comptine chantonnée d'une voix oppressée : ... *à la salade je suis malade au céleri je suis guéri...*

Elle le prend par le coude, l'entraîne vers le canapé. Il marmonne toujours, comme pour se détacher d'une corniche imaginaire, et elle sent la peur qui se dégage de lui, virulente, toxique ; cela rappelle les émanations qui s'élevaient des cuves de formol, au département de Zoologie.

La pluie frappe aux carreaux. La voix d'Étienne, lointaine :

– Toutes... ?

– Pas celle au grenier. Je n'en ai pas parlé. Mme Manec sait... ?

– On n'en a jamais parlé.

– Elle est cachée, oncle Étienne ? Est-ce qu'on pourrait la découvrir si la maison était fouillée ?

– Qui voudrait la fouiller ?

Un silence s'ensuit.

– On pourrait toujours l'apporter ? demande-t-il. Dire qu'on l'avait oubliée ?

– La date limite, c'était hier à midi.

– Ils se montreront peut-être compréhensifs.

– Oncle Étienne, tu crois vraiment qu'ils comprendront que tu as oublié d'apporter un transmetteur qui peut atteindre l'Angleterre ?

Respiration saccadée. La rotation de la nuit sur ses chevilles silencieuses.

– Aide-moi, dit-il.

Il trouve un cric dans une chambre au second, et ensemble ils montent au cinquième, s'enferment dans la chambre du grand-père et s'agenouillent près de l'énorme armoire à glace sans prendre le risque d'allumer même une bougie. Il glisse le cric en dessous, soulève le côté gauche. Sous les pieds du meuble, il glisse des chiffons ; puis il soulève l'autre côté et en fait autant.

– Et maintenant, Marie-Laure, mets tes mains là et pousse...

Émue, elle comprend : ils vont faire glisser l'armoire devant la petite porte d'accès au grenier.

– De toutes tes forces, prête ? Un deux trois...

La grosse armoire se décale d'un centimètre. Les lourds battants cognent légèrement. C'est comme pousser une maison sur de la glace.

– Mon père, dit Étienne, en soufflant, prétendait que le Christ Lui-même n'aurait pas pu monter cette armoire jusqu'ici. Elle a dû être fabriquée sur place. Encore une fois, prête ?

Ils poussent, poussent. Finalement l'armoire trône devant la petite porte, l'accès est condamné. Étienne soulève encore chaque côté, retire les chiffons et s'écroule, hors d'haleine, et Marie-Laure en fait autant. L'aube n'a pas encore paru qu'ils se sont assoupis.

Étourneaux

Appel. Petit déjeuner. Phrénologie, entraînement au tir, exercices. Le brun Ernst quitte l'école cinq jours après avoir été désigné comme le maillon faible du groupe. Deux autres s'en vont la semaine suivante. On passe de soixante à cinquante-sept élèves. Tous les soirs, Werner travaille dans le laboratoire du Dr Hauptmann, introduisant des chiffres dans des formules trigonométriques ou bricolant : Hauptmann souhaite qu'il améliore l'efficacité et la puissance d'un émetteur-récepteur radio directionnel qu'il est en train de concevoir. Il doit être resyntonisé rapidement pour transmettre sur fréquences multiples, dit le petit professeur, et capable de mesurer l'angle des transmissions qu'il reçoit. Werner peut-il bricoler ça ?

Il reconfigure presque tout dans la conception. Certaines nuits, Hauptmann devient bavard, expliquant en détail le rôle d'un solénoïde ou d'une résistance, classifiant même une araignée suspendue à un chevron, ou s'enthousiasmant pour des congrès scientifiques à Berlin, où quasiment toutes les conversations, dit-il, semblent dévoiler de nouvelles perspectives. Relativité, mécanique quantique – à ces moments-là, il semble assez content de répondre aux questions.

Pourtant, le lendemain, Hauptmann pourra se montrer glaçant : ignorant les questions de Werner et supervisant son travail en silence. Le fait qu'il ait peut-être de lointaines relations haut placées – que le téléphone sur son bureau le mette en contact avec des hommes à des centaines de kilomètres qui n'auraient qu'à lever le petit doigt pour faire décoller d'un aérodrome une douzaine de Messerschmitt chargés de bombarder une ville – cela, c'est grisant.

Nous vivons des temps exceptionnels.

Il se demande si Jutta lui a pardonné. Ses lettres renferment essentiellement des banalités – *nous sommes bien occupées ; Frau Elena te donne le bonjour* – ou bien arrivent dans son dortoir si caviardées par la censure que leur signification s'est désintégrée. Souffre-t-elle de son absence ? Ou a-t-elle calcifié ses sentiments, s'est-elle endurcie, comme il apprend à le faire ?

Volkheimer, comme Hauptmann, semble plein de contradictions. Pour les autres enfants, c'est une brute, la force à l'état pur, et pourtant quelquefois, lorsque Hauptmann est à Berlin, il disparaît dans le bureau du professeur et revient avec une radio à tubes Grundig, branche l'antenne ondes courtes, et de la musique classique se répand dans la salle. Mozart, Bach, et même l'Italien Vivaldi. Plus c'est sentimental, mieux c'est. Ce grand gaillard se renverse alors sur une chaise, qui proteste, et ses paupières se ferment à demi.

Pourquoi toujours des triangles ? Quelle est la destination de cet appareil qu'ils sont en train d'assembler ? Quels sont ces deux points que connaît Hauptmann et quel besoin de connaître le troisième ?

– C'est seulement des chiffres, cadet, dit-il, sa maxime favorite. Des mathématiques pures. Il faut t'habituer à penser ainsi.

Werner teste diverses théories au sujet de Frederick, mais ce dernier, en vérité, évolue comme dans un rêve, avec son pantalon trop large à la taille, aux bords déjà élimés. Son regard est à la fois intense et vague ; il semble à peine s'en rendre compte quand il rate sa cible au champ de tir. Souvent la nuit, il marmonne dans son coin avant de s'endormir : bribes de poèmes, mœurs des oies, des chauve-souris qu'il a entendues voler devant les fenêtres.

Les oiseaux, toujours les oiseaux.

– ... quant à la sterne arctique, Werner, elle vole du pôle Sud au pôle Nord, en vraie globe-trotteuse, c'est sans doute la championne des migrateurs puisqu'elle parcourt dans les soixante-dix mille kilomètres par an...

Une métallique clarté hivernale baigne les écuries, le vignoble, le champ de tir, et des petits oiseaux filent au-dessus des collines, grosses rafales de passereaux en route vers le sud, voie express migratoire qui passe juste au-dessus des flèches de l'école. De temps en temps, une bande descend dans l'un des grands tilleuls du parc et s'ébroue sous le feuillage.

Certains seniors, les élèves de seize et dix-sept ans, qui bénéficient du libre accès aux munitions, se piquent de tirer des salves dans les arbres pour voir combien ils peuvent en dégommer. L'arbre semble inhabité et calme ; puis quelqu'un tire, et sa couronne éclate de toutes parts, une centaine d'oiseaux s'égaillent en une fraction de seconde, piaillant comme si la totalité de l'arbre s'était désintégrée.

Un soir, Frederick appuie son front contre la vitre de la fenêtre du dortoir.

– Je les déteste. Je les déteste pour ça.

La cloche du réfectoire sonne et tout le monde décampe. Frederick est le dernier à arriver avec ses cheveux caramel et ses yeux battus, ses lacets défaits. Werner nettoie sa gamelle pour lui ; il partage les réponses aux devoirs, le cirage, les bonbons du Dr Hauptmann ; ils courent côte à côte à l'entraînement. Le badge en laiton pèse à peine sur leur uniforme ; cent quatorze brodequins ferrés provoquent des étincelles contre les cailloux du chemin. Le monastère avec son architecture médiévale se dessine en contrebas comme quelque vision brumeuse d'une gloire révolue. Le sang de Werner circule à travers ses ventricules, il songe à l'émetteur-récepteur de Hauptmann, à la soudure, aux fusibles, accus, antennes ; ses brodequins et ceux de Frederick touchent terre au même moment.

SSG35 A NA513 NL WUX
DUPLICATA DE TÉLÉGRAMME TÉLÉPHONÉ

10 DÉCEMBRE 1940

M. DANIEL LEBLANC
SAINT-MALO FRANCE

= RETOUR À PARIS FIN DU MOIS = VOYAGEZ EN TOUTE
SÉCURITÉ

Bain

Une dernière phase de collage et ponçage frénétique, et le père de Marie-Laure en a terminé avec la maquette de Saint-Malo. Elle n'a pas été peinte, présente des imperfections, se compose d'une demi-douzaine de types de bois aux teintes différentes, et manque de détails. Mais c'est assez complet pour être utilisable par sa fille s'il le fallait : l'irrégulier polygone est encadré par ses remparts, chacun des huit cent soixante-cinq bâtiments est à sa place.

Il est épuisé. Depuis des semaines, il n'a plus toute sa tête. Le diamant que le musée lui a demandé de protéger n'est pas le vrai. Sinon, on aurait déjà envoyé des hommes le récupérer. Alors pourquoi, lorsqu'il l'observe à la loupe, ses profondeurs révèlent-elles des petites flammes comme des poignards ? Pourquoi entend-il des pas derrière lui alors qu'il n'y a personne ? Et pourquoi se surprend-il à ruminer l'idée imbécile que le diamant qu'il balade à l'intérieur de cette bourse, dans sa poche, lui a porté malheur, a mis Marie-Laure en danger, a peut-être précipité l'invasion de la France ?

Stupide. Ridicule.

Il a essayé tous les tests possibles n'impliquant pas l'intervention d'un tiers.

L'envelopper dans des morceaux de feutre et le frapper d'un coup de marteau – incassable.

Le frotter avec la moitié d'un bloc de quartz – inrayable. L'approcher de la flamme d'une bougie, le noyer, le faire bouillir. Il a caché ce joyau sous le matelas, dans sa boîte à outils, sa chaussure. Un soir, il l'a enterré dans l'une des jardinières de Mme Manec, avant de se persuader que les géraniums dépérissaient et de le déterrer au bout de quelques heures.

Cet après-midi-là, un visage familier apparaît dans la gare ; c'est le quatrième ou cinquième dans la file. Il a déjà vu ce type grassouillet, visqueux, et son triple menton. Leurs regards se croisent ; celui de l'autre se détourne.

Le voisin d'Étienne. Le parfumeur.

Il y a quelques semaines, en prenant des mesures pour la maquette, il l'a vu au sommet des remparts, pointant un appareil photo en direction de la mer. Pas quelqu'un de sûr, d'après Mme Manec. Mais là, c'est juste un type qui fait la queue au guichet de la gare.

Logique. Principes de validité. Toute serrure a sa clé.

Voilà plus de deux semaines qu'il se tracasse à cause du télégramme du directeur. Quelle ambiguïté exaspérante – *voyagez en toute sécurité.* Est-ce à dire qu'il faut rapporter le diamant ou le laisser ici ? Ramener Marie-Laure ou la laisser ici ? Voyager par le train ? Ou par un autre moyen de transport, théoriquement plus sûr ?

Et si ce télégramme n'avait pas été envoyé par le directeur ?

La question passe et repasse dans son esprit. Lorsque c'est son tour au guichet, il achète un seul billet pour le train du matin à destination de Paris, avec un changement à Rennes, avant de rentrer en empruntant les ruelles sans soleil. Il ira là-bas, et ce sera fini. Il reprendra le boulot, se trouvera un remplaçant au dépôt des clés, mettra des choses à l'abri. Dans une semaine, il reviendra chercher Marie-Laure, soulagé.

Ce soir-là, Mme Manec leur sert un ragoût de rutabagas. Ensuite, il monte avec Marie-Laure l'escalier branlant jusqu'à

225

la salle de bains au deuxième étage. Il remplit la grande baignoire en fonte et se retourne le temps qu'elle se déshabille.

– Pas la peine d'économiser la savonnette, dit-il. J'en ai racheté une.

Le billet de train demeure plié dans sa poche comme une trahison.

Elle se laisse laver les cheveux. Inlassablement, elle traîne ses doigts dans les bulles de savon, comme pour tester leur consistance. Il y a toujours une pointe de panique en lui, profondément enfouie, quand il s'agit de sa fille : peur de ne pas être assez bon père, peur de mal faire. De n'avoir jamais compris tout à fait le mode d'emploi. Toutes ces mères derrière leur landau au Jardin des plantes, ou examinant de petits gilets dans les grands magasins – elles semblaient se jeter un regard entendu en se croisant, comme si elles partageaient un savoir secret inconnu de lui. Comment être certain d'agir comme il faut ?

Il y a la fierté, bien sûr – l'orgueil d'y être arrivé tout seul. L'orgueil d'avoir une fille si curieuse, si courageuse. Et l'humilité d'être le père d'une enfant aussi forte, comme s'il n'était que le vecteur d'une chose plus vaste. C'est exactement ce qu'il ressent à présent qu'il est agenouillé auprès d'elle et lui rince les cheveux : comme si son amour pour sa fille excédait les limites de son corps. Les murs pourraient s'écrouler, la ville entière, mais l'éclat de ce sentiment ne pourrait pas diminuer.

La robinetterie gémit, la maison encombrée se referme sur eux. Marie lève son visage humide.

– Tu vas t'en aller, hein ?

Pour une fois, il est content qu'elle ne puisse pas le voir.

– Mme Manec m'a dit pour le télégramme...

– Ce ne sera pas long, Marie. Une semaine, dix jours tout au plus.

– Quand ?

– Demain. Avant ton réveil.

Elle se penche par-dessus ses genoux. Son dos est long, blanc, et divisé par les petites bosses des vertèbres. Elle avait l'habitude de s'endormir en lui tenant l'index. Elle avait l'habitude de se cacher avec ses livres sous le comptoir du dépôt des clés, ses mains courant sur les pages comme des araignées.

– Et moi, je reste ici ?

– Avec Mme Manec. Et Étienne.

Il lui tend une serviette, l'aide à enjamber la baignoire et sort pendant qu'elle enfile sa chemise de nuit. Puis il l'accompagne au cinquième étage et dans leur petite chambre, bien qu'elle n'ait pas besoin de son aide, et il s'assoit au bord du lit, et elle s'agenouille auprès de la maquette et met trois doigts sur la flèche de la cathédrale.

Il s'empare de la brosse, ne prend pas la peine d'allumer

– Dix jours, papa ?

– Tout au plus.

Les murs craquent ; la fenêtre entre les rideaux est noire, la ville se prépare à dormir. Quelque part au-dehors, des U-Boote glissent au-dessus de canyons sous-marins, et un calamar de dix mètres de long braque ses énormes yeux à travers l'obscurité glacée.

– On a déjà passé une nuit loin l'un de l'autre ?

– Non.

Son regard erre dans la pièce non éclairée. Le diamant dans sa poche semble presque palpiter. S'il réussit à dormir cette nuit, à quoi rêvera-t-il ?

– Je pourrai sortir pendant ton absence, papa ?

– À mon retour, promis.

Le plus tendrement possible, il démêle les mèches humides. Entre les coups de brosse, ils peuvent entendre le vent marin secouer la fenêtre.

Les mains de Marie-Laure effleurent les maisons tandis qu'elle récite les noms des rues. « Rue des Cordiers, rue Jacques-Cartier, rue Vauborel. »

– Tu les connaîtras toutes par cœur dans une semaine.

Les doigts de Marie-Laure errent sur les remparts. La mer au-delà.

– Dix jours, dit-elle.

– Tout au plus.

Le maillon faible (n° 2)

Décembre absorbe la lumière. Le soleil se détache à peine de l'horizon avant de se recoucher. La neige tombe une fois, deux fois, puis stagne sur les pelouses. Werner a-t-il jamais vu une neige aussi blanche, pas aussitôt encrassée par la cendre et la poussière de charbon ? Les seuls messagers du monde extérieur sont les rares petits oiseaux qui se posent dans les tilleuls au-delà de la cour, égarés par un orage ou une bataille lointaine, ou les deux, et deux caporaux aux visages immatures qui viennent au réfectoire une fois par semaine environ – toujours après la prière, toujours au moment où les garçons commencent seulement à manger – pour passer sous le blason et s'arrêter derrière un cadet à qui ils chuchotent à l'oreille que son père a été tué au combat.

D'autres soirs, un préfet crie *Achtung !* Les garçons se lèvent de leur banc et le commandant Bastian entre en se dandinant. Les garçons contemplent leur assiette en silence tandis qu'il passe entre eux, laissant traîner son index dans leurs dos.

– On s'ennuie de son chez-soi ? Il ne faut pas y penser. En définitive, notre foyer à tous, c'est le Führer. Qu'est-ce qui compte, à part lui ?

– Rien ! hurlent-ils.

Tous les après-midi, par tous les temps, il donne un coup de sifflet et ces jeunes de quatorze ans sortent au petit trot, et il se dresse devant eux avec sa capote tendue sur sa bedaine, ses médailles qui carillonnent et le tuyau d'arrosage qui tournoie.

— Il y a deux façons de mourir, dit-il, les nuages de son haleine s'élevant dans le froid. On peut se battre comme un lion, ou se laisser éliminer aussi facilement qu'un cheveu d'un bol de lait. Les nullités, les zéros — eux, ils meurent facilement.

Son regard balaie la rangée, et il écarquille les yeux théâtralement tout en brandissant son tuyau.

— Et vous, comment mourrez-vous ?

Par un venteux après-midi, il fait sortir Helmut Rödel du rang. Helmut est un petit Bavarois, peu doué, qui garde les poings serrés presque en permanence.

— Et qui, Rödel... à ton avis, est le maillon faible de ce groupe ?

Le commandant fait tournoyer le tuyau. Helmut Rödel ne perd pas de temps.

— Lui, commandant !

Werner sent un gros poids l'écraser. Rödel a pointé le doigt sur Frederick.

Bastian l'appelle. Si la peur assombrit le visage de son ami, Werner ne peut pas le voir. Frederick a l'air distrait. Presque rêveur. Bastian met le tuyau autour de son cou et se déplace à travers le champ, en s'enfonçant dans la neige jusqu'aux tibias, prenant son temps, jusqu'à ce qu'il ne soit plus qu'une masse sombre en bordure du terrain. Werner essaie de capter l'attention de Frederick mais son regard est ailleurs.

Le commandant lève le bras gauche, crie « Dix ! » et le vent emporte ce mot à travers cette vaste étendue. Frederick cligne des yeux plusieurs fois, comme souvent quand on s'adresse à lui en classe, dans l'attente que sa vie intérieure rattrape sa vie extérieure.

— Neuf !

— Vas-y..., marmonne Werner.

230

Frederick est un assez bon coureur, meilleur que lui, mais le commandant semble compter plus vite aujourd'hui, et l'avantage temporel a été abrégé et la neige le gêne, et il n'a pas pu faire vingt mètres que Bastian lève le bras droit.

Les garçons se jettent en avant. Werner s'élance avec les autres, tâchant de rester à l'arrière de la meute, leurs armes battant de façon syncopée contre leur dos. Déjà le plus rapide semble courir encore plus vite que d'habitude, comme lassé d'être distancé.

Frederick court vite. Mais les plus rapides sont des lévriers, sélectionnés dans toute l'Allemagne pour leur rapidité et leur docilité, et ils semblent courir avec plus de ferveur, de façon plus probante que d'habitude. Ils sont impatients de savoir ce qui se passera si on rattrape quelqu'un.

Frederick n'est qu'à une quinzaine de foulées du commandant quand ils le plaquent à terre.

Le groupe s'agglutine autour des leaders tandis que Frederick et ses poursuivants se relèvent, tout couverts de neige. Bastian arrive à grandes enjambées. Les cadets font cercle autour de leur instructeur, pantelants, beaucoup avec les mains sur les genoux. Leur souffle est un nuage collectif et fugace, vite dispersé par le vent. Frederick se tient au milieu, hors d'haleine et battant de ses long cils.

– D'habitude, dit Bastian doucement, comme s'il se parlait à lui-même, ça va plus vite...

Frederick lorgne le ciel en louchant.

– Cadet, c'est toi le maillon le plus faible ? dit Bastian.

– Je ne sais pas, commandant.

– Ah, tu ne sais pas ?

Silence. Le visage de Bastian exprime une hostilité sous-jacente.

– Regarde-moi quand je te parle !

– Certains sont faibles dans un domaine, commandant. Et pas dans d'autres.

Les lèvres du commandant s'amincissent, ses yeux s'étrécissent et ses traits expriment une intense malveillance. Comme si un nuage venait de se décaler et que, l'espace d'un instant, sa véritable personnalité se révélait au grand jour. Il retire le tuyau de son cou, et le tend à Rödel.

Celui-ci regarde son chef d'un air ahuri.

– Vas-y ! l'encourage Bastian.

Dans un autre contexte, il pourrait aussi bien pousser un jeune trouillard à s'avancer dans l'eau glacée.

– Corrige-le.

Rödel contemple le tuyau : noir, durci par le froid. Des secondes passent, qui semblent à Werner des heures, et le vent balaie l'herbe givrée, projetant des zéphyrs et des volutes de neige qui sifflent à travers tout ce blanc, et une subite nostalgie pour le Zollverein le pénètre : les après-midi à déambuler dans les dédales souillés de suie, sa petite sœur en remorque. La gadoue, les cris rauques des équipes de travail, les garçons dans la chambrée, couchés tête-bêche, leurs vêtements pendus à des patères le long des murs. La ronde de Frau Elena à minuit, passant entre les lits tel un ange, murmurant : *Je sais qu'il fait froid, mais je suis là, près de toi, tu vois ?*

Rödel fait un pas en avant, brandit le tuyau et en assène un coup à Frederick. Touché à l'épaule, ce dernier chancelle. Le vent cingle le champ. Bastian dit :

– Encore.

Tout s'imprègne alors d'une hideuse et surnaturelle lenteur. Rödel se redresse et frappe. Cette fois, il l'atteint à la mâchoire. Werner s'efforce de continuer à évoquer des images de chez lui : la lessive, les doigts rougis par les corvées de Frau Elena, des chiens dans les sentes, la vapeur vomie par les cheminées – tout en lui voudrait crier : c'est mal, n'est-ce pas ?

Mais ici, c'est bien.

C'est si long. Frederick résiste à un troisième coup.

– Encore ! ordonne Bastian.

Au quatrième, Frederick jette les bras en l'air, le tuyau s'abat sur ses avant-bras, et il trébuche. Rödel s'apprête encore à frapper et Bastian dit : « Montre-nous la voie, ô Seigneur, par ton brillant exemple », et l'après-midi bascule, se disloque. Werner voit la scène reculer comme s'il l'observait depuis le bout d'un tunnel – un champ blanc, un groupe de garçons, des arbres dépouillés – et ce n'est pas plus réel que les contes de Frau Elena sur son enfance alsacienne ou les dessins de Jutta représentant Paris. À six reprises il entend Rödel asséner son coup, le tuyau qui siffle et le bruit curieusement sourd du caoutchouc contre les mains, les épaules, la face de Frederick.

Frederick peut marcher des heures dans les bois, identifier les fauvettes à une distance de cinquante mètres rien qu'à leur chant. Frederick pense rarement à lui-même. À tous points de vue il lui est supérieur. Werner ouvre la bouche mais la referme ; il se noie, il ferme ses yeux, son esprit.

À un moment donné, la raclée prend fin. Frederick est face contre terre dans la neige.

– Commandant ? dit Rödel, essoufflé.

Bastian reprend le tuyau, le replace sur sa nuque et remonte son ceinturon sur sa bedaine. Werner s'agenouille auprès de Frederick, le tourne sur le côté. Du sang s'écoule de son nez, son œil ou son oreille, peut-être les trois. Un œil est déjà fermé et enflé ; l'autre reste ouvert. Ce qu'il regarde, c'est le ciel. Il suit quelque chose tout là-haut.

Werner risque un coup d'œil : un faucon, porté par le vent.

– Debout ! dit Bastian.

Werner se lève. Frederick ne bouge pas.

– Debout ! répète Bastian plus bas, et Frederick se met sur un genou.

Il se relève, vacillant. Sa joue est balafrée et des filets de sang s'en écoulent. Grosses taches d'humidité dans le dos, là où la neige a transpercé sa chemise. Werner lui donne le bras.

– Cadet, c'est toi le maillon faible ?

Frederick ne regarde pas le commandant.

– Non, commandant.

Le faucon continue à planer en rond. Le corpulent commandant rumine pendant un moment, puis sa voix claire retentit, volant au-dessus de la compagnie, leur ordonnant de courir. Cinquante-sept cadets traversent le parc et grimpent le sentier enneigé qui monte en forêt. Frederick court à sa place dans le rang, auprès de Werner, avec son œil gauche qui enfle, deux filets de sang sur ses joues, son col humide et brun.

Les branches remuent et s'entrechoquent. Les cinquante-sept enfants chantent en chœur.

Nous irons de l'avant
Même si tout s'écrase autour de nous
Car aujourd'hui la nation nous entend
Et demain le monde entier !

Hiver dans les forêts de la vieille Saxe. Werner ne risque pas un autre coup d'œil à son ami. Il marche au pas de course à travers le froid, une carabine à cinq coups à l'épaule. Il a presque quinze ans.

L'arrestation du serrurier

Il est arrêté au niveau de Vitré, à quelques heures de Paris. Deux policiers en civil le poussent hors du train sous les yeux ahuris d'une dizaine de passagers. Il est interrogé dans une camionnette, puis dans un bureau glacial en entresol orné de médiocres aquarelles qui représentent des bateaux à vapeur sur la mer. Les premiers à l'interroger sont français ; une heure plus tard ce sont des Allemands. Ils brandissent son calepin et sa boîte à outils. Ils s'emparent de son trousseau de clés et comptent sept passe-partout différents. À quoi ça lui sert, c'est ce qu'ils voudraient bien savoir, et ces petites scies et limes ? Et ce calepin, plein de relevés architecturaux ?

Une maquette pour ma fille.

Des clés pour le musée où je travaille.

Ben voyons.

On l'escorte jusqu'à une cellule. La serrure et les charnières sont énormes et très anciennes, sûrement fabriquées à l'époque de Louis XIV. Ou de Napoléon. D'un moment à l'autre le directeur va débarquer, ou bien ses collaborateurs, pour tout expliquer. Forcément.

Le lendemain matin, les Allemands le soumettent à une autre série de questions, plus laconiques, tandis qu'une dactylo frappe sur son clavier dans son coin. Apparemment, quelqu'un l'aurait accusé de manigancer la destruction du

235

château de Saint-Malo – mais pourquoi le croiraient-ils, voilà qui n'est pas clair. Leur français est rudimentaire et ils semblent plus intéressés par leurs questions que par ses réponses. On lui refuse du papier, du linge, le téléphone. Ils ont des photos de lui.

Comme il aimerait fumer. Allongé sur le dos, par terre, il s'imagine déposer un baiser sur les paupières de Marie-Laure pendant qu'elle dort. Deux jours après son arrestation, il est conduit dans un camp non loin de Strasbourg. À travers les lattes du baraquement, il voit des écolières en uniforme marcher deux par deux sous le soleil hivernal.

Des gardes apportent des sandwiches, du gruyère, de l'eau en suffisance. Une trentaine d'autres détenus couchent sur de la paille répandue à même la boue gelée. La plupart sont français, mais il y a des Belges, quatre Flamands, deux Wallons. Tous ont été accusés de crimes dont ils ne parlent qu'avec réticence, craignant des questions pièges. La nuit, des rumeurs s'échangent à voix basse.

– On ne restera pas longtemps en Allemagne, dit l'un d'eux, et le mot se propage en se déformant.

– Juste pour aider aux semailles pendant que leurs hommes sont au front.

– Ensuite, on nous renverra dans nos foyers.

Personne n'y croit vraiment, mais qui sait ? Quelques mois seulement. Ensuite, retour au bercail.

Pas d'avocat commis d'office. Pas de tribunal militaire. Le père de Marie-Laure passe trois jours à frissonner dans ce camp. Aucun secours n'arrive du musée, la limousine du directeur ne remonte pas l'allée. On ne les laisse pas écrire des lettres. Quand il exige de téléphoner, les gardes ne s'esclaffent même pas. « Tu sais la dernière fois qu'on a pu téléphoner, nous autres ? » Chaque heure est une prière pour Marie-Laure. Chaque respiration.

Le quatrième jour, tous les prisonniers sont entassés dans une bétaillère et emmenés vers l'Est.

– L'Allemagne est proche, chuchotent-ils.

On peut l'apercevoir sur la rive d'en face. Bouquets d'arbres dépouillés, encadrés par des champs saupoudrés de neige. Noires rangées de vignes. Quatre brins de fumée grise déconnectés se confondent dans un ciel blanc.

Le serrurier plisse les yeux. L'Allemagne, vraiment ? Il n'y a aucune différence, vu d'ici.

Ce pourrait aussi bien être le bord d'un précipice.

Quatre

8 août 1944

Le fort de la Cité d'Alet

Le Stabsfeldwebel von Rumpel grimpe à l'échelle dans l'obscurité. Il sent les ganglions de son cou comprimer l'œsophage et la trachée. Son corps n'est plus qu'une loque.

Depuis cette tourelle périscopique, deux hommes observent les environs et l'ignorent royalement. Cette tourelle est coiffée d'une cloche blindée et sert avant tout à régler le tir des gros canons placés un peu plus bas. De là, la vue porte sur la mer au-delà des falaises toutes hérissées de barbelés, et juste en face, à huit cents mètres environ, sur la cité de Saint-Malo en flammes.

Pour le moment les tirs ont cessé, et les incendies intra-muros ont atteint une sorte de rythme de croisière. L'ouest de la ville est un bûcher géant, d'où s'élèvent de multiples colonnes de fumée. La plus grosse a la forme d'un gros champignon, comme ces nuages de fumée et de cendres qui couronnent les volcans en éruption. De loin, cette fumée semble étrangement solide, sculptée dans du bois luminescent. Tout autour, des étincelles montent, des cendres descendent, et des documents administratifs volètent : plans publics, bons de commande, registres fiscaux.

À la jumelle, von Rumpel observe ce qui pourrait être des chauves-souris qui s'embrasent et basculent par-dessus les remparts. Un geyser d'étincelles explose du fond d'une maison – transformateur électrique ou fioul stocké, voire une bombe à retardement – et c'est comme si la foudre frappait la ville de l'intérieur.

L'un des soldats commente sans la moindre imagination la fumée, un cheval mort au pied des murailles, l'intensité de certains brasiers isolés. Comme s'ils étaient de nobles seigneurs, au temps des Croisades, assistant à l'assaut d'une forteresse du haut d'une tribune. Von Rumpel tire sur son col pour se soulager, essaie de déglutir.

La lune pâlit, le ciel s'éclaire à l'est, la nuit est en train de se retirer, emportant avec elle les étoiles une à une, jusqu'à ce qu'il n'en reste plus que deux. Véga ? Vénus ? Il n'a jamais su.

– La flèche de la cathédrale est *kaputt*, dit l'autre soldat.

Hier, au-dessus des toits en zigzag, elle se dressait encore fièrement, dominant tout le reste. Plus ce matin. Bientôt, le soleil est au-dessus de l'horizon et l'orangé des flammes fait place au noir de la fumée qui s'élève le long de la muraille occidentale et voile la citadelle comme une résille.

Enfin, pendant quelques secondes, cet écran se divise assez longtemps pour que von Rumpel puisse examiner le dédale dentelé de la ville et repérer ce qu'il cherchait : le sommet d'une maison toute en hauteur avec sa grosse cheminée. Deux fenêtres visibles, aux vitres soufflées. Un volet décroché, trois toujours en place.

Le 4 rue Vauborel. Encore intact. Les secondes passent ; de nouveau la fumée forme un voile.

Un avion traverse le bleu qui s'accentue, incroyablement haut. Von Rumpel redescend la longue échelle pour se retrouver dans les galeries souterraines. S'efforçant de ne pas boiter, de ne pas penser à ses grosseurs à l'aine. À l'intendance, des hommes assis contre les murs ramassent à la petite cuillère de la bouillie d'avoine dans leurs casques. L'éclairage électrique les plonge alternativement dans l'ombre ou une lumière crue.

Von Rumpel s'assoit sur une caisse de munitions et aspire du fromage en tube. Le colonel chargé de défendre Saint-Malo s'est exprimé devant ces hommes, a prononcé des discours sur la bravoure, affirmant que la division Hermann Göring était sur le point d'enfoncer la ligne américaine d'Avranches, que les renforts allaient affluer d'Italie, et éventuellement de Belgique, des tanks et des stukas, des cargaisons de mortiers de 50 mm, que le peuple de Berlin croyait en eux comme une religieuse croit en Dieu et que personne n'abandonnera son poste, ou sinon il sera exécuté comme déserteur, mais von Rumpel songe à présent à cette plante carnivore qui est en lui. Cette plante noire qui s'est développée à travers ses membres, qui bouffe ses tripes de l'intérieur. Ici, dans cette forteresse péninsulaire aux portes de Saint-Malo, coupée des lignes de repli, il semble que ce n'est plus qu'une question d'heures avant que les Canadiens, les Britanniques et les yeux perçants de la 83ᵉ Division américaine, n'investissent la ville, fouillant les maisons à la recherche de maraudeurs teutons, et faisant ce qu'ils font à leurs prisonniers.

Plus qu'une question d'heures avant que cette saleté n'étouffe son cœur.

– Quoi ? dit son voisin.

Von Rumpel fait la grimace.

– Je n'ai rien dit.

Le soldat replonge le nez dans son casque.

Von Rumpel aspire le reste de l'infect fromage ultra salé et laisse tomber le tube entre ses pieds. La maison est toujours là. Les siens tiennent toujours la ville. Durant quelques heures, les feux vont continuer à brûler, puis les Allemands se répandront comme des fourmis dans les tunnels pour retourner à leur poste et se battre une journée encore.

Il attendra. Il attendra le temps qu'il faudra et lorsque la fumée commencera à se dissiper, il ira là-bas.

Atelier de réparation

Bernd, l'ingénieur, se tord de douleur, écrase sa figure contre le dossier du fauteuil. L'état de sa jambe n'est pas brillant – et sa poitrine, c'est pire.

La radio est fichue. Le câble d'alimentation a été sectionné, le fil de l'antenne en surface perdu, et si le panneau sélecteur était cassé, Werner n'en serait pas étonné. À la clarté mourante de la torche de Volkheimer, il contemple fixement une fiche écrasée après l'autre.

Le bombardement semble avoir anéanti la capacité auditive de son oreille gauche. L'ouïe de l'oreille droite, on dirait, revient petit à petit. En plus du bourdonnement, il commence à entendre.

Craquements de braises en train de se refroidir.

Grincements de l'hôtel au-dessus.

Étranges égouttements divers.

Et Volkheimer qui essaie par intermittence, maladivement, de dégager les gravats qui bloquent l'escalier. Sa technique semble être la suivante : il s'accroupit sous le plafond déformé, haletant, tenant d'une main une barre tordue. Il allume sa torche et survole du regard ce bloc, cherchant ce qui pourrait bien en être arraché. Mémorisant des emplacements. Puis il éteint la lumière pour ménager la pile et se met au travail dans l'obscurité. Lorsque la lumière revient, on voit toujours la même chose : un fatras de maçonnerie, de métal et de poutres, si compact qu'il est difficile de croire que vingt hommes pouvaient passer par là.

Pas ça, dit Volkheimer. Est-il conscient de parler à voix haute ? Werner n'en sait rien. Mais cela, il l'entend dans son oreille droite comme une distante prière. *Pas ça. Pas ça.* Comme si tout dans cette guerre avait été jusqu'à présent tolérable pour ce garçon de vingt et un ans, sauf cette injustice finale.

Les incendies en surface auraient dû absorber ce qui reste d'oxygène dans ce trou, à présent. Ils devraient être tous asphyxiés. Dettes payées, comptes réglés. Et pourtant, ils respirent. Les trois poutres fissurées du plafond soutiennent Dieu sait quel poids : dix tonnes d'un hôtel carbonisé et les cadavres de huit artilleurs antiaériens, plus un nombre incalculable de pièces d'artillerie. Peut-être que Werner, à cause de ses mille petites trahisons, et Bernd pour ses innombrables crimes, et Volkheimer pour avoir été l'instrument, l'exécuteur des ordres, le couperet du Reich – peut-être que ces trois-là ont un prix plus élevé à payer, une peine supplémentaire à endurer.

D'abord une cave de corsaire, faite pour planquer de l'or, des armes, un matériel d'apiculteur excentrique. Puis une cave à vin. Puis l'antre d'un bricoleur. *Atelier de réparation* – l'endroit tout indiqué. Nul doute qu'il y a ici-bas des personnes pour estimer qu'ils doivent réparation.

Deux bocaux

Lorsque Marie-Laure se réveille, la petite maison est pla-
quée sous sa poitrine, et elle transpire dans le manteau de
son grand-oncle.

Est-ce l'aube ? Elle grimpe à l'échelle et colle l'oreille à la
trappe. Plus de sirènes. La maison a peut-être été réduite en
cendres pendant qu'elle dormait ? Ou elle ne s'est pas rendu
compte que la guerre était terminée et la ville libérée ? Il y
a peut-être du monde dans les rues : volontaires, gendarmes,
pompiers. Voire des Américains. Elle devrait s'extirper de la
cave, passer la porte et sortir.

Mais – et si les Allemands tenaient toujours la ville ? S'ils
allaient justement de maison en maison, fusillant les gens à
leur guise ?

Patience. Étienne est peut-être en train de se diriger vers
elle, de lutter jusqu'à son dernier souffle pour la rejoindre ?

Ou alors il est prostré quelque part, la tête entre les mains.
Hanté par ses visions démoniaques.

Ou alors il est mort.

Il faudrait économiser le pain, mais elle est affamée, la miche
va rassir, et presque à son insu, voilà qu'elle a tout dévoré.

Si seulement elle avait emporté son roman.

La jeune fille inspecte la cave, en chaussettes. Ici, une
vieille carpette qui dégage une odeur de copeaux de bois :

des souris. Là, une caisse de vieux papiers. Lampe ancienne. La réserve de bocaux vides. Et là, perchés sur une tablette au ras du plafond, miracle : des conserves ! Il ne reste quasiment plus rien de comestible dans la cuisine – à part de la maïzena, un bouquet de lavande et deux ou trois bouteilles d'un beaujolais bouchonné – mais ici, dans la cave, il y a ces deux petits bocaux bien lourds.

Petits pois ? Haricots verts ? Salsifis au naturel, peut-être. Rien à l'huile, par pitié – les conserves à l'huile ne sont-elles pas dans des bocaux plus petits ? Quand elle les secoue, elle n'est pas plus avancée. Quelles sont les chances pour qu'ils contiennent les pêches de Mme Manec, ces pêches blanches du Languedoc qu'elle achetait par cageots entiers et faisait pocher avec du sucre ? Toute la cuisine embaumait et on en avait les doigts poisseux – c'était tout simplement sublime.

Deux bocaux qu'Étienne n'avait pas vus.

Mais autant ne pas se faire trop d'illusions, sous peine d'être déçue. Petits pois. Ou haricots. Elle n'en demande pas plus. Elle en met un dans chaque poche du grand manteau, vérifie qu'elle a bien toujours la petite maison, et s'assoit sur un coffre, prend sa canne à deux mains et tâche de ne pas trop penser à sa vessie.

Un jour, elle avait huit ou neuf ans, son père l'avait emmenée au Panthéon où se trouvait le pendule de Foucault et lui avait expliqué le phénomène qu'il démontrait. C'était, à l'entendre, une sphère dorée qui avait la forme d'une toupie ; celle-ci oscillait au bout d'un filin métallique de soixante-sept mètres de long. Comme sa trajectoire déviait avec le temps, cela prouvait indubitablement la rotation de la terre. Mais ce qui l'avait le plus marquée, alors que la sphère passait en sifflant juste au-delà de la rambarde, c'était de réaliser que le pendule de Foucault ne s'arrêterait jamais, qu'il continuerait à osciller alors qu'elle serait loin du Panthéon, qu'elle s'endormirait ce soir-là. Alors qu'elle l'aurait oublié, qu'elle aurait vécu sa vie, et serait morte.

À présent, c'est comme si elle réentendait le sifflement produit par cette énorme boule dorée, renflée comme une barrique, oscillant sans arrêt pour l'éternité. Gravant et regravant dans le marbre son inhumaine vérité.

4 rue Vauborel

Cendres, cendres : neige en août. Le pilonnage d'artillerie a repris sporadiquement après le petit déjeuner, et à présent qu'il est environ dix-huit heures, c'est terminé. Une mitrailleuse tire quelque part, ça fait le bruit d'un collier de perles. Le Stabsfeldwebel von Rumpel transporte un bidon, une demi-douzaine d'ampoules de morphine, et son arme de poing. Au-delà de la digue. Au-delà de la chaussée surélevée, vers les énormes fortifications fumantes de Saint-Malo. Du côté du port, la jetée est démolie. Un bateau de pêche à moitié submergé dérive, poupe en l'air.

Dans la vieille ville, des montagnes de blocs de pierre, de sacs, de volets, de branches, d'objets en fer forgé et de mitres de cheminée jonchent la rue de Dinan. Jardinières démolies, cadres de fenêtres calcinés et verre brisé. Certains immeubles fument encore, et malgré son mouchoir humide pressé contre sa bouche et son nez, von Rumpel doit faire des haltes pour reprendre son souffle.

Ici un cheval mort, qui commence à enfler. Là, un fauteuil tendu de velours rayé vert. Là encore, les lambeaux d'un store de brasserie. Des rideaux flottent négligemment à des fenêtres cassées dans l'étrange lumière vacillante ; cela le trouble. Des hirondelles volent çà et là, à la recherche de leur nid, et au loin quelqu'un est en train de hurler, à moins que ce soit le vent. Les explosions ont arraché beaucoup d'enseignes et les potences pendent, sinistres.

Un schnauzer trotte à sa suite, geignant. Personne ne crie d'une fenêtre pour le mettre en garde contre les mines. D'ailleurs, il ne voit qu'un seul être humain, une femme devant ce qui – hier encore – était le cinéma. Une pelle à poussière à la main, pas de balai en vue. Elle lève les yeux vers lui, hébétée. Par la porte ouverte, on peut voir des rangées de sièges qui se sont effondrés sous de gros morceaux du plafond. Au fond, l'écran est tout blanc, même pas sali.

– Pour la séance, pas avant vingt heures, lui dit-elle en français, et il acquiesce tout en passant son chemin clopin-clopant.

Dans la rue Vauborel, des quantités d'ardoises ont glissé des toits et éclaté par terre. Des bouts de papier flottent dans les airs. Pas de mouette. Même si la maison a pris feu, se dit-il, le diamant sera là. Il le cueillera dans les cendres comme un œuf encore chaud.

Mais la demeure, haute et étroite, est quasi intacte. Onze fenêtres en façade, la plupart sans vitre. Encadrements bleus, vieux granit dans les gris et bruns clairs. Quatre des six jardinières ont résisté. La liste obligatoire des occupants est restée affichée sur la porte d'entrée.

M. Étienne Leblanc, 63 ans.

Mlle Marie-Laure Leblanc, 16 ans.

Tous les dangers qu'il affronte volontairement. Pour le Reich. Pour lui-même.

Personne pour l'arrêter. Pas de sifflement d'obus. Parfois c'est dans l'œil du cyclone qu'on est le plus à l'abri.

Ce qu'ils ont

Quand est-ce le jour et quand est-ce la nuit ? Le temps semble mieux se mesurer par des flashes : la torche de Volkheimer s'éteint, s'allume.

Werner voit sa figure cendrée dans le halo jaunâtre, les soins qu'il porte à l'ingénieur au-dessus duquel il est penché. « Bois », fait la bouche de Volkheimer, qui approche sa gourde des lèvres du moribond, tandis que des ombres s'allongent au plafond comme un cercle de sorcières s'apprêtant au sabbat.

Bernd grimace et détourne le visage, le regard affolé ; il tente d'examiner sa jambe.

La torche s'éteint et les ténèbres reviennent de plus belle.

Dans le paquetage de Werner, il y a son cahier d'enfant, sa couverture et une paire de chaussettes. Trois rations. C'est toute la nourriture à leur disposition. Volkheimer n'en a pas. Bernd non plus. Eux, ils n'ont que leurs gourdes, qui sont à moitié vides. Volkheimer a aussi dégoté un pot plein de pinceaux marinant dans une mixture aqueuse, mais à quel degré de désespoir faudra-t-il en arriver pour boire ça ?

Deux grenades à main, modèle 24, dans les poches latérales de sa capote. Manche creux en bois, charge hautement explosive au bout, dans un cylindre d'acier – à l'école, on les avait surnommées les « presse-purée ». Par deux fois, Bernd a supplié Volkheimer d'en lancer une sur les gravats de l'escalier, au cas où ils pourraient se délivrer de cette façon, mais faire exploser une grenade ici, sans protection, sous des décombres sans doute jonchés d'obus de 88 mm actifs, ce serait du suicide.

Et puis, il y a le fusil : le Karabiner 98k à répétition, avec cinq cartouches dans le chargeur. Suffisant. Plus que suffisant. Une par tête de pipe – trois en tout.

Parfois, dans les ténèbres, Werner a l'impression que la cave produit sa propre lueur, émanant peut-être des décombres, l'espace devenant un peu plus rouge à mesure que cette journée d'août progresse vers le crépuscule. Au bout d'un moment, dirait-on, même la nuit totale n'est pas tout à fait la nuit ; plus d'une fois il croit voir ses doigts écartés quand il les passe devant ses yeux.

Werner songe à son enfance, les écheveaux de poussière de charbon suspendus dans les airs, par les matins d'hiver, se déposant au bord des fenêtres, dans les oreilles des enfants, les poumons, sauf qu'ici, dans ce trou, la poussière est blanche – comme s'il était prisonnier d'une mine profonde qui est la même, mais aussi le contraire de celle qui a tué son père.

Obscurité. Lumière. Le clownesque visage cendré de Volkheimer se matérialise devant Werner, son galon à moitié arraché de son épaule. Avec le faisceau de sa torche, il lui montre qu'il tient deux tournevis tordus et une boîte de fusibles électriques.

– La radio, dit-il dans la bonne oreille de Werner.

Il éclaire sa propre figure. « Avant qu'on n'ait plus de jus », fait sa bouche.

Werner secoue la tête. La radio est *kaputt*. Il voudrait fermer les yeux, oublier, renoncer. Attendre que le canon de l'arme se pose sur sa tempe. Mais Volkheimer veut prouver que la vie vaut la peine d'être vécue.

Les filaments de l'ampoule dans la torche sont jaunâtres : toujours plus faible. La bouche illuminée de Volkheimer est rouge sur ce fond noir. « Le temps presse », disent ses lèvres. Le bâtiment gémit. Werner voit de l'herbe verte, des mouches qui grésillent, du soleil. Les portes d'une maison d'été qui s'ouvrent en grand. Lorsque la mort viendra pour Bernd, qu'elle l'emmène aussi. Épargnons-lui ce second voyage.

« Ta sœur », dit Volkheimer. « Pense à ta sœur. »

Fil-piège

Sa vessie ne tiendra plus très longtemps. Elle remonte l'échelle, retient son souffle, et n'entend rien pendant un moment. Puis elle soulève la trappe et retourne dans la cuisine.

On ne tire pas sur elle. Pas d'explosion.

Marie-Laure enjambe les étagères et va dans la chambre de Mme Manec, les deux bocaux se balançant lourdement dans les poches du grand manteau. Elle a la gorge et les narines en feu. Ici, la fumée est un peu moins épaisse.

Elle se soulage dans le pot de chambre au pied du lit de Mme Manec. Tire sur ses chaussettes et reboutonne le manteau. Est-ce l'après-midi ? Pour la énième fois elle voudrait pouvoir parler à son père. Ne vaudrait-il pas mieux sortir dans la ville, surtout s'il fait encore jour, et tenter de trouver quelqu'un ?

Un soldat pourrait l'aider. N'importe qui le ferait. Quoique, au moment même où cette idée la traverse, elle ait des doutes.

Cette faiblesse dans les jambes, elle le sait, c'est à cause de la faim. Dans tout ce fatras, elle n'arrive pas à trouver une pince mais déniche un petit couteau et la grosse brique dont Mme Manec se servait pour caler le pare-feu.

Elle se nourrira avec le contenu d'un des bocaux. Puis elle attendra encore un peu au cas où son grand-oncle réapparaîtrait, au cas où elle entendrait quelqu'un passer, le crieur public, un pompier, un soldat américain disposé à se montrer galant. Si elle n'entend personne quand la faim reviendra, elle sortira dans ce qu'il reste de la rue.

Tout d'abord, elle monte au deuxième étage pour boire à la baignoire. Les lèvres au ras de la surface, elle aspire à longs traits. Ses entrailles en sont rafraîchies. Un truc que les restrictions leur ont enseigné, à Étienne et elle : se remplir ainsi l'estomac avant de manger permet de se sentir plus vite rassasié.

– Au moins, papa, dit-elle à haute voix, j'ai bien pensé à l'eau.

Puis elle s'assoit sur le palier du second, le dos contre le guéridon du téléphone. Elle bloque un bocal entre ses cuisses, la pointe du couteau au-dessus du joint, et saisit la brique. Mais à ce moment-là, le fil-piège derrière elle tressaille, la clochette tinte, et quelqu'un pénètre à l'intérieur de la maison.

Cinq

Janvier 1941

Vacances de janvier

Le commandant prononce un discours sur la vertu, la famille et ce feu symbolique que chacun d'eux emporte partout où il va, un feu sacré pour réchauffer l'âme de la nation, le Führer ceci et le Führer cela, et un peu plus tard l'un des garçons les plus fanfarons marmonne : « Moi, j'ai le feu sacré là où je pense ! »

Dans la chambrée, Frederick passe la tête sous sa couchette. Son visage est jaune et violacé.

– Et si tu venais à Berlin ? Mon père sera au boulot mais tu pourras rencontrer ma mère.

Pendant deux semaines, il s'est déplacé en claudiquant, meurtri et tuméfié, mais pas une fois il ne lui a parlé autrement qu'avec cette distraite gentillesse caractéristique. Pas une fois il ne l'a traité de lâche, même si Werner n'a rien fait, ni pendant ni après cette raclée : il n'a ni pourchassé Rödel, ni pointé un fusil sur Bastian, ni tambouriné à la porte du Dr Hauptmann pour protester. Comme si Frederick avait déjà compris qu'on leur avait assigné des trajectoires spécifiques dont il n'y a pas à s'écarter.

– J'ai pas...

– Ma mère paiera ton billet.

Frederick réintègre sa couchette et contemple le plafond.

– Ce n'est rien...

Le voyage en train est une aventure de six heures, leur convoi branlant étant régulièrement aiguillé sur une voie d'évitement pour laisser passer des trains pleins de soldats qui vont au front. Enfin, ils débarquent dans une gare obscure aux murs gris anthracite, gravissent une longue volée de marches sur lesquelles se répète le même slogan – *Berlin fume des Juno !* – et débouchent dans la plus grande ville que Werner ait jamais vue.

Berlin ! Le nom seul rayonne. Capitale de la science, résidence officielle du Führer, pépinière de génies comme Einstein, Staudinger, Bayer. Quelque part dans ces rues, le plastique fut inventé, les rayons X découverts, la théorie sur la dérive des continents exposée. Quelles merveilles la science cultive-t-elle ici, à présent ? Une armée de surhommes, selon le Dr Hauptmann, des machines à modifier le climat et des missiles qui peuvent être téléguidés à des milliers de kilomètres de distance.

Il tombe des fils argentés de grésil. Des immeubles gris convergent dans le ciel, se serrant les uns contre les autres comme pour se tenir chaud. Ils passent devant des échoppes pleines de quartiers de viande suspendus à des crochets, un ivrogne avec sa mandoline cassée sur les genoux, et trois prostituées blotties sous un auvent qui les charrient à cause de leur uniforme.

Frederick le conduit jusqu'à un immeuble de cinq étages tout près d'une plaisante avenue, la Knesebeckstrasse. Il sonne, un déclic se fait entendre, et la porte s'ouvre toute seule. Ils pénètrent dans un vestibule obscur et se campent devant une paire de portes identiques. Frederick appuie sur un bouton, quelque chose en hauteur produit un bruit de ferraille, et Werner chuchote : « Un ascenseur… ? »

Frederick sourit. La machinerie descend, la cabine s'immobilise, Frederick pousse les portes en bois. Werner regarde l'intérieur du bâtiment défiler avec émerveillement. Arrivé au premier, il dit : « On peut recommencer ? »

Frederick sourit. Ils redescendent, remontent, à quatre reprises, et Werner est en train d'examiner les câbles et les poids au-dessus de la cabine, s'efforçant de comprendre son mécanisme, quand une petite dame pénètre dans l'immeuble et secoue son parapluie. De l'autre main elle tient un sac en papier kraft et ses yeux appréhendent rapidement leur uniforme, la blancheur neigeuse des cheveux de Werner et les hématomes de Frederick. Sur son manteau, à hauteur du sein, une étoile jaune moutarde a été soigneusement cousue. Du bout de son parapluie, des gouttes tombent comme des graines.

– Bonjour, Frau Schwartzenberger, dit Frederick.

Il se plaque au fond de la cabine et lui fait signe de venir. Elle se serre à l'intérieur et Werner rentre après elle. Du sac dépasse une botte de choses vertes et desséchées. Son col s'effiloche ; il est en train de se découdre. Si elle se retournait, ils seraient face à face.

Frederick appuie sur 1, puis 5. Personne ne parle. La vieille femme passe le bout d'un index tremblant sur son sourcil. L'ascenseur stoppe au premier. Frederick ouvre la porte et Werner le suit sur le palier. Il voit les chaussures grises de la dame lui passer sous le nez. Déjà la porte s'ouvre, et une femme à tablier avec des bras épais et des poils sur la figure se précipite sur lui. Elle l'embrasse sur les deux joues, effleure ses hématomes.

– Ça va, Fanni. On a chahuté...

L'appartement est propre et moderne, plein de tapis épais qui absorbent le bruit. De grandes fenêtres côté cour donnent sur quatre tilleuls dépouillés. Dehors, il tombe toujours du grésil.

– Ta mère n'est pas encore rentrée, dit la bonne, lissant son tablier à deux mains.

Ses yeux restent rivés sur Frederick.

– Tu es sûr que ça va ?

– Bien sûr, répond ce dernier, et les deux garçons passent dans une chambre chaleureuse qui sent le propre et Frederick ouvre un tiroir, et quand il se retourne, il a des lunettes à grosse monture sur le nez. Il le regarde timidement.

– Quoi, ça t'étonne ?

Avec ses lunettes, son expression semble plus détendue ; ses traits sont plus cohérents – là, se dit Werner, est son vrai visage. Un garçon à lunettes et à la peau douce, aux cheveux miel, avec une très légère ombre de moustache. Un passionné des oiseaux. Un gosse de riches.

– T'as pourtant vu mes scores au tir. Alors vraiment, tu n'avais pas compris ?

– Peut-être, répond Werner. Peut-être que oui. Et quand on a examiné ta vue ?

– J'avais mémorisé les tableaux.

– Il n'y en a pas plusieurs ?

– J'avais mémorisé les quatre. Papa les avait eus en avance. Maman m'a aidé…

Ils s'installent dans la vaste cuisine, autour du billot de boucher à dessus de marbre. La bonne apparaît avec une miche de pain de seigle et du fromage, et elle sourit à Frederick tout en s'affairant. Ils parlent de Noël – Frederick aurait tellement voulu être là –, et la bonne ressort par une porte battante et revient avec deux assiettes en porcelaine si fine qu'elles tintent au contact du marbre.

Werner est grisé : un ascenseur ! Une Juive ! Une bonne ! Berlin ! Ils se retirent dans la chambre de Frederick, peuplée de soldats de plomb et de petits avions, de caisses pleines d'illustrés. Couchés à plat ventre, ils les feuillettent, tout au plaisir d'être loin de l'école, se jetant des coups d'œil, comme curieux de savoir si leur amitié perdurera dans ce nouveau contexte.

– Je m'en vais ! dit Fanni, et juste après, Frederick le prend par le bras pour l'emmener dans le living, grimpe à une échelle intégrée à une grande bibliothèque en bois massif et déplace un gros panier d'osier qui cachait un énorme pavé : deux tomes sous cartonnage doré.

– Regarde !

Sa voix est vibrante, son regard rayonnant.

– Voilà ce que je voulais te montrer.

Les volumes renferment des planches aux couleurs vives représentant des oiseaux. Deux faucons fondent l'un sur l'autre, bec ouvert. Un flamant rose – ou plutôt rouge sang – met son bec au bout noir au-dessus d'une eau stagnante. Une oie, qui se tient sur un promontoire, examine un ciel grisâtre. Frederick tourne les pages à deux mains. *Moucherolle tchébec. Harle Huppée. Pic à face blanche.* Ils sont souvent beaucoup plus gros que dans la réalité.

– Audubon, dit Frederick, était américain. Il a arpenté les bois et les marais pendant des années, à l'époque où le pays était encore vierge. Il passait sa journée à étudier un seul spécimen. Puis il l'abattait avec du petit plomb et utilisait des fils de fer pour le représenter dans une position naturelle. Personne n'en a jamais su autant sur les oiseaux. Et il bouffait la plupart de ses modèles… ! T'imagines ?

Sa voix tremble sous l'effet de la passion.

– Marcher dans la brume avec le fusil à l'épaule, les yeux écarquillés… ?

Werner tente de voir ce qu'il voit : un temps d'avant l'invention de la photographie. Un individu allant à la découverte d'une nature sauvage pour en rapporter des tableaux. Un livre non pas tant plein d'oiseaux que plein d'évanescence, de mystères éblouissants.

Il songe à l'émission radio du Français, au livre *Principes de la mécanique* de Heinrich Hertz – n'y a-t-il pas cette même émotion dans la voix de Frederick ? Il dit :

– Ma sœur aurait adoré…

– Papa dit qu'on n'est pas censés avoir ce livre. Qu'il faut le planquer là, derrière le panier, parce que c'était un Américain et qu'il l'a fait publier en Écosse. Mais ça ne parle que d'oiseaux !

263

La porte d'entrée s'ouvre, des pas claquent à travers le vestibule. Frederick se hâte de remettre les volumes dans leur cartonnage.

– Maman ?

Arrive alors une femme vêtue d'une combinaison de ski verte avec des bandes blanches, en larmes.

– Fredde ! Fredde !

Elle embrasse son fils, le tient à bout de bras, passe le doigt sur l'entaille au front quasiment cicatrisée. Frederick regarde par-dessus son épaule, l'air un peu paniqué. Redoute-t-il qu'elle voie qu'il a sorti les livres interdits ? Ou qu'elle se fâche à propos de ses contusions ? Elle ne dit rien, mais se contente de le contempler, absorbée par des pensées qui sont un mystère pour Werner, avant de se ressaisir.

– Et toi, tu es sûrement Werner… ?

Le sourire revient.

– Frederick m'a beaucoup parlé de toi dans ses lettres ! Ces cheveux blancs ! Oh, nous adorons avoir des invités… !

Elle monte à l'échelle et range les lourds volumes dans la bibliothèque, l'un après l'autre, comme si elle écartait quelque chose d'agaçant. Puis, ils s'installent tous les trois à la grande table en chêne et Werner la remercie pour le billet de train, et elle raconte une histoire sur un homme qu'elle vient justement de croiser – « C'est incroyable » – et qui apparemment est un célèbre tennisman, et de temps en temps elle tend la main pour pincer le bras de son fils.

– Tu aurais été stupéfait, dit-elle plus d'une fois, et Werner dévisage son ami pour voir s'il l'aurait été vraiment, et Fanni revient avec du vin, encore du Rauchkäse, et pendant une heure Werner en oublie l'école, Bastian et son tuyau de caoutchouc, la Juive à l'étage – que n'ont-ils pas, ces gens-là ? Un violon sur son stand, dans l'angle, du mobilier d'avant-garde en acier chromé et un télescope en cuivre, un jeu d'échecs en argent massif sous vitrine et ce savoureux fromage fumé.

264

Le vin réchauffe doucement son estomac, le grésil goutte à travers les tilleuls, lorsque la mère de Frederick donne le signal du départ. « Refaites votre nœud de cravate, les garçons ! » Elle applique de la poudre sous les yeux de Frederick et ils vont dans une brasserie, le genre d'établissement où Werner n'aurait jamais osé rêver d'aller, et un garçon en veste blanche, à peine plus âgé que lui, apporte encore du vin.

Un constant flux de clients vient leur serrer la main et interroger la mère de Frederick avec des voix serviles sur la dernière promotion de son mari. Werner remarque une fille dans l'angle, qui danse toute seule, radieuse, le visage levé vers le plafond. Les yeux clos. La nourriture est riche, et de temps en temps la mère de Frederick rit, et Frederick palpe distraitement le fard sur son visage tandis que sa mère affirme : « Frederick est dans la meilleure école qui soit, la meilleure ! », et à chaque minute semble-t-il un nouveau venu vient embrasser la mère de Frederick sur les deux joues et lui parler à l'oreille. Quand Werner l'entend dire à une autre femme : « Oh, la Schwartzenberger aura dégagé à la fin de l'année, et nous aurons le dernier étage, *du wirst schon sehen* ! », il jette un regard à son ami, dont les lunettes maculées sont devenues opaques à la lueur des bougies, dont le maquillage paraît étrange et obscène à présent, comme si les hématomes en étaient plutôt accusés que masqués, et un grand désarroi l'envahit. Il entend Rödel balancer le tuyau, le coup porté sur les paumes de Frederick. Il entend les voix des garçons de la Kameradschaft, dans le Zollverein, chanter : *Vivre loyalement, combattre bravement et mourir avec le sourire.* La brasserie est surpeuplée ; toutes ces bouches remuent trop rapidement ; la femme qui parle à la mère de Frederick s'est inondée d'un parfum écœurant, et dans la lumière aquatique il semble tout à coup que le foulard qui flotte au cou de la jeune danseuse est un nœud coulant.

– Ça va ? dit Frederick.

– Très bien, c'est vachement bon…

Mais Werner sent une chose en lui se serrer de plus en plus. Sur le chemin du retour, Frederick et sa mère le précèdent. Elle passe son bras mince sous le sien et lui parle à voix basse. Et Fredde ceci, et Fredde cela. La rue est déserte, les fenêtres noires, les enseignes électriques éteintes. D'innombrables boutiques, des millions de gens endormis tout autour d'eux, et pourtant où sont-ils tous ? Au moment où ils atteignent leur rue, une femme en robe longue, appuyée au mur, se plie en deux et vomit sur le trottoir.

Dans l'appartement, Frederick enfile un pyjama de soie vert pomme, pose ses lunettes sur la table de chevet et monte dans son lit d'enfant en laiton. Werner couche dans un lit gigogne à propos duquel la mère de Frederick s'est abondamment excusée, bien qu'il n'ait jamais connu un tel confort.

Le silence tombe sur l'immeuble. Les petites autos de la marque Model miroitent dans la bibliothèque de Frederick.

– Tu n'as jamais pensé, chuchote Werner, à ne pas y retourner ?

– Papa a besoin que je sois dans cette école. Maman aussi. Ce que je veux, ça ne compte pas.

– Bien sûr que ça compte ! Moi, je voudrais devenir un ingénieur. Toi, tu voudrais étudier les oiseaux. Faire comme ce peintre américain dans ses marais. À quoi bon tout ça, si on ne peut pas devenir ce qu'on veut ?

Silence dans la chambre. Là-bas, dans les arbres sous la fenêtre, plane une lumière d'un autre monde.

– Ton problème, Werner, dit Frederick, c'est que tu crois toujours que ta vie t'appartient.

Lorsqu'il se réveille, c'est bien après l'aube. Il a mal au crâne, mal aux yeux. Frederick est déjà habillé – en pantalon, chemise repassée et cravate – et à genoux devant la fenêtre, le nez à la vitre.

– Bergeronnette...

Il pointe le doigt. Werner regarde dans la direction des tilleuls aux branches nues.

– Pas très impressionnant, hein ? murmure Frederick. Une boule de plumes. Mais cet oiseau-là est capable de voler jusqu'en Afrique et d'en revenir. Son énergie, il la tire des insectes, des vers de terre, et de sa volonté.

La bergeronnette sautille de brindille en brindille. Werner frotte ses yeux douloureux. Ce n'est qu'un piaf.

– Il y a dix mille ans, ils sont arrivés jusqu'ici par millions. Au temps où cette ville était un jardin, à perte de vue.

Il ne revient pas

Marie-Laure se réveille et croit distinguer le pas discret de son père, les tintements du trousseau de clés. Troisième, quatrième, cinquième étage. Ses doigts effleurent la poignée de la porte ; de son corps émane une vague mais palpable chaleur. Ses petits outils grincent contre le bois ; il sent la colle, le papier de verre, les Gauloises Caporal.

Mais c'est seulement la maison qui gémit. La mer qui projette de l'écume contre les rochers. Tromperies de l'esprit.

Au matin du vingtième jour, elle ne quitte pas son lit. Qu'importe si son grand-oncle a mis une cravate vieillotte pour se planter devant la porte d'entrée, à deux reprises, et chantonner des comptines bizarres tout bas – *à la pomme de terre je suis par terre, au haricot je suis dans l'eau* –, cherchant en vain le courage de sortir. Elle ne supplie plus Mme Manec de l'emmener à la gare, d'écrire une autre lettre, d'aller perdre encore un après-midi à la préfecture pour implorer les autorités de se renseigner sur son père. Elle devient inaccessible, maussade. Elle ne fait plus sa toilette, ne se réchauffe plus auprès du feu dans la cuisine, cesse de demander à aller dehors. Elle mange à peine. « Au musée, ils font des recherches, ma chérie », soupire Mme Manec, mais lorsqu'elle veut l'embrasser sur le front, la gamine se rétracte comme par peur de se brûler.

Le musée répond aux sollicitations d'Étienne, on leur signale que le père de Marie-Laure n'est jamais arrivé.

– Jamais arrivé ? dit Étienne tout haut.

C'est ce qui la torture. Pourquoi n'a-t-il pas atteint Paris ? Et si un obstacle s'est présenté, pourquoi n'est-il pas revenu à Saint-Malo ?

Je ne te quitterai jamais. Jamais.

Elle voudrait seulement rentrer chez elle à Paris, retrouver leur quatre-pièces et entendre le marronnier remuer sous sa fenêtre, le rideau de fer de la crémerie, sentir les doigts de son père se refermer sur les siens.

Si seulement elle l'avait supplié de rester.

À présent, tout dans la maison l'effraie : marches grinçantes, fenêtres aux volets clos, pièces vides. Le désordre et le silence. Pour la dérider, Étienne tente des expériences idiotes : un volcan au bicarbonate de soude, une tornade dans une bouteille. « Tu entends ça, Marie ? Comme ça tournoie là-dedans ? » Elle ne fait pas semblant de s'y intéresser. Mme Manec lui apporte des omelettes, des brochettes de poisson, faisant des miracles à partir des tickets de rationnement et de ses fonds de placard, mais Marie-Laure refuse de manger.

– Comme un escargot, dit Étienne à l'extérieur de sa chambre. Replié dans sa coquille.

Mais elle est fâchée. Fâchée contre Étienne, qui en fait si peu, contre Mme Manec qui en fait trop, contre son père, qui n'est pas là. Contre ses yeux qui l'ont trahie. Contre tout et tout le monde. Comment pouvait-elle se douter que l'amour peut vous anéantir ? Elle passe des heures à genoux, seule au cinquième étage, avec la fenêtre ouverte et la mer qui souffle un froid polaire dans la chambre, tandis que ses doigts s'engourdissent lentement sur la maquette de Saint-Malo. Au sud, la Porte de Dinan. À l'ouest, la plage du Môle, retour à la rue Vauborel. À chaque seconde, la maison devient plus froide, à chaque seconde, c'est comme si son père s'éloignait un peu plus.

Prisonnier

Un matin de février, les cadets sont tirés du lit à deux heures du matin et conduits en pleine lumière. Au centre de la cour, des torches brûlent. Le bedonnant Bastian arrive en se dandinant, jambes nues sous sa capote.

Frank Volkheimer sort de l'ombre, traînant un homme squelettique et déguenillé, aux chaussures dépareillées. Il le dépose près du commandant, là où un pieu a été planté dans la neige. Méthodiquement, il le ligote par le torse à ce pieu.

Une voûte d'étoiles couronne la scène ; les souffles des cadets se mêlent lentement, de façon cauchemardesque, au-dessus de la cour.

Volkheimer se retire ; le commandant fait les cent pas.

– Si vous saviez, les garçons, ce qu'est cet individu. Une bête immonde, un sous-homme...

Tout le monde tend le cou pour voir. Les chevilles du prisonnier sont menottées et ses bras liés depuis les poignets jusqu'aux avant-bras. Sa chemise a craqué aux coutures et il fixe un point à distance avec une passivité imputable à l'hypothermie. Il a l'air polonais. Ou peut-être russe. Malgré ses entraves, il réussit à osciller légèrement d'avant en arrière.

– Cet individu s'est évadé d'un camp de travail. Il a tenté de s'introduire dans une ferme et de voler un litre de lait frais. Il a été arrêté avant d'avoir pu commettre une action plus vile.

Il désigne vaguement le monde extérieur.

– Ce barbare vous égorgerait sans vergogne si on le laissait faire !

Depuis son séjour à Berlin, une grande crainte s'est emparée de Werner. C'est venu peu à peu, aussi lentement que la course du soleil dans le ciel, mais à présent il se retrouve en train d'écrire des lettres à Jutta dans lesquelles il doit contourner la vérité, prétendre que tout va bien. Il se perd dans des rêves où la mère de Frederick se métamorphose en un démon concupiscent, qui jette des triangles à la tête du Dr Hauptmann.

Un millier d'étoiles glacées semblent présider. Le froid est mordant, sans pitié.

– Cet air-là ? dit Bastian, avec un moulinet de sa main épaisse. Cet abrutissement ? Jamais un soldat allemand n'atteint ce stade. Il y a une expression pour cela : « avoir un pied dans la tombe ».

Les garçons s'efforcent de ne pas grelotter. Le prisonnier plisse les yeux et contemple la scène comme du haut d'un perchoir. Volkheimer revient, trimbalant une flopée de seaux qui s'entrechoquent : deux autres seniors déroulent un tuyau d'arrosage dans la cour. Bastian explique : d'abord les professeurs, puis les élèves en fin de cycle. Tout le monde défilera pour lancer son seau d'eau. Tous les hommes de l'école.

Le rituel commence. L'un après l'autre, les professeurs prennent le seau tendu par Volkheimer et en aspergent le prisonnier. Des applaudissements montent dans la nuit glaciale.

Au début, l'homme sort de sa stupeur, se renverse sur ses talons. Des rides apparaissent entre ses yeux ; il a l'air de se rappeler quelque chose de vital.

Parmi les professeurs en pèlerine noire, le Dr Hauptmann passe, ses doigts gantés pinçant son col sur sa gorge. Haupt-

271

mann accepte son seau, lance une nappe d'eau et ne reste pas pour la voir atterrir.

Les douches se succèdent. Le visage du captif se vide. Il s'affaisse par-dessus ses liens, son torse se tasse, et de temps en temps Volkheimer sort de l'ombre, avec sa silhouette massive, et le prisonnier se redresse une fois de plus.

Les seniors s'évanouissent à l'intérieur du bâtiment. Les seaux produisent un bruit métallique assourdi quand on les remplit de nouveau. C'est au tour des seize ans. Des quinze ans. Les applaudissements perdent de leur enthousiasme et un besoin urgent de fuir gagne Werner. Fuir. Fuir.

Plus que trois garçons avant lui. Plus que deux. Il essaie de mettre des images devant ses yeux, mais les seules qui lui viennent sont dérisoires : la machine de halage au-dessus du Puits Neuf, les mineurs voûtés, se traînant comme s'ils avaient un boulet au pied. Le trouillard à l'examen d'entrée, tremblant sur la plate-forme. Chacun enfermé dans son rôle : orphelins, cadets, Frederick, Volkheimer, la vieille Juive à l'étage. Et même Jutta.

Quand arrive son tour, il jette l'eau comme les autres et ce jet atteint le prisonnier à la poitrine et des applaudissements désinvoltes s'élèvent. Il rejoint les cadets qui attendent d'être libérés. Brodequins trempés, poignets de chemise mouillés ; ses mains sont si engourdies qu'elles n'ont plus l'air de lui appartenir.

Puis, c'est au tour de Frederick. Frederick, qui visiblement ne voit pas bien sans ses lunettes. Qui n'a pas applaudi chaque fois que le prisonnier était touché. Qui fronce les sourcils devant celui-ci, comme s'il reconnaissait quelque chose en lui.

Et Werner sait ce que Frederick va faire.

Il est poussé en avant par le suivant. Le senior lui tend un seau et Frederick le vide par terre.

Bastian s'avance. Le froid intense a rendu sa figure toute pâle.

– Donne-lui-en un autre.

De nouveau, Frederick en jette le contenu sur la glace à ses pieds. Il dit d'une petite voix :

– Il est déjà mort...

Le senior lui tend un troisième seau. « Jette-le ! » ordonne Bastian. La nuit fume, les étoiles se consument, le prisonnier oscille, les garçons observent, le commandant penche la tête. Frederick vide le seau par terre.

– Non, je ne le ferai pas.

Plage du Môle

Le père de Marie-Laure n'a pas donné signe de vie depuis vingt-neuf jours. Elle est réveillée par les chaussures à gros talons de Mme Manec montant au deuxième, au troisième, au quatrième.

La voix d'Étienne sur le palier, à l'extérieur de son antre.

– Ne faites pas ça !

– Il n'en saura rien.

– Elle est sous ma responsabilité.

Une dureté inattendue perce dans la voix de Mme Manec :

– Je ne supporterai pas cette situation une minute de plus...

Elle gravit la dernière volée de marches. La porte de Marie-Laure s'entrebâille ; la vieille dame traverse la chambre et place sa grosse main calleuse sur son front.

– Réveillée... ?

Marie-Laure se recroqueville sur le côté et parle à travers les draps.

– Oui...

– Je t'emmène. Prends ta canne.

Marie-Laure s'habille. Mme Manec la retrouve au pied de l'escalier avec un quignon de pain. Elle lui met un foulard sur la tête, boutonne son manteau jusqu'au col, et ouvre la porte d'entrée. Matinée de fin février, le temps est calme et à la pluie.

Marie-Laure hésite, écoute. Son cœur bat à se rompre.

– Il n'y a presque personne dehors, ma chérie, murmure Mme Manec. Et on ne fait rien de mal.

Le portillon grince.

– Une marche, et maintenant tout droit... c'est bien !

Les pavés créent un relief irrégulier ; le bout de sa canne se bloque, vibre, se re-bloque. Une averse tombe sur les toits, s'écoule par les rigoles, dégoutte sur son fichu. Des bruits ricochent entre les hautes maisons. Lui revient cette impression d'être dans un dédale.

Là-haut, quelqu'un secoue un plumeau à sa fenêtre. Un chat miaule. Quelles menaces la guettent dans ces parages ? De quoi son père était-il si soucieux de la protéger ? Elles prennent un premier, un deuxième tournant, puis Mme Manec l'entraîne vers la gauche, là où les murailles tapissées de mousse se déroulaient pourtant de façon uniforme – et sous une porte.

– Madame Manec ?

Elles ne sont plus dans la ville.

– Attention aux marches, une, deux, voilà, c'est facile...

L'océan. L'océan ! Juste en face ! Dire qu'elle en était si proche... Qui lèche, tonne, éclabousse, gronde ; qui change, se dilate, et retombe sur lui-même ; le labyrinthe de Saint-Malo s'est ouvert sur un univers plus vaste que tout ce qu'elle a jamais connu. Plus vaste que le Jardin des plantes, la Seine, les plus majestueuses galeries du musée. Elle n'avait pas imaginé cela comme il le fallait, elle n'avait pas compris les proportions.

Lorsqu'elle lève le visage vers le ciel, elle sent les mille et un piquants des gouttes de pluie cribler ses joues, son front. Elle entend la respiration haletante de Mme Manec et la résonance profonde de la mer parmi les rochers et les appels de quelqu'un, un peu plus loin sur la plage, qui se répercutent contre les hautes murailles. Intérieurement, elle entend son père astiquer ses serrures, M. Gérard marchant

275

le long de ses rangées de tiroirs. Pourquoi ne lui avait-on pas dit que ce serait ainsi ?

– C'est M. Nicot qui rappelle son chien, dit Mme Manec. Ne t'en fais pas. Voici mon bras. Assieds-toi et déchausse-toi. Retrousse les manches de ton manteau.

Marie-Laure obéit.

– On nous observe ?

– Les Boches ? Et quand bien même ? Une vieille femme et une jeune fille ? Je dirai qu'on cherche des palourdes. Qu'est-ce qu'ils peuvent bien nous faire ?

– L'oncle Étienne dit qu'ils ont miné les plages.

– Ne t'en fais pas. C'est un froussard.

– Il dit que c'est la lune qui fait que la mer se retire.

– La lune ?

– Parfois le soleil aussi. Et qu'autour des îles, les marées créent des courants qui peuvent engloutir des bateaux.

– On n'ira pas jusque-là, ma chérie. On est juste sur la plage.

Marie-Laure dénoue son foulard et Mme Manec le prend. Un air salin, malingre, couleur d'étain, se glisse sous son col.

– Madame Manec ?

– Oui ?

– Qu'est-ce que je fais ?

– Marche !

Elle marche. Maintenant, il y a des galets froids sous ses pieds. Maintenant, des herbes qui craquent. Maintenant, quelque chose de plus lisse : du sable frais, sans ride. Elle se penche et écarte les doigts. C'est comme de la soie. Une soie somptueuse où la mer aurait disposé ses offrandes : galets, coquillages, anatifes. Lanières de varech. Ses doigts creusent et palpent ; les gouttes de pluie effleurent sa nuque, le dos de ses mains. Le sable absorbe la chaleur de ses doigts, de la plante de ses pieds.

Un nœud en elle commence à se desserrer. Elle se déplace le long du niveau de la marée, presque à quatre pattes au début, et imagine la plage s'étirant dans toutes les directions, cernant le promontoire, embrassant les îles, tout le tracé tourmenté du littoral breton avec ses caps sauvages, ses forts effrités et ses ruines étouffées par la végétation. Elle imagine la cité fortifiée derrière elle, ses remparts vertigineux, le dédale des rues. Soudain, tout cela est devenu aussi petit que la maquette de son père. Mais ce qui entoure cette maquette n'est pas une chose que son père a mise à sa portée ; ce qui est au-delà de cette maquette est absolument fascinant.

Une bande de mouettes crie au-dessus de sa tête. Chacun des cent mille grains de sable dans ses poings crisse contre son voisin. C'est comme quand son père la faisait tourner trois fois sur elle-même.

Aucun soldat allemand ne vient les arrêter. D'ailleurs, elles ne croisent personne. Les doigts gourds de Marie-Laure découvrent une méduse échouée, une balise incrustée de moules et un millier de cailloux polis. Elle patauge jusqu'à avoir de l'eau jusqu'aux genoux et mouille le bord de sa robe. Lorsque Mme Manec finit par la ramener – trempée et étourdie – rue Vauborel, Marie-Laure monte directement au quatrième étage, frappe à la porte d'Étienne et se campe devant lui, toute barbouillée de sable.

– Vous êtes restées longtemps absentes, marmonne-t-il. Je me suis fait du souci.

– Tiens, oncle Étienne...

De ses poches, elle sort des coquillages. Moules, porcelaines, morceaux de quartz sableux.

– Je t'ai rapporté ça. Et ça, ça, ça...

Lapidaire

En trois mois, le Stabsfeldwebel von Rumpel s'est rendu à Berlin et Stuttgart. Il a estimé la valeur d'une centaine de bagues confisquées, d'une douzaine de bracelets en diamants, celle d'un étui à cigarettes letton où brillait une topaze taillée en losange. À présent, revenu à Paris, il a dormi au Grand Hôtel pendant une semaine et envoyé ses requêtes comme des pigeons voyageurs. Chaque nuit, ce moment lui revient : quand, ayant saisi le diamant poire entre le pouce et l'index, rendu énorme par la lentille de sa loupe, il avait cru tenir les cent trente-trois carats de l'Océan de Flammes.

Il en sondait les profondeurs bleu glacier, où des chaînes montagneuses en miniature semblaient renvoyer des flammes pourpre, corail et violet, polygones de couleur qui étincelaient et scintillaient tandis qu'il le faisait pivoter, et il s'était presque convaincu que la légende était véridique, que jadis le fils d'un sultan avait porté une couronne qui éblouissait ses sujets, que le détenteur de ce joyau serait immortel, que le diamant fabuleux avait dégringolé des étagères de l'histoire pour tomber dans sa main.

Il avait eu cet instant de bonheur – de triomphe. Mais auquel se mêlait une crainte inattendue : le diamant avait l'air d'une chose enchantée, pas faite pour un regard de mortel. Un objet qui, une fois regardé, ne pourrait plus être oublié.

Mais, finalement, la raison l'emporta. Les jointures des facettes n'étaient pas aussi nettes qu'elles auraient dû l'être. La ceinture était un brin cireuse. Plus révélateur, le diamant ne trahissait aucune fine lézarde, aucune tête d'épingle, pas une seule inclusion. *Un diamant véritable*, disait toujours son père, *n'est jamais tout à fait exempt d'inclusions. Un diamant véritable n'est jamais parfait.*

S'attendait-il à ce qu'il le soit ? Gardé précisément là où il l'aurait souhaité ? Croyait-il remporter une telle victoire en l'espace d'un seul jour ?

Bien sûr que non.

On pourrait le croire contrarié, mais ce n'est pas le cas. Au contraire, il a bon espoir. Le musée n'aurait jamais fait réaliser une contrefaçon d'une telle qualité s'ils ne possédaient pas l'original quelque part. Au cours de ces dernières semaines à Paris, tout en s'occupant d'autres choses, il a réduit la liste de sept lapidaires à trois, puis à un : un homme à moitié algérien nommé Clavier qui taille des opales depuis longtemps. Clavier gagnait de l'argent avant la guerre en facettant des spinelles afin de les faire passer pour des diamants pour le compte de douairières et de baronnes. Mais aussi pour des musées.

Un soir, tard dans la nuit, au mois de février, il s'introduit dans l'atelier impeccable de Clavier, non loin du Sacré-Cœur. Il examine un exemplaire de l'ouvrage de Streeter, *Gemmes et pierres précieuses*, des dessins de plans de clivage ; diagrammes trigonométriques utilisés pour le facettage. Lorsqu'il trouve plusieurs itérations minutieuses d'un moule correspondant exactement à la taille et la forme en poire du diamant conservé dans le coffre du musée, il sait qu'il tient son homme.

À sa demande, on procure à Clavier de faux tickets de rationnement. À présent von Rumpel attend. Il prépare ses questions : avez-vous fait d'autres répliques ? Combien ? Savez-vous qui les a actuellement ?

Le dernier jour de février 41, un élégant petit homme de la Gestapo vient lui annoncer que le dénommé Clavier a tenté d'écouler ses faux tickets. Il a été arrêté. *Kinderleicht* : un jeu d'enfant.

C'est une agréable nuit d'hiver – crachin et restes de neige pas encore fondue cernent la place de la Concorde. La ville a un aspect fantomatique avec ses fenêtres parées de gouttes de pluie. Un caporal aux cheveux en brosse contrôle ses papiers et le dirige non vers une cellule, mais vers un bureau haut de plafond au deuxième étage, où une dactylo est installée à un bureau. Derrière elle, une glycine peinte sur le mur est si décolorée qu'elle s'est transformée en un tableau abstrait qui le met mal à l'aise.

Clavier est menotté à une simple chaise, au milieu de la pièce. Sa figure a la couleur et le poli des bois tropicaux. Von Rumpel s'attendait à un mélange de peur, d'indignation et de faim, mais le prisonnier se tient très droit. Un verre de ses lunettes est déjà fendillé mais si on en fait exception il n'a pas l'air trop mal en point.

La dactylo écrase dans le cendrier sa cigarette maculée d'une grosse trace de rouge à lèvres. Ce cendrier déborde : cinquante mégots s'entassent là-dedans, sanguinolents.

– Vous pouvez disposer, dit von Rumpel, lui adressant un signe de tête, et il reporte son attention sur le prisonnier.

– Il ne parle pas allemand…

– Ça ira, répond-il en français. Fermez la porte, je vous prie.

Clavier redresse la tête – une glande quelconque doit instiller du courage dans ses veines. Von Rumpel n'a pas à se forcer : le sourire lui vient assez facilement. Il espère des noms, mais ce qu'il lui faut surtout, c'est un chiffre.

Chère Marie-Laure,

Nous sommes en Allemagne à présent et tout va bien. J'ai réussi à trouver un ange qui essaiera de te transmettre cette lettre. Les sapins et aulnes sont magnifiques, ici. Et tu ne vas pas me croire, mais figure-toi qu'on s'en met plein la lampe. Lucullus dîne chez Lucullus : caille, canard, civet de lapin. Poulet rôti et pommes de terre sautées au lard, tartes aux abricots. Pot-au-feu. Coq au vin. Tartes aux prunes. Fruits et crème glacée. Servi à volonté. Je ne pense plus qu'à ça !

Sois bien polie avec ton oncle et Mme Manec. Remercie-les de te lire cette lettre. Et sache que je suis toujours avec toi, tout près de toi.

Papa

Entropie

Pendant une semaine, le cadavre du prisonnier reste attaché au pieu dans la cour, congelé et grisâtre. Des garçons s'arrêtent pour lui demander leur chemin ; quelqu'un l'affuble d'une cartouchière et d'un casque. Au bout de quelques jours, deux corbeaux entreprennent de le becqueter, perchés sur ses épaules, et finalement le gardien va avec deux élèves de troisième année dégager ses pieds de la glace à coups de massette, le flanquer sur une carriole et l'emmener.

À trois reprises en l'espace de neuf jours, Frederick est désigné comme le maillon faible sur le terrain d'exercice. Bastian va se placer de plus en plus loin, il compte de plus en plus vite, si bien que Frederick doit courir sur quatre ou cinq cents mètres, souvent dans une neige épaisse, et les garçons se lancent à ses trousses comme s'il en allait de leur vie. À chaque fois, il est repris. À chaque fois, il est roué de coups sous le regard de Bastian. À chaque fois, Werner n'intervient pas.

Frederick supporte sept coups avant de s'effondrer. Puis, six. Puis, trois. Jamais il ne pousse un cri et jamais il ne demande à quitter l'école, ce qui semble déclencher chez le commandant une fureur meurtrière. Le tempérament rêveur de Frederick, son originalité – c'est comme une odeur sur lui et tout le monde sent cela.

Werner essaie de s'oublier dans le travail, dans le laboratoire du Dr Hauptmann. Il a construit un prototype d'émetteur-récepteur et teste des fusibles, des valves, des combinés, des fiches – mais même en ces heures tardives, c'est comme si le ciel s'était assombri et que l'école était devenue un endroit plus obscur, encore plus diabolique. Son estomac se détraque. Il a la diarrhée. Il se réveille la nuit, et voit Frederick dans sa chambre berlinoise, avec ses lunettes et sa cravate, en train de libérer des oiseaux prisonniers d'un énorme livre.

Tu es un garçon intelligent. Tu t'en sortiras.

Un soir que Hauptmann est dans son bureau, à l'autre bout du couloir, Werner jette un coup d'œil à l'impérieux, le somnolent Volkheimer dans l'angle et dit : « Ce prisonnier... »

Volkheimer bat des paupières – la pierre se fait chair.

– Ils font cela tous les ans.

Il retire sa casquette et passe la main dans le chaume dense de ses cheveux.

– Ils disent que c'est un Polak, un Rouge, un cosaque. Qu'il a volé de l'alcool, du pétrole ou de l'argent. Tous les ans, c'est pareil...

Sous la cadence des heures, des garçons luttent dans une douzaine d'arènes différentes. Quatre cents enfants qui rampent sur le fil du rasoir.

– ... et c'est toujours la même rengaine. « Un pied dans la tombe ».

– Mais c'était humain de laisser son cadavre comme ça ? Après sa mort ?

– Ils s'en fichent pas mal...

Là, Hauptmann s'annonce par un bruit de bottes, et Volkheimer se renfonce dans son coin, ses yeux repassent dans l'ombre, et Werner n'a pas l'occasion de lui demander de qui il parle.

Des garçons laissent des souris mortes dans les brodequins de Frederick. On le traite de pédé, de suceur de bite, les insultes pleuvent. Par deux fois, un garçon en cinquième année lui prend ses jumelles et barbouille les verres d'excréments.

Werner se dit qu'il fait tout ce qu'il peut. Chaque soir, il astique les chaussures de Frederick jusqu'à ce qu'elles rutilent – une raison de moins pour un surveillant, ou Bastian, ou un senior, de lui sauter dessus. Le dimanche matin, au réfectoire, ils passent un moment au soleil sans se parler et Werner l'aide à faire ses devoirs. Frederick murmure qu'au printemps, il espère trouver des nids d'alouette dans l'herbe, hors de l'enceinte de l'école. Un jour, il lève son crayon, regarde dans le vide, et dit : « Pic épeichette », et Werner entend les lointaines percussions traverser le parc et transpercer le mur.

En sciences techniques, le Dr Hauptmann présente les lois de la thermodynamique.

– L'entropie. Qui sait ce que c'est ?

Les garçons courbent l'échine. Personne ne lève la main. Hauptmann passe entre les travées. Werner fait le mort.

– Pfennig...

– L'entropie est la mesure du degré de désordre d'un système, professeur.

Son regard se fixe sur Werner pendant une fraction de seconde, un coup d'œil à la fois chaleureux et réfrigérant.

– Désordre. Vous avez entendu le commandant prononcer ce mot. Votre chef de dortoir aussi. L'ordre est nécessaire. Messieurs, la vie n'est que chaos. Et ce que nous représentons, c'est la remise en ordre de ce chaos. Jusqu'au niveau génétique. Nous commandons à l'évolution des espèces. Expulser les êtres inférieurs, les indisciplinés, séparer le bon grain de l'ivraie – tel est le grand projet du Reich, le projet le plus ambitieux jamais entrepris par des êtres humains.

Hauptmann écrit sur le tableau noir. Les cadets recopient dans leur cahier. *L'entropie d'un système fermé ne décroît jamais. Tout processus est voué naturellement à la dégradation.*

Les tournées

Étienne a beau s'y opposer, Mme Manec emmène Marie-Laure à la plage tous les jours. La fillette lace ses chaussures elle-même, descend à tâtons l'escalier et attend dans le vestibule avec sa canne tandis que Mme Manec finit dans la cuisine.

– Je peux trouver mon chemin, déclare-t-elle la cinquième fois. Pas la peine de me guider.

Vingt-deux pas jusqu'à l'intersection avec la rue d'Estrées. Quarante de plus jusqu'au portillon. Neuf marches à descendre et elle est sur le sable, et les vingt mille bruits de l'océan l'engloutissent.

Elle ramasse des pommes de pin tombées de Dieu sait où. D'épais écheveaux de cordes. De gluants polypes globuleux, rejetés par la mer. Une fois, un moineau noyé. Son plus grand plaisir, c'est de marcher jusqu'au bout de la plage à marée basse, de s'accroupir au pied d'un îlot appelé le Grand Bé, et de laisser ses doigts clapoter dans les mares. C'est seulement là, quand elle a les orteils et les mains dans la mer froide, que son esprit se détache complètement de son père. Seulement là qu'elle cesse de se demander jusqu'à quel point sa lettre était véridique, quand il lui réécrira, pourquoi on l'a mis en prison. Elle se contente de tendre l'oreille, d'écouter, de respirer.

Sa chambre se remplit de galets, de morceaux de verre polis, de coquillages : quarante coquilles Saint-Jacques au bord de la fenêtre, soixante et un escargots de mer au-dessus de l'armoire. Elle les dispose par espèce si elle peut, puis par taille. Les plus petits à gauche, les plus gros à droite. Elle remplit des bocaux, des seaux, des plateaux, la chambre se met à sentir la marée.

En général, après la plage, elle accompagne dans ses tournées Mme Manec, qui va à la halle aux légumes, parfois à la halle aux viandes, puis ravitaille les voisins qu'elle juge en avoir le plus besoin. On grimpe un escalier plein d'échos, on frappe à une porte. Une vieille dame les accueille, leur demande des nouvelles, insiste pour boire avec elles un doigt de porto. L'énergie de Mme Manec est extraordinaire : elle bourgeonne, développe des rameaux, se réveille tôt, travaille tard, concocte des bisques sans une seule goutte de crème, des gâteaux avec juste un soupçon de farine. Elles parcourent ensemble les ruelles, la main de Marie-Laure au-dessus du tablier de Mme Manec, suivant les odeurs de pot-au-feu et de pâtisserie. Dans ces moments-là, Mme Manec est comme un grand mur de rosiers ambulant, épineux, parfumé, et ronronnant d'abeilles.

Du pain encore chaud à une veuve âgée, Mme Blanchard. De la soupe à M. Saget. Lentement, le cerveau de Marie-Laure devient une carte à trois dimensions avec des points de repère incandescents : un gros platane sur la place aux Herbes, neuf buis en pot devant l'hôtel Continental, six marches pour accéder à un passage appelé rue du Connétable.

Plusieurs fois par semaine, Mme Manec apporte des petits plats à ce fou de Hubert Bazin, un ancien combattant de la Grande Guerre qui couche sous un porche derrière la bibliothèque par tous les temps. Qui a perdu son nez, une oreille et un œil au cours d'un pilonnage d'artillerie. Qui porte un masque en cuivre émaillé couvrant la moitié de son visage.

Hubert Bazin aime parler des murailles, des druides, des corsaires de Saint-Malo. Au cours des siècles, assure-t-il, ces remparts ont protégé la ville des maraudeurs sanguinaires, Normands, Celtes, Vikings. Et même de monstres marins, selon certains. C'est ainsi que les habitants étaient protégés des marins anglais qui ancraient leurs navires au large et lançaient des projectiles enflammés sur leurs maisons, pour tenter de les incendier, de les tuer tous jusqu'au dernier.

– Les mères de Saint-Malo disaient à leur progéniture : Assieds-toi correctement. Mange proprement. Ou un Anglais viendra cette nuit t'égorger...

– Hubert ! s'exclame Mme Manec. Vous lui faites peur !

En mars, Étienne a soixante ans et Mme Manec prépare un ragoût de palourdes aux échalotes servi avec des champignons et deux œufs durs en rondelles – les derniers qu'elle a pu dégoter en ville. Étienne parle d'une voix douce de l'éruption du Krakatoa. Il raconte que les cendres provenant d'Indonésie avaient transformé les couchers de soleil à Saint-Malo qui étaient rouge sang – de grosses stries cramoisies flamboyaient au-dessus de la mer, tous les soirs ; et pour Marie-Laure, qui a les poches doublées de sable, les joues rosies par le vent, l'Occupation semble, sur le moment, très très loin. Elle s'ennuie de son père, de Paris, de M. Gérard, de ses livres, de ses pommes de pin – ce sont autant de trous dans sa vie. Mais depuis quelques semaines son existence est devenue tolérable. Sur la plage au moins, ses privations et sa peur sont purifiées par le vent, les couleurs, la lumière.

L'après-midi, le plus souvent, après la sortie avec Mme Manec, elle s'assoit sur son lit, la fenêtre ouverte, et promène ses mains sur la maquette de Saint-Malo. Ses doigts passent par les hangars du chantier naval dans la rue de Chartres, la boulangerie de Mme Rudelle, rue Robert-Surcouf. Dans son imagination elle entend les boulangers glisser sur le sol farineux comme des patineurs, faisant cuire des miches dans un four vieux de quatre cents ans. Ses doigts passent

287

par le perron de la cathédrale – ici, un vieux monsieur taille des rosiers dans son jardin ; là, près de la bibliothèque, ce fou d'Hubert Bazin marmonne tout seul en sondant de son œil unique le fond d'une bouteille ; ici le couvent ; là le restaurant Chez Chuche près du marché aux poissons, et le 4 rue Vauborel, avec sa porte légèrement en retrait, où Mme Manec est agenouillée près de son lit, déchaussée, égrenant son rosaire, priant pour quasiment toute la population. Ici, au quatrième étage, Étienne s'avance devant ses étagères dégarnies, passant la main à l'endroit où se trouvaient ses radios. Et quelque part au-delà des limites de la maquette, des limites de la France, dans un lieu inaccessible à ses doigts, son père est assis dans une cellule, avec une douzaine de ses maquettes sculptées au bord d'une fenêtre, et un garde s'approche de lui avec ce qu'elle voudrait si fort être un festin – *caille, canard et civet de lapin. Poulet rôti avec pommes de terre sautées au lard, et tartes aux abricots* – une douzaine de plateaux, une douzaine d'assiettes, à volonté.

Nadel im Heuhaufen

Minuit. Les lévriers du Dr Hauptmann gambadent à travers des champs gelés près de l'école, gouttes de vif-argent ricochant sur tout ce blanc. Derrière eux, le Dr Hauptmann en toque de fourrure, qui s'avance à pas comptés comme s'il mesurait une distance. Fermant la marche, Werner trimbale deux émetteurs-récepteurs testés par eux depuis plusieurs mois.

Hauptmann se retourne, radieux.

– C'est un bon coin, ici. Il y a une bonne ligne de mire. Pose ça, Pfennig. J'ai envoyé notre ami Volkheimer en éclaireur. Il est quelque part sur la colline.

Werner ne voit aucune trace, seulement une butte qui miroite au clair de lune et la forêt toute blanche par-derrière.

– Il a le transmetteur KX dans une caisse à munitions. Il va se cacher et diffuser en continu jusqu'à ce qu'on le trouve ou que la batterie soit morte. Moi-même, j'ignore où il se trouve.

Il frappe dans ses mains gantées, et les chiens tourbillonnent autour de lui, l'haleine fumante.

– Dix kilomètres carrés. Localise le transmetteur, localise notre ami.

Werner considère les milliers d'arbres sous leurs manteaux de neige.

– Par-là, professeur ?
– Par-là.
Le Dr Hauptmann tire une flasque de sa poche et la débouche sans regarder.
– Ça, c'est le côté amusant, Pfennig.
Il tasse la neige pour former comme une clairière, et Werner installe le premier émetteur, puis va placer le second deux cents mètres plus loin, à l'aide d'un mètre ruban. Il déroule les fils de terre, dresse les antennes télescopiques, et les branche. Déjà ses doigts sont gourds.
– Essaie les quatre-vingts mètres, Pfennig. En principe, les équipes ne savent pas quelle bande chercher. Mais pour ce soir, notre premier test sur le terrain, on va tricher un peu...
Werner coiffe son casque et ses oreilles se remplissent de bruits de fond. Il augmente le volume, ajuste le filtre. Bientôt, il a connecté ses deux émetteurs sur la fréquence de Volkheimer.
– Je l'ai capté, professeur !
Hauptmann se met à sourire pour de bon. Les chiens en cabriolent et éternuent d'excitation. De sa capote, il tire un crayon gras.
– Note ça sur la radio. Les équipes n'ont pas toujours de papier, sur le terrain.
Werner esquisse l'équation sur le boîtier métallique de l'émetteur et se met à ajouter les chiffres. Hauptmann lui tend une règle à calcul. Deux minutes plus tard, Werner a un vecteur et une distance : deux kilomètres et demi.
– Et la carte ?
Le visage aristocratique de Hauptmann en rayonne de plaisir.
Werner se sert d'un rapporteur et d'une boussole pour tracer les lignes.
– Marche devant, Pfennig !
Werner replie la carte et la remet dans sa poche, remballe les émetteurs et les transporte, un dans chaque main, comme des valises jumelles. De petits cristaux de neige passent au

290

tamis du clair de lune. Bientôt l'école et ses dépendances ont l'air de jouets dans la blanche plaine en contrebas. La lune s'abaisse, un œil mi-clos, les chiens collent au train de leur maître, gueules fumantes, et Werner transpire.

Ils descendent dans un ravin et en remontent. Un kilomètre. Deux.

– Sublimation, dit Hauptmann, haletant. Tu sais ce que c'est, Pfennig ?

Il est grisé, animé, presque bavard. Werner ne l'avait jamais vu ainsi.

– C'est quand une chose est sur le point d'en devenir une autre. Le jour devient la nuit, la chenille devient papillon. Le faon, chevreuil. L'expérimentation donne un résultat. L'enfant devient homme.

Plus loin, en haut d'une nouvelle côte, Werner déploie la carte et fait le point avec sa boussole. Partout, les arbres scintillent. Pas la moindre trace, sinon les leurs. L'école a disparu derrière eux.

– Je recommence, professeur ?

Hauptmann met les doigts sur ses lèvres.

Werner triangule encore et voit combien ils sont proches de son premier relevé – moins de cinq cents mètres. Il remballe ses émetteurs et presse le pas, en chasse désormais, lancé sur une piste. Les chiens le sentent aussi, et Werner se dit : J'ai trouvé comment faire, la solution de l'équation, les chiffres deviennent réalité. Et les arbres déchargent leur neige tamisée, les chiens se figent et froncent le nez, en arrêt comme s'ils flairaient un faisan, et Hauptmann lève la main, et finalement Werner, qui émerge entre les arbres, peinant sous le poids des deux grosses valises, aperçoit la silhouette d'un individu couché dans la neige, l'émetteur à ses pieds, l'antenne pointant au milieu des branches basses.

Le Géant.

Les chiens tremblent, en transe. Hauptmann garde la main en l'air. De l'autre, il dégaine son arme.

– Si près, Pfennig, tu ne peux pas hésiter...

Volkheimer est allongé sur le côté. Werner peut voir son haleine s'évaporer. Hauptmann braque son Walther droit sur lui, et pendant un long et effrayant moment, Werner réalise que son professeur va tirer, qu'ils sont en grand danger, tous autant qu'ils sont, et il ne peut s'empêcher de repenser aux paroles de Jutta, au bord du canal : *Faire comme tout le monde, c'est une bonne chose en soi ?* Quelque chose dans l'âme de Werner ferme ses paupières écailleuses, et le petit professeur lève son arme et tire en l'air.

Aussitôt, Volkheimer se ramasse sur lui-même, il redresse la tête alors que les chiens se jettent sur lui, et Werner a l'impression que son cœur vole en éclats.

Les bras de Volkheimer se lèvent au moment où les chiens se précipitent, mais ils le connaissent : ils bondissent sur lui pour jouer, aboyant et gambadant, et Werner voit ce grand gaillard se débarrasser d'eux comme si c'étaient des chatons. Le Dr Hauptmann rit. Son arme fume, et il boit longuement au goulot de sa flasque, qu'il passe à Werner, et Werner la porte à ses lèvres. Il a enfin satisfait son professeur ; les émetteurs fonctionnent, il est dehors, sous le ciel étoilé, l'estomac réchauffé par la brûlure de l'alcool fort...

– Voilà, dit Hauptmann, à quoi servent ces triangles.

Les chiens circulent, se dérobent, s'ébattent. Hauptmann va se soulager derrière les arbres. Volkheimer s'avance dans la neige en remorquant le gros émetteur KX. Il semble encore plus immense ; il pose une grosse main et sa moufle sur la casquette de Werner.

– C'est seulement des chiffres, dit-il si bas que Hauptmann ne peut pas entendre.

– Mathématiques pures, ajoute Werner, imitant l'accent cassant de son professeur.

Il presse le bout de ses doigts gantés.

– Tu dois t'habituer à penser ainsi.

C'est la première fois qu'il entend rire Volkheimer, et sa contenance change ; il en devient moins menaçant et ressemble plus à un énorme et bienveillant enfant À celui qu'il est quand il écoute de la musique.

Le lendemain, le plaisir d'avoir réussi persiste en lui tout au long de la journée, le souvenir de cette marche quasi religieuse auprès de Volkheimer quand ils étaient revenus à travers les arbres enneigés, les chambres avec ces garçons endormis, alignés comme des lingots d'or dans un coffre-fort – Werner ressent une attitude presque paternelle à leur égard tandis qu'il se déshabille près de sa couchette, et que Volkheimer continue d'un pas pesant vers les dortoirs des seniors, un ogre parmi des anges, un gardien qui traverse un cimetière en pleine nuit.

Projet

Marie-Laure est assise dans la cuisine, dans son coin attitré, le plus près possible de la cheminée, et écoute les doléances des amies de Mme Manec.

– Le prix du maquereau ! s'exclame Mme Fontineau. À croire qu'ils sont allés le pêcher au Japon !

– Impossible de me souvenir, dit Mme Hébrard, la receveuse des Postes, du goût d'un abricot digne de ce nom.

– Et ces ridicules coupons pour les chaussures, dit Mme Rudelle, la boulangère. Théo a le numéro 3501 et ils n'en sont même pas au numéro 400 !

– Il n'y a pas que les maisons closes de la rue Thévenard… Ils sont en train de réquisitionner tous les appartements des vacanciers pour y mettre des prostituées !

– Le Gros Claude et sa femme se font du lard…

– Ces salauds de Boches laissent la lumière allumée toute la journée !

– Je ne supporte plus de passer toutes mes soirées coincée à la maison avec mon mari.

Neuf d'entre elles se serrent autour de la table carrée, genoux contre genoux. Cartes de rationnement, andouilles immangeables, qualité de plus en plus médiocre du vernis à ongles – ce sont-là des crimes qui les indignent. Entendre tant de voix mêlées trouble et réjouit Marie-Laure : elles sont survoltées quand elles devraient être graves, sombres après des plaisanteries. Mme Hébrard pleure sur la pénurie de sucre roux ; la plainte d'une autre concernant le tabac dégénère en cours de route en fou rire sur le postérieur du parfumeur. Elles sentent le pain rassis, les salles à manger encombrées de monumentales armoires bretonnes.

Mme Rudelle dit :

– Donc, la fille Gautier voulait se marier. La famille a dû faire fondre tous ses bijoux en or pour l'alliance. L'or est taxé de 30 % par les autorités d'occupation. Et le travail du bijoutier aussi. À la fin, plus d'alliance !

Le taux de change est une farce, le prix des carottes indéfendable, la duplicité partout. Finalement, Mme Manec ferme au verrou la porte de la cuisine et se racle la gorge. Les autres se taisent.

– C'est nous qui faisons tourner leur monde, dit-elle. Vous, madame Guiboux, votre fils ressemelle leurs chaussures. Madame Hébrard, c'est vous et votre fille qui triez leur courrier. Et vous, madame Rudelle, c'est votre boulangerie qui fabrique presque tout leur pain.

Tension dans l'air. Marie-Laure a l'impression qu'elles sont en train de voir quelqu'un glisser sur une fine couche de glace ou placer sa main au-dessus d'une flamme.

– Qu'est-ce que vous proposez ?

– D'agir !

– En mettant des bombes dans leurs souliers ?

– Des crottes dans la pâte à pain ?

Rires gênés.

– Rien d'aussi culotté. Mais on pourrait faire des choses plus modestes. Plus simples.

– Quoi, par exemple ?

– Pour commencer, il faut me dire si vous êtes partantes.

Un lourd silence s'ensuit. Marie-Laure les sent en équilibre instable. Neuf esprits qui pèsent le pour et le contre. Elle pense à son père – emprisonné pour quoi ? – et souffre.

Deux femmes s'en vont, arguant d'obligations vis-à-vis de leurs petits-enfants. D'autres tirent sur leur corsage et raclent leur chaise comme si la température avait grimpé. Il en reste cinq. Marie-Laure est assise parmi elles, à se demander qui cédera, qui jasera, qui sera la plus courageuse. Qui, étendue sur le dos, laissera son dernier souffle s'élever en volute vers le plafond comme une malédiction jetée sur l'envahisseur ?

Tu as d'autres amis

– Fais gaffe, pauvre fiotte ! lance Martin Burkhard au moment où Frederick traverse la cour. Ce soir, t'y passes ! Et il se tripote l'entrejambe.

Quelqu'un défèque sur son lit. Werner croit entendre la voix de Volkheimer : *Ils n'ont aucune pudeur.*

– Toi, le chieur..., crache un garçon, apporte-moi mes bottes.

Frederick fait celui qui n'a pas entendu.

Soir après soir, Werner se replie dans le laboratoire de Hauptmann. À trois reprises ils sont allés à la recherche du transmetteur de Volkheimer dans les neiges, et à chaque fois ils l'ont trouvé encore plus vite. Lors du plus récent test sur le terrain, Werner a réussi à installer les émetteurs, trouver la transmission, et localiser Volkheimer sur la carte en moins de cinq minutes. Hauptmann promet des voyages à Berlin ; il déroule des schémas d'une firme d'électronique en Australie et affirme : « Plusieurs ministres ont manifesté de l'enthousiasme pour ce projet. »

Werner réussit. Il est loyal. Il est devenu ce que tout le monde approuve. Pourtant, chaque fois qu'il se réveille et boutonne sa vareuse, il a l'impression de commettre une trahison.

Une nuit, Volkheimer et lui rentrent en pataugeant dans la neige fondue, et Volkheimer porte le transmetteur, les deux émetteurs-récepteurs, l'antenne télescopique repliée sous son bras. Werner se laisse mener, content d'être dans son ombre. Les arbres dégouttent ; leurs branches semblent tout près de fleurir. Printemps. Dans deux mois Volkheimer recevra ses instructions et ira à la guerre.

Ils s'arrêtent un moment, pour qu'il le laisse se reposer, et Werner se penche afin d'examiner l'un des appareils, tirer un petit tournevis de sa poche et fixer une lame de charnière qui a du jeu. Volkheimer le regarde avec une grande tendresse.

– Tu m'étonneras toujours…, lui dit-il.

Cette nuit-là, Werner se met au lit et contemple l'envers du matelas de Frederick. Une brise tiède souffle sur le bâtiment, quelque part un volet claque, de la neige fondue dégouline. Le plus doucement possible, il chuchote :

– Tu dors ?

Frederick se penche par-dessus le lit, et l'espace d'un instant, dans cette nuit presque complète, Werner croit qu'ils vont enfin se parler.

– Tu pourrais rentrer chez toi… à Berlin. Partir…

Frederick se tait.

– Ta mère ne serait pas mécontente. Au contraire. Fanni aussi. Juste pour un mois. Ou rien qu'une semaine. Dès que tu seras parti, les cadets se calmeront, et le temps que tu reviennes, ils s'en seront pris à quelqu'un d'autre. Ton père ne sera même pas forcé d'être au courant.

Mais Frederick réintègre son lit et Werner ne peut plus le voir. Sa voix semble descendre du plafond.

– Ça vaut peut-être mieux qu'on ne soit plus copains, Werner.

Il parle fort, dangereusement fort.

– Je sais que c'est une responsabilité de se promener avec moi, de manger avec moi, de toujours plier mes vêtements et cirer mes bottes, et de devoir tout m'expliquer. Tu dois penser à tes études.

Werner ferme très fort les yeux. Un souvenir de sa chambre dans le grenier le submerge : trottinement des souris dans les plinthes, grésil frappant la lucarne. Le plafond si pentu qu'il ne pouvait se tenir debout que près de la porte. Et cette sensation que, quelque part, juste hors de sa vue, alignés comme des spectateurs dans une tribune, ses parents et le Français de la radio l'observaient à travers cette fenêtre branlante pour voir de quoi il était capable.

Il voit le visage penaud de Jutta, penchée sur les débris de leur radio cassée. Il a la sensation qu'une chose énorme et vaine est sur le point de tous les dévorer.

– Ce n'est pas ce que je voulais dire, murmure-t-il contre sa couverture.

Mais Frederick ne dit rien de plus, et les deux garçons restent immobiles pendant longtemps, regardant les rayons bleus du clair de lune tourner à travers la pièce.

Le Club des vieilles dames résistantes

Mme Rudelle, la boulangère – une femme à la jolie voix qui sent surtout la levure mais parfois aussi la poudre de riz ou la pomme –, attache un escabeau au toit de la voiture de son époux et roule sur la route de Carentan au crépuscule avec Mme Guiboux, changeant les panneaux indicateurs avec un jeu de clés à rochet. Elles reviennent ivres et hilares dans la cuisine du 4 rue Vauborel.

– Dinan est désormais à vingt kilomètres au nord, déclare Mme Rudelle.

– En pleine mer !

Trois jours plus tard, Mme Fontineau apprend que le lieutenant qui commande la garnison du château est allergique aux verges d'or. Mme Carré, la fleuriste, en fourre des poignées dans une composition florale destinée au château.

Elles détournent une cargaison de rayonne. Elles impriment incorrectement un horaire des trains. Mme Hébrard, la receveuse des Postes, glisse une lettre de Berlin qui semble importante dans ses dessous, la rapporte chez elle, et s'en sert pour allumer son feu.

Elles débarquent dans la cuisine en proclamant avec jubilation qu'on a entendu le commandant de la garnison éternuer, ou que la crotte de chien déposée sur le paillasson d'un bordel a bien atteint une semelle allemande. Mme Manec sert du porto ou du cidre, ou du muscat. Quelqu'un reste à la porte pour faire office de sentinelle. Petite et bossue, Mme Fontineau se glorifie d'avoir bloqué le standard du château pendant une heure ; Mme Guiboux dit qu'elle a aidé ses petits-fils à peindre un chien errant aux couleurs du drapeau français avant de le lâcher sur la place Chateaubriand.

Les femmes jacassent, aux anges.

– Et moi, qu'est-ce que je peux faire ? demande celle, très âgée, qui est veuve, Mme Blanchard. Je veux participer !

Mme Manec demande à tout le monde de lui donner des billets.

– Vous les récupérerez, ne vous en faites pas... Et maintenant, madame Blanchard, vous qui avez une si belle écriture, prenez ce porte-plume : sur chaque billet de cinq francs, vous allez écrire *France Libre*. C'est interdit de détruire la monnaie, pas vrai ? Bientôt, notre petit message circulera à travers toute la Bretagne.

Ces dames applaudissent. Mme Blanchard presse la main de Mme Manec, respire bruyamment, et en cligne ses yeux vitreux de plaisir.

Parfois, Étienne descend en ronchonnant, débraillé, et le silence se fait tandis que Mme Manec lui prépare son thé sur un plateau qu'il rapporte à l'étage. Puis elles recommencent, complotant, volubiles. La vieille dame passe distraitement la main dans les cheveux de Marie-Laure.

– Soixante-seize ans, dit-elle. Et je peux encore ressentir cela ? Comme une gamine surexcitée ?

Diagnostic

Le médecin militaire prend la température de von Rumpel, sa tension, examine sa gorge avec une lampe-stylo. Ce matin-là, von Rumpel a expertisé une banquette du XVᵉ siècle et supervisé son chargement dans un wagon destiné au pavillon de chasse du maréchal Göring. Pour décrire le pillage de la ville où on a pris ce meuble, le soldat de deuxième classe a employé le mot « emplettes ».

La banquette lui fait penser à une tabatière hollandaise du XVIIIᵉ siècle en laiton et cuivre, sertie de brillants, qu'il a examinée cette semaine, et cette tabatière ramène ses pensées, aussi inexorablement que la gravité universelle, vers l'Océan de Flammes. Dans ses moments de faiblesse, il se voit marchant dans un futur indéterminé entre les arcades rythmées de piliers du Führermuseum à Linz. Ses talons claquent sur le marbre, le crépuscule se déverse à travers de hautes baies. Il voit un millier de vitrines cristallines, si transparentes qu'elles semblent flotter au-dessus du sol. À l'intérieur attendent les trésors minéraux du monde, recueillis dans toutes les régions du globe : dioptase, topaze, améthyste, rubellite de Californie.

Quelle était la phrase, déjà ? *Là où les archanges déchus jetèrent les étoiles de leur front.*

Et au beau milieu de la salle d'exposition, le faisceau d'un spot fixé au plafond éclaire un piédestal ; là, sous un cube de verre, brille un diamant bleu...

Le médecin lui demande de baisser son pantalon. Même s'il n'a jamais chômé depuis le début de la guerre, von Rumpel a de la chance depuis quelques mois. Ses responsabilités ont doublé ; le Reich ne compte pas tant d'Aryens experts en diamants. Il y a trois semaines seulement, à l'extérieur d'une petite gare éclaboussée de soleil, à l'ouest de Bratislava, il a examiné une enveloppe pleine de pierres très pures et bien taillées. Derrière lui, grondait un camion plein de tableaux emballés dans du papier et mis dans des caisses garnies de paille. Les gardes chuchotaient qu'il y avait là un Rembrandt, et des panneaux du fameux retable de Cracovie. Tout cela devait être déménagé dans une mine de sel, sous le village autrichien d'Altaussee, où un tunnel de deux kilomètres de long s'ouvre sur une caverne d'Aladin avec des rayonnages démesurés. C'est là que le haut commandement stocke les plus belles œuvres d'art d'Europe. Tout cela sera rassemblé sous un toit inattaquable, un temple consacré au génie artistique humain. Cela fera l'émerveillement des visiteurs pendant un millier d'années.

Le médecin lui palpe l'aine.

– Douloureux ?

– Non.

– Et là ?

– Non.

Obtenir des noms du lapidaire parisien eût été trop beau. Clavier, finalement, ne pouvait pas connaître l'identité de ceux à qui avaient été confiées les imitations : il ignorait tout des précautions de dernière minute prises par le musée. Mais ce type lui a quand même servi : von Rumpel avait besoin d'un chiffre, et il l'a obtenu.

Trois.

– Vous pouvez vous rhabiller, lui dit le médecin, qui se lave les mains dans un lavabo.

Au cours des deux mois précédant l'invasion de la France, Clavier a réalisé trois répliques pour le musée. A-t-il utilisé le diamant authentique ? Non, un moulage. Le vrai, il ne l'a jamais vu. Von Rumpel l'a cru.

Trois répliques. Plus le diamant véritable. Quelque part sur cette planète, parmi ses sextillions de grains de sable.

Quatre diamants, dont l'un dans le sous-sol du musée, enfermé dans un coffre. Il en reste trois à trouver. Il y a des moments où von Rumpel sent l'impatience monter en lui comme du fiel, mais il se force à la refouler. Ça viendra.

Il reboucle son ceinturon. Le médecin dit :

– Une biopsie est nécessaire. Je vous conseille de téléphoner à votre épouse.

Le maillon faible (n° 3)

La cruauté est à son comble. Bastian a peut-être exécuté une vengeance finale. Ou bien Frederick cherchait la seule issue possible. Tout ce que Werner sait avec certitude, c'est qu'un matin d'avril il constate à son réveil qu'il y a huit centimètres de neige fondue dehors et que Frederick n'est pas dans son lit.

Il n'apparaît pas au réfectoire ni en poésie, n'est pas à l'entraînement. Chaque explication que Werner entend comporte sa part de lacunes et de contradictions, comme si la vérité était une machine dont les rouages ne s'engrenaient pas. D'abord, c'est une bande de garçons qui l'auraient emmené dehors, plantant des torches dans la neige et le forçant à tirer dessus avec son fusil – pour vérifier sa vue. Puis, il entend dire qu'on lui a apporté les tableaux ophtalmiques et que, comme il ne pouvait pas les lire, on les lui a fait bouffer.

Mais qu'importe la vérité, ici ? Werner imagine une vingtaine de garçons fondant sur lui comme des loups, il voit la grosse figure luisante du commandant, avec son double-menton débordant de son col, trônant sur quelque piédestal, tandis que du sang s'étale lentement sur le sol, monte au niveau de ses chevilles, ses genoux...

Werner saute le déjeuner et se rend à l'infirmerie dans un état second. Il risque la détention ou pire. C'est une belle journée ensoleillée, mais son cœur est lentement broyé par un étau, tout est lent et hypnotisant, et il regarde sa main ouvrir la porte comme du fond d'une pièce d'eau.

Un lit étroit ensanglanté. Du sang sur l'oreiller, les draps, et jusque sur le métal émaillé du cadre de lit. Des chiffons roses dans une cuvette. Des bandages défaits par terre. L'infirmière, affairée, grimace. Hors des cuisines, c'est la seule femme sur place.

— Pourquoi tout ce sang ? demande-t-il.

Elle pose une main sur ses lèvres, hésitant peut-être entre lui répondre et faire celle qui ne sait pas. Accusation, résignation ou complicité.

— Où est-il ?

— À Leipzig. Au bloc opératoire.

Elle tripote un bouton de sa blouse d'un doigt qui tente de ne pas trembler. Pour le reste, son attitude est parfaitement policée.

— Que s'est-il passé ?

— Tu ne devrais pas être à la cantine ?

Chaque fois qu'il cille, il voit les hommes de son enfance, des mineurs au chômage, traîner dans des ruelles, des hommes aux doigts crochus et aux yeux caves. Il voit Bastian dressé devant une rivière sous la brume, la neige tombant tout autour de lui. Le Führer, le peuple, la patrie. Endurcissez votre corps, endurcissez votre âme.

— Il revient quand ?

— Oh, dit-elle, et elle secoue la tête.

Une boîte à savon bleue sur la table. Au-dessus, le portrait d'un officier dans un cadre décati. Un ancien élève envoyé au casse-pipe.

— Cadet… ?

Werner doit s'asseoir sur le lit. Le visage de l'infirmière semble un masque qui serait par-dessus un masque qui serait par-dessus un masque. Et Jutta, que fait-elle en ce moment ? Est-elle en train de moucher un bébé braillard, de collecter des journaux, d'écouter des infirmières de l'armée faire des exposés, ou de repriser des chaussettes ? De prier pour lui ? De croire en lui ?

Je ne pourrai jamais lui parler de cela, se dit-il.

Très chère Marie-Laure,

Mes compagnons de cellule sont gentils pour la plupart. Certains racontent des blagues. Par exemple : tu as entendu parler du programme d'exercice de la Wehrmacht ? Tous les matins, tu lèves les mains en l'air et tu restes comme ça !

Ha-ha ! Mon ange m'a promis de faire passer cette lettre à ses risques et périls. C'est très agréable d'être en dehors de la « Gasthaus » pour quelque temps. On est en train de construire une route et ça fait du bien de travailler. Mon corps devient plus fort. Aujourd'hui, j'ai vu un chêne déguisé en châtaignier. Ça s'appelle un chêne châtaignier. J'aimerais bien interroger là-dessus l'un des botanistes du Jardin des plantes à mon retour.

J'espère que vous allez continuer à m'envoyer des colis. On a le droit d'en recevoir un chacun, donc il finira bien par arriver quelque chose. On ne me laisserait sûrement pas garder mes outils, mais quel bonheur si c'était le cas. Si tu savais comme c'est joli par ici, ma chérie, et combien nous sommes à l'abri de tout danger.

Papa

Grotte

C'est l'été et Marie-Laure est assise dans le renfoncement derrière la bibliothèque, avec Mme Manec et ce fou d'Hubert Bazin. À travers son masque, tout en avalant sa soupe, Hubert dit :

– J'ai quelque chose à vous montrer...

Il les emmène dans ce qui semble être la rue du Boyer, mais pourrait être la rue Vincent-de-Gournay ou la rue des Hautes Salles. Ils arrivent au pied des remparts et tournent à droite, suivant un chemin que Marie-Laure n'avait jamais emprunté. Ils descendent deux marches, passent sous un rideau de lierre, et Mme Manec dit : « Mais enfin, Hubert, où allons-nous ? » La ruelle devient de plus en plus étroite, au point qu'il faut avancer en file indienne, entre les murailles resserrées, puis ils s'arrêtent. Marie-Laure sent ses épaules frôler ces blocs de pierre dressés à la verticale ; ils semblent s'élever à l'infini. Son père a-t-il reproduit cette sente dans sa maquette ? – ses doigts en tout cas ne l'ont pas encore découverte.

Hubert fourrage dans son pantalon crasseux, respirant fort sous son masque. Là où devrait être le mur, à sa gauche, Marie-Laure entend un verrou céder. Un portillon grince. « Attention la tête ! » dit-il, avant de l'aider à passer. Ils descendent dans un espace exigu, suintant l'humidité, qui sent la marée.

– On est sous les remparts. Il y a vingt mètres de granit au-dessus de nos têtes.

– C'est lugubre, ici, s'exclame Mme Manec, mais Marie-Laure s'aventure un peu plus loin.

Ses semelles glissent, le sol s'abaisse, et ses chaussures prennent l'eau.

– Tiens, sens ça…, dit Hubert Bazin, qui s'accroupit et lui fait toucher un mur arrondi tapissé de bigorneaux.

Il y en a des centaines. Des milliers.

– Ils sont si nombreux ! dit-elle.

– Je ne sais pas pourquoi. Peut-être parce qu'ils sont à l'abri des mouettes. Et là, tâte cela… Je vais le retourner.

Des centaines de minuscules pieds hydrauliques qui gigotent sous une surface épineuse, striée : une étoile de mer.

– Ici des moules, là un crabe de roche. Tu sens sa pince ? Ne te cogne pas…

Le ressac se brise tout près ; l'eau déferle sur ses souliers. Marie-Laure s'avance. Le sol est sablonneux, l'eau lui arrive à peine aux chevilles. Pour autant qu'elle sache, c'est une grotte basse de plafond, d'environ quatre mètres de long sur deux de large, en forme de miche de pain. Tout au fond, une épaisse grille à travers laquelle s'engouffre un vent marin clair et caressant. Ses doigts dénichent des balanes, des algues, encore un millier de bigorneaux.

– Où est-on ?

– Tu te rappelles mon histoire sur les chiens du guet ? Autrefois, des « chiennetiers » les enfermaient dans la journée ici – des dogues aussi gros que des chevaux. La nuit, après que la cloche de la cathédrale avait sonné le couvre-feu, ils étaient lâchés sur la grève afin de dévorer tout intrus qui tenterait de s'introduire dans la ville. Quelque part en dessous il y a une pierre où est gravée la date de 1165.

– Mais… l'eau… ?

– Même aux grandes marées, elle ne monte jamais plus haut que la taille. En ce temps-là, l'amplitude était peut-être moins importante. C'est là qu'on jouait, quand on était petits. Ton grand-père et moi. Parfois ton grand-oncle aussi.

Des vaguelettes recouvrent ses pieds. Partout des moules claquent et soupirent. Elle songe aux vieux marins qui vivaient dans cette ville, aux contrebandiers et aux corsaires, voguant sur les sombres océans, manœuvrant leurs navires entre dix mille récifs.

– Hubert, il est temps de s'en aller, lance Mme Manec. Sa voix résonne.

– Ce n'est pas un endroit pour une jeune fille.

– C'est bon, madame Manec..., répond-elle.

Bernard-l'hermite. Anémones projetant un petit jet d'eau quand elle les touche. Galaxie de bigorneaux. Une vie intrinsèque à chacun.

Enfin, Mme Manec réussit à les faire sortir de l'ancien chenil, ce fou d'Hubert aide Marie-Laure à franchir le seuil dans l'autre sens et ferme derrière elle. Avant d'atteindre la place Broussais, Mme Manec marchant devant, il tape sur l'épaule de la jeune fille. Son souffle lui entre dans l'oreille, son haleine a l'odeur d'insectes écrasés.

– D'après toi, tu pourrais retrouver cet endroit ?

– Je crois que oui.

Il lui met une chose en fer forgé dans la main.

– Tu sais ce que c'est ?

Le poing de Marie-Laure se referme.

– Une clé.

Intoxiqué

Tous les jours on annonce une nouvelle victoire, une nouvelle avancée. La Russie se dégonfle comme le soufflet d'un accordéon. En octobre, l'ensemble des étudiants se presse autour de la grosse TSF pour entendre le Führer décréter l'Opération Typhon.

Werner a quinze ans. Un autre pensionnaire dort dans le lit de Frederick. Parfois, la nuit, Werner croit voir son ami : son visage lui apparaît au bord de la couchette, ou bien il braque ses jumelles vers la vitre. Frederick qui n'est pas mort, mais ne s'est pas rétabli. Fracture de la mâchoire, du crâne, traumatisme cérébral. Personne n'a été puni, personne n'a été interrogé. Une automobile bleue vient à l'école, la mère de Frederick en sort, elle entre dans la résidence du directeur et réapparaît peu après, courbée sous le poids du sac de sport de son fils, l'air minuscule. Elle remonte dans la voiture qui s'éloigne.

Volkheimer est parti. On raconte qu'il est devenu un redoutable sergent dans la Wehrmacht. Qu'il a conduit un peloton de soldats jusque dans la dernière petite ville sur la route de Moscou. Qu'il a tranché les doigts de Russes morts pour en bourrer sa pipe.

La toute nouvelle fournée de cadets en fait trop dans son besoin de faire ses preuves. Ils sprintent, hurlent, se jettent par-dessus des obstacles. Sur le terrain d'exercice ils disputent une sorte de match où dix garçons à brassards rouges en affrontent dix autres à brassards noirs. Le match est terminé quand l'une des équipes s'est appropriée les vingt.

C'est comme s'ils étaient tous intoxiqués. Comme si, à chaque repas, ils remplissaient leur quart en étain non avec la froide eau minérale de Schulpforte mais avec un alcool qui les laisse ivres et hébétés, comme s'ils ne pouvaient repousser une immense et inévitable vague d'angoisse qu'en se grisant perpétuellement de discipline, d'exercices et de bottes étincelantes. Les yeux de la plupart des garçons entêtés brillent de détermination : on leur a appris à débusquer la moindre faiblesse. Ils examinent Werner d'un air soupçonneux quand il revient du laboratoire. On n'a pas confiance en lui parce qu'il est orphelin, solitaire, et que son accent trahit un soupçon du français qu'il a appris, enfant.

Nous sommes une salve de balles, chantent les nouveaux, *nous sommes des boulets de canon. Nous sommes la pointe de l'épée.*

Werner a le mal du pays. Il pense avec nostalgie au son de la pluie sur le toit en zinc, au-dessus de la lucarne, à la sauvage énergie des orphelins, à la voix enrouée de Frau Elena, chantant pour bercer un nouveau-né. À l'odeur de la cokerie à l'aube, l'incontournable première odeur de la journée. Surtout, Jutta lui manque : sa loyauté, son obstination, sa façon de toujours savoir ce qui est juste.

Quoique dans ses moments de faiblesse, ces mêmes qualités chez sa sœur l'indignent. Serait-ce elle, l'impureté qui est en lui, le bruit parasite que les brutes détectent ? Serait-ce elle, la seule chose qui l'empêche de capituler complètement ? Quand on a une sœur au pays, on est censé penser à elle comme à la mignonne fillette des affiches de propagande : les joues roses, courageuse, déterminée. C'est pour elle qu'on se bat. Qu'on meurt. Mais... Jutta ? Jutta envoie des lettres que le censeur de l'école caviarde presque entièrement. Elle pose

313

des questions qu'on ne doit pas poser. Seule la collaboration de Werner avec le Dr Hauptmann – son statut privilégié de « chouchou » – le met à l'abri. Une compagnie berlinoise s'est lancée dans la fabrication de l'émetteur-récepteur, et déjà certains appareils rentrent de ce que Hauptmann appelle « le terrain », éventrés par les bombes, brûlés, enrobés de boue ou défectueux, et Werner doit les réparer tandis que Hauptmann parle au téléphone ou fait des demandes écrites pour des pièces de rechange, quand il ne s'absente pas de l'école pendant une quinzaine de jours.

Des semaines se passent sans une lettre à Jutta. Werner écrit quatre lignes, une suite de platitudes – *Je vais bien* ; *je suis très occupé* –, et tend cela à son chef de dortoir. La terreur le submerge.

– Vous avez un cerveau..., gronde Bastian un soir, dans le réfectoire.

Chaque garçon se penche imperceptiblement un peu plus sur son assiette tandis que le doigt du commandant traîne sur leurs uniformes.

– ... mais on ne peut pas se fier au cerveau. Le cerveau dérive toujours vers l'ambiguïté, les questions, alors que tout ce qu'il vous faut, ce sont des certitudes. Un but. De la clarté. Ne vous fiez jamais à votre cerveau.

Werner s'installe au labo tard la nuit, de nouveau seul, et il se promène sur les fréquences du poste Grundig que Volkheimer empruntait dans le bureau de Hauptmann, recherchant de la musique, des échos – de quoi ? Il n'en sait trop rien. Il voit des circuits se rompre et se reformer. Il voit Frederick plongé dans son livre sur les oiseaux. Il voit l'activité furieuse des mines dans le Zollverein, la navette des wagonnets à charbon, le fracas des verrous, les convoyeurs poussifs, les cheminées qui noircissent le ciel jour et nuit. Il voit Jutta cingler le vide avec une torche, alors que les ténèbres gagnent de tous côtés. Le vent enveloppe les murs du labo, un vent – comme le commandant se plaît à leur rappeler – qui vient de Russie, un vent cosaque, le vent de barbares que rien n'arrêtera, qui ne reculeront devant rien pour boire le sang des jeunes Allemandes. Des brutes épaisses qu'il faut effacer de la surface de la terre.

Parasites, parasites.

Es-tu là ?

Enfin, il éteint la radio. Dans le silence viennent les voix de ses maîtres, résonnant dans un coin de sa tête, et il se souvient.

Ouvrez les yeux et voyez ce que vous pouvez avant qu'ils se ferment à jamais.

Grain de sel et murex

La salle de restaurant du Surcouf est grande, sombre et pleine de gens qui parlent U-Boote au large de Gibraltar, inégalités du taux de change, et moteurs diesel marins 4 temps. Mme Manec commande deux portions de soupe de poissons que Marie-Laure et elle engloutissent. Elle dit qu'elle ne sait pas quoi faire ensuite – attendre encore ? – et en commande deux autres.

Enfin, un homme aux vêtements froufroutants s'assoit.

– Vous êtes sûre que votre nom est « Walter » ?

– Vous êtes sûr que votre prénom est « René » ?

Silence.

– Et elle ?

– Ma complice. Elle sait si quelqu'un ment rien qu'au son de sa voix.

Il rit. Ils parlent du temps qu'il fait. L'air marin exsude de ses vêtements comme s'il avait été chahuté par un coup de vent. Tout en parlant, il fait des gestes gauches et heurte la table si bien que les cuillères tintent dans les bols. Enfin il dit :

– Nous admirons vos efforts, madame.

Le dénommé René se met à parler très bas. Marie-Laure ne saisit que des bribes : « Cherchez des initiales particulières sur leurs plaques minéralogiques. *WH*, pour l'armée,

WL pour l'aviation, *WM* pour la marine. Et vous pourriez noter – ou trouver quelqu'un pour cela – tous les navires qui entrent au port ou en ressortent. Ces renseignements sont précieux.

Mme Manec se tait. S'il y a autre chose – mimiques, messages écrits, signaux convenus – Marie-Laure ne saurait le dire. Un accord est trouvé, et bientôt elles sont de retour dans la cuisine du 4 rue Vauborel. Mme Manec fourrage dans la cave et remonte de quoi faire des conserves. Ce matin-là, elle déclare avoir réussi à se procurer ce qui pourrait bien être les deux derniers cageots de pêches en France. Elle fredonne tout en aidant Marie-Laure à les peler.

– Madame Manec ?

– Oui, Marie ?

– C'est quoi, un pseudonyme ?

– C'est un faux nom, un nom d'emprunt.

– Et moi, comment est-ce que je pourrais m'appeler ?

– Ma foi…, dit Mme Manec, tout en dénoyautant et coupant en quartiers une autre pêche. À toi de choisir. Sirène… Ou Pâquerette ? Violette ?

– Et Murex ? J'aime bien Murex.

– Murex. C'est un excellent pseudonyme.

– Et vous, madame Manec ? Qu'est-ce que vous voudriez être ?

– Moi ?

Le couteau de Mme Manec fait une pause. Des grillons chantent dans la cave.

– Je crois que j'aimerais Grain de Sel.

– Grain de Sel ?

– Oui.

Le parfum des pêches forme un brillant nuage vermeil.

– Grain de Sel, répète Marie-Laure.

Et elles éclatent de rire.

Cher Werner,

Pourquoi tu n'écris pas ? █████████████████████████
██████████████████████████ *Les fonderies marchent
nuit et jour, les cheminées fument en permanence et il fait
si froid qu'on brûle n'importe quoi pour se réchauffer. Sciure,
houille, lignite, chaux, ordures. Les veuves de guerre* █████████
█████████████████████████████████ *et
tous les jours il y en a davantage. Moi, je travaille à la blanchis-
serie avec les jumelles, Hannah et Susanne, et Claudia Förster,
tu te souviens d'elle ? On raccommode surtout des vareuses et
des pantalons. Je me débrouille mieux avec une aiguille. Enfin,
je ne me pique plus tout le temps. Au moment où je t'écris,
je viens de terminer mon travail à domicile. Tu connais ça ?
Il y a pénurie de tissu, alors on nous apporte des housses, des
rideaux, des vieux manteaux. Tout ce qui peut être utilisé doit
l'être, paraît-il. C'est comme pour nous. Ha-ha ! J'ai trouvé ça
sous ton vieux lit de camp. J'ai l'impression que ça pourrait
te servir.*

Baisers,
Jutta.

Dans l'enveloppe, son cahier d'écolier, avec son écriture sur la couverture : *Questions*. Page après page s'étalent ses dessins d'enfant, ses inventions : chaufferette électrique qu'il voulait fabriquer pour Frau Elena, vélo avec des chaînes entraînant les deux roues. Les aimants peuvent-ils attirer des liquides ? Pourquoi les bateaux flottent-ils ? Pourquoi ai-je le tournis quand je tourne sur moi-même ?

À la fin, une douzaine de pages vierges. Assez enfantin, sans doute, pour avoir échappé à la censure.

Tout autour de lui, bruit de bottes, claquement d'armes. Provisions par terre, tonneaux contre le mur. Décrocher son quart, attraper son assiette sur le présentoir. Faire la queue pour la langue de bœuf. Une vague de tristesse s'abat sur lui, si accablante qu'il doit fermer les yeux.

Vivre avant de mourir

Mme Manec va dans l'antre d'Étienne au quatrième étage. Depuis l'escalier, Marie-Laure écoute.

– Vous pourriez nous aider, dit la vieille dame.

Quelqu'un – sans doute elle – ouvre une fenêtre et l'air vif de la mer se répand jusque sur le palier, remuant toutes choses : les rideaux d'Étienne, ses papiers, la poussière, la nostalgie de Marie-Laure pour son père.

– Voyons, madame Manec, refermez cette fenêtre ! lui ordonne-t-il. On arrête les contrevenants...

La fenêtre reste ouverte. Marie-Laure descend une autre marche.

– Les « contrevenants » ? À Rennes, une femme a écopé de neuf mois de prison pour avoir surnommé l'un de ses cochons Goebbels. Vous saviez ça ? À Cancale, une diseuse de bonne aventure a été fusillée pour avoir prédit que de Gaulle reviendrait au printemps. Fusillée !

– Rumeurs...

– Mme Hébrard dit qu'à Dinan, un homme – un vieillard, Étienne – a été condamné à deux ans de prison pour avoir porté la Croix de Lorraine sous son col. Il paraît qu'ils vont transformer toute la ville en un gros dépôt de munitions.

Étienne glousse.

– Bobards dignes de l'école primaire...

– Chaque rumeur a sa part de vérité, Étienne.

Pendant toute la vie d'adulte de ce dernier, réalise Marie-Laure, Mme Manec a soigné ses phobies. Les esquivant, les atténuant. Elle descend encore une marche en catimini.

– Vous savez beaucoup de choses, Étienne. Dans le domaine des cartes, des marées, des radios...

– C'est déjà trop dangereux, toutes ces femmes chez moi. Les gens ont des yeux pour voir, madame Manec.

– Qui ?

– Le parfumeur, pour commencer.

– Claude ?

Elle a un rire méprisant.

– Le petit Claude est trop occupé à se renifler lui-même.

– Claude n'est plus si petit. Même quelqu'un comme moi ne peut que constater qu'il a un traitement de faveur : rations supplémentaires de viande, d'électricité, de beurre. Je sais comment s'obtiennent ces extras.

– Dans ce cas, aidez-nous.

– Je ne veux pas causer de problèmes.

– Ne rien faire, ce n'est pas causer des problèmes ?

– Ne rien faire, c'est ne rien faire.

– Ne rien faire équivaut à collaborer.

Le vent souffle en rafales. Dans l'esprit de Marie-Laure, il tourne et miroite, aspire aiguilles et épines dans les airs. Argent, vert, argent.

– Je connais des moyens...

– Lesquels ? En qui avez-vous placé votre confiance ?

– Parfois, il faut savoir faire confiance.

– On ne peut faire confiance qu'à un membre de sa propre famille. Et encore ! Ce n'est pas une personne que vous voulez combattre, madame Manec. C'est un système. Comment lutter contre un système ?

– Il faut essayer.

– Que voulez-vous que je fasse ?

– Dénichez ce vieux machin au grenier. Vous vous y connaissiez mieux en radio que n'importe qui à Saint-Malo. Dans toute la Bretagne, peut-être.

– Ils ont confisqué tous les récepteurs.

– Pas tous. Les gens ont planqué des choses un peu partout. Il faudrait seulement lire des numéros, si j'ai bien compris, des nombres inscrits sur des bandelettes de papier. Quelqu'un – je ne sais pas qui, peut-être Hubert Bazin – les apportera à Mme Rudelle, qui les collectera et fera cuire les messages à l'intérieur de ses miches de pain... Oui, à l'intérieur !

Elle rit. Ce rire la rajeunit de vingt ans.

– Hubert Bazin ? Vous faites confiance à Hubert Bazin ? Vous incorporez des codes secrets dans du pain ?

– Quel gros Teuton en mangerait ? Ils se réservent toute la bonne farine. On rapporte le pain, vous transmettez les numéros, et on brûle le bout de papier.

– C'est ridicule. Vous vous comportez comme des enfants.

– C'est mieux que de rester les bras croisés. Pensez à votre neveu. À Marie-Laure.

Les rideaux claquent, des papiers frémissent, et les deux adultes s'affrontent. Marie-Laure est si proche du seuil qu'elle pourrait toucher le chambranle de la porte.

– Vous ne voulez pas vous sentir vivre avant de mourir ?

– Marie a presque quatorze ans. Ce n'est pas si jeune, surtout en temps de guerre. Les enfants de quatorze ans meurent tout comme les autres. Mais pour moi, elle est bien trop jeune pour mourir. Pour moi...

Marie-Laure remonte furtivement l'escalier. L'ont-ils vue ? Elle songe au chenil médiéval que Hubert Bazin lui a fait découvrir – cette multitude de bigorneaux. Elle songe à toutes les fois où son père l'a juchée sur son vélo : elle était sur la selle, lui dressé sur les pédales, et ils se glissaient au sein du tumulte d'un boulevard parisien. Elle se cramponnait à ses hanches, pliait les genoux – et ils volaient entre les voitures, dévalaient les pentes, fonçaient à travers des bruits, des odeurs, des couleurs.

— Je retourne à mes bouquins, dit Étienne. Et vous, madame Manec, vous n'avez pas un dîner à préparer ?

Pas d'issue

En janvier 42, Werner va voir le Dr Hauptmann dans son bureau rougeoyant, éclairé par la cheminée, bien mieux chauffé que le reste du bâtiment, et demande à rentrer chez lui. Le petit professeur est installé à son grand bureau, devant une assiette qui contient un volatile rôti à l'air anémique. Caille, palombe ou gélinotte. À sa droite, des rouleaux de schémas. Ses lévriers sont vautrés sur le tapis, devant les flammes.

Werner se tient là, sa casquette entre les mains. Hauptmann ferme les yeux. Werner dit :

– Je travaillerai pour me payer le billet...

Le réseau de veines bleues sur le front du professeur palpite. Il rouvre les yeux.

– Toi ?

Les chiens redressent la tête en même temps, telle une hydre à trois têtes.

– Toi le privilégié ? Toi qui viens ici écouter des concerts, grignoter du chocolat et te chauffer au coin du feu ?

Un lambeau de viande est collé à sa joue. Pour la première fois, peut-être, Werner voit dans les cheveux blonds et clairsemés de son professeur, ses petites oreilles, presque féminines, quelque chose d'impitoyable et d'inhumain, quelque chose qui n'a qu'un seul et unique but : survivre.

– Tu te prends pour qui ? Quelqu'un d'important ?

Werner serre sa casquette derrière son dos pour s'empê-cher de trembler.

– Non, monsieur le professeur...

Hauptmann replie sa serviette.

– Tu n'es qu'un orphelin, Pfennig, sans aucun appui. Je peux faire de toi ce que je veux. Un emmerdeur, un crimi-nel, un adulte. Je peux t'envoyer au front, veiller à ce que tu croupisses dans une tranchée, dans la glace, jusqu'à ce que les Russes viennent te couper les mains et te les faire bouffer.

– Oui, monsieur.

– Tu recevras tes instructions quand l'école le jugera utile. Pas avant. Nous sommes au service du Reich, Pfennig, pas l'inverse.

– Oui, monsieur.

– Tu viendras au labo ce soir. Comme d'habitude.

– Oui, monsieur.

– Mais plus de chocolat. Plus de faveurs.

Dans le couloir, une fois la porte refermée, Werner appuie son front contre le mur, et une vision des derniers moments de son père lui revient, le poids écrasant des tunnels, le pla-fond s'abaissant, sa mâchoire clouée au sol. L'éclatement du crâne. Je ne peux pas rentrer chez moi, se dit-il. Et je ne peux pas rester.

La disparition d'Hubert Bazin

Marie-Laure suit l'odeur de la soupe de Mme Manec jusqu'à la place aux Herbes, puis tient la soupière chaude devant le porche, à l'arrière de la bibliothèque municipale, tandis que Mme Manec frappe à la porte.

– Où est M. Bazin ? dit-elle.

– Il a dû déménager, répond la bibliothécaire, qui semble elle-même peu convaincue.

– Où aurait-il pu aller ?

– Je n'en sais rien. Permettez, il fait froid…

La porte se referme. Mme Manec peste. Marie-Laure songe aux récits d'Hubert Bazin : monstres lugubres nés de l'écume, sirènes, attaques des Anglais et leur « machine infernale ».

– Il reviendra, dit Mme Manec, autant pour elle-même que pour Marie-Laure.

Mais le lendemain, Hubert Bazin n'est pas de retour. Ni le surlendemain.

Seule la moitié du groupe assiste à la réunion suivante.

– Croient-ils qu'il nous aidait ? demande Mme Hébrard à mi-voix.

– Il nous aidait ?

– Je croyais qu'il portait des messages.

– Quelle sorte de messages ?

– Ça devient trop dangereux.

Mme Manec tourne en rond ; Marie-Laure ressent presque la chaleur de son mécontentement à travers la pièce.

– Eh bien, allez-vous-en !

Elle fulmine.

– Vous toutes !

– Ne soyez pas si imprudente ! dit Mme Rudelle. Nous allons faire une pause, d'une semaine ou deux. Le temps que ça se tasse.

Hubert Bazin et son masque de cuivre, sa gloutonnerie enfantine, son haleine qui sentait les insectes écrasés. Où, se demande Marie-Laure, emmènent-ils les gens ? À la « *Gasthaus* » où se trouve son père ? Là où ils écrivent des lettres pour leur famille, évoquant des repas de roi et des arbres merveilleux ? La boulangère prétend qu'on les envoie dans des camps, à la montagne. L'épicière, que c'est dans des usines de nylon, en territoire russe. Ce serait tout aussi logique qu'ils disparaissent purement et simplement. Les soldats jettent un sac sur leur victime, l'électrocutent, et voilà : expédiée dans l'au-delà.

Saint-Malo se met à imiter la maquette de son père. Les rues se vident l'une après l'autre. Chaque fois qu'elle met le nez dehors, elle prend conscience de toutes ces fenêtres au-dessus de sa tête. Ce calme est navrant, anormal. C'est ce que doit ressentir un mulot quand il sort du terrier pour s'aventurer dans la prairie, sans savoir si une ombre n'est pas là, en train de planer au-dessus de lui.

Tout est empoisonné

De nouveaux étendards sont suspendus au-dessus des tables du réfectoire, avec leurs slogans enflammés.

La honte n'est pas de tomber, mais de rester à terre.

Sois mince et élancé, vif comme le lévrier, coriace comme le cuir, dur comme l'acier Krupp.

Toutes les semaines, un instructeur disparaît, avalé par la machine de guerre. D'autres – des hommes âgés originaires du coin, à la sobriété et aux dispositions douteuses – font leur apparition. Tous sont abîmés d'une façon ou d'une autre : ils boitent, sont aveugles d'un œil, ont le visage déformé par une attaque d'apoplexie ou une blessure datant de la Grande Guerre. Les cadets se montrent moins respectueux à l'égard de ces nouveaux venus, qui sont eux-mêmes moins patients, et bientôt l'école donne l'impression d'une grenade dégoupillée.

Des phénomènes étranges se produisent au niveau électrique. Le courant est coupé pendant quinze minutes, puis afflue. Les pendules prennent de l'avance, les ampoules s'allument, flamboient, puis éclatent, projetant une douce pluie qui tombe dans les couloirs. Des journées d'obscurité s'ensuivent, les interrupteurs sont morts, le réseau aussi. Les chambres et les douches deviennent glaciales ; pour l'éclairage, le gardien recourt aux torches et aux bougies. Tout le gasoil est réservé à la guerre, et peu de véhicules passent les grilles de l'école :

les provisions sont livrées par la même mule étique, dont les côtes saillent quand elle tire sa carriole.

Plus d'une fois Werner découvre dans sa saucisse des asticots roses qui se tortillent. Les uniformes des nouveaux cadets sont plus raides et de moindre qualité ; ils n'ont plus libre accès aux munitions pour les exercices de tir. Werner ne serait pas étonné si Bastian commençait à distribuer des pierres et des gourdins.

Pourtant, il n'y a que de bonnes nouvelles. *Nous sommes aux portes du Caucase*, proclame la radio de Hauptmann, *nous avons pris leurs champs de pétrole, nous allons prendre Svalbard. Nous progressons à une vitesse stupéfiante. Cinq mille sept cents Russes tués, quarante-cinq Allemands perdus.*

Tous les six ou sept jours, deux officiers blafards entrent au réfectoire et quatre cents visages blêmissent sous l'effort de ne pas se retourner pour les regarder. Seuls bougent leurs yeux, leurs pensées suivant mentalement le passage des deux hommes entre les tables qui vont voir celui dont le père a été tué.

Souvent, le cadet derrière lequel ils s'arrêtent fait semblant de n'avoir rien remarqué. Il glisse la fourchette dans sa bouche, mastique, et c'est alors que le plus grand des deux, un sergent, lui met la main sur l'épaule. Le garçon lève les yeux sur lui, la bouche pleine et l'air mal assuré, puis il les suit, et la double porte en chêne se referme en grinçant. Toute l'assistance expire lentement et se remet à vivre.

Le père de Reinhard Wöhlmann tombe. Le père de Karl Westerholzer tombe. Le père de Martin Burkhard tombe, et Martin affirme – la nuit même où il reçoit la petite tape sur l'épaule – qu'il est content : n'est-ce pas un honneur de tomber ? D'être un pavé sur la route de la victoire finale ? Werner guette une trace de malaise dans son regard, mais en vain.

Pour sa part, les doutes reviennent régulièrement. Pureté raciale, pureté politique – Bastian exprime son horreur de toute corruption, mais la vie n'est-elle pas corruption ? se demande-t-il au cœur de la nuit. Dès qu'un enfant est né, le monde se jette sur lui. Pour lui prendre des choses, lui en imposer d'autres. Chaque bouchée de nourriture, chaque particule de lumière qui entre dans son œil – le corps ne peut jamais être pur. Mais c'est là-dessus que le commandant insiste, voilà pourquoi le Reich mesure leur nez, note la blondeur de leurs cheveux.

L'entropie d'un système ne peut jamais diminuer.

La nuit, Werner lève les yeux sur la couchette de Frederick, les fines lames de bois, le misérable matelas taché. Un autre garçon a pris sa place, Dieter Ferdinand, un petit gars de Francfort tout en muscles qui obéit aux ordres avec une férocité terrifiante.

Quelqu'un tousse ; un autre geint. Un train pousse son sifflement solitaire quelque part, au-delà des lacs. Vers l'Est, c'est toujours vers l'Est que vont les trains, au-delà des contours des collines, ils vont vers le front et ses immenses territoires frontaliers. Même quand il dort, les trains sont en mouvement – catapultes de l'Histoire qui passent avec fracas.

Werner lace ses brodequins, chante avec les autres, défile avec les autres, motivé moins par le sens du devoir que par l'habitude de la discipline. Au réfectoire, Bastian passe entre les rangs.

– Qu'est-ce qui est pire que la mort, les garçons ?

Un malheureux cadet se dresse, au garde-à-vous.

– La lâcheté !

– La lâcheté, approuve Bastian, et l'autre se rassoit tandis que le commandant s'avance d'un pas lourd, dodelinant, content.

Dernièrement, il parle de plus en plus intimement du Führer et de ses dernières exigences – prières, pétrole, loyauté. Le Führer exige de la fiabilité, de l'électricité, des bottes en cuir. Mais Werner commence à voir, à l'approche de son seizième anniversaire, que ce qu'il réclame en réalité, ce sont des garçons. De longues colonnes de jeunes qui s'avancent vers le tapis roulant. Sacrifions au Führer notre part de crème, notre part de sommeil, tout l'aluminium du monde. Sacrifions le père de Reinhard Wöhlmann, celui de Karl Westerholzer, celui de Martin Burkhard.

En mars 42, le Dr Hauptmann convoque Werner dans son bureau. Des caisses à moitié pleines encombrent le sol. Les lévriers sont invisibles. Le petit homme tourne en rond et c'est seulement quand Werner signale sa présence qu'il s'arrête. Il a l'air d'être lentement englouti par une chose qui le dépasse.

– On m'appelle à Berlin. On veut que je poursuive mon travail là-bas...

Hauptmann soulève un sablier d'une étagère et le range dans une caisse ; ses doigts pâles aux extrémités grisâtres restent en l'air.

– C'est ce dont vous rêviez, professeur : le meilleur équipement, les meilleurs cerveaux.

– Ce sera tout, dit Hauptmann.

Werner ressort dans le couloir. Dehors, dans la cour poudrée de neige, trente élèves de première année courent sur place, leur haleine formant des panaches évanescents. L'abominable Bastian beugle quelque chose. Il lève un bras boudiné et les élèves pivotent sur leurs talons, brandissent leurs carabines au-dessus de leurs têtes, et courent encore plus vite sur place, montrant leurs genoux blancs au clair de lune.

Visite

Coup de sonnette au 4 rue Vauborel. Étienne, Mme Manec et Marie-Laure cessent de mastiquer en même temps, chacun pensant : l'heure est venue. L'émetteur au grenier, les dames dans la cuisine, les centaines de balades sur la plage.

Étienne dit :

– Vous attendez quelqu'un ?

– Personne, répond Mme Manec.

Les dames se seraient présentées à la porte de la cuisine. On sonne encore.

Tous trois se rendent dans le vestibule. Mme Manec ouvre.

Ce sont deux policiers français, – venus, déclarent-ils, à la demande du Muséum d'histoire naturelle à Paris. Les ébranlements provoqués par les talons de leurs bottes semblent assez forts pour faire éclater les vitres. Le premier croque dans quelque chose – une pomme, se dit Marie-Laure. L'autre sent l'après-rasage. Et la viande rôtie. Comme s'ils venaient de faire un bon gueuleton.

Tout le monde s'assoit dans la cuisine, autour de la table. Les hommes refusent l'assiette de pot-au-feu que leur propose Mme Manec. Le premier se racle la gorge.

– À tort ou à raison, déclare-t-il, il a été condamné pour vol et conspiration.

– Tous les prisonniers, politiques ou pas, sont astreints au travail forcé, même si ça ne figure pas dans la sentence.

– Le musée a écrit aux directeurs de prison de toute l'Allemagne.

– On ne sait pas encore dans quel camp il se trouve.

– Peut-être Breitenau.

– Il n'y a pas eu de véritable procès.

La voix d'Étienne s'élève, tout près de Marie-Laure :

– C'est un bon camp ? Enfin, l'un des meilleurs ?

– Il n'y a pas de bon camp, hélas.

Un véhicule passe dans la rue. La mer se replie sur la plage du Môle, à cinquante mètres de là. Elle pense : « Ce sont des mots, et qu'est-ce que des mots, sinon des sons que ces gens-là façonnent dans le vide, des vapeurs qui s'élèvent dans l'atmosphère pour s'y dissiper ? »

– Vous avez fait tout ce chemin pour nous dire ce qu'on sait déjà ? dit-elle.

Mme Manec lui prend la main.

– Nous ne connaissions pas l'existence de ce camp de Breitenau, murmure Étienne.

Le premier policier dit :

– Vous avez signalé au musée qu'il avait réussi à faire passer deux lettres ?

– On peut les voir ? dit le second.

Étienne va les chercher, content de croire qu'on s'occupe de l'affaire. Marie-Laure devrait se réjouir aussi, mais quelque chose la rend méfiante. Elle se rappelle une parole de son père, à Paris, au début de l'exode, alors qu'ils attendaient le train. *Maintenant, c'est chacun pour soi.*

Le premier policier détache un fragment de pomme avec ses dents. La regardent-ils ? D'être si proche d'eux, elle se sent défaillir. Étienne revient avec les deux lettres, et elle entend les hommes s'échanger les feuillets.

– A-t-il parlé de quelque chose avant son départ ?

333

– Une activité, une course particulière dont nous devrions êtres informés ?

Leur français est bon, mais de quel bord sont-ils ? *On ne peut faire confiance qu'à un membre de sa famille.* Tout lui semble oppressant, aquatique, comme s'ils se trouvaient tous les cinq dans un aquarium trouble et bondé, et que leurs ailerons ne cessaient de se heurter.

– Mon père n'est pas un voleur !

La main de Mme Manec broie la sienne.

– Il semblait se faire du souci pour son emploi, pour sa fille. Et pour la France, bien sûr. Comme tout le monde, dit Étienne.

– Mademoiselle, déclare le premier homme, s'adressant directement à elle, il n'a rien évoqué en particulier ?

– Rien.

– Il avait beaucoup de clés, au musée...

– Il a tout rendu avant de partir.

– Peut-on voir ce qu'il a apporté ici ?

L'autre ajoute :

– Ses sacs, peut-être ?

– Il est reparti avec son sac à dos, dit-elle. Quand le directeur l'a rappelé.

– Peut-on voir quand même ?

Marie-Laure se sent accablée. Qu'espèrent-ils trouver ? Elle pense au matériel radio là-haut : micro, émetteur, tous ces boutons, interrupteurs et câbles.

– Mais oui, répond Étienne.

Ils vont dans chaque pièce. Deuxième, troisième, quatrième. Au cinquième, ils se tiennent dans l'ancienne chambre du grand-père de Marie-Laure et ouvrent l'énorme armoire à deux battants, puis traversent le couloir et se penchent au-dessus de la maquette chez Marie-Laure, chuchotent entre eux et redescendent bruyamment l'escalier.

Ils posent en tout et pour tout une seule question, au sujet des trois drapeaux français roulés dans un placard du premier étage. Qu'est-ce qu'ils peuvent bien faire là ?

– Les garder ici, c'est courir un risque, dit le second policier.

– Vous ne voudriez pas être pris pour des terroristes par les autorités, ajoute son collègue. Certains ont été arrêtés pour moins que ça...

Est-ce à dire qu'on leur fait une fleur ? Cela n'est pas clair. Marie-Laure pense : « Veulent-ils dire : papa ? »

La perquisition s'achève, ils prennent congé avec une politesse parfaite et s'en vont.

Mme Manec allume une cigarette.

L'assiette de Marie-Laure a refroidi.

Étienne manipule le pare-feu. Il flanque les drapeaux l'un après l'autre dans les flammes.

– Assez ! *Assez* ! dit-il en élevant la voix. Pas ici !

L'âcre odeur de tissu brûlé emplit la cuisine. Il conclut :

– Vous faites ce que vous voulez de votre vie, madame Manec. Vous ne m'avez jamais laissé tomber, et j'essaierai d'en faire autant. Mais vous ne pouvez plus agir ainsi dans cette maison. Surtout pas avec ma petite-nièce.

À ma chère sœur Jutta

C'est devenu très difficile. Même le papier est dur à ▮▮▮ *On avait* ▮▮▮ *pas de* ▮▮▮ *chauffage dans le* ▮▮▮ *Frederick disait que le libre arbitre, ça n'existe pas et que la voie de chacun est tracée à l'avance tout comme* ▮▮▮ *et que mon erreur, c'était que* ▮▮▮

▮▮▮ *J'espère qu'un jour tu comprendras.*

Je t'embrasse, ainsi que Frau Elena.
Sieg Heil.

La grenouille ébouillantée

Par la suite, Mme Manec est parfaitement cordiale ; elle va à la plage avec Marie-Laure presque tous les matins, l'emmène au marché. Mais elle semble absente, bavarde avec eux poliment, leur dit bonjour comme si c'était de simples voisins. Souvent elle disparaît pendant une demi-journée.

Les après-midi s'étirent en longueur, Marie-Laure s'ennuie. Un soir, son grand-oncle lui fait la lecture à voix haute dans la cuisine.

La vitalité des œufs de gastéropode dépasse l'entendement. On en a vu de certaines espèces qui, congelés dans des blocs de glace, redevenaient actifs sous l'effet de la chaleur.

Étienne marque une pause :

– On devrait préparer le repas. Je n'ai pas l'impression qu'elle va rentrer ce soir.

Mais ils ne bougent ni l'un ni l'autre. Il poursuit sa lecture. *Conservés dans des piluliers depuis des années, ils ont ressuscité au contact d'une atmosphère humide... La coquille peut être cassée, et même certains morceaux manquer ; pourtant au bout d'un certain temps les parties abîmées se reconstituent par ajout de matière.*

– J'ai encore de l'espoir, alors ! s'exclame Étienne en riant, et Marie-Laure se rappelle que son grand-oncle n'a pas toujours été aussi peureux, que ce fut jadis un jeune homme qui habitait le monde et l'aimait comme elle l'aime.

Enfin, Mme Manec passe la porte de la cuisine, referme derrière elle. Étienne lui dit bonsoir assez froidement, et au bout d'un moment elle lui répond. Quelque part dans la ville, des Allemands chargent des armes ou boivent du cognac et l'Histoire est devenue un cauchemar dont Marie-Laure voudrait désespérément se réveiller.

Mme Manec décroche une casserole, la remplit d'eau. Son couteau s'abat sur ce qui semble être des patates, la lame claque contre la planche à découper.

— Laissez-moi faire, dit Étienne. Vous êtes épuisée.

Mais il ne se lève pas de table, et Mme Manec continue à détailler ses pommes de terre et ensuite, Marie-Laure l'entend verser le tout dans l'eau. La tension dans la pièce lui donne le vertige, comme si elle était sensible à la rotation de la planète Terre.

— On a coulé combien de sous-marins allemands aujourd'hui ? murmure Étienne. Fait sauter combien de tanks ?

Mme Manec ouvre sèchement le frigo. Marie-Laure l'entend fourrager dans un tiroir. Une allumette s'enflamme ; une cigarette s'allume. Bientôt, un saladier de patates à moitié cuites se matérialise devant elle. Elle cherche à tâtons une fourchette, mais sans succès.

— Vous savez ce qui se passe, Étienne, dit Mme Manec du fond de la cuisine, quand on plonge subitement une grenouille dans l'eau chaude ?

— Non, mais vous allez me le dire...

— Elle s'échappe d'un bond. Mais quand on la plonge dans l'eau froide et qu'on porte très progressivement l'eau à ébullition... ? Vous savez ce qui se passe... ?

Marie-Laure attend. Les pommes de terre fument.

— Elle finit ébouillantée.

Ordres

Un gamin de onze ans, en grande tenue, vient annoncer à Werner qu'il est convoqué dans le bureau du directeur. Il patiente sur un banc, lentement gagné par la panique. On doit avoir des soupçons. On a peut-être découvert quelque chose dans sa filiation, une chose que lui-même ignore, une chose affreuse. Il se rappelle quand le caporal était venu le chercher à l'orphelinat pour l'emmener chez Herr Siedler, sa certitude que les agents du Reich pouvaient voir à travers les murs, à travers la peau, dans l'âme même de ses sujets.

Au bout de plusieurs heures, l'adjoint du directeur l'appelle, repose son stylo-bille et le regarde comme s'il n'était qu'un problème trivial parmi des milliers d'autres qu'il avait à régler.

– Notre attention a été attirée, cadet, sur le fait que ton âge a été enregistré de façon erronée.

– Quoi ?

– Tu as dix-huit ans. Pas seize, comme tu l'as prétendu.

Werner tombe des nues. L'absurdité est flagrante : il est plus petit que la plupart des garçons de quatorze ans.

– Notre ancien professeur de sciences techniques, le Dr Hauptmann, nous a alertés sur cet écart. Il s'est arrangé pour que tu sois affecté à un service spécial de la Wehrmacht.

– Un service spécial ?

– Tu n'as aucun droit à rester ici.

Sa voix est mielleuse et satisfaite ; son menton inexistant. Par la fenêtre on peut voir la fanfare de l'école répéter une marche triomphale. Un gosse chancelle sous le poids d'un tuba.

– Le commandant réclamait une sanction disciplinaire, mais le Dr Hauptmann a suggéré que tu pourrais souhaiter offrir tes compétences au Reich.

De son côté du bureau, l'adjoint sort un uniforme – gris ardoise, aigle sur la poitrine, Litzen au col. Puis un casque vert-de-gris, manifestement trop grand.

La fanfare beugle, puis s'arrête. Le chef en engueule certains.

L'adjoint du directeur déclare :

– Tu as beaucoup de chance. Servir est un honneur.

– Quand ?

– Tu recevras tes instructions sous quinzaine. C'est tout.

Pneumonie

C'est le printemps, et une grande vague d'humidité s'est attaquée à la côte. Brume sur la mer, brume dans les rues, brume dans les esprits. Mme Manec tombe malade. Lorsqu'on touche sa poitrine, c'est comme si elle s'était ébouillantée de l'intérieur. Sa respiration se transforme en quintes de toux océanique.

– Je surveille les sardines, murmure-t-elle. Les termites, les corbeaux...

Étienne fait venir le médecin qui prescrit du repos, de l'aspirine, des pastilles à la violette. Marie-Laure la veille aux pires moments, étranges heures où les mains de la vieille dame se glacent et où elle déclare qu'elle a le fardeau du monde sur ses épaules. Elle est responsable de tout, et personne ne s'en doute. C'est un terrible fardeau que toutes ces petites choses, tous les nouveau-nés, toutes les feuilles qui tombent de chaque arbre, toutes les vagues qui se brisent sur la plage, toutes les fourmis.

Dans sa voix, Marie-Laure distingue un bruit d'eau : atolls, archipels, lagons, fjords.

Étienne se montre un infirmier dévoué. Linges, bouillon, de temps en temps une page de Louis Pasteur ou de Jean-Jacques Rousseau. Son attitude exprime le pardon pour toutes les fautes passées ou présentes. Il l'enveloppe dans des édredons, mais elle frissonne si profondément, si intensément, qu'il finit par prendre le grand et lourd tapis pour l'en couvrir.

Chère Marie-Laure,

Tes colis sont arrivés, deux en même temps, malgré un écart de dates de plusieurs mois. Comment t'exprimer ma joie ? On m'a laissé garder la brosse à dents et le peigne, mais pas le papier d'emballage. Ni la savonnette. Comme je l'aurais voulue, cette savonnette ! On nous avait annoncé notre transfert dans une chocolaterie mais c'est une usine de cartons. On en fabrique à longueur de journée. Où vont-ils donc, tous ces cartons ?

Toute ma vie, Marie-Laure, j'ai été celui qui détenait les clés. Aujourd'hui je les entends tinter le matin, quand ils viennent nous chercher, et lorsque je mets la main à ma poche, c'est vide.

Dans mes rêves, je suis au musée.

Tu te rappelles tes anniversaires ? Ces casse-tête qui t'attendaient sur la table, à ton réveil ? Je suis désolé de ce qui est arrivé. Si tu veux comprendre, regarde dans la maison d'Étienne, dans la maison. Je sais que tu agiras comme il faut. J'aurais voulu te faire un meilleur cadeau.

Mon ange s'en va, je vais donc essayer de te faire parvenir cette lettre. Je ne suis pas inquiet pour toi car je sais que tu es intelligente et que tu sauras te défendre. Moi aussi, je suis sain et sauf, donc ne t'en fais pas pour moi. Remercie Étienne de te lire ceci. Et aussi, dans ton cœur, la brave personne qui me sert de messager.

Papa

Traitements

Son médecin affirme qu'on procède à des recherches passionnantes sur le gaz moutarde et ses avatars. Que les propriétés antitumorales de certaines substances chimiques sont actuellement explorées. Les résultats sont encourageants : sur des personnes tests, la taille des lymphomes a diminué. Mais les injections affaiblissent von Rumpel, occasionnent des vertiges. Après le traitement, c'est à peine s'il parvient à se coiffer ou à convaincre ses doigts de boutonner sa capote. Et son cerveau lui joue des tours : il va dans une pièce et ne sait plus ce qu'il venait y faire. Il dévisage un supérieur hiérarchique, ayant oublié ce que celui-ci vient de lui dire. Une voiture qui passe l'énerve autant que le bruit d'une craie crissant sur un tableau noir.

Ce soir-là, il s'emmitoufle dans les couvertures de l'hôtel, commande un bouillon léger et déballe un paquet expédié de Vienne. Cette petite bibliothécaire effacée lui a envoyé des exemplaires du Tavernier et du Streeter et – plus remarquable – un fac-similé du *Gemmarum et lapidum Historia* (1609) de Anselmus Boëtius de Boodt, un ouvrage en latin. Tout ce qu'elle a pu trouver sur l'Océan de Flammes. Neuf paragraphes au total.

Il doit mobiliser toute sa volonté pour pouvoir lire ces textes. Une déesse qui s'éprend d'un dieu des mers. Un prince qui guérit de ses blessures mortelles, et qui apparaît à ses sujets sous une couronne si resplendissante qu'ils en sont éblouis. Von Rumpel ferme les yeux et voit une déesse à la chevelure incendiaire parcourir des galeries souterraines, des gouttes de feu rougeoyant dans son sillage. Il entend un moine à la langue coupée dire : *Qui possédera le diamant vivra éternellement.* Il entend son père dire : *Considère les obstacles comme des opportunités, Reinhold. Considère-les comme des inspirations.*

Paradis

Pendant quelques semaines, Mme Manec va mieux. Elle promet qu'elle sera raisonnable, qu'elle tâchera de ne plus se démener pour tout le monde, de ne plus gagner la guerre à elle seule. Au début du mois de juin, presque deux ans après l'invasion de la France, elles se promènent dans un champ plein de petites fleurs blanches, hors de Saint-Malo. Mme Manec a prétexté qu'elles allaient tenter de trouver des fraises au marché de Saint-Servan, mais Marie-Laure est certaine qu'en s'arrêtant pour dire bonjour à une dame, Mme Manec a laissé tomber une enveloppe et en a ramassé une autre.

Sur sa suggestion, elles s'allongent dans l'herbe. Marie-Laure écoute les abeilles butiner les fleurs et tente d'imaginer leur voyage comme Étienne l'a décrit : chaque ouvrière suit une odeur, cherchant les guides à nectar dans les fleurs, remplissant de grains de pollen des corbeilles placées sur sa troisième paire de pattes, avant de retourner, lourde et enivrée, à la ruche.

Comment connaissent-elles leur rôle, ces petites abeilles ?

Mme Manec se déchausse, allume une cigarette et pousse un soupir satisfait. Les insectes bourdonnent : guêpes, mouches, une libellule qui passe – Étienne lui a appris à les distinguer à l'oreille.

– C'est quoi, une « ronéo » ?

– Une machine à imprimer des tracts.

– Quel rapport avec la femme qu'on a croisée ?

– Ne t'occupe pas de ça, ma chérie.

Des chevaux hennissent, et la brise souffle de la mer, délicate, fraîche et pleine d'odeurs.

– Madame Manec, à quoi je ressemble ?

– Tu es toute pleine de taches de son...

– Papa disait que c'était comme des étoiles dans le ciel. Des pommes dans un arbre.

– Ce sont des petites taches brunes. Des milliers de petites taches brunes...

– Ça doit être affreux !

– Oh non ! C'est très joli.

– Vous croyez qu'au paradis, on voit vraiment Dieu en face ?

– C'est possible.

– Et si on est aveugle ?

– Si Dieu veut nous montrer quelque chose, il doit savoir se débrouiller.

– Oncle Étienne dit que le paradis, c'est comme un doudou pour les petits enfants. Il dit qu'aucun aviateur n'a jamais trouvé le royaume des cieux là-haut. Ni porte du paradis, ni ange.

Mme Manec est prise d'une quinte de toux effrayante.

– C'est à ton père que tu penses... Il faut croire qu'il reviendra.

– Vous ne vous lassez jamais de *croire*, madame Manec ? Vous n'avez jamais besoin de preuves ?

La vieille dame lui touche le front. Cette main de jardinier ou de géologue.

– Il ne faut jamais perdre la foi. C'est le plus important.

Les petites fleurs blanches oscillent sur leurs tiges et les abeilles vaquent à leur besogne. Si seulement la vie, c'était comme dans un roman de Jules Verne, songe Marie-Laure, où l'on peut s'avancer dans sa lecture pour connaître la suite.

– Madame Manec ?

– Oui, Marie ?

– Qu'est-ce qu'on peut bien manger, au paradis ?

– Je ne suis pas sûre qu'on ait besoin de manger, là-haut...

– Quoi ? Ça ne vous plairait pas, alors !

Mais Mme Manec ne rit pas comme on pouvait s'y attendre. Elle ne dit rien du tout. Sa respiration est bruyante.

– Vous êtes fâchée, madame Manec ?

– Non, mon enfant.

– Est-ce qu'on est en danger ?

– Pas plus aujourd'hui qu'hier.

L'herbe remue, frémit. Les chevaux hennissent. Mme Manec dit, presque à mi-voix :

– Réflexion faite, j'espère que le paradis ressemble à ça...

Frederick

Werner a dépensé ses derniers sous dans l'achat du billet de train. Cet après-midi-là, il fait plutôt beau, mais Berlin n'a pas l'air d'accepter le soleil, comme si les immeubles étaient devenus plus maussades, plus sales et moins bien entretenus. À moins que ce soit son regard qui ait changé.

Plutôt que de sonner tout de suite, il fait trois fois le tour du pâté de maisons. Les fenêtres de l'appartement sont dans le noir : ce n'est pas allumé, ou alors on les a occultées. En marchant, il passe devant une vitrine remplie de mannequins dévêtus, et même si c'est seulement une illusion d'optique, il ne peut s'empêcher de voir en eux des cadavres suspendus par des fils de fer.

Finalement, il sonne au numéro 1. La porte reste close, et il constate en consultant la liste des résidents qu'ils ne sont plus au 1, mais au 5.

Nouvelle tentative. Un bourdonnement lui répond.

Comme l'ascenseur est en panne, il monte à pied.

La porte s'ouvre. Fanni. Avec son visage velu et la chair qui ballote sous ses bras. Elle lui lance le regard qu'un être traqué lance à un autre. Puis la mère de Frederick sort en froufroutant d'une pièce annexe, tennis aux pieds.

– Werner ?

Elle tombe momentanément dans une rêverie troublée, au milieu des meubles d'avant-garde dont certains sont enveloppés dans d'épaisses couvertures de laine. Lui en veut-elle ? Le tient-elle pour partiellement responsable ? Et l'est-il ? Puis elle émerge et l'embrasse sur les deux joues, de ses lèvres légèrement tremblantes. Comme si cette apparition l'empêchait de maintenir à distance certaines ombres.

— Il ne te reconnaîtra pas. N'essaie pas de raviver ses souvenirs. Cela ne ferait que le perturber. Mais tu es là. C'est l'essentiel, je suppose. J'étais sur le point de sortir. Désolée, je ne peux pas rester. Fais-le entrer, Fanni.

La bonne le précède dans un beau salon, avec des pâtisseries de plâtre au plafond. Les murs sont d'un délicat bleu-vert pâle. On n'a pas encore accroché de tableaux, les étagères sont vides, et il y a des cartons ouverts par terre. Frederick est installé à une table au plateau de verre, au fond ; les deux garçons semblent tout petits au milieu de ce déballage. Ses cheveux ont été vigoureusement peignés sur le côté, et sa chemise flottante bouchonne aux épaules, si bien que son col est de travers. Son regard ne se relève pas pour croiser le sien.

Il a les mêmes lunettes à monture noire. On était en train de lui donner à manger, et la cuillère est posée sur le plateau de verre ; il y a du porridge collé à son menton et au set de table, qui représente des enfants aux joues roses, en sabots. Werner ne peut supporter cette scène.

Fanni se penche, lui met trois cuillerées de plus dans la bouche, lui essuie le menton, replie le set, et franchit une porte battante qui doit donner sur la cuisine. Werner se tient les mains croisées devant son ceinturon.

Un an. Un peu plus. Frederick doit se raser, à présent. Ou quelqu'un le fait pour lui.

— Bonjour, Frederick.

Frederick renverse sa tête en arrière et le regarde à travers les verres maculés de ses lunettes, comme de haut.

– C'est moi, Werner. Ta mère n'était pas sûre que tu me reconnaisses. Ton camarade de classe…

Werner paraît moins le regarder que regarder à travers lui. Sur la table, il y a une liasse de papiers, sur laquelle une épaisse et maladroite spirale a été dessinée d'une main lourde.

– C'est de toi ?

Werner soulève le premier feuillet. Dessous, il y en a un autre, puis un autre, une trentaine de spirales qui couvrent à chaque fois toute la page, exécutées au crayon. Le menton de Frederick retombe sur sa poitrine ; peut-être un acquiescement. Werner regarde autour de lui : une malle, un carton plein de linge de maison, le bleu pâle des murs et le blanc éclatant des lambris. Des rayons de soleil filtrent à travers des portes-fenêtres et il y a dans l'air une odeur de produit pour l'argenterie. Cet appartement du cinquième étage est bien plus agréable que l'autre – plafonds hauts, ornés de moulures tarabiscotées : fruits, fleurs, feuilles d'acanthe.

La lèvre de Frederick est retroussée, découvrant ses dents ; un filet de salive oscille depuis son menton et touche le papier. Werner, qui ne peut en voir davantage, appelle la bonne. Fanni jette un œil par la porte battante.

– Où est ce livre ? dit-il. Celui avec les oiseaux ?

– Je ne pense pas qu'on ait eu ce genre de livre.

– Mais si !

Fanni se contente de hocher la tête et de croiser ses doigts sur son tablier.

Werner soulève des rabats, regarde dans des cartons.

– C'est sûrement là-dedans…

Frederick s'est remis à dessiner sur une feuille vierge.

– Ou là-dedans ?

Debout derrière Werner, Fanni lui attrape le poignet.

– Je ne pense pas, répète-t-elle, qu'on ait eu ce genre de livre.

Tout le corps de Werner s'est mis à le démanger. Par les grandes fenêtres, on peut voir les tilleuls se balancer. La lumière décline. Une enseigne éteinte en haut d'un immeuble, à deux rues de là, proclame : *Berlin fume des Juno !*

Fanni a déjà battu en retraite dans la cuisine.

Werner regarde Frederick tracer une autre spirale grossière, crayon au poing.

– Je quitte l'école, Frederick. Ils disent que je suis assez vieux pour aller au front.

Frederick soulève son crayon, studieux, puis le repose sur le papier.

– Dans moins d'une semaine...

Frederick remue la bouche comme s'il mâchait dans le vide.

– T'es jolie, dit-il.

Il ne regarde pas directement Werner, et ses mots frisent le gémissement.

– T'es jolie, très jolie, maman.

– Je ne suis pas ta maman, proteste Werner. Voyons !

L'expression de Frederick est dénuée de tout artifice. Quelque part dans la cuisine, la bonne écoute. Il n'y a pas d'autre bruit, ni circulation, ni avion, ni train, ni radio, ni le spectre de Frau Schwartzenberger secouant la cabine de l'ascenseur. Pas de chant, de drapeau soyeux, de fanfare, de trompette, de mère, de père, de commandant poisseux passant son doigt en travers de son dos. La ville se tait, comme si chacun était à l'écoute, guettait un faux-pas.

Werner regarde le bleu des murs et songe à *Oiseaux d'Amérique*. Bihoreau violacé, paruline du Kentucky, piranga écarlate – tous plus beaux les uns que les autres, et le regard de Frederick reste braqué sur quelque terrible point intermédiaire. Ses yeux, comme une mare d'eau stagnante dans laquelle Werner ne peut regarder.

Rechute

Fin juin 42, pour la première fois depuis son accès de fièvre, Mme Manec n'est pas dans la cuisine quand Marie-Laure se réveille. Serait-elle déjà au marché ? Marie-Laure frappe à sa porte, attend. Elle ouvre la porte côté cour et appelle dans la ruelle. C'est une superbe matinée, ensoleillée. Pigeons et chats. On entend rire un voisin.

– Madame Manec ?

Son cœur bat plus fort. Elle frappe encore à sa porte.

– Madame Manec ?

Quand elle pénètre dans la chambre, elle distingue d'abord un râle. Comme si on remuait des cailloux dans les poumons de la vieille dame. Une odeur aigre de sueur et d'urine émane du lit. Ses mains trouvent le visage de Mme Manec, ses joues brûlantes. Elle remonte l'escalier en quatrième vitesse, trébuchant, criant : « Mon oncle ! Mon oncle ! » Dans son esprit toute la maison est devenue écarlate, le toit devient cendres, des flammes dévorent les murs.

Les genoux d'Étienne craquent quand il se penche sur la malade, puis il va précipitamment téléphoner, et revient auprès d'elle. Dans l'heure qui suit la cuisine se remplit de femmes : Mme Rudelle, Mme Fontineau, Mme Hébrard. Le rez-de-chaussée est bondé ; Marie-Laure navigue dans l'escalier, montant et descendant, comme si elle parcourait la spire d'un énorme coquillage. Le médecin fait une apparition, une femme vient réconforter Marie-Laure, et à exactement deux heures de l'après-midi, selon les cloches de la cathédrale, le médecin revient avec un homme qui ne dit rien à part bonjour, qui sent la terre et le clou de girofle, qui soulève Mme Manec et l'emporte dans la rue, la dépose sur une carriole tirée par un cheval tel un sac de pommes de terre, et le cheval repart en faisant sonner ses sabots, le médecin retire les draps du lit, et Marie-Laure trouve Étienne dans le coin de la cuisine, qui chuchote : Mme Manec est morte, Mme Manec est morte.

Six

8 août 1944

Quelqu'un dans la maison

Une présence, un souffle. Marie-Laure se projette par la pensée dans l'entrée, deux volées de marches plus bas. Le portillon à l'extérieur grince, puis la porte d'entrée se referme.

Il y a quelqu'un dans la maison.

Tout en elle se hérisse.

Étienne sait qu'on fait ainsi tinter la clochette. Il se serait déjà annoncé.

Bottes dans l'entrée. Des fragments d'assiettes craquent sous des pas.

Ce n'est pas Étienne.

Sa détresse est telle que c'en est presque insoutenable. Elle s'efforce de se calmer, de se concentrer sur l'image d'une flamme brûlant à l'intérieur de sa cage thoracique, un escargot rétracté dans les spires de sa coquille, mais son cœur cogne et elle se demande tout à coup si, depuis le vestibule, on ne peut pas voir jusqu'au second étage. Elle se rappelle son grand-oncle disant qu'il faudrait se méfier des pillards, et l'atmosphère est pleine de petits bruits fantômes. Elle se voit fonçant dans la salle de bains, ici au deuxième étage, et se jetant par la fenêtre.

Bottes dans le hall. Un fragment d'assiette qu'on écarte du pied. Un pompier, un voisin, un soldat allemand en quête de nourriture ?

Un sauveteur aurait appelé. Il faut bouger. Il faut se cacher.
Les pas vont vers la chambre de Mme Manec Lentement.
Il fait peut-être sombre. Serait-ce déjà la nuit ?

Elle a sa canne, le manteau d'Étienne, les deux bocaux,
le couteau, la brique. La maison miniature dans sa robe. Le
diamant à l'intérieur. De l'eau dans la baignoire sur le même
palier.

Vas-y.

Une casserole ou une poêle, qui avait dû se décrocher au
moment du bombardement, tinte sur le carrelage de la cuisine. Il sort de la cuisine, revient dans le vestibule.

Debout, et vite.

Elle se relève. De sa main droite, elle trouve la rampe. Il
est au pied de l'escalier. Elle manque pousser un cri. Mais
c'est alors qu'elle la reconnaît, au moment où il pose le pied
sur la première marche – cette lenteur-là. Cette démarche.
L'Allemand qui boitait, à la voix éteinte.

Vas-y.

Marie-Laure se force à gravir chaque marche. Heureuse-
ment qu'elle est en chaussettes. Son cœur bat si fort qu'elle
a l'impression qu'on peut l'entendre.

Troisième étage. Tout doux. Quatrième. Sur le palier du
cinquième, elle s'arrête sous le lustre et tend l'oreille. L'Allemand monte trois ou quatre marches et fait une brève halte,
hors d'haleine. Puis il repart. Une lame gémit sous son poids ;
c'est comme un petit animal qu'on écraserait.

Il s'arrête sur ce qui doit être le palier du deuxième étage.
Là où elle était assise. Le parquet doit être encore chaud.
On doit encore sentir son haleine.

Où aller ? Où se cacher ?

À sa gauche, l'ancienne chambre de son grand-père. À sa
droite, la sienne, jonchée de bris de verre. En face, les WC.
Et partout, cette vague odeur de brûlé.

Les pas traversent le palier. Claudiquant. La respiration
d'asthmatique. L'ascension reprend.

358

S'il me touche, je lui arrache les yeux.

Elle ouvre la porte de la chambre de son grand-père et s'arrête. Derrière elle, l'Allemand fait encore une pause. L'aurait-il entendue ? Monte-t-il plus discrètement ? Au-dehors, le monde est plein de sanctuaires – jardins balayés par la brise, labyrinthes de verdure, forêts profondes aux ombres fraîches où des papillons dansent, assoiffés de nectar. Mais ce sont-là d'inaccessibles refuges.

Elle trouve l'imposante armoire à glace au fond de la chambre, ouvre les battants et écarte les chemises suspendues, fait coulisser le panneau. Puis elle se glisse dans la niche où se trouve l'échelle, se retourne pour refermer l'armoire.

Protégez-moi, mon Dieu.

Surtout ne pas faire de bruit. D'une main, elle trouve la poignée fixée au panneau coulissant, qu'elle referme, centimètre par centimètre, jusqu'au déclic. Puis elle retient son souffle.

La mort de Walter Bernd

Une heure durant, Bernd a marmonné un charabia. Puis, il s'est tu, et Volkheimer a dit : « Seigneur, aie pitié de nous. » Mais voilà que le blessé se redresse et réclame de la lumière. On lui donne à boire le fond du premier bidon. Un minuscule filet coule sur son menton.

Assis dans la faible lueur de la torche, Bernd regarde alternativement ses camarades.

– J'étais en permission l'an dernier, dit-il, et je suis allé voir mon père. Il était vieux. Il avait toujours eu l'air vieux, mais là, tout spécialement. Il a mis un temps fou à traverser la cuisine, avec un paquet de biscuits, des petits biscuits aux amandes. Il a mis ce paquet dans une assiette, tout simplement. On n'y a pas touché, ni lui ni moi. Et il m'a dit : « Tu n'es pas forcé de rester. J'aimerais bien que tu restes, mais tu n'es pas forcé. Tu dois avoir à faire. Tu peux sortir avec tes amis, si tu préfères... » Il n'arrêtait pas de répéter ça.

Volkheimer éteint la torche, et Werner sent quelque chose d'atroce, qui est tenu à distance, dans l'obscurité.

– Je suis parti. J'ai descendu l'escalier et je me suis retrouvé dans la rue. Je n'avais personne à voir. Aucun ami dans cette ville. Je m'étais tapé toute une journée en train pour venir le voir. Mais je suis parti. Comme ça.

Puis, il se tait. Volkheimer le recouche par terre, la couverture de Werner sur lui, et Bernd meurt peu après.

Werner s'occupe de la radio. C'est peut-être pour Jutta qu'il le fait, comme le suggérait Volkheimer, ou pour ne plus repenser à celui-ci transportant Bernd dans un coin et entassant des briques sur ses mains, sa poitrine, son visage. La torche entre les dents, Werner rassemble ce qu'il trouve : un petit marteau, trois bocaux de vis, le cordon de calibre 18 d'une lampe de bureau fracassée. À l'intérieur d'un tiroir voilé, miracle : une pile au carbone zinc de 11 volts sur laquelle figure un dessin de chat. Pile américaine – son slogan lui prête neuf vies. Werner la repère dans le vacillant pinceau de lumière, stupéfait. Il vérifie la polarité. Toujours pleine d'énergie. Lorsque la pile de la torche sera morte, se dit-il, on pourra utiliser celle-ci.

Il redresse la table qui avait basculé, y repose l'émetteur-récepteur écrabouillé. Il n'a pas encore grand espoir, mais voilà de quoi s'occuper l'esprit, un problème à résoudre. La torche toujours entre ses dents, il s'efforce de ne penser ni à la faim ni à la soif, ni à ce gouffre obturé dans son oreille gauche, ni à Bernd dans ce coin-là, ni aux Autrichiens là-haut, ni à Frederick, Frau Elena, ou Jutta.

Antenne. Tuner. Condensateur. Son esprit, tandis qu'il s'affaire, est presque calme, presque serein. C'est sa mémoire qui prend le relais.

La chambre du cinquième étage

Von Rumpel clopine à travers les pièces et leurs moulures blanches, les antiques lampes à pétrole et les rideaux brodés, les glaces des cheminées, les bateaux en bouteille, et les interrupteurs à bouton-poussoir dont aucun ne marche. Un vague coucher de soleil filtre à travers la fumée et les lattes des persiennes, formant de vaporeuses bandes rouges.

Un vrai musée, cette baraque. Une baignoire quasi pleine au deuxième étage. Des chambres très encombrées au troisième. Pas encore de maisons de poupée. Il grimpe au quatrième, en nage. Redoutant de s'être trompé. Ce poids dans ses tripes oscille comme un pendule. Voici une belle chambre ornementée, envahie de babioles, de caisses, de livres et de pièces mécaniques. Secrétaire, divan, trois fenêtres de chaque côté. Pas de maquette.

Cinquième étage. À gauche, une chambre bien rangée avec une seule fenêtre et de longs rideaux. Une casquette est accrochée au mur ; au fond, une imposante armoire contient des chemises qui sentent la naphtaline sur des cintres.

Retour au palier. Les WC, la cuvette pleine d'urine. Et puis, la dernière chambre. Il y a des coquillages un peu partout, sur les rebords des fenêtres, la commode, et des bocaux pleins de galets alignés par terre, disposés selon une classification mystérieuse, et là, sur une table basse au pied du lit, voici ce qu'il cherchait, une maquette de la ville, offerte comme un cadeau. Aux dimensions d'une table de salle à manger. Avec plein de petites maisons. Elle n'a pas souffert, si l'on fait abstraction des écailles de plâtre tombées du plafond. Le simulacre est aujourd'hui plus complet que l'original. Un travail magnifique.

Dans la chambre de sa fille. Pour elle. Bien sûr.

Von Rumpel a l'impression d'être arrivé au terme d'un long voyage, et comme il s'assoit au bord du lit, alors qu'il ressent deux pointes de douleur à l'aine, il a la curieuse sensation d'être déjà venu, d'avoir vécu dans ce genre de chambre, dormi dans ce lit cossu, ramassé et disposé ainsi des galets. Comme si tout ce décor l'attendait.

Il pense à ses propres filles ; comme cette ville en miniature les amuserait. La plus jeune voudrait qu'il s'agenouille à ses côtés. *Imaginons tous ces gens à table. Et nous parmi eux. Papa.*

De l'autre côté de la fenêtre aux vitres soufflées, derrière les persiennes closes, le silence est tel qu'il entend le chuintement de son propre sang chatouillant les cils de son oreille interne. La fumée passant par-dessus les toits. La lente pluie de cendres. D'un instant à l'autre, la canonnade va reprendre. Et maintenant, du doigté. Le diamant est forcément là. Le serrurier l'a répété. La maquette – c'est ici, dans cette maquette.

Fabriquer la radio

Une extrémité du fil sera enroulée autour du bout de tuyau qui dépasse du sol. Avec sa salive, il nettoie la longueur de ce câble et l'embobine une centaine de fois autour de la base de ce tuyau, constituant ainsi un nouveau circuit d'accord. Il fait passer un autre fil dans une traverse tordue, coincée dans cette concrétion de poutres, de pierres et de plâtre qu'est devenu leur plafond.

Volkheimer observe à distance. Un obus de mortier éclate quelque part dans la ville, et de la poussière pleut sur eux.

La diode se raccorde aux extrémités de ces deux fils et se connecte aux bornes de la pile pour compléter le circuit. Werner promène le faisceau de la torche sur l'installation. Terre, antenne, pile. Finalement, il coince la torche entre ses dents, élève les câbles jumeaux du casque devant ses yeux, les dénude et met en contact ces extrémités dénudées avec la diode. De manière invisible, des électrons transitent le long de ces câbles.

L'hôtel au-dessus d'eux – ce qu'il en reste – émet une suite de gémissements lugubres. Les poutres craquent, comme si les décombres hésitaient au bord d'une décision finale. Comme si une simple libellule pouvait s'y poser et déclencher une avalanche qui les enterrerait définitivement.

Werner presse l'écouteur contre son oreille droite.

Rien.

Il retourne le boîtier cabossé de la radio, examine l'intérieur. Tapote la torche pour ranimer son pinceau lumineux. Se concentre. Visualise la distribution du courant. Il revérifie les fusibles, valves, fiches ; il bascule l'interrupteur réception/émission, chasse la poussière du sélecteur d'indicateur. Replace les bornes de la pile. Recoiffe le casque.

Et voilà – c'est comme s'il avait de nouveau huit ans, et qu'il était accroupi avec sa sœur sur le plancher de l'orphelinat : friture. Crépitements nourris et continus. Dans sa mémoire, Jutta prononce son nom, ce qui fait surgir une autre image, encore plus inattendue : celle de deux cordes tendues sur la façade de la maison de Herr Siedler, retenant la grande banderole soyeuse, d'un rouge écarlate.

Il balaie des fréquences au jugé. Pas de *squelch*, pas de bribes de code Morse, pas de voix. Friture, friture, friture. Dans son oreille valide, à l'intérieur de la radio, dans l'atmosphère. Le regard de Volkheimer ne le quitte pas. De la poussière flotte dans le faible pinceau lumineux de la torche : des milliers d'atomes qui dansent doucement, et scintillent.

Au grenier

L'Allemand referme l'armoire et s'en va, traînant la jambe, tandis que Marie-Laure reste au pied de l'échelle, comptant jusqu'à quarante, soixante, cent. Son cœur peine à battre normalement, son cerveau à analyser la situation. Une phrase lue par Étienne, un jour, lui revient : *Même le cœur, qui chez les grands mammifères bat avec une plus grande énergie sous l'effet de l'excitation, chez les mollusques, soumis au même stress, bat plus lentement.*

Ralentis ton rythme cardiaque. Fléchis tes pieds. Ne fais pas de bruit. Elle applique son oreille contre le panneau de l'armoire. Qu'entend-elle ? Des mites rongeant les pulls de son grand-père ? Rien.

Lentement, paradoxalement, elle se sent gagnée par la torpeur.

Elle tâte les bocaux dans ses poches. Comment en ouvrir un désormais ? Sans faire de bruit ?

Il ne lui reste plus qu'à grimper. Sept barreaux jusqu'au long tunnel triangulaire de la mansarde. Les deux pans se rejoignent au niveau du faîtage, qui est juste un peu plus haut que sa tête.

C'est ici que la chaleur s'est emmagasinée. Pas de lucarne, pas d'issue. Elle ne pourrait pas s'échapper. À moins de rebrousser chemin.

Ses doigts trouvent un vieux bol à raser, un porte-parapluie, une caisse pleine de bric-à-brac. Sous ses pieds les planches sont aussi larges que ses mains. Elle sait par expérience tout le bruit qu'on peut faire en y marchant.

Ne renverse rien.

Si l'Allemand rouvre l'armoire, écarte les cintres, se glisse jusqu'ici – que faire ? L'assommer avec le porte-parapluie ? Lui donner un coup de couteau de cuisine ?

Hurler.

Mourir.

Papa.

Elle rampe le long de la poutre centrale, d'où irradient les étroites lames du plancher. Cette poutre est la plus épaisse et sera la plus silencieuse. Elle espère qu'elle n'est pas désorientée. Elle espère qu'il n'est pas derrière elle, en train de la mettre en joue.

À travers les évents de toiture, on entend des chauves-souris pousser des cris presque inaudibles, et à distance, sur un navire militaire peut-être, ou bien après Paramé, des tirs nourris. *Crac. Crac.* Puis, le long hurlement qui accompagne la trajectoire de l'obus, et ce coup sourd quand il explose sur un îlot.

Une glaçante terreur l'envahit, imperméable à la réflexion. Une trappe tout au fond d'elle-même, qu'il faut refermer, condamner à tout prix. Elle enlève son manteau, l'étale sur le sol. Elle n'ose pas se relever de peur de faire du bruit. Le temps s'écoule. Rien aux étages inférieurs. Serait-il reparti ? Si vite ?

Bien sûr que non. Elle sait, après tout, pourquoi il est ici.

À sa gauche, plusieurs câbles électriques se faufilent sur le sol. Juste devant elle, le carton plein de vieux disques. Le Victrola à manivelle. Sa vieille machine à enregistrer. Le levier qu'il utilisait pour hisser l'antenne le long de la cheminée.

Elle replie ses genoux contre sa poitrine et tente de respirer par la peau. Sans bruit, comme certains mollusques. Elle a les deux bocaux. La brique. Le couteau.

Sept

Août 1942

Prisonniers

Un caporal en treillis, d'une maigreur effrayante, vient le chercher à pied. De longs doigts, une maigre touffe de cheveux sous la casquette. L'un de ses brodequins a perdu son lacet, et il tire un peu la langue, à la façon d'un cannibale.

– Qu'est-ce que t'es petit !

Werner, dans sa nouvelle vareuse, avec son casque bien trop grand et sa boucle de ceinturon « *Gott mit uns* », bombe le torse. L'homme considère le gigantesque bâtiment de l'école à la lueur de l'aube, puis se penche et ouvre son havresac, fouille dans les trois uniformes soigneusement pliés. Il examine un pantalon à la lumière, et semble déçu de constater que ce n'est pas du tout sa taille. Après avoir refermé le sac, il le jette par-dessus son épaule, pour le garder ou simplement le porter – Werner n'en a aucune idée.

– Moi, c'est Neumann. Neumann 2. Il y en a un autre, le chauffeur. Lui, c'est Neumann 1. Et puis il y a l'ingénieur, le sergent et toi. Donc, ça fait de nouveau cinq...

Ni tambour ni trompette. Voilà comment il intègre la Wehrmacht. Ils parcourent cinq kilomètres à pied jusqu'au village. Dans un *delicatessen*, des mouches noires survolent quelques tables. Neumann 2 commande deux assiettes de foie de veau, qu'il dévore, épongeant le sang avec des boulettes de pain noir. Ses lèvres reluisent. Werner attend des explications

371

– où vont-ils, quelle sorte d'unité doivent-ils rejoindre – mais rien ne vient. Les insignes sur les pattes d'épaules et le col du caporal sont rouge bordeaux, mais Werner a oublié ce que c'est censé signifier. Unités blindées ? De protection contre les gaz de combat ? La vieille femme remporte les assiettes. Neumann 2 tire une petite boîte en fer-blanc de sa capote, flanque trois comprimés sur la table, et les avale. Puis il range la boîte et regarde Werner :

– C'est pour la migraine… T'as du fric ?

Werner fait non de la tête. D'une autre poche, Neumann tire des billets crasseux et chiffonnés. Avant de partir, il demande qu'on lui apporte une douzaine d'œufs durs et lui en donne quatre.

Depuis Schulpforte, ils voyagent en train, traversent Leipzig et débarquent à un poste d'aiguillage, à l'ouest de Lodz. Des soldats d'un bataillon d'infanterie sont couchés sur le quai, tous endormis, comme si une magicienne leur avait jeté un sort. Leurs uniformes décolorés ont un aspect fantomatique dans le demi-jour et leurs respirations semblent synchronisées, ce qui est angoissant. De temps en temps, on annonce au mégaphone des destinations dont Werner n'avait jamais entendu parler – Grimma, Wurzen, Grossenhain – bien qu'aucun train n'apparaisse, ni qu'aucun homme ne bouge.

Neumann 2 s'assoit, jambes écartées, et mange les œufs l'un après l'autre, empilant les coquilles qui forment une petite tour à l'intérieur de son casque. Le soir tombe. Un doux ronflement collectif s'élève de la compagnie. C'est comme s'ils étaient les seuls êtres humains éveillés sur Terre.

Alors que la nuit est là depuis longtemps, on entend un sifflement à l'est et les dormeurs remuent. Werner, qui rêvassait, se redresse sur son séant. Neumann 2 est déjà debout près de lui, les paumes en coupe, comme s'il cherchait à retenir les ténèbres.

Bruits de chaîne, grincements de blocs-freins – un train émerge de l'obscurité, roulant à vive allure. D'abord, une locomotive toute noire, blindée, qui exhale un épais geyser de fumée et de vapeur. Ensuite passent en grondant quelques wagons fermés, une mitrailleuse blindée, avec deux artilleurs perchés sur la tourelle.

Tous les wagons suivants sont des plates-formes chargées d'individus – certains debout, d'autres à genoux. Il en passe deux, trois. À chaque fois, il y a à l'avant comme un amoncellement de sacs à patates qui doit faire office de coupe-vent.

Les rails tressautent sous tout ce poids. Neuf plates-formes, dix, onze. Toutes bondées. Ces amoncellements de sacs ont quelque chose de bizarre. Comme s'ils avaient été modelés dans une argile grisâtre. Neumann 2 relève le menton.

– Prisonniers...

Werner tente d'isoler des individus au passage : joues creuses, une épaule, un œil qui brille. Sont-ils en uniforme ? Beaucoup sont assis, adossés à ces sacs qui leur servent de murets : on dirait des épouvantails, qu'on transporterait vers l'ouest pour les planter dans quelque effroyable jardin. Certains dorment.

Un visage passe comme l'éclair, pâle et cireux, une oreille collée au sol.

Werner cille. Ce ne sont pas des sacs. Ils ne dorment pas. C'est un mur de cadavres qui s'élève à l'avant de ces plates-formes.

Quand il est évident que ce train ne s'arrêtera pas, tous les soldats se recouchent et referment les yeux. Neumann 2 bâille. Wagon après wagon les prisonniers affluent, fleuve humain que déverse la nuit. Seize, dix-sept, dix-huit – à quoi bon compter ? Des centaines et des centaines d'hommes. Des milliers. Enfin dans l'obscurité file la dernière plate-forme où les vivants sont de nouveau appuyés sur les morts, suivis par l'ombre d'une autre mitrailleuse blindée, et c'en est fini.

Le bruit des essieux s'estompe, le silence retombe sur la forêt. Quelque part, dans cette direction, il y a l'école de Schulpforte et ses flèches gothiques, ses pisse-au-lit, ses somnambules et ses jeunes brutes. Quelque part au-delà de ce Léviathan gémissant, il y a le Zollverein. Les fenêtres vibrantes de l'orphelinat. Jutta.

– Ils étaient assis sur leurs morts ? s'étonne Werner.

Neumann 2 ferme les yeux, penche la tête comme un tireur qui vise dans la direction du train.

– *Bang* ! fait-il. *Bang bang* !

L'armoire

Dans les jours qui suivent la mort de Mme Manec, Étienne ne sort pas de son antre. Marie-Laure l'imagine prostré sur le divan, marmonnant des comptines et voyant des spectres traverser les murs. Derrière la porte, le silence est si absolu qu'elle se demande s'il n'a pas trouvé le moyen de quitter ce monde, lui aussi.

– Oncle Étienne ?

Mme Blanchard l'accompagne à la cathédrale Saint-Vincent pour les obsèques. Mme Fontineau fait assez de soupe pour tenir une semaine. Mme Guiboux apporte du jambon. Mme Rudelle s'est débrouillée pour faire un cake.

Les heures se succèdent. Marie-Laure vient déposer une assiette à la porte d'Étienne, le soir, et la retrouve vide le lendemain. Elle va rôder dans la chambre de Mme Manec qui sent la menthe, la bougie, six décennies de loyauté. Gouvernante, infirmière, mère de substitution, complice, conseillère, cuisinière – que n'était-elle pas pour Étienne ? Pour eux tous ? Des marins allemands chantent des chansons à boire dans la rue, et une araignée au-dessus du poêle file une nouvelle toile chaque nuit, et pour Marie-Laure c'est une double cruauté : que tout continue à vivre, que le globe terrestre ne s'arrête jamais de graviter autour du soleil.

Pauvre petite.

Pauvre Monsieur Leblanc.
Le sort s'acharne.

Si seulement son père passait la porte de la cuisine ! S'il souriait à ces dames, s'il posait ses mains sur les joues de sa fille. Cinq minutes avec lui. Une seule.

Au bout de quatre jours, Étienne sort de sa chambre. Les marches grincent quand il descend, et les visiteuses dans la cuisine se taisent. D'une voix grave, il les congédie.

– J'avais besoin de temps pour lui faire mes adieux, mais à présent je dois m'occuper de moi-même et de ma petite-nièce. Merci.

Une fois la porte refermée, il met les verrous et prend les mains de Marie-Laure.

– Tout est éteint, maintenant. Parfait. S'il te plaît, place-toi ici.

Des chaises sont repoussées. La table est écartée. Elle l'entend saisir l'anneau au milieu du sol : la trappe se soulève, il descend à la cave.

– Mon oncle ? Qu'est-ce que tu cherches… ?

– Ça !

– Quoi ?

– Une scie électrique.

Elle sent une chaleur dans son estomac. Étienne remonte les marches, Marie-Laure dans son sillage. Premier, deuxième, troisième, quatrième, cinquième, à gauche dans la chambre du grand-père. Il ouvre les portes de la gigantesque armoire à glace, prend les anciens vêtements de son frère et les dépose sur le lit. Puis il fait courir une rallonge jusque sur le palier et la branche.

– Ça va faire du bruit, dit-il.

– Tant mieux !

Il monte dans l'armoire et la scie se met en marche. Le bruit transperce les murs, le sol, la poitrine de Marie-Laure. Elle se demande combien de voisins entendent, et si quelque part un Allemand qui prenait son petit déjeuner s'est interrompu pour tendre l'oreille.

Étienne retire un morceau d'armoire, puis découpe la porte qui se trouvait juste derrière. Ensuite, il se glisse à travers ce trou, monte à l'échelle qui mène à la mansarde. Elle le suit. Toute la matinée, il rampe là-dessous avec des câbles, des tenailles et des outils mystérieux, se faufile au centre de ce qu'elle imagine être un réseau électronique compliqué. Il parle tout seul ; il va chercher d'épais manuels ou des composants électriques dans les chambres des étages inférieurs. Le grenier craque ; des mouches dessinent des cercles d'un bleu électrique dans les airs. Plus tard dans la soirée, elle redescend par l'échelle et s'assoupit dans le lit de son grand-père tandis que son grand-oncle continue à s'activer là-haut.

À son réveil, des hirondelles piaillent sous le toit et de la musique pleut du plafond.

« Clair de lune ». Ce morceau lui fait toujours penser à des feuilles qui flottent, aux rubans de sable frais sous ses pieds, à marée basse. La musique ondule, s'élève, redescend sur terre, puis la voix toujours jeune de son grand-père mort depuis longtemps dit : *Il y a cent mille kilomètres de vaisseaux sanguins dans le corps humain, les enfants ! Presque assez pour faire deux fois et demie le tour de la Terre…*

Étienne redescend et vient lui prendre les mains. Avant qu'il n'ouvre la bouche, elle sait déjà ce qu'il va dire.

– Ton père m'a chargé de veiller sur toi.

– Je sais.

– Ce sera dangereux. Ce n'est pas un jeu.

– Je suis décidée. Mme Manec aurait voulu…

– Dis-moi tout. La procédure…

– Vingt-deux pas dans la rue Vauborel jusqu'à la rue d'Estrées. Puis à droite, et je compte seize bouches d'égout. À gauche dans la rue Robert-Surcouf. Encore neuf bouches

d'égout jusqu'à la boulangerie. Je vais au comptoir et je dis :
« Une miche ordinaire, s'il vous plaît ! »

– Et que répondra-t-elle ?

– Elle sera étonnée. Mais je suis censée dire : « Une miche
ordinaire », et elle : « Et comment va ton oncle ? »

– Elle demandera de mes nouvelles ?

– C'est ce qui est convenu. C'est ainsi qu'elle saura que
tu veux participer. C'est ce que Mme Manec avait suggéré.
Le protocole...

– Et toi, que diras-tu ?

– Je dirai : « Mon oncle va bien, merci. » Je prendrai la
miche, je la mettrai dans ma musette et je rentrerai ici.

– C'est encore valable maintenant ? Sans Mme Manec ?

– Pourquoi pas ?

– Comment paieras-tu ?

– Avec ma carte de rationnement.

– On a ça, nous ?

– Dans le tiroir du rez-de-chaussée. Et tu as de l'argent,
non ?

– Oui, on a de l'argent. Comment feras-tu pour rentrer ?

– Directement...

– Quel itinéraire ?

– Par le même chemin ! J'ai tout en tête, mon oncle. Je
suis souvent allée à la boulangerie.

– Il ne faudra pas aller ailleurs. Surtout pas sur la plage.

– Je rentrerai directement.

– Promis ?

– Promis.

– Alors, vas-y, Marie-Laure. Va vite...

Est

Ils roulent dans des wagons de marchandises à travers Lodz, Varsovie, Brest-Litovsk. Pendant des kilomètres, par la porte ouverte, Werner ne voit aucune trace de vie humaine, sinon un wagon renversé au bord de la voie, tordu et grêlé par un genre d'explosion. Des soldats montent ou descendent, maigres, pâles, chacun trimbalant son paquetage, une carabine et un casque. Ils dorment en dépit du bruit, du froid, de la faim, comme s'ils cherchaient désespérément à s'exclure du monde éveillé le plus longtemps possible.

Des rangées de pins divisent les plaines d'un gris métallique à l'infini. Jamais de soleil. Neumann 2 se réveille et urine par la porte, puis il prend les comprimés dans sa capote et en avale deux ou trois. « La Russie », dit-il, mais qu'en sait-il, c'est un mystère.

Une odeur d'acier dans l'air.

En fin de journée, Neumann 2 l'emmène à pied à travers des rangées de maisons en ruines, les poutres et les briques formant des amas calcinés. Ce qui reste des murs est labouré par des tirs de mitrailleuses. Il fait presque nuit quand Werner est poussé devant un capitaine – un tas de muscles en train de manger seul sur un divan constitué d'un cadre en bois et de ressorts. Dans sa gamelle, sur ses genoux, fume une sorte de boudin grisâtre. Il examine le nouveau venu pendant un moment, sans mot dire, avec un air de morne amusement.

– On les fait de plus en petits, ma parole ! Quel âge as-tu ?

– Dix-huit ans, capitaine.

L'autre rigole.

– Je dirais plutôt douze...

Il coupe une rondelle de boudin, mastique longuement, et finit par fourrer deux doigts dans sa bouche pour en retirer un morceau de cartilage.

– Tu dois avoir hâte de découvrir ton équipement. Tâche de faire mieux que ton prédécesseur !

Neumann 2 le guide jusqu'à l'arrière ouvert d'un Open Blitz crasseux, un véhicule tout-terrain de trois tonnes avec une caisse en bois fixée sur le châssis. Des jerricans de gasoil cabossés sont fixés à l'un des flancs par des sangles. Des rafales ont laissé des perforations serpentines sur l'autre flanc. La nuit s'installe. Neumann 2 lui apporte une lampe à pétrole.

– Les joujoux sont à l'intérieur.

Sur ce, il disparaît. Aucune explication. Bienvenue au club. De minuscules papillons de nuit dansent autour de la flamme. La fatigue l'accable. Était-ce l'idée que Hauptmann se faisait d'une récompense – ou d'une punition ? Si seulement il pouvait se retrouver sur les bancs de l'orphelinat, se laisser bercer par les chansons de Frau Elena, sentir la chaleur se dégager du poêle ventru et entendre la voix haut perchée de Siegfried Fischer s'extasiant sur les U-Boote et les avions de chasse, voir Jutta dessiner au bout de la table, esquissant les milliers de fenêtres de sa ville imaginaire.

Là-dedans, une odeur forte : glaise et gasoil, mêlés à quelque chose de putride. Trois fenêtres carrées reflètent la lueur de la lampe à pétrole. C'est un camion radiogoniométrique. Sur un banc, le long de la cloison de gauche, deux postes d'écoute crasseux, gros comme des oreillers. Une antenne télescopique qu'on peut sortir ou rentrer de l'intérieur. Trois casques, un râtelier à fusils, des rangements. Crayons gras, boussoles, cartes. Et ici, dans des boîtiers cabossés, deux des émetteurs-récepteurs conçus par Hauptmann et lui.

Cette vision l'apaise, comme s'il venait d'apercevoir un vieil ami flottant à ses côtés en plein océan. Sortant le premier de son boîtier, il dévisse la plaque du fond. L'indicateur est fissuré, plusieurs fusibles sont foutus, et la fiche pour le branchement fait défaut. Il cherche des outils, une clé à douille, du fil de cuivre. Par la portière ouverte il contemple les étoiles qui fourmillent dans le ciel.

Sont-ils guettés par des tanks russes ? Est-on en train de viser la lampe à pétrole ?

Il revoit la grosse radio Philco de Herr Siedler en ronce de noyer. Examine les fils, concentre-toi, réfléchis. À la longue, la solution s'imposera d'elle-même.

Lorsqu'il relève la tête, une douce lueur se montre derrière une rangée d'arbres, comme si quelque chose brûlait là-bas. L'aube. À moins d'un kilomètre de distance, deux garçons avec des bâtons suivent, le dos rond, leur troupeau de vaches squelettiques. Werner est en train d'ouvrir le second boîtier quand un géant apparaît à l'arrière du camion.

– Pfennig !

L'homme se tient par ses longs bras à la plus haute barre du toit. Il éclipse le village en ruine, les champs, le soleil levant.

– Volkheimer ?

Une miche ordinaire

Ils se tiennent dans la cuisine, rideaux tirés. Elle ressent encore l'excitation d'avoir quitté la boulangerie avec le poids chaud de la miche dans sa musette.

Étienne déchiquette le pain : « Voilà ! » Il dépose un minuscule rouleau de papier, pas plus gros qu'un bigorneau, dans la paume de sa petite-nièce.

– Qu'est-ce que ça dit ?

– Des nombres. Plein de nombres. Les trois premiers doivent être des fréquences. Le quatrième – 2300 –, c'est peut-être l'heure.

– Et maintenant, qu'est-ce qu'on fait ?

– On attend le soir.

Étienne tire des câbles à travers la maison, les passe derrière les murs, en raccorde un à une clochette au deuxième étage, sous le guéridon du téléphone, un autre à une seconde clochette au grenier, et un troisième au portillon qui se trouve à l'extérieur de la maison. Par trois fois, il lui demande de faire le test : elle se tient dans la rue, ouvre le portillon, et du fond de la maison elle entend deux faibles tintements.

Ensuite il fabrique un double-fond à l'intérieur de l'armoire, qu'il fixe à un rail coulissant pour qu'on puisse le manœuvrer de chaque côté. Le soir venu, ils boivent du thé tout en mastiquant le dense et farineux pain de la boulangerie

Rudelle. Quand il fait tout noir, Marie-Laure suit son grand-oncle dans l'escalier, à travers la chambre au cinquième étage, et jusqu'au grenier. Étienne hisse la lourde antenne télescopique le long de la cheminée. Il appuie sur des interrupteurs et le grenier se remplit d'un délicat crépitement.

– Prête ?

Il a la voix du père de Marie-Laure, quand il était sur le point de dire une bêtise. Marie-Laure croit encore entendre les deux policiers : *Des gens ont été arrêtés pour moins que ça.* Et Mme Manec : *Tu ne veux pas te sentir vivre avant de mourir ?*

– Oui.

Il se racle la gorge, allume le micro et dit :

– 567, 32, 3011, 2300, 110, 90 146, 7751.

Les nombres s'égrènent, volent au-dessus des toits, à travers les mers, Dieu sait vers quelle destination. L'Angleterre, Paris – l'au-delà.

Il passe à une deuxième fréquence et répète la transmission. Une troisième. Puis il éteint tout. L'appareil se refroidit avec un tic-tac.

– Qu'est-ce que ça signifiait, mon oncle ?

– Je n'en sais rien.

– Ça représente des mots ?

– Je suppose.

Ils redescendent par l'échelle, repassent par l'armoire. Il n'y a pas de soldat dans le couloir, l'arme au poing. Rien n'a changé. Une phrase lui revient en mémoire – une phrase d'un personnage de Jules Verne : *La science, mon garçon, est faite d'erreurs, mais d'erreurs qu'il est bon de commettre, car elles mènent peu à peu à la vérité.*

Étienne rit tout seul.

– Tu te souviens de ce que disait Mme Manec... la grenouille ébouillantée ?

– Oui, mon oncle.

– Je me demande qui était la grenouille... Elle-même ou les Allemands ?

Volkheimer

L'ingénieur est un homme taciturne et caustique nommé Walter Bernd et affecté d'un strabisme divergent. Le chauffeur est un trentenaire aux dents du bonheur qu'on appelle Neumann 1. Werner sait que Volkheimer, leur sergent, ne peut pas avoir plus de vingt ans, mais dans la lumière grisâtre du petit matin, il en paraît le double.

– Les partisans s'attaquent aux trains, explique-t-il. Ils sont organisés et notre capitaine pense qu'ils coordonnent leurs attaques grâce à des radios.

– Le dernier technicien, dit Neumann 1, a trouvé que dalle…

– C'est du bon matériel, affirme Werner. Dans une heure, j'aurai tout réparé.

De la tendresse passe dans le regard de Volkheimer et y reste un moment.

– Pfennig, dit-il, n'a rien de commun avec notre dernier technicien.

Ils s'y mettent. L'Opel tressaute sur des routes qui ne sont pas tellement plus que des pistes. Régulièrement, ils s'arrêtent pour installer un émetteur-récepteur sur une bosse ou une crête. Ils y laissent Bernd et le maigrichon Neumann 2 – l'un avec un fusil, l'autre coiffé du casque. Puis ils roulent encore sur quelques centaines de mètres, de façon à pouvoir former la base d'un triangle, calculant la distance avec précision tout du long, et Werner allume le premier appareil. Il hisse l'antenne, coiffe le casque et balaie le spectre, s'efforçant de trouver quelque chose qui n'est pas autorisé. Une voix défendue.

Le long de l'horizon plat et immense, des feux multiples semblent brûler en permanence. La plupart du temps, Werner roule face à la piste qui défile, et il contemple le pays qu'ils sont en train de quitter, retournant vers la Pologne, vers le Reich.

On ne leur tire pas dessus. Rares sont les voix qui se détachent des parasites, et celles-ci sont allemandes. La nuit venue, Neumann 1 va chercher des boîtes de conserve dans les caisses à munitions qui renferment de petites saucisses, Neumann 2 fait des blagues éculées sur des putains dont il se souvient ou qu'il invente, et dans ses cauchemars Werner voit des silhouettes de garçons se refermer sur Frederick, mais quand il se rapproche, Frederick se transforme en Jutta, qui le fixe d'un air accusateur tandis que les garçons emportent ses membres un par un.

Toutes les heures, Volkheimer passe sa tête à l'arrière du camion et croise le regard de Werner :

– Rien ?

Werner secoue la tête. Il tripote les accus, vérifie l'antenne, contrôle pour la énième fois les fusibles. À l'école, avec Hauptmann, c'était un jeu. Il pouvait deviner la fréquence de Volkheimer ; il savait toujours si son émetteur émettait. Ici, il ne sait ni comment, ni quand, ni où – et s'il y a d'ailleurs effectivement transmission. Ici, il fait la chasse aux fantômes. Tout ce qu'ils font, c'est gaspiller du carburant à rouler devant des ruines de fermes encore fumantes, des pièces d'artillerie martyrisées et des sépultures anonymes, tandis que Volkheimer passe sa main de géant sur son crâne rasé, de plus en plus mal à l'aise au fil des heures. À des kilomètres de distance, on entend des canonnades, et pourtant les convois allemands sont toujours attaqués – les rails toujours tordus, les wagons à bestiaux toujours culbutés, les soldats du Führer toujours mutilés, et ses officiers enragent.

Un partisan, ce vieillard qui scie des arbres ? Et cet autre penché sur le moteur de cette voiture ? Et ces femmes, puisant de l'eau à la rivière ?

La nuit, du givre apparaît, jetant une nappe argentée sur le paysage, et Werner se réveille à l'arrière du camion, les mains passées sous les aisselles, l'haleine fumante et les tubes de l'émetteur dégageant une vague lueur bleue. Quelle sera l'épaisseur du manteau de neige ? Deux mètres ? Trois mètres ? Trente mètres ?

Des kilomètres de profondeur, songe Werner. Nous roulerons par-dessus tout ce qui a jamais existé.

Automne

Des orages nettoient les cieux, les grèves, les rues, un soleil rouge plonge dans la mer, enflammant toutes les façades de granit orientées à l'ouest, et trois limousines glissent sans bruit dans la rue de la Crosse comme des spectres, et un petit groupe d'officiers allemands, accompagnés par des hommes qui transportent des éclairages de scène et des caméras de cinéma, grimpe en haut du Bastion de la Hollande et déambule sur les remparts malgré le froid.

Du quatrième étage, Étienne les observe à travers son télescope en cuivre. Ils sont presque vingt en tout : capitaines, majors et même un lieutenant-colonel qui tient son manteau et son col, et qui gesticule en direction des îlots. Un simple soldat tâche d'allumer une cigarette en dépit du vent, et ses camarades s'esclaffent quand son calot s'envole par-dessus les créneaux.

De l'autre côté de la rue, des femmes sortent en riant de chez Claude Guernec. La lumière brûle chez lui, alors que le reste du quartier est privé d'électricité. Quelqu'un ouvre une fenêtre au premier et jette un petit verre, qui roule, roule jusque dans la rue Vauborel, et disparaît.

Étienne allume une bougie et monte au cinquième. Marie-Laure s'est endormie. De sa poche, il tire une bandelette de papier qu'il déroule. Il a déjà renoncé à décrypter le code ;

387

il a recopié ces nombres, les a agencés sur une grille, ajoutant, multipliant – sans aucun résultat. Quoique. Il n'a plus
la nausée l'après-midi. Sa vision reste nette, son cœur serein.
D'ailleurs, voilà plus d'un mois qu'il ne s'est pas recroquevillé
contre le mur de son antre, priant pour ne pas voir de fantômes. Lorsque sa petite-nièce rentre avec le pain, lorsqu'il
déroule le petit papier dans sa main, se penche sur le micro,
il se sent inébranlable – vivant.

56778. 21. 4567. 1094. 467813.

Puis, l'heure et la fréquence de la prochaine émission.

Voilà plusieurs mois que ça dure, les bouts de papier arrivent dans la miche de pain assez régulièrement, et depuis peu
Étienne passe de la musique. Toujours la nuit et très briè-
vement : soixante ou quatre-vingt-dix secondes maximum.
Debussy, Ravel, Massenet ou Charpentier. Il place le micro
dans le pavillon du phonographe, comme autrefois, et laisse
tourner le disque.

Qui écoute ? Étienne imagine des récepteurs d'ondes
courtes déguisés en paquets de flocons d'avoine, ou planqués
sous des lames de parquet, des dalles de pierre ou dans des
cuvettes. Il imagine une poignée d'auditeurs le long de la côte
– peut-être un peu plus, en comptant ceux qui sont en mer,
le poste du capitaine d'un navire de la marine marchande
chargé de tomates, de réfugiés ou d'armes –, des Anglais
qui guettent les nombres, mais pas la musique, qui doivent
se demander : *Pourquoi ?*

Ce soir, c'est Vivaldi. « L'Automne – Allegro ». Un disque
que son frère avait acheté dans une boutique rue Sainte-
Marguerite et qui lui avait coûté cinquante-cinq centimes.

Le clavecin pépie, les violons font de grandes fioritures
baroques – l'espace confiné du grenier en déborde. Au-
dessous du toit, tout près, douze officiers allemands sourient
devant l'objectif.

Écoutez ça, songe Étienne. Écoutez.

Quelqu'un lui touche l'épaule. Il doit se retenir contre la pente du toit pour ne pas se casser la figure. Marie-Laure se tient derrière lui, en chemise de nuit.

Les violons décrivent leurs arabesques. Étienne lui prend la main et, ensemble – tandis que le disque tourne, l'émetteur transmettant la musique par-delà les remparts, à travers les corps des Allemands, vers la mer – ils dansent. Il la fait tournoyer ; les doigts de Marie-Laure volètent dans les airs. À la lueur de la bougie, on la dirait venue d'un autre monde, son visage est parsemé de taches de son, et au milieu ces yeux qui ne bougent pas, comme des cocons d'araignées. Ils ne le suivent pas, mais ne l'angoissent pas non plus ; ils semblent presque voir à l'intérieur d'un autre lieu, distinct, un monde qui n'est que musique.

Svelte. Gracieuse. Concentrée quand elle valse, même s'il se demande où elle a pu apprendre à danser.

Le morceau se déroule. Il le laisse trop longtemps. L'antenne est toujours en l'air, sans doute visible sur fond de ciel : le grenier tout entier pourrait aussi bien briller comme un fanal. Mais à la lueur de la bougie, dans le ravissant emportement du concerto, elle se mordille la lèvre, et son visage s'illumine, lui rappelant les marais à l'extérieur de Saint-Malo, l'hiver, quand le soleil est couché mais pas complètement englouti, ces grands roseaux qui captent des pans de clarté et s'embrasent – là où il allait avec son frère, dans une autre vie.

Voilà ce que signifient ces nombres.

Le concerto s'achève. Une guêpe se cogne avec obstination au plafond. L'appareil est resté allumé, le micro enfoncé dans le pavillon tandis que l'aiguille parcourt le dernier sillon. Marie-Laure respire très fort, souriante.

Après qu'elle est retournée se coucher, qu'il a soufflé la bougie, Étienne reste un moment agenouillé près de son propre lit. La silhouette de la Mort parcourt les ruelles, retient sa monture ici et là pour regarder dans les maisons. Des cornes de feu sur la tête, de la fumée sortant des naseaux, et, dans sa main squelettique, une nouvelle liste d'adresses. Elle contemple d'abord le groupe d'officiers qui descendent de leurs limousines pour entrer au château.

Puis, les chambres éclairées de Claude Guernec, le parfumeur.

Puis, la haute et obscure maison d'Étienne Leblanc.

Passe ton chemin, la Mort. Passe ton chemin.

Tournesols

Ils roulent sur une piste poussiéreuse, cernés par des fleurs de tournesol aussi hautes que des arbustes, sur des kilomètres et des kilomètres. Leurs tiges, desséchées, sont raides, et elles penchent la tête tels des pénitents ; c'est comme être épié par des milliers de cyclopes. Neumann 1 s'arrête, Bernd laisse son fusil et s'en va en emportant le second appareil. Werner hisse la grande antenne, s'installe à sa place attitrée, à l'arrière du camion, avec son casque.

Dans la cabine, Neumann 2 est en train de dire :

— T'as jamais touché ses acétates, hein, espèce de vieux puceau !

— Ferme-la, dit Neumann 1.

— Monsieur se branle la nuit avant de faire dodo !

— Comme la moitié de l'armée. Allemands et Russes, même combat.

— Le petit Aryen pubère, à l'arrière, lui c'est bien un puceau, en tout cas.

De son côté, Bernd annonce les fréquences. Rien, rien, rien. Neumann 1 dit :

— Le véritable Aryen est blond comme Hitler, mince comme Göring, grand comme Goebbels...

Hilarité chez Neumann 2.

— Putain, je...

Volkheimer dit :
– Assez !

C'est la fin de l'après-midi. Toute la journée ils se sont déplacés à travers cette étrange région désolée, sans voir autre chose que des tournesols. Werner passe l'aiguille sur les fréquences, change de bande, règle l'appareil, fouille la friture. L'air en grouille jour et nuit, un grand, un sinistre bruit parasite ukrainien qui devait être là bien avant d'être audible par des humains.

Volkheimer va pisser dans les tournesols, et Werner décide d'orienter l'antenne, mais c'est alors qu'il entend – aussi clair, vif, et menaçant que la lame d'un couteau qui brille au soleil – une salve de russe. *Adee, shest, vosyem.* Toutes les fibres de son système nerveux se réveillent.

Il augmente le volume au maximum, presse les écouteurs contre ses oreilles. *Ponye-truc-feshky, shere-truc-doroshoï...* Volkheimer le regarde comme s'il avait deviné, comme s'il sortait de sa torpeur pour la première fois depuis des mois, comme ce jour-là dans la neige lorsque Hauptmann avait tiré en l'air et qu'ils avaient réalisé que les appareils fonctionnaient.

Werner tourne très légèrement le bouton de réglage et soudain la voix lui braille aux oreilles : *Dvee-nat-set, shayst-nat-set, davt-set-adeen*, un charabia, un terrible charabia, déversé directement dans sa tête ; c'est comme fouiller dans un sac plein de coton hydrophile et y trouver une lame de rasoir. Tout est normal, douillet, et tout à coup, cette chose dangereuse, si coupante que c'est à peine si on la sent vous inciser la peau.

Volkheimer donne un coup de poing contre la carrosserie pour réduire les Neumann au silence, et Werner communique le canal à Bernd, qui mesure l'angle avant de le recommuniquer à Werner, qui s'attelle aux calculs. Règle à calcul, trigonométrie, carte. Le Russe est toujours en train de parler quand Werner retire son casque.

– Nord-nord-ouest... !

– Loin d'ici ?

– Un kilomètre et demi.

Ce ne sont que des chiffres. Des mathématiques.

– Et en ce moment, ils diffusent ?

Werner replace un écouteur sur son oreille. Il acquiesce. Neumann 1 redémarre, Bernd revient dare-dare à travers les tournesols en trimbalant son appareil, Werner rentre l'antenne et ils repartent sur les chapeaux de roues, droit sur les tournesols, qu'ils fauchent au passage. Les plus grands arrivent quasiment à la hauteur du camion, et leurs grosses têtes racornies martèlent le toit de la cabine et les flancs de la caisse.

Neumann 1 surveille le compteur et annonce les kilomètres parcourus. Volkheimer distribue les armes. Deux Karabiner 98K. Le Walther semi-automatique avec sa lunette de tir. À côté de lui, Bernd loge des cartouches dans le magasin de son Mauser. *Bong*, font les tournesols. *Bong bong bong*. Le camion fait une embardée comme un navire en mer tandis que Neumann 1 lui fait passer des ornières.

– Onze cents mètres, lance-t-il, et Neumann 2 grimpe sur le toit de la cabine et observe le champ à la jumelle.

Au sud, les tournesols font place à un carré de cornichons enchevêtrés. Au-delà, cernée par de la terre battue, se dresse une plaisante fermette au toit de chaume, aux murs blanchis à la chaux.

– La bande de fleurettes blanches. Au bout du champ.

Volkheimer ajuste sa lunette de tir.

– La cheminée fume ?

– Non.

– Une antenne ?

– Difficile à dire.

– Coupe le moteur. À partir d'ici, on y va à pied.

Le silence s'installe.

Volkheimer, Neumann 2 et Bernd partent avec leurs armes au milieu des tournesols qui les engloutissent. Neumann 1 reste au volant, Werner à l'arrière du camion. Aucune mine n'explose sous les pas de leurs compagnons. Tout autour de l'Opel, les fleurs grincent sur leurs tiges et leurs faces d'héliotrope opinent comme pour exprimer une triste approbation.

– Ces salopards vont en faire, une tête…, marmonne Neumann 1.

Sa cuisse droite tressaute. Derrière lui, Werner élève l'antenne aussi haut qu'il l'ose, remet son casque, et allume l'appareil. Le Russe est en train de lire ce qui ressemble aux lettres d'un alphabet. *Peh zheh kah chech yu myakee znak.* Chacune semble s'élever d'une espèce d'ouate sonore destinée à ses seules oreilles, avant de se dissoudre dans le néant. La jambe agitée de Neumann 1 fait osciller très légèrement le camion, le soleil flamboie à travers les restes d'insectes qui maculent les vitres, et un vent froid fait frissonner tout le champ.

Pas de sentinelles ? De guetteurs ? De partisans armés justement en train de se glisser derrière le véhicule ? Ce Russe est un frelon dans chacune de ses oreilles, *zvou, kaz vukalov* – qui sait quelles informations il est en train de divulguer, positions des troupes, horaires des trains ; peut-être est-il en train d'indiquer la situation du camion à des artilleurs – et Volkheimer vient d'émerger des tournesols, formant une cible on ne peut plus visible, tenant son fusil comme une baguette ; cette maisonnette semble bien trop petite pour lui, on dirait qu'elle va disparaître en lui plutôt que le contraire.

D'abord, les détonations claquent dans l'air. Une fraction de seconde plus tard, elles passent à travers les écouteurs eux-mêmes, si fort que Werner manque de les arracher. Puis, même les parasites se taisent, et ce silence sous le casque, c'est comme quelque chose de gigantesque qui se déplacerait à travers l'espace, un spectral vaisseau de l'espace en train de se poser.

Neumann 1 ouvre et referme la culasse de son fusil.

Werner se revoit, accroupi près de son lit de camp avec Jutta, quand le Français avait terminé son émission, les fenêtres ébranlées par le passage d'un train de transport de charbon. L'écho de l'émission semblait miroiter dans l'air pendant un moment, comme s'il avait pu allonger le bras et la ramener, flottant, dans ses mains.

Volkheimer revient, le visage éclaboussé d'encre Il lève deux énormes doigts jusqu'à son front, repousse son casque en arrière, et Werner réalise que ce n'est pas de l'encre.

– Allez foutre le feu, dit-il. Et vite. Sans gaspiller de gasoil

Il regarde Werner. Sa voix est tendre, presque mélancolique.

– Récupère le matos…

Werner repose les écouteurs, met son casque de combat. Des martinets fondent en piqué sur les tournesols. Sa vue décrit des boucles lentes, comme s'il avait des problèmes d'équilibre. Neumann 1, qui le précède, fredonne tout en transportant un jerrican de carburant à travers les tournesols. Ils en émergent, foulant des lupins et des carottes sauvages aux feuilles brunies par le givre. Près du seuil, un chien est couché dans la poussière, la gueule sur les pattes, et l'espace d'un instant Werner croit qu'il dort.

Le premier mort est à terre, un bras coincé sous lui-même et une bouillie sanglante à la place de la tête. Sur la table, un autre : vautré comme s'il dormait sur une oreille ; on ne voit que les bords de la plaie, d'un pourpre obscène. Du sang étalé sur la table s'épaissit comme de la cire refroidie. Ça paraît presque noir. C'est étrange de penser que sa voix est toujours en train de voler dans les airs, déjà dans un autre pays, s'affaiblissant à chaque kilomètre.

Pantalons déchirés, vestes crasseuses, des bretelles pour l'un d'eux : ils n'ont pas d'uniforme.

Neumann 1 déchire un rideau fait d'un sac à patates, l'emporte au dehors, et Werner l'entend l'asperger de gasoil. Neumann 2 enlève les bretelles au second mort, prend des tresses d'oignons sur le linteau, les fourre contre sa poitrine et s'en va.

Dans la cuisine, une part de fromage, entamée. Un couteau à côté, au manche en bois décoloré. Werner ouvre un placard. À l'intérieur, l'antre de la superstition : bocaux pleins d'un liquide sombre, remèdes sans étiquette, mélasse, cuillères à soupe collées au bois, quelque chose intitulé, en latin, *belladonna*, quelque chose d'autre avec un grand X.

Le transmetteur est médiocre, à haute fréquence : sans doute récupéré dans un char russe. Guère plus qu'une poignée de composants flanqués dans une boîte. L'antenne GPA installée près de la maison devait émettre jusqu'à une distance de quarante-cinq kilomètres. Et encore.

Werner sort, se retourne sur la maison, blanche comme un os dans la lueur déclinante. Il songe au placard de la cuisine et ses étranges potions. Au chien qui n'a pas fait son devoir. Les partisans avaient peut-être des pouvoirs de guérisseur, mais ils n'auraient pas dû se frotter à la magie supérieure de la radio. Il prend son fusil en bandoulière, et emporte le gros transmetteur cabossé – ses câbles, son micro de médiocre qualité – à travers les tournesols et jusqu'au camion, dont le moteur tourne. Neumann 2 et Volkheimer sont déjà dans la cabine. Il entend le Dr Hauptmann. Le travail d'un scientifique est déterminé par deux choses : ses centres d'intérêt et ceux de son époque. Tout menait à cela, la mort de son père, toutes ses heures excitantes en compagnie de Jutta, quand ils captaient des stations radio sur le poste à galène, au grenier ; Hans et Herribert portant leurs brassards rouges sous leurs chemises pour que Frau Elena ne s'en aperçoive pas ; les nuits fébriles à l'école quand il travaillait pour le Dr Hauptmann. L'anéantissement de Frederick. Tout a conduit à ce moment où Werner entasse l'équipement des Russkofs à l'arrière du camion, avant de s'asseoir, le dos contre la table d'écoute, et de regarder les flammes de la chaumière s'élever au-dessus du champ. Bernd grimpe à côté de lui, son arme sur les genoux, et personne ne prend la peine de refermer la portière quand l'Opel repart.

Pierres

Le Stabsfeldwebel von Rumpel est convoqué dans un entrepôt dans les faubourgs de Lodz. C'est la première fois qu'il voyage depuis la fin de son traitement à Stuttgart, et c'est comme si son squelette avait perdu en densité. Six gardes casqués attendent derrière des barbelés. Force claquements de bottes et saluts s'ensuivent. Il enlève sa capote vert-de-gris et enfile une combinaison zippée dépourvue de poches. Trois verrous cèdent. Derrière la porte, quatre soldats vêtus de la même combinaison se tiennent derrière des tables éclairées par des lampes de bijoutier. On a cloué des feuilles de contreplaqué aux fenêtres.

Un caporal explique le protocole. Un premier homme délogera les pierres précieuses de leur monture. Un second les nettoiera une à une dans un bain de détergent. Un troisième les pèsera, annoncera la masse, et les passera à von Rumpel, qui les examinera à la loupe et notera leur clarté – *Incluse, Légèrement incluse, Pure à la loupe.* Un cinquième, le caporal, consignera ces évaluations.

– On travaillera dix heures par jour jusqu'à ce qu'on ait un résultat.

Von Rumpel acquiesce. Déjà sa colonne vertébrale semble sur le point de se fendre en deux. Le caporal traîne un gros sac fermé par un cadenas de dessous sa table, ôte la chaîne, et le renverse sur un plateau tendu de velours. Des milliers de joyaux se répandent : émeraudes, saphirs, rubis. Citrine. Péridot. Chrysobéryl. Parmi eux scintillent des centaines de petits diamants, la plupart sertis dans des colliers, bracelets, boutons de manchettes, boucles d'oreilles.

Le premier homme porte le plateau à son poste de travail, insère une bague de fiançailles dans son étau, en écarte les griffes avec ses brucelles. Le diamant finit par tomber. Von Rumpel compte les autres sacs sous la table : neuf.

— D'où est-ce que... ? dit-il.

Mais il connaît déjà la réponse.

Grotte

Quoique Mme Manec soit morte depuis plusieurs mois, Marie-Laure guette toujours son pas dans l'escalier, sa respiration laborieuse, ses expressions désuètes. *Jésus, Marie, Joseph, on gèle ici !* Mais elle attend en vain.

Chaussures au pied du lit, sous la maquette. Canne dans un coin. Elle descend au rez-de-chaussée, où sa musette est accrochée à la patère. Elle met une vieille paire de lunettes parce qu'Étienne lui a dit qu'elle attirerait moins l'attention, ainsi. Dehors. Vingt-deux pas dans la rue Vauborel. Puis, à droite, compter seize bouches d'égout. À gauche, rue Robert-Surcouf. Encore neuf bouches d'égout jusqu'à la boulangerie.

Une miche ordinaire, s'il vous plaît.

Comment va ton oncle ?

Très bien, merci.

Parfois, il y a une bandelette de papier à l'intérieur, mais pas toujours. Parfois, Mme Rudelle lui glisse quelques victuailles : chou-fleur, navets, savonnette. Retour au croisement avec la rue d'Estrées. Au lieu de tourner à gauche dans la rue Vauborel, Marie-Laure continue tout droit. Cinquante marches jusqu'aux remparts, une centaine le long des murailles jusqu'à l'entrée de la ruelle qui va se rétrécissant.

À tâtons elle trouve la serrure ; de sa poche elle tire la vieille clé que lui a donnée Hubert Bazin, un an plus tôt.

L'eau est glaciale et lui arrive aux chevilles ; aussitôt, ses orteils s'engourdissent. Mais la grotte elle-même comprend son propre univers visqueux, et à l'intérieur de cet univers tournoient d'innombrables galaxies : ici, dans la coquille d'une moule vit un anatife, et un petit coquillage en forme de spirale abrite un bernard-l'hermite encore plus petit. Et sur la coquille du bernard-l'hermite... ? Un anatife encore plus petit. Et sur cet anatife... ?

Dans l'humidité de cet ancien chenil, le bruit du ressac étouffe tous les autres ; elle soigne ses mollusques comme elle soignerait un jardin. De marée en marée, elle écoute les créatures vivre, elle songe à son père dans sa cellule, à Mme Manec quand elles étaient dans le pré, à son oncle cloîtré dans sa propre maison pendant des années.

Puis, elle retourne à tâtons jusqu'à la porte et referme derrière elle.

Cet hiver-là, les pannes d'électricité se multiplient. Étienne branche son émetteur sur une paire de batteries marines pour pouvoir diffuser même pendant les pannes. Ils brûlent des cageots, des papiers, et même des meubles afin d'avoir chaud. Marie-Laure traîne le lourd tapis qui se trouvait dans la chambre de Mme Manec jusqu'au cinquième étage et en recouvre son édredon. Certaines nuits, il fait si froid dans sa chambre qu'elle ne serait pas étonnée de trouver du givre sur le plancher.

Toute personne qui passe dans la rue pourrait être un policier. Tout grondement de moteur, un détachement venu la débusquer.

À l'étage, Étienne transmet une fois de plus et elle pense : *Je devrais me poster derrière la porte d'entrée, au cas où ils viendraient.* Cela lui permettrait de gagner quelques minutes. Mais il fait si froid. C'est bien moins douloureux de rester au lit, sous le poids du tapis, à rêver qu'elle est à l'intérieur du musée, laissant courir ses doigts le long des murs, traversant la Grande Galerie en direction du dépôt des clés. Il suffit de fouler le sol carrelé, de tourner à gauche, et elle y trouvera son père, affairé à son comptoir. Il lui dira :

Où étais-tu passée, ma chérie ?

Jamais je ne t'abandonnerai. Jamais.

La traque

En juillet 43, Werner détecte une seconde transmission illégale depuis un verger sur lequel était tombé un obus, fendant en deux la plupart des arbres. Deux semaines plus tard, il en trouve une troisième, puis une quatrième. À chaque fois, c'est comme une variation de la précédente : le triangle se referme, chaque segment rétrécit simultanément, les sommets se rapprochent pour ne faire plus qu'un unique point – grange, fermette, usine désaffectée ou campement sordide dans les glaces.

– Il est en train d'émettre ?
– Oui.
– Dans cette cabane ?
– Tu vois l'antenne le long du mur ?

Quand cela est possible, Werner enregistre sur bandes magnétiques ce que disent les partisans. Le commun des mortels, en fait, adore s'écouter parler. Péché d'orgueil ! Ces gens-là hissent l'antenne trop haut, émettent trop longtemps, supposent que le monde offre sécurité et rationalité, ce qui est bien sûr illusoire.

Le capitaine leur fait savoir qu'il est enchanté de ces résultats ; il promet des congés, des steaks, de l'alcool. Tout au long de l'hiver, l'Opel sillonne des territoires occupés, des grandes villes dont Jutta avait noté les noms dans leur livret de radio – Prague, Minsk, Lubiana.

Parfois, leur véhicule passe devant un groupe de prisonniers, et Volkheimer demande à Neumann 1 de ralentir. Droit comme un I, il cherche du regard un type aussi grand que lui. Quand il en voit un, il tape du poing sur le tableau de bord. Neumann 1 freine, et Volkheimer s'avance dans la neige profonde, parle à un garde, et se balade parmi les prisonniers, avec en général juste une chemise sur le dos.

– Sa carabine est dans le camion, dit alors Neumann 1. Il a laissé sa foutue carabine ici...

Quand il n'est pas trop loin, Werner l'entend parfaitement parler. « *Ausziehen* », dit-il, son haleine fumant devant lui, et le Russe comprend presque à chaque fois. Déshabille-toi. Un solide gaillard qui a le visage de celui qui ne s'étonne plus de rien. Sauf peut-être de voir un autre colosse s'approcher de lui.

Mitaines, chemise, capote fatiguée. C'est seulement quand il veut les bottes que leur expression change : ils secouent la tête, regardent en l'air ou par terre, roulent des yeux comme des chevaux effarouchés. Perdre ses bottes, c'est mourir. Mais Volkheimer attend, avec sa carrure formidable, et toujours l'autre cède ; il se tient dans ses chaussettes trouées, dans la neige tassée, et tente de croiser le regard des autres prisonniers, en vain. Volkheimer examine les vêtements, les essaie, les rend si ça ne lui va pas. Ensuite, il retourne au camion et Neumann 1 repart.

Glace qui craque, villages qui brûlent dans des forêts, nuits où la température est trop basse pour qu'il neige – c'est un hiver étrange au cours duquel Werner hante les fréquences tout comme il hantait les chemins avec Jutta, quand il la remorquait dans son wagonnet à travers les colonies du Zollverein. Une voix se concrétise au sein de la distorsion de ses écouteurs, s'éloigne, et il part à sa recherche. Là, se dit-il, quand il l'a retrouvée, *là* : c'est comme fermer les yeux et s'avancer en suivant un fil d'un kilomètre de long, jusqu'au moment où l'on palpe la grosseur d'un nœud.

Quelquefois, plusieurs journées s'écoulent après une première transmission avant de capter la suivante. Cela représente un problème à résoudre, quelque chose à méditer : c'est mieux, assurément, que de combattre dans une tranchée glaciale et qui empeste, infestée de poux, comme en leur temps les vieux instructeurs qu'il avait à l'école, les rescapés de la Grande Guerre. C'est plus propre, plus mécanique, une guerre qui se livre dans les airs de façon invisible, et les lignes de front sont n'importe où. N'y a-t-il pas du plaisir dans cette chasse ? Le camion qui tressaute à travers les ténèbres, l'antenne qu'on entraperçoit à travers les arbres ?

Je t'entends.

Aiguilles dans une meule de foin. Épines dans la patte d'un lion. Il les trouve, et Volkheimer les arrache.

Tout au long de l'hiver, les Allemands conduisent leurs chevaux, leurs traîneaux, leurs chars et leurs camions sur les mêmes routes, tassant la neige, la transformant en une sorte de ciment gluant, souillé de sang. Et quand enfin vient avril, ses odeurs de cadavres et de sciure, les murs de neige fondent, mais cette chaussée de glace – elle – reste : un lumineux et obstiné témoin de la crucifixion de la Russie.

Un soir, il traverse un pont sur le Dniepr au milieu des coupoles et des arbres en fleurs de Kiev qui se profilent, de la cendre qui souffle partout et des prostituées dans les ruelles. Dans un café, ils s'assoient non loin d'un fantassin pas tellement plus vieux que Werner. Le soldat fixe son journal avec des pupilles qui se contractent, sirote son café, et semble profondément étonné. Ahuri.

Werner ne peut s'empêcher de l'observer. Finalement, Neumann 1 se penche en avant :

– Tu sais pourquoi il a cette gueule-là ?

Werner indique que non.

– Le froid lui a grillé les paupières. Pauvre bougre…

Le courrier n'arrive pas. Les mois se succèdent et Werner n'écrit plus à sa sœur.

Les messages

Les autorités d'occupation décrètent qu'une liste des habitants doit être placardée à la porte de chaque maison : *M. Étienne Leblanc, 62 ans. Mlle Marie-Laure Leblanc, 15 ans.* Marie-Laure se torture à rêver de banquets : rôti de porc, pommes au four, bananes flambées, ananas à la Chantilly.

Un matin de l'été 43, elle se rend à la boulangerie sous une légère averse. La queue s'étire sur le trottoir. Lorsque c'est enfin son tour, Mme Rudelle lui prend les mains et parle très doucement : « Demande-lui s'il peut aussi lire ceci. » Sous la miche, un petit papier. Marie-Laure met le pain dans sa musette, froisse le papier dans son poing. Elle tend un ticket de rationnement, rentre directement à la maison, ferme le verrou derrière elle.

Étienne descend au rez-de-chaussée.

– Qu'est-ce que ça dit, mon oncle ?

– Ça dit : *Monsieur Droguet désire que sa fille à Saint-Coulomb sache qu'il va mieux.*

– Elle a dit que c'était important.

– Qu'est-ce que ça signifie ?

Marie-Laure se débarrasse de sa musette, y plonge la main et arrache un morceau de pain.

– Ça veut certainement dire que M. Droguet souhaite que sa fille sache qu'il va mieux...

Au fil des semaines, d'autres messages arrivent. Naissance à Saint-Vincent. Une aïeule à l'agonie à La Mare. Mme Gardinier, à La Rabinais, souhaite faire savoir à son fils qu'elle lui a pardonné. S'il y a là des messages secrets – si *M. Fayou s'est éteint des suites de sa crise cardiaque* signifie *Faites sauter la gare de triage à Rennes* – Étienne l'ignore. L'important, c'est qu'il y a des gens à l'écoute, que des citoyens ordinaires ont gardé des radios, qu'ils semblent anxieux de communiquer. Il ne quitte jamais la maison, ne voit personne excepté sa petite-nièce, et pourtant il se trouve au cœur des événements.

Il active le micro, récite les chiffres, puis les messages. Il les transmet sur cinq bandes distinctes, donne des instructions pour la prochaine transmission, et passe un vieux disque. En tout et pour tout, cela ne dure jamais plus de six minutes.

Trop long. C'est certainement trop long.

Pourtant, personne ne vient. Les deux clochettes ne tintent pas. Aucune patrouille française ne monte à l'assaut de l'escalier pour leur tirer une balle dans la tête.

Même si elle les a apprises par cœur, Marie-Laure demande souvent à son grand-oncle, le soir, de lui relire les lettres de son père. Ce soir-là, il s'est assis au bord du lit.

Aujourd'hui, j'ai vu un chêne déguisé en châtaignier.

Je sais que tu agiras comme il faut.

Si tu veux comprendre, regarde dans la maison d'Étienne, dans la maison.

– Pourquoi il a répété deux fois « dans la maison » ?

– On en a souvent parlé, Marie…

– Qu'est-ce qu'il fait en ce moment, à ton avis ?

– Il dort, ma petite. J'en suis sûr.

Elle se tourne sur le côté, il tire l'édredon sur elle, souffle la bougie et contemple les toits et les cheminées de la maquette au pied du lit. Un souvenir lui vient : ils étaient dans un champ, en dehors de la ville, son frère et lui. C'était l'été où des libellules étaient apparues à Saint-Malo, et leur père leur avait procuré des filets à papillon ainsi que des bocaux à bouchon de liège. Les deux garçons gambadaient dans les herbes hautes, chassant ces libellules qui s'enfuyaient devant eux, luisant par intermittence, et semblaient s'élever pour se mettre juste hors de leur portée, comme si la terre était une braise et elles, des étincelles que leurs pas avaient libérées.

Henri avait déclaré qu'il voulait en mettre tant et tant derrière sa fenêtre qu'on pourrait apercevoir sa chambre depuis un bateau, à des kilomètres de distance.

Mais s'il y a des libellules cet été-là, elles ne viennent pas jusque dans la rue Vauborel. À présent, il ne reste que la nuit et le silence. Le silence est le fruit de l'Occupation ; il est suspendu dans les branches, dégoutte des chéneaux. Mme Guiboux, la mère du cordonnier, a quitté la ville. Tout comme la vieille Mme Blanchard. Toutes ces fenêtres dans le noir... C'est comme si la ville était devenue une bibliothèque de livres écrits dans une langue inconnue ; et les maisons, des rayonnages de volumes devenus illisibles en l'absence de lumière.

Mais il y a cette machine au grenier, qui fonctionne de nouveau. Une étincelle dans la nuit.

Un faible cliquetis dans la ruelle. Regardant à travers les persiennes de la chambre, Étienne voit le spectre de Mme Manec qui se tient là, au clair de lune. Elle tend la main, des moineaux viennent se poser l'un après l'autre sur ses bras, et elle les fourre dans son manteau.

Loudenvielle

Les Pyrénées miroitent. Une lune grêlée est comme fichée sur un pic. Le Stabsfeldwebel prend un taxi qui l'emmène à travers une luminosité phosphorescente jusqu'au poste de police où le reçoit le commissaire, un homme qui triture continuellement d'une main sa moustache fournie.

La police française a procédé à une arrestation. Le chalet d'un généreux donateur lié au Muséum d'histoire naturelle de Paris a été cambriolé, et le malfaiteur vient d'être appréhendé avec une mallette pleine de pierres précieuses.

Il attend longtemps. Le commissaire examine ses ongles. Von Rumpel se sent très faible aujourd'hui, et même patraque. Le docteur a affirmé que le traitement était terminé, que la tumeur avait été ciblée et qu'il fallait désormais attendre, mais certains matins, se redresser après avoir noué ses lacets est un véritable calvaire.

Une voiture arrive. Le commissaire quitte son bureau. Von Rumpel observe la scène par la fenêtre.

Deux policiers font sortir un homme à l'air chétif, en costume beige, avec un œil au beurre noir. Il a les menottes aux poignets, le col constellé de gouttes de sang. Comme s'il venait de quitter un plateau de tournage où il jouerait le rôle d'un méchant. Les policiers l'escortent à l'intérieur du bâtiment tandis que le commissaire retire du coffre un sac à main.

Von Rumpel sort ses gants blancs. Le commissaire rentre, referme la porte, dépose le sac sur son bureau, et baisse les stores. Il oriente sa lampe. Dans une pièce, quelque part, on entend claquer la porte d'une cellule. Du sac, le commissaire extrait un carnet d'adresses, une liasse de lettres, et un poudrier. Puis il retire un double-fond et six bourses en velours.

Il les ouvre l'une après l'autre. La première contient trois splendides béryls : roses, gros, hexagonaux. La deuxième, un bloc d'amazonite, délicatement strié de blanc. La troisième, un diamant poire.

L'émotion électrise les doigts de von Rumpel. De sa poche, le commissaire sort une loupe, et la cupidité métamorphose ses traits. Il étudie longuement le diamant, sous toutes ses facettes. Von Rumpel est traversé par des visions du Führermuseum : présentoirs miroitants, alcôves douillettes sous des pilastres, bijoux en vitrine – et autre chose, aussi : une indéfinissable énergie, comme un courant à basse tension généré par ce gemme. Un murmure promettant l'éradication de son mal.

Enfin, le commissaire relève la tête, une marque rose autour de l'œil. La lueur de la lampe fait reluire ses lèvres humides. Il repose le diamant sur le velours.

De l'autre côté du bureau, von Rumpel s'empare du joyau. Juste le bon poids. Froid, même à travers le coton des gants. Saturé de bleu sur les bords.

Y croit-il ?

Clavier a presque réussi à allumer un feu à l'intérieur. Mais quand on a la loupe en main, il est évident que ce gemme est identique à celui qu'il avait examiné au musée, il y a deux ans. Il repose la contrefaçon sur le bureau.

– On pourrait quand même l'exposer aux rayons X, non ? fait le Français, dont le visage se décompose.

– Faites comme vous voulez… Moi, je prends ces lettres.

Avant minuit, il est de retour à l'hôtel. Deux répliques. C'est un progrès. Il ne reste plus que deux pierres à dénicher, dont l'une sera l'authentique. Ce soir-là, il commande un filet

409

de sanglier aux champignons et une bouteille de bordeaux. En temps de guerre tout particulièrement, certaines choses restent importantes. C'est ce qui distingue l'homme civilisé du barbare.

L'hôtel est plein de courants d'air et la salle de restaurant vide, mais le serveur est parfait. Il sert avec distinction et s'efface. Une fois dans le verre, sombre comme le sang, le vin a quelque chose de vivant. Von Rumpel a plaisir à se dire qu'il sera le seul au monde à l'avoir dégusté.

Gris

Décembre 43. Les ruelles entre les maisons sont des ravins glacials. Le seul bois qui reste est vert, et toute la ville sent le brûlé. Lorsqu'elle se rend à la boulangerie, Marie-Laure est transie. À la maison, c'est un peu mieux. Des flocons de neige isolés semblent traverser les pièces, comme passant par des trous dans les murs.

Elle écoute marcher son grand-oncle au grenier, et sa voix – 310, 1467, 507, 2222, 576881 – puis « Clair de lune », de Debussy, égrène ses notes vaporeuses.

Des avions vont et viennent à basse altitude dans le ciel. Parfois si bas qu'elle craint qu'ils ne rasent les toits, n'emportent les cheminées. Mais aucun avion ne s'écrase, aucune maison n'explose. Rien ne change, sinon qu'elle grandit : les vêtements que son père avait emportés pour elle sont devenus trop petits, et ses souliers trop étroits – elle porte désormais les vieux mocassins à glands de son grand-oncle, avec trois paires de chaussettes.

Selon la rumeur, seuls les individus indispensables ou grabataires seront autorisés à rester à Saint-Malo. « Pas question de partir, déclare Étienne. Pas maintenant qu'on fait quelque chose d'utile. Si on ne trouve pas un médecin pour nous délivrer un certificat, on se débrouillera autrement ! »

Chaque jour, elle parvient à trouver des moments pour s'immerger dans les royaumes du souvenir : les faibles impressions du monde visuel d'autrefois, quand elle avait moins de six ans, lorsque Paris et ses marchés étaient comme une vaste cuisine avec ses pyramides de choux et de carottes un peu partout, les étals de pâtisseries débordant de douceurs, les poissons empilés comme des stères de bois sur ceux des poissonniers, les rigoles pleines d'écailles argentées, les mouettes d'une blancheur d'albâtre fondant en piqué pour voler des viscères. À chaque coin de rue, une explosion de couleurs : vert des poireaux, vernis violet des aubergines.

Aujourd'hui, son monde est devenu grisâtre. Visages grisâtres, silence grisâtre, et cette terreur grisâtre tangible dans la queue à la boulangerie. La seule couleur est suscitée par Étienne quand il monte au grenier, avec ses genoux qui craquent, pour envoyer une nouvelle suite de chiffres dans le ciel, les messages de Mme Rudelle, et passer son disque. C'est alors une explosion de rouge magenta, d'aigue-marine et de jaune d'or pendant quelques minutes, puis la radio se tait et le gris revient tandis que son grand-oncle redescend l'escalier.

Fièvre

C'est peut-être un truc qu'il a mangé dans une immonde gargote ukrainienne. Ou des partisans qui auraient empoisonné l'eau. Ou bien il est resté trop longtemps dans des endroits malsains, écouteurs aux oreilles. Quoi qu'il en soit, la fièvre s'empare de Werner, ainsi qu'une épouvantable diarrhée, et quand il est accroupi derrière l'Opel, il se sent déféquer ce qui restait en lui de l'homme civilisé. Pendant des heures il reste prostré, la joue contre la cloison du camion, cherchant un peu de fraîcheur. Puis les grelottements reprennent, et il ne parvient plus à se réchauffer ; il sauterait volontiers dans le feu.

Volkheimer lui propose du café, Neumann 2 ses cachets qu'il sait ne pas être pour les migraines. Il refuse tout – et 1943 devient 1944. Werner n'a pas écrit à sa sœur depuis presque un an. La dernière lettre qu'il a reçue d'elle est vieille de six mois et commence par : *Pourquoi tu n'écris pas ?*

Pourtant, il réussit à détecter des transmissions illégales tous les quinze jours environ. Il pille le matériel soviétique, qui est de qualité inférieure, fabriqué avec de l'acier léger, mal soudé. Ce n'est pas sérieux. Comment peuvent-ils espérer gagner la guerre avec un équipement aussi minable ? La résistance passe pourtant pour être supérieurement organisée : les insurgés sont des hommes dangereux, disciplinés ; ils sont guidés par des chefs déterminés et féroces. Alors qu'à en croire ses propres yeux, ils sont si mal soutenus par la puissance alliée qu'ils en sont devenus quasi inefficaces – ce sont des gens démunis, pouilleux, qui vivent dans des tanières. Des misérables en guenilles qui n'ont plus rien à perdre.

Et il ne parvient pas à déterminer laquelle de ces visions est la plus juste. Car ce sont tous des partisans, ces gens qu'il voit. Tout individu qui n'est pas allemand veut leur mort, même le plus servile des collabos. Ils se planquent au passage du camion. Ils cachent leur visage, leur famille. Leurs boutiques débordent de chaussures piquées aux morts.

Quelle dégaine !

Ce qu'il ressent, au cours des pires journées de cet hiver implacable – tandis que la rouille ronge leur camion, les armes et les émetteurs, tandis que les divisions allemandes se replient tout autour d'eux – c'est un mépris profond pour les êtres qu'ils croisent. Les villages en ruines, aux décombres fumantes, les morceaux de brique dans les rues, les cadavres gelés, les murs fracassés, les véhicules retournés, les chiens faméliques, les rats qui détalent et les poux : comment peut-on vivre ainsi ? Là-bas dans les forêts, les montagnes, les villages, ils sont censés arracher le désordre à la racine. L'entropie totale d'un système, selon le Dr Hauptmann, ne diminuera que si l'entropie d'un autre système augmente. La Nature aime la symétrie. *Ordnung muss sein.*

Et pourtant, de quel ordre s'agit-il ici ? Les valises, les files d'attente, les bébés vagissants, les soldats qui se répandent de nouveau dans les villes avec toute la lassitude du monde dans les yeux – où l'ordre est-il amélioré ? Sûrement pas à Kiev, Lodz, ou Varsovie. Là-bas, c'est l'enfer. Il y a tant d'êtres humains, comme si les énormes usines russes produisaient des hommes à la chaîne. Tuez-en un millier – on en fabriquera dix mille de plus.

Au mois de février ils sont dans les montagnes. Werner grelotte à l'arrière du camion tandis que Neumann 1 suit une route en lacet en faisant grincer ses vitesses. Des tranchées serpentent au-dessous d'eux, formant un filet interminable – positions allemandes d'un côté, russes de l'autre. D'épais rubans de fumée strient la vallée ; on s'échange des tirs d'obus comme des volants de badminton.

Volkheimer déplie une couverture, en enveloppe les épaules de Werner. Celui-ci sent son sang clapoter en lui comme du mercure, et à la faveur d'une trouée dans la brume, le réseau de tranchées et d'artillerie se révèle très distinctement, et il lui semble contempler le circuit d'une énorme radio : chaque soldat est un électron qui suit son propre chemin électrique, sans avoir voix au chapitre. Puis, ils passent un virage et il ne sent plus que la présence de Volkheimer auprès de lui, le froid du crépuscule au-dehors, pont après pont, colline après colline, au cours de la descente. Un clair de lune métallique, lacéré, se brise sur la chaussée, un cheval blanc broute dans un pré, un projecteur fouille le ciel – et par la fenêtre éclairée d'un chalet, à l'instant où ils passent, il croit voir Jutta assise à une table, les visages éveillés des autres enfants autour d'elle, la tapisserie de Frau Elena au-dessus de l'évier, et les cadavres d'une dizaine d'enfants en bas âge flanqués dans une poubelle, près du poêle.

Le troisième diamant

Il est dans un château en dehors d'Amiens, dans le nord de la France. La grande et vieille bâtisse gémit dans l'obscurité. Ce château appartient à un paléontologue à la retraite et von Rumpel croit que c'est là que le chef de la sécurité du musée s'était réfugié au moment de l'exode, il y a trois ans. Endroit paisible, isolé au milieu des champs, à l'écart de tout. Il prend l'escalier qui mène à la bibliothèque. Un rayonnage a été retiré, le coffre-fort se trouve derrière. L'envoyé de la Gestapo est habile : stéthoscope, pas de lampe-torche. Quelques minutes lui suffisent pour l'ouvrir.

Une vieille arme de poing, des attestations, quelques pièces de monnaie usées. Et dans son écrin de velours, un diamant poire.

Le cœur rouge du gemme apparaît, puis se cache. Dans le propre cœur de von Rumpel, l'espoir se mêle au désespoir : c'est qu'il touche au but ! Les probabilités sont en sa faveur, n'est-ce pas ? Mais il a compris avant même de l'examiner sous la lampe. Encore une fois son allégresse s'éteint : cela aussi, c'est l'œuvre de Clavier.

Il a trouvé les trois contrefaçons. Et le temps presse. Les médecins affirment que la tumeur s'est remise à grossir. La guerre n'est pas en bonne voie – l'Allemagne bat en retraite à travers la Russie, l'Ukraine, et même l'Italie.

Bientôt l'Équipe d'intervention du Reichsleiter Rosenberg – ces hommes qui sillonnent le continent à la recherche de bibliothèques cachées, de manuscrits précieux, de tableaux des maîtres de l'impressionnisme – recevra des fusils et sera envoyée au front. Y compris lui-même.

Celui qui détiendra le diamant sera immortel.

Renoncer est impossible. Et pourtant, ses mains sont si lourdes – sa tête est comme une masse.

Un spécimen à l'intérieur du musée, un autre dans le chalet d'un mécène, un troisième dans le coffre d'un ami du chef de la sécurité. Quelle sorte d'homme a-t-on choisi pour cette mission-là ? L'envoyé de la Gestapo l'observe, son attention fixée sur le diamant, sa main gauche sur la petite porte. Von Rumpel songe, et ce n'est pas la première fois, à cet extraordinaire coffre au musée. Pareil à un puzzle. Il n'a jamais rien vu de tel. Qui a bien pu le concevoir ?

Le pont

Dans un village français au sud de Saint-Malo, un véhicule allemand qui traversait un pont a sauté. Six soldats sont tués. On accuse les « terroristes ». *Nuit et brouillard*, chuchotent les femmes venues voir Marie-Laure. Pour chaque Boche tué, ils tueront dix otages. La police va de porte en porte, réquisitionnant tous les hommes valides qui sont astreints à une journée de travail. Creuser des tranchées, décharger des wagons, transporter des sacs de ciment dans des brouettes, participer au renforcement des défenses dans les champs ou sur les plages. Tous ceux qui le peuvent doivent consolider le mur de l'Atlantique. Étienne ouvre sa porte en présentant le certificat du médecin. L'air froid s'engouffre dans le vestibule – et en même temps, la peur.

Mme Rudelle murmure que les autorités d'occupation attribuent la responsabilité de cette attaque à un réseau de renseignements s'appuyant sur des radios clandestines. Elle ajoute que des équipes s'affairent à barrer l'accès aux plages depuis la mer avec des rouleaux de barbelés et autres chevaux de frise. Déjà on a restreint l'accès aux promenades sur les remparts.

Marie-Laure rapporte encore une miche de pain à la maison. À l'intérieur, une nouvelle bandelette de papier avec neuf numéros.

– Je croyais qu'on devait faire une pause..., soupire Étienne.

Marie-Laure songe à son père.

– Peut-être que c'est encore plus important maintenant ?

Ils attendent jusqu'à la nuit. Marie-Laure s'assoit devant l'armoire au double-fond ouvert et écoute son grand-oncle allumer l'émetteur et activer le micro. Sa douce voix récite les messages. Puis c'est l'instant musical, en sourdine, avec du violoncelle cette fois, mais qui s'interrompt très vite.

– Mon oncle ?

Il met du temps à redescendre. Là, il lui prend la main.

– La guerre qui a tué ton grand-père a fait seize millions de morts. Un million et demi de Français, la plupart plus jeunes que moi. Deux millions du côté allemand. Rangés en file indienne, ils mettraient onze jours et onze nuits à défiler devant ta porte. Ce qu'on fait, Marie, ce n'est pas juste déplacer des poteaux indicateurs. Ou retenir une lettre au courrier. Ces chiffres, c'est bien plus que des chiffres... Tu comprends ?

– Mais on est dans le bon camp, n'est-ce pas ?

– Je l'espère. J'espère qu'on est dans le bon camp...

Rue des Patriarches

Von Rumpel pénètre dans un immeuble du Ve arrondissement. La concierge prend la liasse de tickets de rationnement qu'il lui tend et la glisse dans sa blouse. Des chats se frottent à ses chevilles. Derrière elle, sa loge sent le jasmin et la solitude du grand âge.

– Quand sont-il partis ?

– À l'été 1940.

– Qui règle le loyer ?

– Je ne sais pas.

– Les chèques viennent du Muséum d'histoire naturelle ?

– Je ne sais pas.

– Quand est-on venu pour la dernière fois ?

– Personne ne vient. Ça arrive par la poste.

– D'où ?

– Je ne sais pas.

– Et personne n'est monté à l'appartement ?

– Pas depuis cet été-là, dit-elle, et elle recule dans l'obscurité.

Il monte. Un simple verrou de sûreté au quatrième étage, sur la porte qu'il cherchait. À l'intérieur, les fenêtres ont été condamnées avec du bois de placage, et une lumière nacrée filtre par les petits trous. C'est comme se trouver dans une boîte toute noire, à l'intérieur d'un puits de lumière. Les placards sont ouverts, les coussins du divan légèrement de travers, une chaise de cuisine a été renversée. Tout indique un départ précipité ou une fouille rigoureuse – à moins que ce ne soit les deux. Un liseré noirâtre au fond des cuvettes des WC, là où le niveau de l'eau a baissé. Il inspecte la chambre, la salle de bains, la cuisine, tandis qu'un espoir diabolique naît en lui : *Et si... ?*

Sur un établi : petits bancs, petits réverbères, petits trapézoïdes de bois poli. Petit étau, petite boîte de clous, petit flacon de colle durcie. À côté de l'établi, sous un drap, surprise : une maquette très complète du Ve arrondissement. Elle n'a pas été peinte, mais sinon tout est magnifiquement détaillé. Volets, portes, fenêtres, égouts. Pas de personnage. Un jouet ?

Le placard contient quelques robes de petite fille et un pull mité où une chèvre brodée mâchonne des fleurs. Des pommes de pin poussiéreuses sont alignées sur le rebord de la fenêtre, par taille décroissante. Dans la cuisine, des bandes rugueuses. Endroit calme, ordonné. Une ficelle a été tendue entre la table et les toilettes. Une horloge rustique, dépourvue de vitre. C'est seulement quand il trouve trois gros volumes à spirales en braille qu'il comprend.

Un fabricant de coffres-forts. Serrurier hors pair. Habite à deux pas du musée. A travaillé là toute sa vie. Humble, pas le goût des grandeurs. Une fillette aveugle. Cela fait bien des raisons d'être honnête.

– Où te caches-tu ? dit-il à haute voix.

La poussière tourbillonne dans cette étrange lumière.

À l'intérieur d'un sac ou d'une boîte. Planqué derrière une plinthe, sous une lame de parquet, ou bien emmuré. Il retire les tiroirs de la cuisine et regarde au fond, mais ceux qui l'ont précédé ont probablement déjà vérifié.

Lentement, son attention se reporte sur la maquette. Des centaines de petits immeubles avec toits mansardés et balcons. Une reproduction minutieuse du quartier, dépourvue de couleur, d'habitants, et miniaturisée. Petite version spectrale. Un immeuble en particulier semble avoir été poli et lustré à force d'être manipulé : le leur.

Il place ses yeux au niveau de la rue, tel un dieu se dressant au-dessus du Quartier Latin. Rien qu'avec deux doigts, il pourrait extraire n'importe qui, faire basculer la moitié de la ville dans l'ombre. La culbuter. Il touche le toit de l'immeuble où il se trouve. Remue. L'immeuble se détache assez facilement, comme si c'était prévu. Il en considère la façade : dix-huit fenêtres, six balcons, la porte d'entrée. Là – derrière sa fenêtre – la concierge et ses chats ; et ici, au quatrième étage, lui-même...

La base recèle un petit trou, un peu comme le coffre du musée qu'il a vu il y a trois ans. Ceci, réalise-t-il, est un contenant. Un réceptacle. Il joue avec pendant quelques instants, tâchant de découvrir l'astuce. Le retourne, essaie le fond, les côtés.

Son rythme cardiaque s'accélère.

As-tu quelque chose à l'intérieur ?

Il pose le petit immeuble par terre, soulève son pied, et l'écrase.

Ville blanche

En avril 44, l'Opel arrive dans une ville blanche, pleine de vitrines vides.

– Vienne ! annonce Volkheimer, et Neumann 2 délire sur les palais des Habsbourg, les escalopes viennoises et les filles au sexe aussi suave que le strudel aux pommes.

Ils couchent dans une chambre qui fut jadis luxueuse, et dont les meubles ont été repoussés contre les murs. Il y a des plumes de poule dans les lavabos et des journaux punaisés hâtivement aux fenêtres. Tout en bas, une gare de triage présente un enchevêtrement de voies ferrées. Werner songe au Dr Hauptmann, ses bouclettes et ses gants fourrés, dont la jeunesse s'est peut-être passée dans ces cafés animés où l'on discutait des théories de Bohr et de Schopenhauer, sous le regard bienveillant des statues de marbre.

Hauptmann, qui doit être encore à Berlin. Ou au front, comme presque tout le monde.

Le commandant de la ville n'a pas de temps à leur accorder. Un subordonné indique à Volkheimer qu'on a signalé des transmissions clandestines du côté de Leopoldstadt. Ils sillonnent le quartier. Une brume glacée s'accroche aux arbres en bourgeons et Werner est assis à l'arrière du camion, grelottant. Il a un mauvais pressentiment.

Pendant cinq jours, il n'a rien capté au casque, sinon des chants guerriers, la propagande officielle et des appels au secours de colonels assiégés réclamant des fournitures, du carburant, des hommes. C'est le sauve-qui-peut général. Werner le sent bien : l'étoffe de la guerre est en train de se déchirer de toutes parts.

– Tiens, le Staatsoper…, dit Neumann 2, un soir.

La façade d'un gigantesque bâtiment, avec pilastres et arcades. Des ailes majestueuses l'encadrent, donnant une impression à la fois de lourdeur et de légèreté. Comment peut-on construire des édifices aussi splendides, faire de la musique, chanter, publier des volumes pleins d'oiseaux colorés, face à la prodigieuse indifférence du monde… ? Quelle prétention ! Pourquoi faire de la musique, alors que le silence est tellement plus puissant ? Pourquoi faire de la lumière, alors que les ténèbres éteindront tout, inévitablement ? Au moment même où des prisonniers sont enchaînés par trois ou quatre à des arbres, des soldats allemands plaçant des grenades dégoupillées dans leurs poches avant de se sauver à toutes jambes ?

Une maison d'opéra ! Des villes dans la lune ! Ridicule. Mieux vaudrait se coucher par terre et attendre le passage des traîneaux où s'entassent les cadavres.

Au milieu de la matinée, Volkheimer leur ordonne de se garer dans l'Augarten. Le soleil est en train de dissiper le brouillard, révélant les premières fleurs sur les arbres. Werner sent la fièvre le consumer – une véritable fournaise. Neumann 1, qui, s'il ne devait pas mourir deux mois et demi plus tard au cours du Débarquement en Normandie, aurait pu s'établir comme coiffeur après la guerre. Un coiffeur sentant le talc en plus du schnaps, un coiffeur mettant l'index dans les oreilles des clients afin de positionner leur tête, aux vêtements toujours couverts de cheveux, scotchant des cartes postales des Alpes autour d'un grand miroir rond, et fidèle à sa corpulente épouse jusqu'à la fin de ses jours. Neumann 1 dit : « Coupe de cheveux ! »

Il installe un tabouret sur le trottoir, jette un torchon presque propre sur les épaules de Bernd, et commence. Werner, qui a trouvé une station qui diffuse des valses, oriente le haut-parleur à l'arrière du camion pour en faire profiter les autres. Neumann 1 coupe les cheveux de Bernd, puis ceux de Werner, et ceux de Neumann 2, qui n'est plus que l'ombre de lui-même. Werner voit Volkheimer prendre place sur le tabouret et fermer les yeux lors d'un air particulièrement romantique – Volkheimer, qui a tué au moins une centaine d'hommes, sûrement plus, qui entre dans de pauvres cabanes abritant des émetteurs clandestins, se glisse avec ses grosses bottes volées derrière un Ukrainien famélique qui a un casque sur les oreilles, un micro aux lèvres, et lui tire une balle dans le crâne avant de revenir ordonner à Werner d'aller récupérer le matériel d'une voix calme, froide, alors même que le cadavre de l'opérateur est encore dessus.

Volkheimer, qui veille toujours à ce qu'il y ait à manger pour Werner. Qui lui rapporte des œufs frais, partage son bouillon, dont la sollicitude à son égard ne s'est jamais démentie.

Le quartier est difficile à fouiller, avec ses rues étroites et ses immeubles hauts. Les transmissions passent à travers les murs mais ricochent aussi dessus. Cet après-midi-là, alors que le tabouret a été retiré depuis longtemps et que les valses se sont tues, tandis que Werner est penché sur sa table d'écoute, sans rien capter, une fillette rousse avec une cape lie-de-vin sur les épaules sort d'un immeuble. Elle a six ou sept ans, est petite pour son âge, avec de grands yeux d'un bleu limpide qui lui rappellent Jutta. Elle traverse la rue en courant pour entrer dans le parc, et se met à jouer toute seule, sous les arbres en bourgeons, tandis que sa mère, debout un peu plus loin, se ronge les ongles. La fillette fait de la balançoire avec entrain, entretenant son élan avec les jambes, et cette scène touche Werner au cœur. C'est ça, la vie – la raison pour laquelle on veut vivre, pour voir jouer des gamins par une journée où l'hiver lâche enfin prise. Il attend que Neumann 2 fasse le tour du camion et lance une vulgarité qui gâchera ce moment, mais il n'en fait rien, pas plus que Bernd ; peut-être ne voient-ils rien du tout, peut-être cet instant-là échappera-t-il à leur profanation, et la fillette chante tout en se balançant une comptine que Werner connaît, que les gamines chez lui, derrière l'orphelinat, scandaient en sautant à la corde : *Eins, zwei, Polizei, drei, vier, Offizier*, et comme il voudrait pouvoir se joindre à elle, la pousser de plus en plus haut, chanter *fünf, sechs, alte Hex, sieben, acht, gute Nacht !* Puis la mère dit une chose qu'il ne saisit pas et prend l'enfant par la main. Toutes deux tournent au coin de la rue, la petite cape de velours flottant au vent, et elles disparaissent.

Moins d'une heure plus tard, il repère quelque chose au milieu du bruit de fond : une simple communication en dialecte suisse allemand. *Ici Chien Blanc, transmettant sur 5057 kHz, me recevez-vous ?* Il ne comprend pas tout. Puis, silence. Werner va lui-même déposer le second transmetteur dans le square. Quand la parole reprend, il procède à ses calculs, puis relève les yeux et voit à l'œil nu ce qui ressemble beaucoup à un fil d'antenne sortant d'une fenêtre d'un immeuble donnant sur le square.

Facile.

Déjà le regard de Volkheimer s'anime – un chien à l'affût. Comme s'ils n'avaient même plus besoin de se parler pour se comprendre.

– Tu vois ce câble, là-haut ? lui dit Werner.

Volkheimer observe la façade à la jumelle.

– Cette fenêtre-ci ?

– Oui.

– Tu es sûr et certain ? Au milieu de tous ces appartements ?

– C'est celle-ci.

Ils y vont. Il n'entend pas de coup de feu. Cinq minutes plus tard, on le fait venir dans un appartement au cinquième étage, tapissé d'un étourdissant papier peint fleuri. Il s'attend à ce qu'on lui demande de jauger le matériel, mais il n'y en a pas : pas de cadavre, pas d'émetteur, pas même un simple poste de radio. Juste des lampes tarabiscotées, un divan, et ce papier rococo aux murs.

– Arrachez les lames du parquet, leur ordonne Volkheimer, mais une fois que Neumann 2 en a retiré quelques-unes, il est évident qu'il n'y a là-dessous que du vieux crin de cheval, pour l'isolation.

– Un autre appartement ? Un autre étage ?

Werner se rend dans une chambre, ouvre la porte-fenêtre et va sur le balcon. Ce qu'il prenait pour une antenne, c'est juste une sorte de tringle peinte, qui court le long d'un pilastre, sans doute pour accrocher une corde à linge. Pas une antenne. Mais il a bien capté une transmission, non ?

Une douleur au niveau de l'occiput. Il met les mains derrière sa tête et s'assoit au bord d'un lit défait, considère les affaires autour de lui – jupon sur le dossier d'une chaise, brosse à cheveux au manche en étain sur le secrétaire, petits flacons et pots en verre dépoli sur une table de toilette, tout cela suprêmement féminin, mystérieux et troublant, tout comme l'épouse de Herr Siedler l'avait troublé quelques années plus tôt, en retroussant sa jupe pour s'agenouiller devant l'appareil radio.

Une chambre de femme. Draps froissés, odeur de lotion pour la peau, photo d'un homme jeune – neveu ? frère ? amant ? – sur une table de chevet. Il s'est peut-être trompé dans ses calculs. Le signal a peut-être ricoché sur les immeubles. Ou la fièvre l'aura égaré. Sur le papier peint, les roses semblent dériver, pivoter sur elles-mêmes, permuter.

– Rien ? demande Volkheimer à côté, et Bernd répond : « Rien. »

Dans un univers parallèle, se dit Werner, cette femme et Frau Elena auraient pu être amies. Dans une réalité plus plaisante que celle-ci. Puis il voit, accroché au bouton de porte, un carré de velours lie-de-vin, avec capuche, une cape d'enfant, et juste au même moment dans l'autre chambre, Neumann 2 pousse un cri de surprise et on entend un coup de feu, puis un cri de femme, d'autres détonations, et Volkheimer se précipite, les autres aussi, et on trouve Neumann 2 planté devant un placard, avec les deux mains sur son fusil et l'odeur de poudre partout. Par terre, une femme, un bras replié en arrière comme si elle avait refusé une danse, et à l'intérieur du placard il y a, non pas un émetteur mais un enfant, recroquevillé sur lui-même, avec une balle dans la tête. Ses yeux lunaires sont grands ouverts, humides, ses lèvres retroussées forment un rond de surprise – c'est la petite fille de la balançoire qui ne doit pas avoir plus de sept ans.

Werner attend qu'elle cligne des yeux. Allez, vas-y, cligne-les. Déjà Volkheimer referme la porte du placard, mais pas complètement car le pied de l'enfant dépasse, et Bernd recouvre la morte avec la couverture du lit, et comment Neumann 2 aurait-il pu se douter, mais bien sûr, il n'y est pour rien, et c'est bien ça, le problème avec Neumann 2, et tous les autres dans cette unité, dans cette armée, dans le monde : ils font ce qu'on leur dit, paniquent, et agissent dans leur seul intérêt. *Montre-moi quelqu'un qui n'en fait pas autant.*

Neumann 1 hausse les épaules, le regard éteint. Neumann 2 se tient là avec sa nouvelle coupe de cheveux, ses doigts pianotant sans cesse sur la crosse de son arme.

– Mais pourquoi elles se cachaient ? dit-il.

Volkheimer rabat délicatement le pied de l'enfant à l'intérieur du placard.

– Pas d'émetteur, ici, dit-il en refermant le battant.

Werner sent dans son arrière-gorge un goût de fiel.

Dehors, les réverbères tremblent sous le vent qui s'est levé.

Des nuages défilent vers l'ouest.

Werner monte dans l'Opel, avec la sensation que les immeubles alentour grandissent, l'encerclent. Il s'assoit, le front contre la table d'écoute, et vomit entre ses pieds.

En réalité, mathématiquement, la lumière est en grande partie invisible.

Bernd grimpe à son tour à l'arrière, referme la portière et l'Opel repart en se penchant dans les tournants, et Werner sent les rues se soulever tout autour d'eux, formant un tourbillon qui les emporte, les aspire vers le fond.

Vingt mille lieues sous les mers

Par terre, devant la porte de sa chambre, l'attend quelque chose de volumineux, enveloppé de papier journal et de ficelle. Depuis l'escalier, Étienne dit :

– Bon anniversaire.

Elle déchire l'emballage. Deux livres, l'un sur l'autre.

Trois ans et quatre mois ont passé depuis que son père a quitté Saint-Malo. Bien qu'elle n'ait pas pratiqué le braille depuis tout ce temps, elle n'en a rien oublié.

Jules. Verne. Vingt. Mille. Lieues. Sous. Les. Mers.

Elle se jette à son cou.

– Puisque tu ne l'avais pas terminé, j'ai pensé que, pour changer, c'est toi qui pourrais me faire la lecture ?

– Mais comment... ?

– Monsieur Hébrard, le libraire.

– Alors que les magasins sont vides ? Et c'est si cher...

– Tu as un tas d'amis dans cette ville, Marie-Laure.

Elle se couche par terre, et tourne la première page.

– Je vais reprendre de zéro...

– Très bien.

– Chapitre Un : « Un écueil fuyant. » *L'année 1866 fut marquée par un événement bizarre, un phénomène inexpliqué et inexplicable que personne n'a sans doute oublié...* Elle galope à travers les dix premières pages, et l'histoire lui revient : une curiosité internationale au sujet de ce qui doit être un légendaire monstre des mers, « l'honorable Pierre Aronnax », spécialiste des grands fonds sous-marins, entreprend de découvrir la vérité. Monstre ou écueil dérivant ? Ou autre chose ? Quelque part dans le livre, Aronnax va monter à bord de la frégate, et peu après, lui et le harponneur canadien nommé Ned Land se retrouveront à bord du sous-marin du capitaine Nemo.

Derrière la fenêtre condamnée par du carton, la pluie tombe d'un ciel plombé. Une tourterelle s'avance le long d'un chéneau en roucoulant. Dans le port, un esturgeon jaillit de la mer comme un cheval d'argent et disparaît.

Télégramme

Le nouveau commandant en chef de la forteresse de Saint-Malo est arrivé, un colonel. Soigné, élégant, efficace. Vétéran de Stalingrad. Arbore un monocle. Toujours accompagné d'une superbe secrétaire-interprète française qui aurait – dit-on – frayé avec l'ancienne famille royale de Russie.

Il est de taille moyenne et a déjà les tempes qui grisonnent, mais grâce à son maintien et son air suffisant, il parvient à donner l'impression à ses interlocuteurs qu'il est toujours le plus grand. On dit qu'il dirigeait une compagnie de fabrication d'automobiles, avant la guerre. Que c'est un homme viscéralement attaché à la terre allemande, dont il sent dans ses veines la puissance ancestrale. Que jamais il ne se rendra.

Chaque soir il envoie des télégrammes depuis Saint-Malo. Parmi les seize communiqués officiels envoyés le 13 avril 1944, cette missive destinée à Berlin :

ON SIGNALE TRANSMISSIONS TERRORISTES DANS CÔTES DU NORD SAINT-LUNAIRE OU DINARD OU SAINT-MALO OU CANCALE – DEMANDE ASSISTANCE POUR LOCALISER ET ÉLIMINER

Bip-bip bip-bip-bip – les petites impulsions du morse se propagent par la voie des câbles tendus à travers l'Europe.

Huit

9 août 1944

Fort National

Le troisième jour du siège de Saint-Malo, dans l'après-midi, le bombardement s'interrompt, comme si tous les belligérants s'étaient brusquement assoupis sur leurs armes. Les arbres brûlent, les voitures brûlent, les maisons brûlent. Des soldats allemands boivent du vin dans leurs blockhaus. Dans la cave du collège, un prêtre asperge les murs d'eau bénite. Fous de terreur, deux chevaux défoncent la porte de la remise où on les avait enfermés et galopent entre les décombres fumants du quartier de Grand-Rue.

Vers quatre heures, un obus américain tombe sur le parapet nord du fort, où trois cent quatre-vingts civils ont été internés et maintenus sans protection. Neuf sont tués sur le coup. L'un d'eux avait encore dans les mains les cartes de sa partie de bridge.

Au grenier

Pendant les quatre années que Marie-Laure a passées à Saint-Malo, les cloches de la cathédrale Saint-Vincent ont marqué les heures. Désormais, elles ne sonnent plus. Elle ignore depuis combien de temps elle est dans ce grenier, et même si c'est le jour ou la nuit. Le temps est chose fuyante : que le fil vous échappe, et il pourrait bien se dérober à tout jamais.

Sa soif est si intense qu'elle pourrait presque se mordre le bras pour boire son sang. Puis elle sort les bocaux de ses poches et en approche les lèvres. Elle sent le goût du verre. Leur contenu, si proche.

Ne prends pas ce risque, lui dit la voix de son père. *Ne prends pas le risque de faire du bruit.*

Une seule, papa. Je garderai l'autre. L'Allemand est parti. Il est sûrement parti.

Alors pourquoi le fil-piège n'a-t-il pas fonctionné ?

Parce qu'il l'a sectionné. Ou je n'ai pas entendu parce que je dormais. Ou pour bien d'autres raisons.

Pourquoi partirait-il, alors que ce qu'il cherche est là ?

Qui sait ce qu'il cherche ?

Tu sais bien ce qu'il cherche.

J'ai si faim, papa.

Tâche de penser à autre chose.

Des cascades d'eau pure et fraîche.

Tu survivras, ma chérie.

Qu'en sais-tu ?

C'est grâce au diamant dans ta poche. Parce que je l'ai laissé là pour te protéger.

Mais ce diamant n'a fait que me mettre encore plus en danger.

Ah oui ? Alors, pourquoi la maison n'a-t-elle pas été bombardée ? Pourquoi n'a-t-elle pas pris feu ?

Ce n'est qu'un caillou, papa. Les sorts, ça n'existe pas. Il n'y a que le hasard, heureux ou malheureux. Le hasard, et les lois de la physique. Tu te rappelles ?

Tu es en vie.

Mais pour combien de temps ?

N'ouvre pas ce bocal. Il pourrait t'entendre. Il n'hésiterait pas à te tuer.

Comment peut-il me tuer si je ne peux pas mourir ?

Les questions tournent et tournent dans sa tête ; son esprit est en ébullition. Elle s'est hissée sur le tabouret de piano, au fond du grenier, et ses mains courent sur l'émetteur, s'efforçant d'identifier les interrupteurs et bobines – ici, le phonographe ; là, le micro, l'un des quatre cordons connectés à la paire de batteries marines – quand elle entend quelque chose à l'étage inférieur.

Une voix.

Très doucement, elle quitte le tabouret pour coller son oreille au sol.

Il est là. En train d'uriner dans les WC du cinquième étage. Processus douloureux, à en juger par ses plaintes. Entre deux geignements, elle l'entend dire : « *Das Haüschen fehlt, wo bist du Haüschen ?* »

Il ne doit pas être normal.

– *Das Haüschen fehlt, wo bist du Haüschen ?*

Pas de réponse. À qui s'adresse-t-il ?

Quelque part derrière la maison, on entend les coups de canon et le sifflement des obus. L'Allemand passe dans sa chambre. Boitant toujours autant. Marmonnant. Détraqué. *Haüschen* : qu'est-ce que ça signifie ?

Les ressorts du matelas grincent : on ne peut pas s'y tromper. A-t-il dormi là pendant tout ce temps ? Six profondes détonations, coup sur coup, plus graves que celles produites par la DCA, un peu plus loin. Artillerie navale. Ensuite, tambours, cymbales, coups de gong des explosions, dessinant un treillage écarlate par-dessus les toits. La trêve s'achève.

Abîme dans ses entrailles, désert dans sa gorge – Marie-Laure ressort un bocal. La brique et le couteau à sa portée.

Non !

Si je continue à t'écouter, papa, je vais mourir de faim, alors que j'ai ce qu'il faut à ma disposition.

Sa chambre, en bas, reste silencieuse. Les tirs d'obus reprennent selon un rythme prévisible, décrivant une longue parabole cramoisie au-dessus du toit. Elle en profite pour tenter d'ouvrir le bocal. *IIIIIIIIIII* fait l'obus, *bing* fait la brique sur le couteau, le couteau sur le bocal. Quelque part, une terrible détonation. Des éclats d'obus volent et s'incrustent dans les murs d'une douzaine de maisons.

IIIIIIIII bing. IIIIIIIII bing. À chaque fois, une prière. Mon Dieu, Faites qu'il n'entende pas.

À la longue, un peu de liquide filtre. Finalement, elle réussit à passer sa lame et fait sauter le couvercle.

Frais, un peu sucré : des petits pois. Des petits pois au naturel. Ce jus de cuisson est savoureux ; elle l'absorbe par toutes les fibres de son corps. Puis elle dévore. En elle, son père s'est tu.

Les têtes

Werner passe l'antenne à travers le plafond défoncé et la met en contact avec un tuyau tordu. Rien. À quatre pattes, il la traîne ensuite tout autour de la cave, comme pour ligoter Volkheimer sur son fauteuil. Rien. Il éteint la lampe-torche mourante, presse l'écouteur contre sa bonne oreille, ferme les yeux pour se défendre des ténèbres, allume le transmetteur réparé et passe l'aiguille le long de la bobine d'accord, concentré à l'extrême.

Friture, friture, friture, friture.

Peut-être sont-ils trop profondément sous terre. Ou les décombres de l'hôtel créent une ombre électromagnétique. Ou quelque chose d'essentiel a été endommagé à l'intérieur de la radio, à son insu. Ou bien les super savants du Führer ont conçu une arme qui surpasse toutes les autres, et cette région du monde n'est plus qu'un champ de ruines, où il ne reste aucun être vivant, à part lui et Volkheimer.

Il enlève son casque et coupe la connexion. Les rations sont depuis longtemps épuisées, les gourdes vides, et la mixture au fond du pot plein de pinceaux est imbuvable. Tous deux en ont pris plusieurs gorgées, et en ce qui le concerne, il n'est pas sûr de pouvoir continuer.

La batterie de la radio est presque morte. Ensuite, ils auront la grosse pile américaine de 11 volts à l'emblème du chat noir. Et ensuite...

Combien d'oxygène notre système respiratoire échange-t-il contre du dioxyde de carbone, toutes les heures ? Autrefois, Werner aurait volontiers cogité là-dessus. À présent, il est assis avec les deux grenades de Volkheimer, et c'est comme si les dernières lueurs d'intelligence qui subsistaient en lui s'étaient éteintes. Dévisser l'embout et tirer sur la cordelette. Juste histoire d'y voir plus clair...

Volkheimer a la manie d'allumer sa torche pour braquer son faible faisceau dans le coin, là où huit ou neuf têtes blanches de plâtre se trouvent sur des étagères, certaines renversées. On dirait des têtes de mannequins, en plus raffiné. Trois d'entre elles ont une moustache, deux sont chauves, l'une arbore un calot de soldat. Même dans le noir, elles revêtent un étrange pouvoir : c'est une blancheur pure, ni tout à fait visible ni tout à fait invisible, incrustée dans les rétines de Werner, presque phosphorescente dans l'obscurité.

Muettes, attentives, impassibles.

Illusions d'optique.

Têtes – regardez ailleurs !

À travers les ténèbres, il rampe jusqu'à Volkheimer : c'est un réconfort de trouver le gros genou de son ami. Le fusil à côté de lui. Le cadavre de Bernd doit être un peu plus loin.

– Tu connais les histoires qu'on racontait sur toi ? lui demande Werner.

– Qui ça, « on » ?

– Les garçons de Schulpforte.

– Certaines, oui.

– Ça te plaisait ? D'être « le Géant » ? De faire peur à tout le monde ?

– C'est pas marrant d'être toujours interrogé sur sa taille...

Un obus explose quelque part, en surface. Quelque part, la ville est en flammes, la mer s'ouvre, les anatifes agitent leurs pattes duveteuses.

– Ah oui ! À propos, tu mesures combien ?

Volkheimer émet un bref ricanement.

440

– Tu crois que Bernd avait raison, au sujet des grenades ?

– Non, dit Volkheimer, d'une voix soudain tendue On serait broyés.

– Même si on prenait des précautions ?

– On serait broyés...

Werner tente de distinguer les têtes au fond de la cave. S'il ne faut pas employer les grenades, alors quoi ? Volkheimer croit-il vraiment qu'on va les sauver ? Qu'ils méritent d'être sauvés ?

– Alors, on se contente d'attendre ?

Volkheimer ne répond pas.

– Pendant combien de temps ?

Lorsque les batteries seront mortes, la pile américaine de 11 volts devrait alimenter la radio pendant une journée de plus. Ou bien il pourrait se servir pour cela de la pile de la lampe-torche. La pile leur fournira encore une journée de grésillement. Une journée de lumière en plus. Mais ils n'auront pas besoin de lumière pour se servir du fusil.

Delirium

Une sorte de frange bleuâtre remue autour de son champ de vision. C'est sûrement la morphine : il en a trop pris. Ou alors la maladie a fait de tels progrès que sa vue en est altérée.

Des cendres entrent par la fenêtre comme de la neige. Est-ce l'aube ? Cette rougeur dans le ciel, ce pourrait être le reflet d'incendies. Draps trempés de sueur, son uniforme aussi humide que s'il avait nagé dans son sommeil. Goût de sang dans sa bouche.

Il rampe jusqu'au bout du lit et considère la maquette. Il l'a étudiée centimètre carré par centimètre carré. En a écrabouillé un coin à coups de bouteille. Ses éléments sont pour la plupart creux – le château, la cathédrale, le marché – mais à quoi bon les démolir puisqu'il en manque un seul, justement celui qu'il recherche ?

Dehors, dans la ville abandonnée, toutes les autres maisons sont en flammes ou en train de s'écrouler, mais ici, sous ses yeux, c'est le contraire : la ville subsiste, mais la maison où il se trouve a disparu.

La fille l'aurait-elle emportée dans sa fuite ? Possible. L'oncle ne l'avait pas sur lui, quand on l'a interné au fort National. La fouille fut scrupuleuse : il n'avait rien sauf ses papiers – von Rumpel s'en est personnellement assuré.

Quelque part, un mur vole en éclats, une tonne de maçonnerie chute.

Que cette maison ait résisté, quand tant d'autres ont été anéanties, c'est une preuve en soi. Le diamant doit être ici. Il faut simplement le trouver pendant qu'il en est encore temps. Le serrer contre son cœur et attendre que la déesse plonge sa main fiévreuse dans son corps et éradique son mal par le feu. Qu'elle le tire de cette citadelle, ce siège, cette maladie. Il sera sauvé. Il doit simplement se remettre debout et continuer ses recherches. Avec plus de méthode. Aussi longtemps que nécessaire. Mettre tout sens dessus dessous. En commençant par la cuisine. Une fois de plus.

Eau

Marie-Laure entend gémir les ressorts de son lit. Elle entend l'Allemand sortir de sa chambre en clopinant et redescendre l'escalier. Va-t-il partir ? Renoncer ?

Il se met à pleuvoir. Des milliers de gouttes mitraillent le toit. Dressée sur la pointe des pieds, elle applique son oreille contre les voliges, écoute tomber la pluie sur les tuiles. C'était quoi, la prière de Mme Manec, déjà, celle qu'elle marmonnait quand Étienne l'exaspérait tout particulièrement ?

Le règne de Dieu viendra comme un feu purifiant, séparant les justes et les pécheurs.

Il faut canaliser ses pensées. Faire preuve de discernement et de logique. Comme son père l'aurait fait, comme « l'honorable Pierre Aronnax », le spécialiste des fonds sous-marins. L'intrus ignore ce qu'il y a dans ce grenier. Elle a le diamant sur elle, un bocal. Ce sont des atouts.

La pluie en est un autre : les flammes vont en être étouffées. Pourrait-elle trouver le moyen d'en boire ? De déplacer une tuile de l'intérieur ? Ou d'en tirer parti autrement ? Par exemple, pour couvrir le bruit qu'elle ferait ?

Elle sait exactement où sont les deux seaux galvanisés : juste derrière la porte de sa chambre. Elle pourrait les atteindre, peut-être en rapporter un.

Non, impossible : trop lourd, trop bruyant, elle en renverserait forcément. Mais elle pourrait y baigner son visage, remplir le bocal de petits pois à présent vide.

Rien que la pensée de ses lèvres en contact avec l'eau déclenche en elle un besoin maladif, absolument irrésistible. En imagination, elle tombe dans un lac : l'eau remplit ses oreilles et sa bouche ; son gosier se dilate. Il suffirait d'une gorgée pour qu'elle puisse réfléchir plus clairement. Elle anticipe une objection de la part de son père – mais il n'en vient aucune.

Entre les battants de l'armoire et le seuil de sa chambre à elle, il y a vingt et un pas. Prenant son couteau et le bocal vide, elle les fourre dans sa poche, puis descend les sept barreaux de l'échelle et reste longtemps postée juste derrière le double-fond de l'armoire. À tendre l'oreille. La maisonnette en bois la blesse un peu aux côtes quand elle s'accroupit. Est-ce que la petite version d'elle-même ressent la même soif ?

Le seul bruit, c'est le crépitement de la pluie qui transforme Saint-Malo en bourbier.

Et si c'était une ruse ? Il l'a peut-être entendue ouvrir le bocal de petits pois, et après avoir fait semblant de descendre au rez-de-chaussée, il est revenu la guetter ? Il se tient peut-être juste devant l'armoire, le pistolet au poing ?

Le règne de Dieu viendra comme un feu purifiant, séparant les justes et les pécheurs.

Elle applique ses mains contre le fond de l'armoire, fait coulisser le panneau. Les chemises frôlent son visage au passage. Puis elle pousse les battants – discrètement.

Pas de coup de feu. Rien. Par la fenêtre aux vitres soufflées, le bruit de la pluie sur les maisons qui brûlent fait penser à celui des galets agités par les vagues. Elle s'avance dans l'ancienne chambre de son grand-père et l'imagine. Un gamin curieux, aux cheveux lustrés, débordant de vie. Il la prend par la main, et Étienne aussi. La maison redevient comme il y a cinquante ans : les parents des garçons s'esclaffent au rez-de-chaussée, quelqu'un écaille des huîtres dans la cuisine ; Mme Manec, jeune domestique tout juste sortie de sa campagne, grimpe sur un escabeau pour épousseter le lustre...

Papa, tu avais les clés de tout.

Les jeunes garçons la guident dans le couloir. Elle passe devant les WC.

Des traces de l'odeur de l'Allemand subsistent dans sa chambre – une odeur de vanille. Et, sous-jacente, quelque chose de fétide. Elle n'entend que la pluie, au-dehors, et ses propres pulsations cardiaques dans ses tympans. Puis elle s'agenouille aussi discrètement que possible et passe les mains le long des rainures du plancher. Le bruit de ses ongles touchant la paroi du seau semble plus sonore que celui d'une cloche d'église.

Rumeur de la pluie contre le toit et les murs. Il en goutte des cadres des fenêtres. Tout autour d'elle, galets et coquillages. La maquette de Saint-Malo. Son édredon. Quelque part, ses chaussures.

Elle abaisse son visage et effleure de ses lèvres la surface de l'eau. Chaque gorgée lui semble aussi bruyante qu'un coup de canon. Un, deux, trois ; elle avale, respire, avale, respire. Toute sa tête est plongée dans le seau.

Respirer, mourir, rêver.

A-t-il bougé ? Est-il en bas ? En train de remonter ?

Quatre, cinq, six, elle a bu tout son soûl. Elle remplit le bocal ; maintenant, il s'agit de s'éclipser sans faire de bruit. Sans heurter de mur, de porte. Sans trébucher, et sans renverser d'eau. Se retournant, elle entreprend de repartir en rampant, le récipient rempli dans sa main gauche.

Elle est sur le point de sortir de sa chambre quand elle l'entend. Il est en train de saccager une pièce en bas ; elle entend comme une caisse de roulement à billes qu'on aurait renversée. Les billes rebondissent par terre, s'entrechoquent, roulent.

Comme elle tend la main droite, elle sent, juste au niveau du seuil, quelque chose de volumineux, rectangulaire, recouvert d'un linge. Son livre ! Jules Verne ! Placé à cet endroit comme délibérément, par son oncle. L'Allemand a dû le balancer hors du lit. Elle le soulève aussi discrètement que possible et le tient contre sa poitrine.

Pourrait-elle descendre au rez-de-chaussée ?

Se glisser dans la rue à son insu ?

Mais déjà l'eau qu'elle a bue remplit ses capillaires, améliorant sa circulation sanguine ; déjà elle réfléchit mieux. Elle ne veut pas mourir, elle a déjà pris trop de risques. Même si elle pouvait miraculeusement échapper à la vigilance de l'Allemand, rien ne prouve que les rues seraient plus sûres...

Elle arrive sur le palier, atteint le seuil de la chambre de son grand-père, tâtonne jusqu'à l'armoire, se faufile à l'intérieur, et referme délicatement les battants.

Les poutres

Les obus volent au-dessus de leurs têtes, ébranlant la cave comme des trains de marchandises. Werner imagine les artilleurs américains : observateurs munis de télémètres posés sur des rochers, des chenilles de chars ou des rambardes de balcon ; officiers de tir calculant la vitesse du vent, l'élévation du canon, la température ; opérateurs radio pressant leurs écouteurs sur les oreilles, indiquant les cibles.

Droite, trois degrés, répéter portée. Voix calmes, prudentes, dirigeant le feu. C'est peut-être la voix que prend Dieu pour rappeler nos âmes à Lui. Par ici, s'il vous plaît...

Ce ne sont que des chiffres, des mathématiques. Tu dois t'habituer à penser ainsi. C'est pareil de leur côté aussi.

– Mon arrière-grand-père, dit tout à coup Volkheimer, était un bûcheron, à l'époque de la marine à voile, avant l'invention des bateaux à vapeur...

Compte tenu de l'obscurité, Werner ne peut en être sûr, mais il a l'impression que son camarade se tient debout et parcourt des doigts l'une des trois poutres fendues qui soutiennent le plafond. Tel le titan Atlas, il doit fléchir les genoux à cause de sa taille.

– En ce temps-là, toute l'Europe avait besoin de mâts, mais la plupart des pays avaient abattu leurs grands arbres. L'Angleterre, prétendait mon arrière-grand-père, n'avait plus de forêts pour fournir le bois adéquat ; donc, les mâts de la marine anglaise et espagnole, mais aussi portugaise, provenaient de la Prusse, des bois où j'ai grandi. Mon arrière-grand-père savait où trouver ces géants. Pour abattre certains spécimens, il fallait une équipe de cinq hommes travaillant pendant trois jours. D'abord, on enfonçait les coins, comme des aiguilles dans la peau d'un éléphant Les plus gros troncs pouvaient en « avaler » une centaine avant de capituler.

L'artillerie tonne ; la cave tremble.

– Mon arrière-grand-père aimait imaginer ces grands arbres glissant derrière des attelages de chevaux à travers toute l'Europe, franchissant des fleuves, traversant la mer pour arriver en Angleterre, où ils étaient équarris, transformés pour revivre, cette fois sous la forme de mâts, assistant à des combats, voguant sur les océans, jusqu'au jour où ils sombraient et mouraient pour la seconde fois.

Un autre obus tombe et Werner croit entendre un craquement au-dessus de sa tête. *Ce morceau de charbon était autrefois une plante verte, une fougère ou un roseau qui vivait il y a un million d'années, voire deux millions d'années, ou encore cent millions d'années. Vous imaginez cela ?*

Werner dit :

– Chez moi, là où je suis né, on déterre des arbres. De l'époque préhistorique.

– Je voulais absolument partir de chez moi, dit Volkheimer.

– Moi aussi.

– Et maintenant ?

Bernd pourrit dans sor coin. Jutta évolue dans le monde quelque part, elle regarde des formes se détacher de la nuit, s'éloigner d'un pas pesant à l'aube. Enfant, Werner s'en contentait bien, n'est-ce pas ? Un monde de fleurs sauvages qui poussent dans les tas de carcasses rouillées. Un monde de baies, d'épluchures de carottes, et où Frau Elena racontait des contes de fées. Avec des odeurs de goudron, des trains qui passent et des abeilles s'affairant dans les jardinières, sous les fenêtres. Ficelle, salive et câbles, et une voix à la radio offrant une machine à rêves.

L'émetteur

Elles sont posées sur la table, coincées contre la cheminée. Les deux batteries de marine jumelles. Une étrange machine, fabriquée il y a quelques années pour parler à un spectre. Avec un luxe de précautions, Marie-Laure rampe jusqu'au tabouret de piano où elle s'installe. Quelqu'un doit bien avoir une radio – les pompiers, s'il en reste, ou la Résistance, ou les Américains qui bombardent la ville. Mais aussi les Allemands dans leur forteresse souterraine. Peut-être Étienne lui-même. Elle l'imagine penché sur un appareil, tournant les boutons d'une radio fantôme. Il la croit peut-être morte. Peut-être lui faut-il seulement une lueur d'espoir ?

Elle passe les doigts le long des pierres de la cheminée, et finit par trouver le levier installé par son oncle. Elle pèse dessus de tout son poids, et l'antenne produit un faible grincement en se déployant au-dessus du toit.

Quel boucan.

Elle attend. Compte jusqu'à cent. Aux étages inférieurs, pas un bruit.

Sous la table, ses doigts trouvent des interrupteurs : un pour le micro, l'autre pour l'émetteur, mais elle ne parvient pas à les distinguer. Elle les allume tous les deux. À l'intérieur du gros appareil, des tubes à vide bourdonnent.

C'est trop fort, papa ?

451

Pas plus fort que la brise. Le crépitement des incendies.

Elle suit les cordons du bout des doigts pour s'assurer que ceci est bien le micro.

On est très loin de comprendre ce que c'est d'être aveugle, quand on ferme les yeux. Sous notre monde des cieux, des visages et des édifices, il en existe un autre, plus brut et plus ancestral, un espace où les surfaces planes se désintègrent et où les sons forment une multitude de rubans dans les airs. De son perchoir, Marie-Laure peut entendre des nénuphars remuer dans des marais, à trois kilomètres de distance. Des Américains se faufiler à travers champs, pointer leurs énormes canons sur la fumée de Saint-Malo. Des familles renifler autour de lampes-tempête dans des caves, des corbeaux sautiller de décombres en décombres, des mouches se poser sur des cadavres au fond d'un fossé. Elle entend frémir des tamarins, des geais piailler dans les herbes dunaires ; elle sent le gros poing de granit, profondément enfoncé dans la croûte terrestre, sur lequel Saint-Malo est posé, et l'océan l'entourer de toutes parts, et les îlots résister à l'assaut des marées. Elle entend des vaches s'abreuver à des auges en pierre et des dauphins jaillir des eaux vertes de la Manche ; elle entend remuer les os des baleines mortes au fond de la mer, leur moelle offrant un siècle de nourriture aux créatures qui vivent sans jamais voir la lumière du jour. Elle entend les escargots de mer se traîner dans les grottes.

J'ai pensé que, pour changer, c'est toi qui pourrais me faire la lecture ?

De sa main libre, elle ouvre le livre posé sur ses genoux, trouve les lignes avec ses doigts, porte le micro à ses lèvres.

Voix

Le matin de son quatrième jour de réclusion sous l'hôtel des Abeilles, Werner cherche à capter quelque chose sur son appareil rafistolé, tournant les boutons, quand une voix de jeune fille dit, dans sa bonne oreille : *À trois heures du matin, je fus réveillé par un choc violent.* Il se dit : c'est la faim, la fièvre, des hallucinations, mon cerveau affabule...

Elle dit : *Je m'étais redressé sur mon lit et j'écoutais au milieu de l'obscurité, quand je fus précipité brusquement au milieu de ma chambre.*

Elle parle doucement, articulant parfaitement. Son français est plus chantant que celui de Frau Elena. Il presse l'écouteur contre son oreille... *Évidemment, le* Nautilus *donnait une bande considérable après avoir touché...*

À chaque syllabe, la voix semble se graver un peu plus profondément dans son cerveau. Jeune, claire, caressante. Si c'est une hallucination, alors elle est la bienvenue.

L'un de ces blocs, en se renversant, a heurté le Nautilus *qui flottait sous les eaux. Puis, glissant sous sa coque et le relevant avec une irrésistible force, il l'a ramené dans des couches moins denses...*

Il croit l'entendre s'humecter les lèvres. *Mais à ce moment, qui sait si nous n'aurions pas heurté la partie supérieure de la banquise, si nous ne serions pas effroyablement pressés entre*

453

les deux surfaces glacées ? La friture revient, menaçant de noyer la voix, et il s'efforce désespérément d'y remédier ; il est redevenu un enfant sous la lucarne du grenier, s'accrochant à un rêve, mais Jutta a posé la main sur son épaule et lui parle à l'oreille pour le réveiller.

Nous étions en pleine eau, ainsi que je l'ai dit ; mais à une distance de dix mètres, sur chaque côté du Nautilus, *s'élevait une éblouissante muraille de glace. Au-dessus et au-dessous, même muraille.*

Elle cesse brusquement de lire et les grésillements rugissent. Quand elle reprend la parole, sa voix est un chuchotement affolé : *Il est ici. Juste au-dessous de moi.*

Puis, la transmission s'interrompt. Il oriente le bouton, change de bande – rien. Il retire son casque, et se déplace dans une obscurité totale en direction de Volkheimer, agrippe son bras :

– J'ai capté quelque chose...

Volkheimer ne bouge pas ; c'est comme s'il était de bois. Werner le tire de toutes ses forces, mais il est trop petit, trop faible. La vigueur lui fait presque aussitôt défaut.

– Ça suffit ! dit Volkheimer. Ça ne sert à rien.

Werner s'accroupit par terre. Quelque part dans les ruines au-dessus d'eux, des chats miaulent. Affamés. Comme eux deux.

Un élève à Schulpforte lui avait un jour décrit un rassemblement nazi à Nuremberg : un océan de bannières et de drapeaux, des foules grouillantes de jeunes gens et le Führer lui-même sur son estrade, des projecteurs illuminant des piliers derrière lui, l'atmosphère saturée de haine et d'indignation vertueuse. Hans Schilzer débordait d'enthousiasme, Herribert Pomsel aussi, tous les pensionnaires de l'école aussi, et la seule capable de voir clair à travers cette comédie, c'était sa petite sœur. Comment a-t-elle pu ne pas être dupe ?

Mais à ce moment, qui sait si nous n'aurions pas heurté la partie supérieure de la banquise, si nous ne serions pas effroyablement pressés entre les deux surfaces glacées ?

Il est ici. Juste au-dessous de moi.

Fais quelque chose. Sauve-la.

Mais Dieu n'est qu'un œil froid et blanc, un croissant de lune suspendu au-dessus de la fumée, et qui cille, qui cille, alors que la cité est progressivement réduite en poussière.

Neuf

Mai 1944

Bout du monde

À l'arrière de l'Opel, Volkheimer lit à voix haute pour Werner. Dans ses grosses pattes, la lettre de Jutta ne semble pas plus grande qu'un mouchoir.

Oh, et Herr Siedler, le directeur de la mine, t'a envoyé une lettre de félicitations. Il dit que les gens ont remarqué tes succès. Ça veut dire que tu vas pouvoir rentrer à la maison ? Hans Pfeffering me charge de te dire que « les balles craignent les braves », même si je maintiens que c'est un mauvais conseil. Et la rage de dents de Frau Elena s'est calmée, mais elle ne peut pas fumer, ce qui la rend grognon, t'avais-je dit qu'elle s'était mise à fumer... ?

Par-dessus l'épaule de Volkheimer, à travers la vitre fendillée de la lunette arrière, Werner voit une fillette rousse qui flotte au-dessus de la route avec sa cape de velours. Elle passe à travers des arbres et des panneaux routiers, suit des tournants, aussi omniprésente que la lune.

Neumann 1 roule en direction de l'ouest, et Werner se recroqueville sous la table d'écoute, au fond, et ne bouge plus pendant des heures, enveloppé dans une couverture, refusant le thé, le corned-beef, tandis que l'enfant le poursuit à travers la campagne. La petite morte est dans le ciel, derrière la fenêtre, tout près de lui. Deux yeux luisants et au milieu du front ce troisième œil – tout rouge – qui ne cille pas.

Le camion file à travers une suite de petites villes verdoyantes où des arbres étêtés bordent des canaux assoupis. Deux femmes à bicyclette se garent le long de la route et regardent passer le camion avec étonnement : une sorte de fourgon infernal envoyé pour détruire leur ville.

– La France…, dit Bernd.

La voûte des cerisiers passe au-dessus de leurs têtes, ils sont chargés de fleurs. Werner ouvre la portière arrière et laisse ses jambes pendre par-dessus le pare-chocs, ses pieds juste au-dessus de la petite route qui défile. Un cheval se roule dans l'herbe ; cinq nuages blancs décorent le ciel.

Ils font halte dans la petite ville d'Épernay, et le patron de l'hôtel leur apporte du vin, des cuisses de poulet et un bouillon que Werner parvient à ingurgiter. Les clients attablés parlent la langue que Frau Elena lui chuchotait, quand il était enfant. Neumann 1 va chercher du gasoil, tandis que Neumann 2 discute avec Bernd sur la question de savoir si, oui ou non, des intestins de vache entraient dans la fabrication des zeppelins de la Grande Guerre ; et trois garçons, postés au coin de la porte, lorgnent Volkheimer d'un air effaré. Derrière eux, six fleurs de souci dans le crépuscule dessinent la silhouette de la petite morte, puis redeviennent fleurs.

Le patron de l'hôtel dit :
– Vous en voulez encore ?

Werner ne peut pas secouer la tête. Pour le moment il a peur que ses mains traversent la table, si jamais il les pose.

Ils roulent toute la nuit et s'arrêtent à l'aube à un poste de contrôle au nord de la Bretagne. La cité fortifiée de Saint-Malo se devine au loin. Les nuages laissent filtrer des rubans gris et bleu tendre, et juste en dessous l'océan en fait autant.

Volkheimer montre leur feuille de route à la sentinelle. Sans demander la permission, Werner descend du camion et

460

se glisse par-dessus la digue, s'avance sur la plage. Il passe une série d'obstacles, marche en direction de la mer. À sa droite, des sortes de herses en bois couronnées de barbelés qui ressemblent à des jouets et se succèdent sur au moins deux kilomètres le long du rivage.

Aucune trace de pas. Galets et algues jonchent les ondulations du sable. Trois îles supportent des fortins ; un fanal vert reluit à la pointe d'une jetée. Il lui semble approprié d'avoir atteint l'extrémité du continent, de n'avoir plus que la mer en face. Comme si depuis le début c'était la finalité de toute l'entreprise.

Il trempe la main dans l'eau, et met les doigts dans sa bouche pour en lécher le sel. On l'interpelle, mais il ne se retourne pas. S'il pouvait rester ici toute la matinée, à contempler la houle sous le soleil. À présent, on crie franchement : Bernd, puis Neumann 1, et il se retourne enfin pour les voir gesticuler, et il revient par le même itinéraire – le long du rivage puis à travers les barbelés – en direction de l'Opel.

Une dizaine de personnes le regardent. Des sentinelles, quelques habitants. Beaucoup ont la main devant la bouche.

– Qu'est-ce que tu fous ? braille Bernd. Et les mines, alors ? T'as pas vu les pancartes ?

Werner grimpe à l'arrière du camion et croise les bras.

– T'as perdu la boule ? demande Neumann 2.

Les quelques Malouins visibles à l'intérieur de la vieille ville reculent, dos au mur, pour laisser passer leur véhicule cabossé. Neumann 1 stoppe devant le siège de la « Kreiskommandantur », une grande maison aux volets bleus. Volkheimer y entre et en revient avec un colonel en uniforme de campagne : capote de la Reichswehr, ceinturon et hautes bottes noires. Deux aides de camp lui ont emboîté le pas.

– C'est sûrement un réseau, dit l'un d'eux. Les nombres codés sont suivis d'annonces : naissances, baptêmes, fiançailles et décès.

461

– Ensuite, il y a de la musique, presque toujours, dit le second. On ignore ce que ça signifie...

Le colonel se caresse la mâchoire. Volkheimer les contemple, comme pour promettre à des enfants soucieux qu'une injustice sera réparée.

– On les trouvera, dit-il. Ça ne traînera pas...

Chiffres

Reinhold von Rumpel va consulter un médecin à Nuremberg. Sa tumeur dans la gorge, d'après celui-ci, fait maintenant quatre centimètres de diamètre. Celle dans le petit intestin est plus difficile à mesurer.

– Trois mois, dit-il. Peut-être quatre.

Une heure plus tard, von Rumpel s'est installé à une table de banquet. Quatre mois. Cent vingt levers de soleil – cent vingt efforts pour tirer son corps corrompu hors du lit et endosser un uniforme. Les officiers qui sont ses voisins de table parlent avec indignation d'autres chiffres : les 8e et 9e armées se retirent dans le nord à travers l'Italie, la 10e est peut-être encerclée. Rome serait perdue.

Combien d'hommes ?

Cent mille.

Combien de véhicules ?

Vingt mille.

On sert le foie : en cubes, avec sel et poivre, baignant dans le jus. Lorsqu'on débarrasse les assiettes, von Rumpel n'a pas encore touché à la sienne. Trois mille quatre cents marks : c'est tout ce qu'il lui reste. Et trois petits diamants qu'il conserve dans une enveloppe à l'intérieur de son portefeuille. Chacun fait peut-être un carat.

Une convive s'enthousiasme pour les courses de lévriers : la vitesse, l'*émotion* que ce spectacle procure. Von Rumpel soulève sa tasse de café en s'efforçant de dominer ses tremblements. Un serveur lui touche le bras.

– Un appel pour vous... De France.

Von Rumpel s'en va d'un pas flageolant, passe une porte battante. Le serveur pose le téléphone sur une table et s'éclipse.

– Monsieur le Stabsfeldwebel ? Jean Brignon.

Ce nom ne lui rappelle rien.

– J'ai des renseignements sur le serrurier. L'homme sur lequel vous posiez des questions l'an dernier... ?

– Leblanc.

– Oui, Leblanc. Pour mon cousin... vous vous rappelez que vous aviez promis de l'aider ? Si je vous fournissais des renseignements ?

Trois messagers, deux trouvés, un dernier casse-tête à résoudre. Von Rumpel rêve de la divinité presque toutes les nuits : chevelure flamboyante, doigts-racines. Folie. Alors même qu'il se tient là, le combiné en main, des lianes s'enroulent autour de son cou, s'insinuent dans ses oreilles.

– Ah, votre cousin... Qu'est-ce que vous avez découvert ?

– Leblanc a été accusé de conspiration ; c'est en rapport avec un château en Bretagne. Arrêté en janvier 41 sur dénonciation. On a trouvé des croquis, des passe-partout. Il avait également été photographié en train de prendre des relevés dans la ville de Saint-Malo.

– Quel camp ?

– Je n'ai pas encore trouvé. C'est assez compliqué.

– Et votre informateur ?

– Un Malouin nommé Guernec. Claude Guernec.

Von Rumpel réfléchit. La fille aveugle, l'appartement rue des Patriarches. Vide depuis juin 40 alors que le musée paie le terme. Où irait-il, s'il devait s'enfuir ? S'il avait quelque chose de précieux à emporter ? Avec sa fille aveugle dans son sillage. Pourquoi Saint-Malo, à moins qu'il ait eu quelqu'un de confiance là-bas... ?

– Mon cousin, dit Jean Brignon. Vous l'aiderez ?

– Merci beaucoup, répond von Rumpel, et il raccroche.

Mai

Les derniers jours de mai 44 à Saint-Malo rappellent beaucoup les derniers jours de mai 40 à Paris : parfumés, chauds. Comme si chaque être vivant tentait d'accomplir une percée avant le cataclysme. Sur le chemin de la boulangerie, on sent dans l'air une odeur de myrte, de magnolia et de verveine. La glycine fleurit. Partout, des arcades, des rideaux et des voûtes de fleurs.

Elle compte les bouches d'égout : au niveau de la vingt et unième elle passe devant le boucher, bruit du jet d'eau arrosant le carrelage. À la vingt-cinquième, elle est dans la boulangerie. Elle dépose un ticket de rationnement sur le comptoir.

– Une miche ordinaire, s'il vous plaît.

– Et comment va votre oncle ?

Les mots sont les mêmes, mais la voix de Mme Rudelle est différente. Galvanisée.

– Mon oncle va bien. Merci.

Mme Rudelle fait quelque chose d'inédit ; elle se penche au-dessus du comptoir et lui prend le visage entre ses mains farineuses.

– Ma chère petite...

– Vous pleurez, madame Rudelle ? Qu'est-ce qui ne va pas ?

– Tout va bien, Marie-Laure...

Elle retire ses mains et tend la miche – lourde, chaude, plus grosse que d'habitude.

– Dis à ton oncle que l'heure est venue. *Les sirènes ont les cheveux décolorés.*

– Les sirènes ?

– Ils arrivent, ma chérie. Cette semaine. Tends les mains.

Depuis l'autre côté du comptoir, un chou-fleur frais, un peu humide, gros comme un boulet de canon. Marie-Laure a du mal à l'introduire dans sa musette.

– Merci, madame Rudelle.

– Et maintenant, rentre chez toi...

– La voie est libre ?

– On ne peut plus libre. C'est une très belle journée. Une journée à marquer d'une pierre blanche...

L'heure est venue. *Les sirènes ont les cheveux décolorés.* Son oncle a entendu dire à la radio qu'outre-Manche, en Angleterre, une formidable armada est en train de se constituer. On réquisitionne des bateaux – bateaux de pêche, ferries transformés, équipés d'armes : cinq mille navires, onze mille avions, cinquante mille véhicules.

Au croisement avec la rue d'Estrées, elle tourne non pas à gauche, vers la maison, mais à droite. Cinquante mètres jusqu'aux remparts, encore une centaine le long des murailles ; de sa poche elle tire la clé d'Hubert Bazin. Les plages sont fermées depuis plusieurs mois, truffées de mines et défendues par des barbelés, mais ici, dans l'ancien chenil, à l'abri des regards, elle peut s'asseoir parmi ses escargots et se rêver à la place du grand Pierre Aronnax, le biologiste marin, à la fois invité de marque et prisonnier du capitaine Nemo et de son *Nautilus* – cette machine formidable, affranchie des questions de nationalité et de politique, qui navigue au milieu des merveilles kaléidoscopiques de la mer. Ô être libre ! S'allonger dans le Jardin des plantes avec son père. Sentir sa présence chaleureuse. Entendre les pétales de tulipe frémir au vent. Il avait fait d'elle le centre de son existence, lui donnait l'impression que le moindre progrès était important.

— Es-tu encore là, papa ?

Ils arrivent, ma chérie. Cette semaine.

La traque (encore)

Ils cherchent jour et nuit. Saint-Malo, Dinard, Saint-Servan. L'Opel cabossé sillonne des rues si étroites que la carrosserie racle parfois les murs. Ils passent devant des petites crêperies grisâtres aux fenêtres fracassées, des boulangeries condamnées, des bistrots vides et des flancs de collines où des prisonniers russes coulent du ciment tandis que des prostituées transportent l'eau d'un puits, mais ils ne détectent aucune transmission correspondant au signalement des aides de camp du colonel. Werner capte la BBC au nord, la propagande des stations au sud ; parfois il parvient à attraper des bribes de morse. Mais ni naissance, ni mariage, ni décès, pas de chiffres, et encore moins de musique.

La chambre qu'on leur donne, à Bernd et à lui, au dernier étage d'un hôtel réquisitionné intra-muros, est hors du temps : feuilles d'acanthe et cornes d'abondance en stuc ornent le plafond. La nuit, la petite morte de Vienne arpente les couloirs. Elle ne regarde pas Werner en passant devant sa porte mais il sait que c'est lui qu'elle traque.

Le patron de l'hôtel se tord les mains pendant que Volkheimer fait les cent pas dans le vestibule. Des avions passent dans le ciel, incroyablement lents aux yeux de Werner. Comme si à tout moment l'un d'eux pouvait caler et tomber dans la mer.

– Les nôtres ? demande Neumann 1. Ou les leurs ?

– Ils sont trop haut pour le savoir...

Werner parcourt les couloirs. Dans ce qui doit être la plus belle chambre, il grimpe dans une baignoire en cuivre de forme hexagonale et frotte la vitre sale de sa main. Quelques graines en suspension dans l'air tourbillonnent dans le vent, puis tombent dans l'entonnoir de la rue. Au-dessus de lui, dans la pénombre, une reine des abeilles immense, aux yeux multiples et à l'abdomen tapissé de fourrure dorée, se recroqueville.

Chère Jutta,

Pardonne-moi ce long silence. Ma fièvre a presque entièrement disparu, alors ne t'inquiète plus. Je me sens très lucide depuis quelque temps, et ce dont je désire te parler aujourd'hui, c'est de la mer. Elle a tant de couleurs. Argent à l'aube, verte à midi, bleu foncé le soir. Parfois, elle est presque rouge, ou bien elle prend la nuance des vieilles pièces de monnaie. En ce moment, les nuages passent au-dessus d'elle, et des carrés de lumière se posent un peu partout. Des ribambelles de mouettes y font comme des colliers de perles.

De tout ce que j'ai vu, c'est ce que je préfère. Parfois, je me surprends à la regarder en oubliant mes obligations. Elle semble assez vaste pour contenir tout ce que l'être humain pourra jamais ressentir.

Bonjour à Frau Elena et aux enfants qui restent.

« Clair de lune »

Ce soir-là, ils patrouillent dans un quartier de la vieille ville serré contre les remparts au sud. Si fine est la pluie qu'elle se confond avec la brume. Werner est assis à l'arrière de l'Opel ; Volkheimer, assoupi sur le banc, près de lui. Bernd est allé sur le parapet, avec le premier transmetteur sous son vêtement de pluie. Il n'a pas activé son combiné depuis des heures, et doit donc roupiller, lui aussi. La seule lumière provient du filament ambré à l'intérieur de l'indicateur de signal, du côté de Werner.

Le spectre n'est que grésillements, jusqu'au moment où…

Madame Labas annonce que sa fille est enceinte. Monsieur Ferey envoie son meilleur souvenir à ses cousins de Saint-Vincent.

Une grande rafale de friture s'ensuit. La voix est comme issue d'un très vieux rêve. Une demi-douzaine de mots atteignent encore Werner : *Prochaine transmission jeudi 2300. Cinquante-six soixante-douze quelque chose.* Un souvenir lui arrive comme un train lancé à pleine vitesse, la qualité de la transmission et le ton de la voix correspondent aux émissions du Français qu'il écoutait, enfant, puis ce sont trois notes jouées au piano, qui s'élèvent, sereines, chacune comme une bougie qui l'entraîne un peu plus loin dans la forêt… L'identification est immédiate. C'est comme si on lui avait maintenu la tête sous l'eau depuis tout ce temps et qu'on venait de le tirer brusquement à l'air libre.

Juste derrière lui, les paupières de Volkheimer restent closes. À travers la cloison qui les sépare de la cabine, il distingue les épaules immobiles des Neumann. D'une main, Werner masque le cadran. Le morceau se déroule, le volume sonore augmente, et il guette le moment où Bernd activera son micro pour dire qu'il a entendu.

Mais rien. Tous dorment. Pourtant, la petite coquille où lui et Volkheimer se trouvent n'est-elle pas devenue électrique ?

À présent, le piano se lance dans un long passage, égrenant ses notes perlées, et Werner revoit sa petite sœur penchée vers lui, Frau Elena pétrissant de la pâte à pain à l'arrière-plan, et lui avec son poste à galène, à l'époque où les cordes de son âme n'avaient pas encore été sectionnées.

Ruissellement final, puis il est de nouveau assommé par les grésillements.

Ont-ils entendu ? Et peut-on entendre les battements effré-nés de son cœur ? Il y a la pluie qui tombe légèrement sur les hautes maisons. Il y a Volkheimer, dont le menton repose sur sa poitrine de géant. Frederick prétendait qu'on n'a pas le choix, qu'on n'est pas maître de son destin, mais en fin de compte c'est aussi Frederick qui n'a pas lancé son seau d'eau glacée sur le prisonnier, et lui-même, Werner, qui est resté en retrait pendant que son ami subissait les conséquences de sa rébellion. C'est Werner qui a vu Volkheimer aller « visiter » les maisons – comme dans un cauchemar récurrent.

Il retire son casque, passe devant Volkheimer pour ouvrir la portière à l'arrière. Volkheimer ouvre un œil – léonin.

– *Nichts* ? dit-il.

Werner lève les yeux sur les maisons alignées, hautaines, leurs façades de granit trempées, leurs fenêtres dans le noir. Pas de réverbère – nulle part. Ni d'antenne. La pluie tombe doucement, presque sans bruit, mais Werner en est assourdi.

– *Nichts,* répond-il.

Rien.

Antenne

Un lieutenant de la Flak installe un détachement de huit soldats à l'hôtel des Abeilles. Leur cuisinier prépare bacon et flocons d'avoine dans la cuisine tandis qu'ils démolissent des murs au troisième étage à coups de marteau. Volkheimer mastique lentement, jetant de temps en temps un regard en l'air, puis examinant Werner.

Prochaine transmission jeudi 2300.

Werner a capté la voix que tout le monde recherchait, et qu'a-t-il fait ? Il a menti. Trahi. Combien d'hommes pourraient être mis en danger par sa faute ? Pourtant, chaque fois qu'il évoque cette voix, ce morceau de musique, il en tremble de joie.

La moitié du nord de la France est en flammes. Les plages dévorent des hommes – Américains, Canadiens, Britanniques, Allemands, Russes – et à travers la Normandie, des forteresses volantes pulvérisent des petites villes de province. Mais ici, à Saint-Malo, les herbes dunaires poussent, longues et bleues ; les marins allemands continuent à manœuvrer dans le port, les artilleurs à stocker des munitions dans les galeries souterraines du fort de la Cité d'Alet.

À l'hôtel, les Autrichiens utilisent une grue pour poser un canon de 88 sur les remparts. Cette pièce d'artillerie est fixée par des boulons à un affût cruciforme et recouverte de bâches de camouflage. L'équipe de Volkheimer travaille deux nuits d'affilée, et la mémoire de Werner lui joue des tours.

Mme Labas annonce que sa fille est enceinte.

Alors, comment se fait-il, les enfants, que le cerveau, qui ne bénéficie d'aucune source lumineuse, édifie pour nous un monde plein de lumière ?

Si le Français se sert du même transmetteur que pour ses émissions enfantines d'autrefois, alors l'antenne doit être énorme. Ou bien il y aura des centaines de mètres de câbles. Dans les deux cas : quelque chose de voyant.

Trois jours après avoir capté cette transmission – le jeudi – Werner se tient dans la baignoire en cuivre, sous la reine des abeilles. Avec les volets ouverts, il peut voir, à gauche, un méli-mélo de toits d'ardoise. La mer lèche les remparts ; la brume enveloppe le clocher de la cathédrale.

Chaque fois qu'il contemple la vieille ville, ce sont les cheminées qui le frappent. Elles sont énormes, rangées par vingt ou trente le long de chaque bloc. Même à Berlin, on n'en voit pas de pareilles.

Bien sûr. Le Français doit se servir d'une cheminée.

Il s'empresse de descendre au rez-de-chaussée, traverse le vestibule, puis arpente la rue des Forgeurs, la rue de Dinan. Il examine les volets, les chéneaux, cherchant des câbles appliqués contre des briques, tout ce qui pourrait dénoncer la présence du transmetteur. À force, il en attrape un torticolis. Son absence n'a que trop duré. On va le réprimander. Volkheimer a déjà des soupçons. Mais à vingt-trois heures pile, Werner la voit, non loin de l'endroit où est garé l'Opel : une antenne en train de s'élever le long d'une cheminée. Pas plus grosse qu'un manche à balai.

Une fois déployée sur une hauteur d'environ douze mètres, elle se déplie comme par magie pour former un « T ».

Une maison en hauteur au bord de la mer. Excellent emplacement pour un émetteur. De la rue, elle est quasi invisible. Il croit entendre la voix de Jutta : *Je parie qu'il diffuse ses émissions depuis une belle maison, aussi grande que toute cette colonie, avec mille pièces et mille domestiques.* La maison est haute et étroite, avec onze fenêtres en façade. Rongée par du lichen orange, des mousses à la base. Le numéro 4 de la rue Vauborel.

Ouvrez les yeux et voyez ce que vous pouvez avant qu'ils se ferment à jamais.

Il rentre rapidement à l'hôtel, tête basse, mains dans les poches.

Le gros Claude

Guernec le parfumeur est un gros lard bouffi d'importance. Tandis qu'il parle, von Rumpel lutte pour conserver son équilibre : tous ces parfums mélangés dans cette boutique, c'est écœurant. Cette semaine, il a dû se rendre dans un certain nombre de propriétés sur le littoral breton, y pénétrant par effraction pour chercher des œuvres d'art qui n'existaient pas, ou sans intérêt. Tout cela pour justifier sa présence ici.

Oui, oui, dit le parfumeur, son regard papillonnant au niveau des galons de von Rumpel, il y a quelques années il a aidé les autorités à appréhender un réfugié qui faisait des repérages dans la ville. Il n'a fait que son devoir.

– Où habitait-il à cette époque-là, ce M. Leblanc ?

Le parfumeur cligne des yeux, calcule. Ses yeux aux cernes bleuâtres ne communiquent qu'un seul message : je suis vénal. Pauvre type. Mais von Rumpel est le prédateur, ici. Il faut seulement être patient. Infatigable. Abattre les obstacles un à un.

Au moment où il tourne les talons, le vernis du parfumeur craque :

– Attendez... !

Von Rumpel a la main sur la porte.

– Où vivait M. Leblanc ?

— Chez son oncle. Un bon à rien. Il n'a plus toute sa tête, paraît-il.

— Où ?

— *Ici !*

Il tend le doigt.

— Au numéro 4.

Boulangerie

Toute une journée se passe avant que Werner ne trouve l'occasion d'y retourner. Une porte en bois, précédée d'un portillon en fer forgé. Des fenêtres peintes en bleu. La brume matinale est si épaisse qu'on n'aperçoit pas la ligne du toit. Il se plaît à rêver : le Français l'invitera à entrer. Ils prendront un ersatz de café, discuteront de ses émissions pour la jeunesse. Éventuellement d'un point technique qui le préoccupe depuis des années. Peut-être lui montrera-t-il l'émetteur...

Grotesque. Si Werner sonne chez lui, le vieillard croira qu'on vient l'arrêter pour terrorisme. L'abattre sur place. L'antenne sur la cheminée, rien que cela justifierait une exécution sommaire.

Werner pourrait tambouriner à la porte, emmener le coupable. Il serait un héros.

La brume commence à être pénétrée par la lumière. Quelque part, quelqu'un ouvre une porte et la referme. Werner se rappelle comme Jutta pouvait écrire une lettre à toute allure, gribouiller « Le Professeur, France » sur l'enveloppe avant d'aller la glisser dans la boîte, près du square. Imaginant que sa voix pourrait trouver l'oreille de son interlocuteur comme lui avait trouvé la sienne. Une chance sur dix millions.

Toute la nuit, il a répété sa phrase en français dans sa tête : *Avant la guerre, je vous écoutais à la radio.* Il gardera

479

son fusil à l'épaule, les bras le long du corps ; un gringalet pas menaçant pour deux sous. L'autre sera surpris, mais sa crainte pourra être raisonnée. Il l'écoutera. Tandis que Werner se tient dans la brume qui se dissipe peu à peu dans la rue Vauborel, à se répéter intérieurement sa phrase d'introduction, la porte s'ouvre et il en sort, non pas un vieux savant, mais une jeune fille. Une svelte jeune fille aux cheveux auburn, avec des taches de rousseur, des lunettes noires et une robe grise, musette en bandoulière. Elle se dirige vers la gauche, droit sur lui, et Werner se crispe intérieurement.

La rue est si étroite qu'elle a dû voir qu'il la dévisageait. Mais elle tient sa tête curieusement, un peu penchée. Werner voit la canne blanche, les lunettes, et il comprend qu'elle est aveugle.

La canne cliquette le long des pavés. Déjà, elle n'est plus qu'à vingt mètres de lui. Personne pour les surveiller ; tous les rideaux sont tirés. Plus que quinze mètres. Elle porte de grosses chaussettes, des souliers trop grands ; les panneaux de sa robe en laine sont criblés de petites taches. Dix mètres, cinq. Elle passe tout près de lui, le dominant légèrement par la taille. Sans réfléchir, comprenant à peine ce qu'il est en train de faire, Werner se met à la suivre. Le bout de la canne vibre contre le caniveau, chaque bouche d'égout. Elle marche comme une ballerine, d'un pas léger, petit navire plein de grâce qui se faufile dans la brume. Elle tourne à droite, puis à gauche, longe tout un pâté de maisons et franchit d'un pas décidé le seuil d'une boulangerie.

Werner s'arrête. Au-dessus de lui, la brume se déchire, révélant un grand pan de ciel bleu. Une femme arrose ses fleurs, un homme en gabardine promène un caniche. Sur un banc est assis un Allemand au teint cireux, affligé d'un goitre, aux cernes très accusés. Il abaisse son journal, fixe Werner un moment, puis relève de nouveau son journal.

Pourquoi Werner a-t-il les mains qui tremblent ? Du mal à respirer ?

La jeune fille ressort de la boulangerie, descend gracieusement du trottoir, et marche droit sur lui. Le caniche s'accroupit pour faire ses besoins sur les pavés, et elle le contourne adroitement par la gauche. C'est alors qu'elle s'approche de Werner pour la seconde fois, ses lèvres remuant légèrement – elle compte pour elle-même : *un deux trois quatre* – et elle finit par être si proche qu'il pourrait compter ses taches de rousseur, sentir l'odeur du pain dans son sac. Mille gouttelettes de brume perlent sur sa robe et son chignon, et le soleil cerne sa silhouette d'un trait d'argent.

Il reste là, cloué sur place. Cette longue nuque blanche semble si vulnérable.

Elle ne le remarque pas ; elle semble seulement sensible à cette atmosphère matinale. La voilà, se dit-il, cette pureté dont on nous rebattait les oreilles à Schulpforte...

Il plaque son dos contre le mur. Le bout de la canne manque de peu sa botte. Puis, elle s'éloigne, sa robe dansant légèrement, sa canne naviguant le long de la chaussée, et il la voit poursuivre son chemin jusqu'à ce que la brume l'ait absorbée.

Grotte

Une batterie de la Flak abat un avion américain. Celui-ci se crashe dans la mer, au large de Paramé, et le pilote gagne le rivage où il est fait prisonnier. Étienne s'en désole, mais Mme Rudelle exulte :

– Beau comme une star de cinéma, murmure-t-elle tout en donnant à Marie-Laure son pain. Je parie qu'ils sont tous comme ça...

Marie-Laure sourit. Tous les matins, c'est pareil : les Américains qui se rapprochent, les Allemands qui sont en train de craquer. Tous les après-midi, elle lit à son grand-oncle un passage de *Vingt-mille lieues sous les mers*, tome 2 : *Le* Nautilus *en brisait les eaux après avoir accompli près de dix mille lieues en trois mois et demi...*, écrit le professeur Aronnax. *Où allions-nous maintenant, et que nous réservait l'avenir ?*

Elle glisse le pain dans sa musette, quitte la boulangerie et prend la direction des remparts, celle de la grotte d'Hubert Bazin. Elle referme la grille, soulève sa robe, et patauge dans les flaques en espérant n'écraser rien de vivant.

C'est marée haute. Elle trouve des anatifes, une anémone douce comme de la soie ; elle pose les doigts le plus doucement possible sur un *Nassarius*. Il cesse aussitôt de bouger, rentre la tête et le pied dans sa coquille. Puis il repart, étirant les baguettes de ses cornes, portant le fardeau de sa coquille spiralée sur son corps-traîneau.

Que cherches-tu, petit escargot ? Vis-tu seulement au jour le jour ou t'inquiètes-tu de l'avenir comme le professeur Aronnax ?

Lorsque le gastéropode a traversé la flaque et commencé à grimper sur le mur opposé, Marie-Laure reprend sa canne et repart, ses mocassins tout imbibés d'eau. Elle passe la grille ; mais alors qu'elle s'apprête à refermer derrière elle, une voix d'homme lance :

– Bonjour, mademoiselle...

Elle trébuche, manque de tomber. Sa canne roule avec un bruit métallique.

– Qu'est-ce qu'il y a dans ce sac ?

Son français est correct, mais c'est de toute évidence un Allemand. Son corps lui barre le passage. La robe de Marie-Laure dégoutte, ses chaussures sont gorgées d'eau ; de part et d'autre s'élèvent les murailles. Son poing est resté serré sur un barreau de la grille ouverte.

– Qu'est-ce que c'est... une cachette ?

Il semble terriblement proche, mais c'est difficile d'en être certaine dans cet endroit si propice aux échos. La miche de pain palpite dans son dos comme quelque chose de vivant. À l'intérieur doit se trouver une bandelette de papier. Sur laquelle sont inscrites des condamnations à mort sous la forme d'une suite de chiffres. La peine de mort pour son grand-oncle, Mme Rudelle – eux tous.

– Ma canne...

– Elle a roulé derrière vous, ma chère.

Derrière cet homme, il y a le passage, le rideau de lierre et puis la ville. L'endroit où elle pourrait crier et être entendue.

– Je peux passer... ?

– Bien sûr.

Mais il n'a pas l'air de bouger. La grille grince légèrement.

– Que voulez-vous ?

Impossible de dominer les trémolos de sa voix. S'il l'interroge encore sur le contenu de son sac, son cœur va éclater.

— Qu'est-ce que vous faites, là-dedans ?

— On n'a pas le droit d'aller sur les plages…

— … alors vous venez ici ?

— Pour ramasser des escargots. Il faut que je parte. Je peux ramasser ma canne ?

— Mais vous n'avez pas ramassé d'escargots…

— Je peux passer ?

— Répondez d'abord à une question sur votre père.

— Mon père ?

Une chose déjà froide en elle devient encore plus glaciale.

— Mon père peut arriver d'un instant à l'autre.

Là, l'homme s'esclaffe, et ce rire se répercute contre les murailles.

— D'un instant à l'autre ? Votre père est en prison, à cinq cents kilomètres d'ici.

La terreur la paralyse. J'aurais dû t'écouter, papa. Je n'aurais jamais dû sortir.

— Allons, petite cachottière. Ne prends pas cet air effrayé…

Il fait mine de l'attraper ; elle sent son haleine fétide, comme une absence dans sa voix, et quelque chose – le bout de son doigt ? – la frôle, elle se rejette en arrière et lui claque la grille au nez.

Il dérape ; il met plus longtemps qu'elle ne s'y attendait à se relever. Marie-Laure tourne la clé dans la serrure, l'empoche et retrouve sa canne en se retirant dans cet espace au plafond bas. La voix désolée de l'homme la poursuit, alors même qu'il est resté de l'autre côté.

— Mademoiselle, vous m'avez fait lâcher mon journal. Je ne vous ai posé qu'une simple question. Répondez-moi – et je m'en vais…

La marée murmure, les escargots grouillent. Et s'il parvenait à passer quand même ? Les charnières sont-elles assez solides ? Oh mon Dieu, faites qu'elles le soient. La masse de pierre la retient dans ses flancs. À chaque instant, une nouvelle vague déferle. Marie-Laure entend l'homme qui va et vient à l'extérieur, traînant la jambe. Elle tente d'imaginer les chiens du guet dont Hubert Bazin lui avait parlé : des dogues comme des chevaux, déchiquetant leurs victimes. Elle s'agenouille. Elle est « Murex ». Cuirassée dans sa coquille. Inaccessible.

Agoraphobie

Trente minutes. Marie-Laure aurait dû n'en mettre que vingt et une – Étienne a si souvent compté.

Pour aller à la boulangerie, il lui faut quatre minutes. Idem pour en revenir – mais dans l'intervalle, il y a ce petit quart d'heure où elle disparaît. Il se doute bien qu'elle fait un crochet par la plage car à son retour elle sent l'iode, ses chaussures sont trempées, ses manches festonnées d'algues, de fenouil de mer ou de ce que Mme Manec appelait *pioka*. Il ne sait pas où elle va, au juste, mais s'est toujours dit qu'elle ne risquait rien. Que sa curiosité la préservait, paradoxalement. Qu'elle était plus débrouillarde que lui.

Trente-deux minutes. Depuis sa fenêtre du quatrième étage, il ne voit personne. Elle pourrait s'être perdue, être en train de s'abîmer les ongles contre des murs, de s'égarer. Elle pourrait s'être noyée, ou s'être fait écraser, avoir fait une mauvaise rencontre. On a pu découvrir ce que contient la miche de pain.

Il se précipite au rez-de-chaussée, jette un coup d'œil au-dehors par la porte de la cuisine. Un chat endormi. Des trapèzes lumineux sur le mur. Tout ça, c'est sa faute.

L'affolement le saisit. Lorsqu'il s'est écoulé trente-quatre minutes à sa montre, il met ses souliers et attrape un chapeau qui appartenait à son père. Se tient dans le vestibule,

486

s'efforçant de rassembler tout son courage. La dernière fois qu'il est sorti, il y a presque vingt ans, il s'était efforcé de faire bonne figure, de passer pour normal. Mais les crises se déclenchaient sans prévenir, dévastatrices : elles le prenaient par surprise comme des malfaiteurs. D'abord, une sensation de menace l'envahissait. Ensuite, toute lumière, même s'il fermait les yeux, devenait blessante. Il ne pouvait plus marcher à cause du bruit de ses pas, déchirant ses tympans. Des pupilles le fixaient depuis les pavés. Des cadavres remuaient sous les portes cochères. Une fois que Mme Manec l'avait aidé à regagner la maison, il allait se terrer dans son lit, la tête sous les oreillers. Et toute son énergie était consacrée à ignorer les coups de massue de son propre cœur.

La migraine arrive. Une terrible migraine.

Trente-cinq minutes. Il tourne la poignée de la porte, ouvre le portillon. Et sort.

Rien

Marie-Laure s'efforce de se rappeler tout ce qu'elle sait sur le système de fermeture de la grille, tout ce que lui ont appris ses doigts, tout ce que son père lui aurait dit. Ce n'est qu'une vieille clé rouillée ; une balle suffirait-elle à faire sauter la serrure ? L'homme s'est mis à lui parler tout en passant son journal le long des barreaux.

– Arrivé en juin, arrêté en janvier. Qu'a-t-il fait pendant tout ce temps ? Pourquoi tous ces relevés, toutes ces mesures ?

Elle s'accroupit contre le mur, sa musette sur les genoux. Les vaguelettes montent à l'assaut : froides, même en juillet. Peut-il la voir ? Avec prudence, elle ouvre son sac, rompt le pain et tâtonne, à la recherche du bout de papier. Voilà... Elle compte jusqu'à trois et l'avale.

– Dites-moi seulement, insiste l'Allemand, si votre père vous a laissé quelque chose ou dit qu'il avait emporté quelque chose du musée... Ensuite, je m'en irai. Je ne parlerai à personne de cet endroit. Je le jure devant Dieu.

Le papier se désintègre, devient bouillie entre ses dents. À ses pieds, les escargots poursuivent leur activité : mâcher, s'alimenter, dormir. Leurs bouches, paraît-il, contiennent environ trente dents par rangée, quatre-vingts rangées, soit deux mille quatre cents dents par mollusque, qui broutent, grattent, râpent. Il a juré devant Dieu ? Quelle est la durée de ces intolérables moments pour Dieu ? Un trillionième de seconde ? Toute existence n'est jamais qu'une lueur brève dans des ténèbres impénétrables. Voilà ce que nous sommes, pour Dieu.

– Ensuite, je retournerai à mes occupations, ajoute l'Allemand. Un Jean Jouvenet à Saint-Brieuc ; six Monet dans la région ; un œuf de Fabergé dans un manoir près de Rennes. Je suis si fatigué. Tout ce temps passé à chercher...

Pourquoi son père ne pouvait-il pas rester ? N'aurait-elle pas dû passer avant tout le reste ? Elle avale les lambeaux de papier réduits à l'état de pulpe. Puis elle oscille sur elle-même.

– Il ne m'a rien laissé !

Elle est surprise de constater sa propre fureur.

– Rien ! Rien qu'une maquette à la noix, et une promesse en l'air. Mme Manec, qui est morte. Mon grand-oncle, qui a peur de tout...

À l'extérieur, l'Allemand s'est tu. Pour mieux évaluer sa réponse, peut-être. Ou convaincu par cet accent de désespoir.

– Et maintenant, dit-elle, tenez parole et allez-vous-en...

Quarante minutes

La brume fait place au soleil. Soleil qui s'attaque aux pavés, aux maisons, aux fenêtres. Étienne est baigné d'une sueur glacée quand il arrive à la boulangerie et coupe la file pour se retrouver devant le visage d'une pâleur lunaire de Mme Rudelle.

– Étienne ? Mais...

Des points rouges parsèment son champ de vision.

– Marie-Laure...

– Elle n'est pas... ?

Aussitôt, Mme Rudelle soulève son comptoir et, lui prenant le bras, l'entraîne dans la rue. Les clientes murmurent, intriguées, scandalisées, ou les deux. Ils atteignent la rue Robert-Surcouf. Étienne est complètement décomposé. Quarante-cinq minutes ? Cela dépasse l'entendement. Une main lui agrippe l'épaule.

– Où peut-elle être ?

Sa langue si sèche, si pâteuse.

– Parfois, elle va... voir la mer. Avant de rentrer.

– Mais c'est interdit ! L'accès aux remparts aussi !

La boulangère regarde par-dessus sa tête.

– C'est sûrement autre chose...

Ils restent plantés au milieu de la rue. Quelque part, un marteau tinte. La guerre, se dit Étienne, est un souk où des

490

existences sont échangées telles des marchandises : chocolat, cartouches, soie des parachutes. Ces messages codés valaient-ils qu'on leur sacrifie Marie-Laure ?

– Non, dit-il. Elle va sur la plage.

– S'ils trouvent le pain, chuchote Mme Rudelle, on va tous y passer...

De nouveau, il consulte sa montre, mais c'est un soleil qui lui brûle la rétine. Une tranche de lard fumé se tord dans la vitrine du charcutier, où il n'y a rien d'autre, et trois écoliers juchés sur un banc l'observent, guettant sa chute, et au moment où il est certain que cette matinée va voler en éclats, il revoit dans sa mémoire la grille rouillée ouvrant sur le chenil croulant, sous les remparts. Là où il jouait avec son frère et Hubert Bazin. Petite caverne humide où un enfant pouvait crier et rêver.

Tout pâle, il descend la rue de Dinan avec Mme Rudelle, formant avec elle la plus improbable équipe de secours. Les cloches de la cathédrale sonnent : un, deux, trois, quatre – jusqu'à huit. Il tourne dans la rue du Boyer et atteint la base légèrement penchée des remparts, comme jadis, se fiant à son instinct : tourner à droite, passer sous le lierre, et droit devant, derrière la même grille fermée, dans cette grotte, grelottante et mouillée jusqu'aux cuisses, mais indemne, Marie-Laure est accroupie avec le reste d'une miche de pain dans son giron.

– Tu es venu, dit-elle après leur avoir ouvert, alors qu'il lui prend le visage à deux mains. Tu es venu...

La fille

Malgré lui, Werner pense à elle. La jeune aveugle en robe grise, avec sa canne, comme née de la brume. Une impression d'étrangeté dans ses cheveux emmêlés et sa démarche décidée. Elle a élu domicile en lui, sorte de « *Doppelgänger* » pour se défendre de la petite Autrichienne assassinée, qui le hante chaque nuit.

Qui est-elle ? La fille du Français qui diffusait ses émissions de radio ? Sa petite-fille ? Pourquoi la mettrait-il autant en danger ?

Volkheimer les entraîne sans cesse dans la campagne, parcourant des villages le long de la Rance. Les transmissions seront fatalement tenues pour responsables de quelque chose, et Werner sera démasqué. Il songe au colonel, se caressant la mâchoire, à ce gradé allemand au teint verdâtre qui le surveillait, abrité derrière son journal. Sont-ils déjà au courant ? Et Volkheimer ? Qu'est-ce qui pourrait le sauver, désormais ? Certaines nuits, Jutta et lui, depuis la lucarne du grenier, priaient pour que la glace des canaux s'étende au-delà des champs et enveloppe les masures des mineurs, écrase les machines, recouvrant tout. Ainsi, à leur réveil, le lendemain matin, tout aurait disparu. C'est le genre de miracle qu'il lui faudrait.

Le 1er août, un lieutenant vient trouver Volkheimer. Sur tous les fronts, les besoins en hommes sont énormes. Tous ceux qui ne sont pas essentiels à la défense de Saint-Malo doivent s'en aller. Au minimum, il en faut deux. Volkheimer les considère, chacun à leur tour. Bernd – trop vieux. Werner – le seul à savoir réparer le matériel.

Neumann 1. Neumann 2.

Une heure plus tard, tous deux sont à l'arrière d'un véhicule de transport de troupes, le fusil entre les genoux. Neumann 2 n'a plus du tout la même attitude : à croire qu'il regarde non pas ses anciens camarades, mais sa fin prochaine. Comme s'il était à bord d'un chariot penché au-dessus d'un abîme et sur le point de verser.

Neumann 1 lève une main qui ne tremble pas. Sa bouche est inexpressive, mais dans son regard perce le désespoir.

– En définitive, bougonne Volkheimer au moment où le convoi s'ébranle, personne n'y coupera...

Cette nuit-là, c'est lui qui conduit l'Opel sur la route de Cancale. Bernd va déposer un transmetteur sur un tertre en plein champ, tandis que Werner se penche sur l'autre à l'arrière du camion. Volkheimer reste assis à la place du conducteur, ses gros genoux coincés derrière le volant. Des feux – peut-être sur des bateaux – brûlent au large, et les étoiles frémissent dans leurs constellations. À deux heures du matin, Werner le sait, le Français transmettra ses messages, et il devra éteindre son appareil ou faire celui qui n'entend pas.

Sa paume masquera l'indicateur de signal. Son visage ne trahira rien.

Petite maison

Étienne déclare qu'il n'aurait jamais dû la laisser s'exposer ainsi, se mettre à ce point en péril. Il ne faut plus qu'elle sorte. En fait, Marie-Laure en est soulagée. Cet Allemand la hante : dans ses cauchemars, c'est un crabe gigantesque, un crabe-araignée qui fait claquer ses pinces et lui souffle à l'oreille : *une petite question...*

– Et pour le pain ? dit-elle.

– J'irai. J'aurais dû le faire depuis le début.

Les matins des 4 et 5 août, il se tient sur le seuil de la porte, monologuant tout bas, après quoi il pousse le portillon et s'en va. Peu après, la clochette d'alarme tinte et il rentre, ferme le verrou, et stationne dans le vestibule, hors d'haleine, aussi essoufflé que s'il venait de réchapper à mille dangers.

Le pain mis à part, ils n'ont presque plus rien de comestible. Pois secs. Orge. Lait en poudre. Quelques conserves de Mme Manec. Les pensées de Marie-Laure gravitent toujours autour des mêmes questions. D'abord les policiers, il y a deux ans : *Mademoiselle, il n'a rien évoqué en particulier ?* Puis, l'Allemand à la voix sans timbre : *Dites-moi seulement si votre père vous a laissé quelque chose ou dit qu'il avait emporté quelque chose du musée...*

Son père parti. Mme Manec partie. Elle se rappelle les commentaires des voisins, à Paris, quand elle avait perdu la vue : *Le sort s'acharne.*

Elle tente d'ignorer sa peur, sa faim, les questions. Il faut faire comme les escargots, vivre l'instant présent – centimètre après centimètre. Mais dans l'après-midi du 6 août, alors qu'elle fait la lecture à Étienne sur le canapé – *Ne quittait-il jamais le* Nautilus *? Des semaines entières s'étaient souvent écoulées sans que je l'eusse rencontré. Que faisait-il pendant ce temps, et alors que je le croyais en proie à des accès de misanthropie, n'accomplissait-il pas au loin quelque acte secret dont la nature m'échappait jusqu'ici ?* –, elle referme le livre brusquement. Étienne dit :

– Tu n'as pas envie de savoir s'ils parviendront à s'échapper, cette fois ?

Mais lui trotte dans la tête l'étrange troisième lettre de son père, la dernière.

Tu te rappelles tes anniversaires ? Ces casse-tête qui t'attendaient sur la table, à ton réveil ? Je suis désolé de ce qui est arrivé. Si tu veux comprendre, regarde dans la maison d'Étienne, dans la maison. Je sais que tu agiras comme il faut. J'aurais voulu te faire un meilleur cadeau.

Et encore les policiers...

Mademoiselle, il n'a rien évoqué en particulier ?
Peut-on voir ce qu'il a apporté ici ?
Il avait beaucoup de clés, au musée..

Ce n'est pas l'émetteur. Étienne a tort. Ce n'est pas à la radio que cet Allemand s'intéressait. C'est à autre chose – et il la croyait dans le secret. D'ailleurs, à son insu, elle lui a donné la réponse qu'il cherchait :
Rien qu'une maquette à la noix.

Et c'est pour cela qu'il l'a laissée tranquille, finalement.
Regarde dans la maison d'Étienne.
– Qu'est-ce qu'il y a ? dit Étienne.
Dans la maison.
– Il faut que je me repose...
Elle monte les marches deux par deux, s'enferme dans sa chambre, plonge les doigts dans la cité miniature.

Huit cent soixante-cinq maisons. Ici, près d'un angle, celle tout en hauteur du 4 rue Vauborel. Ses doigts tâtonnent, trouvent le renfoncement de la porte d'entrée. Une légère pression et la maison se détache de l'ensemble. Quand elle la secoue, on n'entend aucun bruit. Mais ce pourrait bien être un coup de son père, non ?

Malgré ses doigts tremblants, elle ne met pas longtemps à résoudre l'énigme. Tordre la cheminée à quatre-vingt-dix degrés, faire glisser les panneaux de bois : un, deux, trois.

Une quatrième, et une cinquième, et ainsi de suite, jusqu'à la treizième, une porte pas plus grande qu'une chaussure.

Alors, avaient demandé les enfants, *qui vous dit que c'est bien là ?*

Il faut croire à la légende.

Elle retourne la petite maison. Un objet en forme de poire tombe dans sa main.

Chiffres

Les bombes alliées détruisent la gare ferroviaire. Les Allemands sabotent les installations portuaires. Des avions se montrent entre les nuages. D'après la radio, des Allemands blessés affluent dans Saint-Servan, les Américains ont pris le Mont-Saint-Michel – qui n'est qu'à trente-sept kilomètres –, et la Libération n'est plus qu'une question de jours. Il arrive à la boulangerie au moment même où Mme Rudelle ouvre. Elle le fait entrer.

– Ils veulent les emplacements des batteries de la Flak. Des coordonnées. Vous pourrez faire ça ?

Étienne bougonne.

– Moi, je dois veiller sur Marie-Laure. Pourquoi pas vous ?

– La technique, ce n'est pas mon fort. Contrairement à vous. Il faudra juste les repérer et communiquer leurs coordonnées par radio.

– Je vais devoir me balader avec une boussole et un calepin. C'est la seule méthode. Et me faire fusiller.

– Ces informations sont cruciales. Songez à toutes les vies qui pourraient être épargnées ! Et il faut agir ce soir. Il paraît que demain, on va interner tous les hommes qui ont entre dix-huit et soixante ans. On vérifiera les papiers de chacun et tout homme en âge de combattre, qui pourrait participer à la Résistance, sera interné au fort National.

Tout tourne ; il est pris dans des toiles d'araignées ; cela s'enroule autour de ses poignets et de ses cuisses, crépite comme du papier qui brûle lorsqu'il bouge. À chaque seconde, il est plus empêtré. La clochette de la boutique tinte, un client entre. Le visage de Mme Rudelle se ferme.

Il hoche la tête.

– Parfait, dit-elle, et elle lui met une miche sous le bras.

Océan de Flammes

Ses facettes sont innombrables. Elle ne cesse de le prendre pour le reposer aussitôt, comme s'il lui brûlait les doigts. L'arrestation de son père, la disparition d'Hubert Bazin, la mort de Mme Manec – cette pierre précieuse pourrait elle être la cause de tant de chagrin ? Elle repense à la voix sifflante, très légèrement avinée, de M. Gérard : *Qui sait si une reine n'a pas dansé toute la nuit, ainsi parée ? Si on n'a pas fait la guerre à cause d'elle ?*

Le possesseur serait immortel, mais tant que ce diamant serait en sa possession, le sort s'acharnerait sur tous les êtres chers à son cœur.

Une chose n'est qu'une chose. Une légende, rien qu'une légende.

Ce caillou, c'est sûrement ce que recherche l'Allemand. Elle devrait ouvrir les persiennes et le jeter dans la rue. Le donner à quelqu'un, n'importe qui. Aller le balancer dans la mer.

Étienne monte au grenier par l'échelle. Elle l'entend marcher là-haut et allumer l'émetteur. Glissant le diamant dans sa poche, elle reprend la petite maison et traverse le couloir. Mais avant d'avoir atteint l'armoire, elle s'arrête. Que fera Étienne si elle lui montre ce joyau, cette pierre d'une valeur inestimable, en affirmant qu'il faut s'en débarrasser ?

Il voudra le garder. Et alors, la malédiction...

Mais non, c'est une légende. Il n'y a sur cette terre que magma, croûte continentale et océan. La gravitation, le temps. N'est-ce pas ? Elle ferme le poing, retourne dans sa chambre, replace la pierre dans la petite maison, remet le toit en place. Revisse la cheminée. Glisse le tout dans sa poche.

Bien après minuit, la marée monte – c'est une grande marée, avec d'énormes vagues qui s'écrasent au pied des remparts. La mer est verte, mousseuse d'écume. Marie-Laure sort d'un rêve pour entendre des coups frappés à sa porte.

– Je sors, dit Étienne.

– Quelle heure est-il ?

– Il fait presque jour. Je n'en ai que pour une heure.

– Où vas-tu ?

– Mieux vaut que tu ne le saches pas.

– Et le couvre-feu ?

– Je ferai vite...

Son grand-oncle. Qui n'a jamais « fait vite » depuis qu'elle le connaît...

– Et si les bombardements commencent ?

– Le soleil va se lever. Je dois m'en aller pendant qu'il fait encore nuit.

– Les maisons seront touchées ?

– Ils ne toucheront pas aux maisons.

– Ce sera vite terminé ?

– Bien sûr... Dors, Marie-Laure, et à ton réveil, je serai là. Tu verras.

– Je ne peux pas te faire la lecture ? Puisque je suis réveillée ? On est si près de la fin...

– À mon retour. On finira ensemble.

Elle essaie de se reposer, de se détendre, de ne pas penser à la petite maison qui est maintenant sous son oreiller et à son terrible fardeau.

500

– Étienne, dit-elle à mi-voix, tu ne regrettes pas qu'on soit venus chez toi ? Qu'on m'ait confiée à toi et à Mme Manec ? Tu n'as pas l'impression que je t'ai porté malheur ?

– Marie-Laure !

Il vient lui prendre les mains.

– Tu es ce qui m'est arrivé de meilleur dans la vie...

Quelque chose semble s'élever dans le silence, comme une vague de fond – mais Étienne se borne à répéter :

– Dors, Marie-Laure, et à ton réveil, je serai là.

Après quoi elle l'entend redescendre l'escalier.

L'arrestation d'Étienne Leblanc

Étienne se sent étrangement bien, dehors – il se sent fort. Tant mieux si Mme Rudelle lui a confié cette ultime mission. Déjà il a communiqué l'emplacement d'une batterie anti-aérienne : un canon sur le rempart, juste devant l'hôtel des Abeilles. Maintenant, il n'y a plus qu'à déterminer la position de deux autres. Trouver deux points connus – il choisira le clocher de la cathédrale et l'île du Petit Bé – puis calculer l'emplacement du troisième point, qui est l'inconnue. Un simple triangle. Autre chose que des spectres sur lequel fixer son attention.

Il tourne dans la rue d'Estrées, contourne le collège, gagne la ruelle derrière l'Hôtel-Dieu. Ses jambes sont jeunes, ses pieds légers. Personne dehors. Le soleil commence à poindre derrière la brume. La température est douce, l'air parfumé, la ville endormie, et les maisons ont l'air presque immatérielles. L'espace d'un instant, il se voit comme dans l'allée centrale d'un train, marchant au milieu de tous les autres passagers qui sommeillent. Le train file à travers les ténèbres vers une cité radieuse : arcades dorées, tours étincelantes, feux d'artifice crépitants.

Alors qu'il s'approche de la masse sombre des remparts, un homme en uniforme surgit des ténèbres, claudiquant.

7 août 1944

Marie-Laure est réveillée par des canonnades. Elle traverse le palier, ouvre l'armoire et, de sa canne, écarte les cintres pour frapper trois petits coups contre le double-fond. Rien. Alors, elle descend au quatrième étage et frappe à la porte d'Étienne. Son lit est vide et froid.

Il n'est ni au premier, ni dans la cuisine. Il n'y a rien au petit clou où Mme Manec accrochait ses clés, près de la porte. Les chaussures d'Étienne ne sont pas là.

Je n'en ai que pour une heure.

Elle jugule sa panique. L'important, c'est de ne pas supposer le pire. En bas, elle vérifie l'état du fil-piège : intact. Puis, elle prend un morceau de pain rassis et mastique, debout dans la cuisine. L'eau – miracle ! – est revenue, aussi remplit-elle deux seaux galvanisés qu'elle monte et dépose dans un coin de sa chambre. Elle réfléchit et va aussi remplir à ras bord la baignoire au deuxième étage.

Ensuite, elle reprend son livre. Le capitaine Nemo a planté son pavillon noir au pôle Sud, mais s'il ne déplace pas bientôt le sous-marin vers le nord, celui-ci va être pris dans les glaces. L'équinoxe de printemps vient de passer et bientôt commencera la longue nuit polaire qui dure six mois.

Marie-Laure compte les chapitres qu'il lui reste à lire : neuf. Elle a la tentation de continuer, mais ils voyagent sur le *Nautilus* ensemble, Étienne et elle, et dès son retour, ils reprendront. Ce n'est plus qu'une question de minutes, à présent.

Elle prend la petite maison sous son oreiller, résiste à l'envie d'en ôter le diamant et la replace au sein de la maquette, au pied du lit. Par la fenêtre, elle entend rugir un moteur. Des mouettes passent, ricanant comme des harpies, et au loin les canonnades reprennent, le véhicule en bas s'éloigne, et Marie-Laure s'efforce de relire le chapitre précédent : faire que les points en relief forment des lettres, les lettres des mots, les mots – un monde.

Dans l'après-midi, le fil-piège tressaille, et la clochette cachée sous le guéridon du deuxième étage tinte. À l'intérieur du grenier, un autre tintement étouffé fait écho. Marie-Laure retire son doigt de la page, et se dit : « Enfin ! » ; mais lorsqu'elle descend, qu'elle pose la main sur le verrou et dit : « Qui est là ? », ce n'est pas la voix calme d'Étienne qui répond mais celle, mielleuse, du parfumeur, Claude Guernec.

– Laissez-moi entrer, je vous prie.

Même à travers la porte, elle sent son odeur : menthe poivrée, musc, arôme floral. Et sous-jacentes : la transpiration, la peur.

Elle manœuvre les verrous et entrouvre la porte.

Il parle à travers le portillon également à demi ouvert.

– Il faut venir avec moi...

– J'attends mon oncle.

– Je lui ai parlé.

– Ah ? Où l'avez-vous vu ?

Marie-Laure l'entend faire craquer ses phalanges une à une. Ses efforts pour respirer.

– Si vous n'étiez pas aveugle, mademoiselle, vous auriez vu les ordres d'évacuation. On a fermé les portes de la ville.

Elle ne réagit pas.

– Ils ont emprisonné tous les hommes qui ont entre seize et soixante ans. On leur a ordonné de se rassembler au pied de la tour du château et on les a conduits à marée basse au fort National. Dieu les garde...

Dans la rue Vauborel, tout est calme. Des hirondelles filent devant les maisons et deux colombes roucoulent dans un chéneau. Un cycliste passe avec un bruit de ferraille. Puis, plus rien. A-t-on vraiment fermé les portes de la ville ? Cet homme a-t-il vraiment parlé à Étienne ?

– Vous n'allez pas les rejoindre, monsieur Guernec ?

– Ce n'est pas mon intention. Il faut aller vous abriter dans un refuge immédiatement, mademoiselle.

Le parfumeur prend un ton suffisant.

– Ou dans la crypte de l'église Notre-Dame-des-Grèves à Rocabey. J'y ai envoyé mon épouse. C'est ce que votre oncle m'a chargé de vous dire : il faut tout quitter et me suivre.

– Pourquoi ?

– Votre oncle le sait. Tout le monde le sait. Vous n'êtes pas en sécurité, ici. Allons, venez...

– Mais puisque vous dites qu'on a fermé les portes de la ville !

– Oui. C'est bien ce que j'ai dit... Et voilà assez de questions pour le moment.

Il soupire.

– Vous êtes en danger, et je suis là pour vous aider...

– D'après mon oncle, on est en sûreté dans notre cave. Si elle a tenu bon pendant cinq cents ans, d'après lui, c'est qu'elle est solide.

Le parfumeur se racle la gorge. Elle l'imagine étirant son cou épais pour regarder à l'intérieur. Chacun s'intéresse à ce qu'ont ses voisins. Son grand-oncle n'a pas pu charger cet homme de l'escorter jusqu'à un abri – quand lui a-t-il parlé pour la dernière fois ? De nouveau, elle songe à la maquette à l'étage, et au diamant. Elle entend la voix de M. Gérard : *Qu'une chose aussi petite soit aussi belle... Aussi précieuse !*

– Il y a des maisons qui brûlent à Paramé, mademoiselle. On saborde des navires dans le port, on bombarde la cathé-

505

drale. Il n'y a plus d'eau à l'hôpital. Les médecins se lavent les mains dans du vin... du vin !

La voix de M. Guernec tremble. Elle dit :

– Je reste !

– Enfin, ma petite, faut-il qu'on vous force ?

Elle repense à cet Allemand allant et venant devant l'ancien chenil, et referme doucement la porte. Cette sollicitude est curieuse. Elle rétorque :

– Mon oncle et moi, on ne sera sûrement pas les seuls à dormir sous notre propre toit ce soir...

Elle essaye de rester impassible. Les parfums qui environnent M. Guernec sont entêtants.

– Mademoiselle, reprend celui-ci, plaidant sa cause désormais. Soyez raisonnable Venez avec moi et laissez tout sur place.

– Vous pourrez parler à mon grand-oncle dès son retour.

Là, elle pousse le verrou.

Elle devine qu'il est resté planté devant la porte, pesant le pour et le contre. Puis il tourne les talons et s'en va, traînant sa peur comme une carriole. Marie-Laure va vérifier l'état du fil-piège. Qu'a-t-il pu apercevoir ? Un manteau, la moitié d'une miche de pain ? Étienne la félicitera. À l'extérieur de la cuisine, des martinets passent à toute allure et des fils de la Vierge captent la lumière du soleil l'espace d'un instant.

Et si le parfumeur disait vrai ?

La lumière du jour prend une teinte vieil or. Quelques grillons dans la cave se mettent à chanter, un grésillement monotone. Après avoir remonté ses chaussettes, Marie-Laure va dans la cuisine prendre un quignon de pain.

Tracts

Avant la tombée de la nuit, les Autrichiens servent des rognons de porc à la tomate dans le beau service de l'hôtel, avec ses plats décorés d'une abeille dorée. Chacun s'assoit sur des sacs de sable ou des caisses à munitions ; Bernd s'endort sur son assiette, Volkheimer parle avec le lieutenant de la radio qui est dans la cave, et adossés aux murs les Autrichiens mastiquent avec constance, casque sur la tête. Des hommes durs, expérimentés. Des hommes qui ne doutent pas.

Lorsque Werner a fini, il retourne au dernier étage et va entrouvrir un volet. La douceur de l'air est une bénédiction. Sous la fenêtre attend le gros canon. Au-delà des créneaux, les remparts de douze mètres de haut plongent dans l'écume verte et blanche. De l'autre côté, il y a la ville, grise et dense. À l'est, une lueur rougeâtre s'élève d'une bataille. Les Américains les ont acculés contre ces murailles.

Il semble qu'entre ce qui s'est déjà passé et ce qui le menace, réside une ligne de partage, délimitant le connu et l'inconnu. Il songe à la jeune fille qui doit se trouver quelque part dans cette ville. Il croit la voir passer avec ses cheveux en désordre, son visage ouvert, promenant sa canne le long des caniveaux, affrontant le monde de ses yeux stériles.

Au moins, il aura préservé les secrets de la maison. Au moins, il l'aura protégée.

De nouveaux ordres, signés par le commandant de la forteresse lui-même, ont été placardés sur les murs, les étals du marché, les lampadaires. *Défense à la population de chercher à quitter la vieille ville. Nul ne doit se trouver dans la rue sans une autorisation spéciale.*

Au moment où il commence à refermer les volets, un avion apparaît entre les nuages. De son ventre sort une volée blanche.

Des oiseaux ?

Cette masse se fractionne, s'éparpille : du papier. Des milliers de tracts qui glissent sur les toits, passent par-dessus les parapets, atterrissent dans les trous d'eau de la plage.

Werner descend dans le vestibule, où un Autrichien est en train d'en examiner un.

– C'est en français, dit-il.

Werner s'en empare. L'encre est si fraîche qu'elle déteint. *Message urgent aux habitants de cette ville. Dispersez-vous dans la campagne.*

Dix

12 août 1944

Enseveli

Elle lit encore : *Qui pourrait alors prévoir le minimum de temps nécessaire à notre délivrance ? L'asphyxie ne nous aurait-elle pas étouffés avant que le* Nautilus *eût pu revenir à la surface des flots ? Était-il destiné à périr dans ce tombeau de glace avec tous ceux qu'il renfermait ? La situation paraissait terrible. Mais chacun l'avait envisagée en face, et tous étaient décidés à faire leur devoir jusqu'au bout...*

Werner écoute. Les hommes d'équipage attaquent à la hache la glace des icebergs qui emprisonne leur sous-marin ; celui-ci vogue vers le nord le long des côtes de l'Amérique du Sud, passe devant l'embouchure de l'Amazone et finit poursuivi par un calmar géant dans l'Atlantique. L'hélice s'arrête de tourner. Le capitaine Nemo émerge de sa cabine pour la première fois depuis des semaines, l'air sombre.

Werner se relève péniblement, transportant la radio d'une main et traînant la batterie de l'autre. Il traverse la cave pour aller retrouver Volkheimer, toujours assis dans le fauteuil de style. Il pose la batterie, passe sa main sur le bras du colosse, jusqu'à l'épaule. Trouve son énorme tête. Lui met le casque sur les oreilles.

– Tu entends ? dit-il. C'est une histoire étrange et magnifique. Si seulement tu comprenais le français... Un calmar gigantesque a logé son espèce de bec dans l'hélice du sous-marin, et le capitaine vient de dire qu'il faut remonter à la surface et combattre ce monstre au corps à corps..

Volkheimer respire tout doucement. Il ne fait pas un geste.

– Elle utilise l'émetteur qu'on était censés chercher. Je l'ai trouvé. Il y a des semaines. On nous avait parlé d'un réseau de terroristes, mais ce n'est qu'un vieillard et une jeune fille…

Volkheimer garde le silence.

– Tu l'avais deviné, hein ?

Mais il ne l'entend peut-être pas à travers les écouteurs.

– Elle lance des appels au secours. Elle implore son père, son grand-oncle. Elle dit : « Il est ici. Il va me tuer. »

Une plainte tombe des décombres au-dessus de leurs têtes, et dans ces ténèbres Werner a l'impression d'être prisonnier du *Nautilus*, flagellé par les tentacules d'une douzaine de krakens. Il sait que l'émetteur doit être au niveau du grenier. Exposé aux bombardements.

Rien n'indique que Volkheimer ait entendu. Mort ou résigné à mourir – quelle différence ? Werner reprend ses écouteurs et s'assoit dans le noir, à côté de la batterie.

Son second luttait avec rage contre d'autres monstres qui rampaient sur les flancs du Nautilus. L'équipage se battait à coups de hache. Le Canadien, Conseil et moi, nous enfoncions nos armes dans ces masses charnues. Une violente odeur de musc pénétrait l'atmosphère.

Fort National

Étienne a supplié ses geôliers, le gardien du fort, des douzaines de codétenus. « Ma nièce, ma petite-nièce, elle est
aveugle, toute seule… » Il leur a dit qu'il a soixante-trois
ans, pas soixante, comme on le prétend, que ses papiers ont
été injustement confisqués, qu'il n'est pas un terroriste. Il
a vacillé devant le Feldwebel responsable et bredouillé les
quelques phrases en allemand qu'il avait pu assembler – « *Sie
müssen mich helfen !* », « *Meine Nichte ist herein dort !* » –
mais le Feldwebel a haussé les épaules comme tout le monde
et regardé vers la ville en flammes, comme pour dire : que
faire, face à cela ?

Puis, un obus américain est tombé sur le fort, les blessés ont hurlé dans la soute à munitions, et on a enfoui les
morts sous les rochers, juste au-dessus du niveau des eaux,
et Étienne s'est tu.

La mer se retire, revient. Le peu d'énergie qu'il lui reste, il
l'emploie à calmer les bruits dans sa tête. Parfois, il parvient
presque à se persuader qu'il reconnaît – au-delà des façades
calcinées du front de mer – sa propre demeure. Encore
debout. Mais elle disparaît alors derrière un écran de fumée.

Ni oreiller, ni couverture. Les latrines sont dans un état
déplorable. Le ravitaillement est irrégulier. C'est la femme du
gardien qui rapporte des vivres à travers ces quatre cents mètres

de cailloux et il n'y en a jamais assez. Étienne échafaude des plans d'évasion. Se glisser par-dessus un muret, nager jusqu'au rivage, traverser la plage minée à découvert... Absurde.

D'ici, les prisonniers voient les obus pilonner la ville avant de les entendre. En 14, Étienne a connu des artilleurs capables de déterminer la nature des dégâts causés par les tirs au vu des couleurs que prenait le ciel : gris pour la pierre, brun pour la terre. Rose pour la chair.

Il ferme les yeux et se rappelle les heures passées chez le libraire, à écouter la première radio de sa vie. Il se revoit, grimpant jusque dans le chœur de la cathédrale pour écouter la voix d'Henri s'élevant sous la voûte. Il revoit les restaurants bondés avec leurs petits carreaux et leurs lambris, où ses parents les emmenaient déjeuner ; les villas de corsaires avec leurs frises festonnées, leurs colonnes doriques et leurs pièces d'or scellées dans les murs ; les devantures des armuriers, armateurs, changeurs ; les graffitis gravés par Henri dans les pierres des remparts : *Vivement que je me barre d'ici, merde à Saint-Malo.* Il se rappelle la maison Leblanc – la sienne ! Haute et étroite, avec un escalier cylindrique à la façon d'un coquillage enroulé sur lui-même, où le fantôme de son frère surgissait parfois à travers les murs, où Mme Manec a vécu et est morte, où il n'y a pas si longtemps il pouvait s'installer sur le canapé avec Marie-Laure et imaginer qu'ils survolaient les volcans d'Hawaï, les forêts humides du Pérou, où il y a tout juste une semaine elle s'était assise en tailleur pour lui lire un passage traitant de la pêche aux perles au large des côtes de Ceylan, du capitaine Nemo et d'Aronnax en combinaisons de scaphandrier, de Ned Land, l'impulsif Canadien, jetant son harpon sur le flanc d'un requin... tout cela est en train de brûler. Tous ses souvenirs.

Au-dessus du fort National, l'aurore apporte une clarté meurtrière. La Voie lactée est une rivière qui s'estompe. Il contemple le brasier. Il se dit : le monde est plein d'énergie.

Les derniers mots du capitaine Nemo

À midi, le 12 août, Marie-Laure a lu au micro sept des neuf derniers chapitres. Le capitaine Nemo n'a délivré son sous-marin du calmar géant que pour affronter un ouragan. Ensuite il éperonne un navire de guerre plein d'hommes, passant à travers la coque « comme l'aiguille du voilier à travers la toile ». À présent, il joue à l'harmonium un air lugubre tandis que le *Nautilus* s'endort dans les solitudes des grands fonds. Plus que trois pages. A-t-elle réconforté quelqu'un en lisant cette histoire à la radio ? Son grand-oncle, terré dans une soute humide en compagnie d'une centaine d'hommes, a-t-il pu l'entendre ? Des soldats américains, couchés dans les champs, ont-ils parcouru avec elle les sombres coursives du *Nautilus* tout en nettoyant leurs armes ? Elle n'en sait rien.

Mais elle est contente d'être aussi proche du dénouement.

En bas, l'Allemand a pesté par deux fois, avant de se taire. Pourquoi ne pas se glisser à travers l'armoire pour lui tendre la petite maison et voir s'il l'épargnera ?

Mais d'abord, finir la lecture. Ensuite, elle décidera.

De nouveau, elle recueille le diamant dans sa paume. Et si la déesse annulait la malédiction ? Est-ce que l'incendie s'éteindrait, est-ce que la terre se cicatriserait, est-ce que les tourterelles se poseraient de nouveau au bord des fenêtres ? Et son père – reviendrait-il ?

515

Gonfler ses poumons. Apaiser son cœur. Elle garde le couteau à portée de sa main. Les doigts pressés sur les phrases. Ned Land, le Canadien, a trouvé une issue.

— *La mer est mauvaise et le vent violent...*, dit-il au professeur Aronnax.

— *Je vous suivrai.*

— *D'ailleurs, si je suis surpris, je me défends, je me fais tuer.*

— *Nous mourrons ensemble, ami Ned.*

Marie-Laure allume l'émetteur. Elle songe aux escargots de mer dans l'ancien chenil, à cette multitude de coquillages. À cette manière de s'accrocher, de se rétracter à l'intérieur des spirales de leur coquille. Au fait que, lorsqu'ils sont dans cette grotte, les mouettes ne peuvent pas les emporter dans le ciel pour les lâcher contre les pierres et les y briser.

Visiteur

Von Rumpel boit au goulot une bouteille de vin bouchonné dénichée dans la cuisine. Quatre jours dans cette maison, et que d'erreurs n'a-t-il pas commises ! L'Océan de Flammes a pu n'avoir jamais bougé de ce musée parisien – comme cet hypocrite minéralogiste et l'adjoint du directeur ont dû rire sous cape si tel est le cas ! À moins que le parfumeur l'ait trahi, s'emparant du diamant après avoir éloigné la fille tambour battant. Ou encore il l'aura accompagnée à l'extérieur de la ville sans se douter qu'elle trimbalait cela dans sa pauvre musette.

Mais le diamant authentique n'a peut-être jamais existé. Tout cela ne serait qu'une mauvaise plaisanterie – du vent.

Dire qu'il en était tellement certain... Certain d'avoir trouvé la cachette, la clé de l'énigme. Que le diamant le sauverait. La fille n'était pas au courant, le vieux n'était pas un problème – tout se présentait le mieux du monde. Et maintenant, qu'y a-t-il de certain ? Seulement cette fleur meurtrière, qui pourrit toutes les cellules de son organisme. À ses oreilles, la voix de son père : *cela n'est qu'une épreuve.*

Quelqu'un l'appelle en allemand :

– *Ist da wer ?*

Von Rumpel écoute. Des bruits qui se rapprochent à travers la fumée. Il rampe jusqu'à la fenêtre. Fixe son casque sur sa tête. Passe la tête par-dessus le rebord fracassé.

Dans la rue, un caporal d'infanterie lève les yeux vers lui :
– Euh... je croyais... La maison est vide ?
– Vide, oui. Où allez-vous, caporal ?
– Au fort de la Cité d'Alet. On évacue. On tient toujours le château et le Bastion de la Hollande, mais pour le reste, tout le monde doit se retirer.

Von Rumpel cale son menton sur l'appui de la fenêtre, avec l'impression que sa tête pourrait se détacher et tomber dans la rue pour y éclater.
– Toute la ville va être zone de combat, dit le caporal.
– Bientôt ?
– Il y aura un cessez-le-feu demain. À midi. Pour faire sortir les civils. Ensuite, l'assaut reprendra.
– On abandonne la ville ? dit von Rumpel.

Un obus explose non loin et l'écho s'en répercute entre les maisons sinistrées. Le soldat met la main sur son casque. Des fragments de pierre ricochent sur les pavés.
– Vous êtes dans quelle unité ? lance-t-il.
– Poursuivez votre tâche, caporal. Moi, j'ai presque fini.

Sentence finale

Volkheimer ne bouge pas. Le liquide au fond du pot de peinture, pourtant toxique, a été bu. Werner n'a plus entendu la voix de la jeune fille sur quelque fréquence que ce soit... depuis combien de temps ? Une heure ? Plus ? Elle en était au moment où le *Nautilus* est aspiré par un maelström aux vagues plus hautes que des immeubles ; le sous-marin s'est dressé sur une extrémité de sa coque, sa cage thoracique d'acier craque. Puis elle a lu ce qui devait être la fin : *Aussi, à cette demande posée, il y a six mille ans, par l'Ecclésiaste : « Qui a jamais pu sonder les profondeurs de l'abîme ? » deux hommes entre tous les hommes ont le droit de répondre maintenant. Le capitaine Nemo et moi.*

Là, le transmetteur s'est éteint, et les ténèbres se sont refermées sur lui. Ces jours-ci – il s'en est écoulé combien ? – la faim était comme une main en lui, tâtonnant dans la cavité de sa poitrine, remontant jusqu'aux épaules, puis descendant dans son pelvis. Raclant ses os. Mais aujourd'hui, c'est comme une flamme qui s'est éteinte. Vide et satiété – en définitive, c'est du pareil au même.

Clignant des yeux, il voit la petite Autrichienne descendre du plafond, toujours avec sa cape. Elle tient dans ses bras un sac en papier plein de légumes verts racornis et s'installe parmi les décombres. Autour d'elle grouille un essaim d'abeilles.

Il ne peut rien voir – mais elle, il la voit.

Elle compte sur ses doigts. *Pour avoir trébuché dans la file. Pour avoir travaillé trop lentement. Pour avoir râlé pour le pain. Pour avoir trop traîné dans les latrines du camp. Pour avoir sangloté. Pour n'avoir pas organisé ses affaires conformément au protocole.*

C'est sûrement des bêtises, pourtant il y a quelque chose là-dedans, une vérité qu'il ne veut pas appréhender, et tout en parlant voilà qu'elle vieillit, ses cheveux grisonnent, son col s'élime ; elle devient une vieille femme – dont l'identité flotte aux confins de la conscience de Werner.

Pour s'être plainte de migraines.

Pour avoir chanté.

Pour avoir parlé la nuit sur sa paillasse.

Pour avoir oublié son nom durant l'appel du soir.

Pour avoir déchargé la cargaison trop lentement.

Pour n'avoir pas rendu ses clés correctement.

Pour n'avoir pas informé le garde.

Pour s'être levée trop tard.

Frau Schwartzenberger – c'est elle. La Juive de l'ascenseur, chez Frederick.

Elle n'a plus assez de doigts pour compter.

Pour avoir fermé les yeux tandis qu'on s'adressait à elle.

Pour avoir stocké des miettes de pain.

Pour avoir de l'arthrite aux mains.

Pour avoir demandé une cigarette.

Pour un défaut d'imagination, et dans l'obscurité, Werner a l'impression de toucher le fond, un peu comme le *Nautilus*, ou comme son père quand il descendait à la mine ; c'est un aller simple depuis le Zollverein en passant par Schulpforte, les horreurs en Russie et en Ukraine, la mère et la fille à Vienne, son ambition et sa honte devenant une seule et même chose, jusqu'au fin fond de cette cave à l'extrémité du continent où l'apparition scande des absurdités – Frau Schwartzenberger marche vers lui, redevient une petite fille –

ses cheveux sont de nouveau roux, sa peau lisse, une fillette de sept ans qui presse sa joue contre la sienne, et au milieu de son front elle a un trou plus noir que la nuit, un trou au fond duquel grouille une cité pleine d'âmes, dix mille, cinq cent mille âmes, tous ces visages levés dans des allées, à des fenêtres, depuis des parcs sous les cendres, et il entend le tonnerre.

La foudre.

L'artillerie.

La fillette se volatilise.

La terre tremble. Ses organes aussi. Les poutres craquent. Puis il y a le fin ruissellement de la poussière et le souffle court, abattu, de Volkheimer, à côté de lui.

Musique n° 1

Peu après minuit, le 13 août, ayant passé cinq jours cachée au grenier, Marie-Laure tient un 78 tours dans sa main gauche et passe les doigts délicatement sur les sillons, reconstituant tout le morceau de musique dans sa tête. Puis elle dépose ce disque sur le plateau du phonographe.

Pas d'eau depuis un jour et demi. Rien à manger depuis deux jours. Le grenier sent la chaleur, la poussière, le renfermé et son urine dans le bol à raser, dans un coin.

Nous mourrons ensemble, ami Ned.

Ce siège, semble-t-il, ne finira jamais. Des pans de mur s'écrasent avec fracas dans la rue ; la ville tombe en morceaux. Pourtant, cette maison-ci ne s'écroule pas.

Elle sort le dernier bocal du manteau de son grand-oncle et le pose par terre, au milieu du grenier. Elle le garde depuis si longtemps. Peut-être parce que c'est son dernier lien avec Mme Manec. Ou parce que, si elle l'ouvrait et que le contenu s'avérait périmé, cette découverte lui porterait un coup fatal.

Elle place le bocal et le canif sous le tabouret de piano, pour pouvoir les retrouver, puis vérifie la position du disque sur le plateau du phonographe. Place l'aiguille sur le sillon. Trouve d'un côté l'interrupteur du micro, de l'autre celui de l'émetteur.

Elle poussera le volume à fond. Si cet Allemand est encore là, il entendra. Il entendra ce morceau de musique filtrer à travers les étages et tendra l'oreille, avant de se précipiter, l'écume aux lèvres, comme un démon. Finalement, il appliquera son oreille contre les portes de l'armoire, là où le son sera le plus fort.

Que de labyrinthes dans ce monde... Les branches des arbres, les filigranes des racines, les matrices des cristaux, les rues recréées par son père dans ses maquettes. Labyrinthes dans les nodules des murex, dans les textures des écorces de sycomore et à l'intérieur des os creux des aigles. Ce n'est pas plus compliqué que le cerveau humain, dirait Étienne, cerveau qui est sans doute ce qu'il y a de plus complexe au monde : un kilo humide où tournoient des univers.

Elle place le micro dans le pavillon du phonographe, allume, et le disque se met à tourner. Le grenier en grésille. Par la pensée, elle se promène dans une allée du Jardin des plantes. L'air est doré, le vent est vert, les longs doigts des saules glissent sur ses épaules. Son père la précède ; il lui tend la main, l'attend.

Le pianiste se met à jouer.

Marie-Laure récupère son couteau sous le tabouret. Puis elle rampe jusqu'à la petite échelle et s'assoit, les pieds dans le vide, le diamant dans sa poche, caché dans la petite maison. Le couteau dans son poing.

– Viens me chercher..., dit-elle.

Musique n° 2

Sous les étoiles, la cité dort. Les artilleurs dorment, les nonnes dans la crypte de la cathédrale dorment, les enfants dans les caves de corsaires dorment sur les genoux de leur mère. Le médecin dans les sous-sols de l'Hôtel-Dieu dort. Des soldats blessés dans les galeries souterraines du fort de la Cité d'Alet dorment. Derrière les murs du fort National, Étienne dort. Tout dort, hormis les escargots de mer qui escaladent les rochers et les rats qui furètent parmi les gravats.

Sous les ruines de l'hôtel des Abeilles, Werner dort lui aussi. Seul Volkheimer est réveillé. Il a la grosse radio sur ses genoux, là où Werner l'a déposée, la batterie mourante entre ses pieds et les écouteurs qui crépitent sur les oreilles – non qu'il espère capter quelque chose mais parce que c'est là que Werner les a mis. Et qu'il n'a pas la force de les enlever. Et qu'il est convaincu que, si jamais il bouge, ces têtes en plâtre au fond de la cave le tueront.

Par miracle, les grésillements se font musique.

Ses yeux s'écarquillent. Cherchant à tirer des ténèbres le moindre photon parasite. Un pianiste parcourt le clavier. Il écoute les notes, que séparent des silences, et se revoit menant des chevaux à travers la forêt, à l'aube, s'enfonçant dans la neige derrière son arrière-grand-père qui marche avec une scie sur son énorme épaule. La neige crisse sous leurs pas. Tous les arbres grincent et chuchotent. Ils arrivent au bord d'un étang gelé, là où s'élève un sapin haut comme une cathédrale. Son arrière-grand-père s'agenouille tel un pénitent, cale sa scie dans un pli de l'écorce, et se met à l'ouvrage.

Volkheimer se dresse sur ses jambes. Trouve celles de Werner dans le noir, lui met les écouteurs sur les oreilles.

– Écoute ! dit-il. Écoute, écoute...

Werner se réveille. Des accords flottent et passent en rafales limpides.

– Branche la lampe-torche à la batterie.

– Pour quoi faire ?

– Vas-y...

Bientôt, le morceau s'achève. Werner déconnecte la radio de la batterie ; il dévisse l'embout, l'ampoule morte, la met en contact avec les pôles, et la lumière revient. Volkheimer va retirer des décombres des blocs de maçonnerie, des morceaux de charpente et des pans de mur, s'arrêtant de temps en temps pour s'appuyer sur ses genoux et reprendre son souffle. Il édifie une sorte de rempart, puis entraîne Werner derrière ce bunker de fortune, dévisse la base d'une grenade, tire sur la corde qui doit déclencher l'explosion au bout de cinq secondes. Werner met la main sur son casque, et Volkheimer lance la grenade sur l'endroit où se trouvait l'escalier.

Musique n° 3

Les filles de von Rumpel étaient des bébés ô combien agités. Toujours à lâcher leurs tétines ou leurs hochets, à s'empêtrer dans leurs couvertures – pourquoi être aussi torturés, ces petits anges ? Mais elles avaient grandi ! Malgré ses absences. Et elles savaient chanter, surtout Veronika. Peut-être pas de façon excellente, mais assez bien pour faire plaisir à leur père. Elles enfilaient leurs bottillons de feutre et ces informes robes confectionnées par leur mère – primevères et pâquerettes brodées au col –, mettaient les mains derrière leur dos et chantaient à tue-tête des chansons dont elles étaient incapables de comprendre les paroles.

Les hommes s'agglutinent autour de moi
Comme des papillons de nuit autour d'une flamme,
Et s'ils s'y brûlent les ailes,
Je sais que ce n'est pas ma faute.

Souvenir ou rêve, il voit Veronika, celle qui se lève tôt, s'agenouiller dans la chambre de Marie-Laure, à l'aube, et promener une figurine en longue robe blanche à côté d'une autre en complet gris dans les rues de la cité miniature. Elles tournent à gauche, puis à droite, atteignent le porche de la cathédrale, où une troisième attend, vêtue de noir, un bras en l'air – mariage ou sacrifice, qui sait ? Puis, Veronika chante si doucement qu'il ne perçoit pas les paroles, seulement la mélodie, moins des sons produits par un être humain que des notes émises au piano, et les figurines dansent, oscillant sur leurs pieds.

La musique s'arrête, et Veronika disparaît. Il se redresse sur son séant. La maquette au pied du lit saigne et met du temps à se reconstituer. Quelque part au-dessus de lui, la voix d'un homme jeune se met à parler, en français, du charbon.

Dehors

Pendant une fraction de seconde, l'espace autour de Werner se déchire, comme si les dernières molécules d'oxygène en avaient été arrachées. Puis des éclats de pierre, de bois et de métal sifflent à ses oreilles, frappent son casque, avant de se loger dans le mur derrière lui, et la barricade s'effondre, et partout dans l'obscurité des choses basculent et glissent, et il n'arrive plus à respirer. Mais l'explosion a dû provoquer une sorte de secousse tectonique car il y a un craquement, des avalanches en série. Lorsque Werner a fini de tousser et de repousser des débris brûlants de sa poitrine, il aperçoit comme un trou aux arêtes déchiquetées, d'un bleu lumineux.

Le ciel. Le ciel nocturne.

Un puits de lumière fend la poussière et s'étale autour d'un monticule de déblais au sol. Pendant un moment, Werner s'en remplit les poumons. Puis Volkheimer lui fait signe de reculer, grimpe quelques marches de l'ancien escalier, et se met à attaquer les bords avec une barre de fer. Le fer résonne, il s'écorche les mains, et sa barbe de six jours est toute phosphorescente de poussière, mais il progresse rapidement : le petit trou devient une étoile violette, aussi grosse que les deux mains de Werner.

Enfin, Volkheimer réussit à pulvériser un gros bloc qui se fracasse sur son casque et ses épaules ; après quoi il n'y a plus qu'à déblayer et à escalader. Il engage son torse à travers l'orifice, se raclant les épaules, déchirant sa vareuse, tortillant des hanches, et sort. Puis il tend la main à Werner, prend son paquetage et la carabine, et les hisse à l'air libre.

Ils se retrouvent dans ce qui était une ruelle. La voûte étoilée domine tout. Nuit sans lune. Volkheimer lève ses paumes en sang, comme pour attraper l'air, s'en imprégner.

Seuls deux murs de l'hôtel sont encore debout, formant un angle, des morceaux de plâtre attachés au mur intérieur. Au-delà, des maisons exhibent leur contenu. Le mur derrière l'hôtel subsiste, même si un certain nombre de créneaux ont volé en éclats. De l'autre côté, la mer fait entendre un murmure à peine audible. Tout le reste n'est que ruines et silence. La lumière des étoiles ourle les parapets. Combien de cadavres sont en train de se décomposer sous leurs pieds ? Neuf. Peut-être plus.

Ils vont s'abriter sous les remparts, titubant comme des ivrognes. Une fois contre le mur, Volkheimer considère son camarade, puis les environs. Sa figure est si poudreuse qu'on dirait un colosse d'argile.

Là-bas, la jeune fille a-t-elle recommencé à faire entendre son disque ?

Volkheimer dit :

— Prends la carabine. Vas-y !

— Et toi ?

— Je vais chercher à bouffer...

Werner se frotte les yeux, ébloui par la luminosité nocturne. Il n'a pas faim, comme s'il s'était débarrassé à jamais de cette fastidieuse obligation.

— Mais est-ce qu'on...

— Vas-y ! répète Volkheimer.

Werner le regarde pour la dernière fois : sa vareuse déchirée et sa mâchoire en enclume. La tendresse de ses grosses mains. *Tu m'étonneras toujours.*

Savait-il ? Depuis le début ?

Werner va d'abri en abri. Paquetage dans une main, carabine dans l'autre. Plus que cinq cartouches. Par la pensée, il entend la jeune fille chuchoter : *Il est là. Il va me tuer.* Il s'avance à travers un canyon de gravats, escaladant des amas de briques, câbles et fragments de tuiles d'ardoise, dont beaucoup sont encore brûlants. Les rues semblent désertes, mais des yeux l'épient peut-être derrière des vitres brisées – allemands, français ou anglais. Il se pourrait qu'il soit dans le viseur d'un tireur embusqué.

Ici, une chaussure à semelle plate-forme. Là, un cuistot en bois découpé, renversé par terre, tenant son tableau où est inscrit à la craie le plat du jour. Là, de grands rouleaux emberlificotés de fil barbelé. Partout des odeurs de putréfaction.

À l'abri de ce qui fut une boutique pour touristes – quelques bols souvenirs sur les présentoirs, chacun avec un prénom différent et rangé dans l'ordre alphabétique – Werner se repère dans la ville. *Coiffeur pour dames* de l'autre côté de la rue. Une banque sans fenêtre. Un cheval mort, attaché à sa carriole. Ici et là, un bâtiment se dresse encore, quasi intact, à ceci près que ses vitres ont été soufflées ; les traînées de suie qui sortent des fenêtres sont comme les traces d'un lierre grimpant qu'on aurait arraché.

Comme c'est lumineux, la nuit ! Il ne s'en était jamais aperçu. La lumière du jour l'aveuglerait.

Il tourne dans ce qui devait être la rue d'Estrées. Le numéro 4 de la rue Vauborel est encore debout. Les fenêtres en façade sont toutes fracassées, mais les murs à peine roussis ; deux jardinières demeurent.

Il est là, en bas.

On prétendait qu'il avait besoin de certitudes, d'un but, de clarté. Ce Bastian avec sa démarche de canard – il disait qu'on le soulagerait de ses scrupules.

Nous sommes une salve de balles, nous sommes des boulets de canon. Nous sommes la pointe de l'épée.

Qui est le plus faible ?

Armoire

Von Rumpel vacille devant l'imposante armoire, en scrute l'intérieur : gilets de grand-père, pantalons rayés, chemises en popeline à col dur et aux manches comiquement longues. Vêtements masculins d'une autre époque.

Quelle est cette pièce ? Les grands miroirs de l'armoire sont piqués par la vétusté, de vieilles bottes en cuir ont été rangées sous un petit secrétaire, il y a une balayette pendue à un clou. Sur le secrétaire, une photo montre un gamin en culotte courte sur la plage.

Derrière la fenêtre, la nuit est immobile. Des cendres tourbillonnent à la lueur des étoiles. La voix qui filtre du plafond se répète. *Le cerveau est, bien entendu, dans une obscurité totale... et pourtant, le monde qui se construit...*, baissant le ton et se déformant à mesure que les piles s'épuisent, la leçon ralentissant comme si le jeune homme était épuisé. Puis, tout s'arrête.

Le cœur battant, la tête faible, bougie dans une main, pistolet dans l'autre, von Rumpel se tourne de nouveau vers l'armoire. Assez vaste pour contenir un homme. Comment a-t-on fait pour porter ce monstre jusqu'ici ?

Il se rapproche et voit, dans l'ombre des chemises suspendues à leurs cintres, ce qui lui avait jusque-là échappé : des traces dans la poussière. Avec le canon de l'arme, il écarte les vêtements. Est-ce si profond que cela ?

Tout son buste se tend en avant, et c'est alors qu'il entend une clochette – non, deux clochettes qui tintent à la fois au-dessus et au-dessous de lui. Cela le fait sursauter, sa tête heurte le haut de l'armoire, la bougie tombe, et lui-même atterrit sur le dos.

Il voit la bougie rouler, flamme en l'air. Pourquoi ? Quel principe exige qu'une flamme aille toujours vers le haut ?

Cinq jours dans cette maison et pas de diamant, les Allemands ont quasiment perdu le contrôle du dernier port de Bretagne, et avec lui du Mur de l'Atlantique. Déjà, il a survécu au-delà du temps prédit par le médecin. Ces deux clochettes… est-ce ainsi que la Mort s'annonce ?

La bougie roule tout doucement. Vers la fenêtre. Les rideaux.

En bas, la porte de la maison s'ouvre en grinçant. Quelqu'un est entré.

Camarades

De la vaisselle en miettes jonche le vestibule – impossible d'entrer sans faire de bruit. Une cuisine pleine de débris au fond d'un couloir. De la cendre partout. Une chaise retournée. Un escalier devant lui. À moins qu'elle ait bougé récemment, elle doit encore se trouver près du transmetteur, en haut.

Tenant son fusil à deux mains, son barda sur l'épaule, Werner entreprend l'ascension. À chaque palier, sa vision se trouble. Des livres ont été projetés dans l'escalier, avec des papiers, de la ficelle, des bouteilles, et peut-être des morceaux de vieilles maisons de poupées. Premier, deuxième, troisième, quatrième étage – tout est dans le même état. Il ignore s'il a fait beaucoup de bruit et si c'est grave.

Au cinquième, c'est apparemment le terminus. Trois portes entrouvertes sur le palier : à gauche, à droite, au milieu. Il va à droite, fusil brandi ; il s'attend à voir briller des canons d'armes à feu, les mâchoires d'un démon s'ouvrir. Mais il n'y a qu'une fenêtre fracassée qui éclaire un lit à l'ancienne. Une robe est pendue dans un placard. Des centaines de galets sont alignés contre les plinthes. Il y a deux seaux dans un coin, à moitié remplis.

Est-ce trop tard ? Calant la carabine contre le lit, il soulève l'un des seaux et se désaltère. De la fenêtre, au-delà des remparts, on peut voir un navire apparaître et disparaître au gré des mouvements de la houle.

Une voix dans son dos dit :

– Ah... !

Werner se retourne. Devant lui chancelle un officier allemand en tenue de combat. Les cinq bandes signalent le grade de Stabsfeldwebel. Pâle et verdâtre, squelettique, il s'avance péniblement vers lui. Une grosseur à son cou déborde de son col.

– Je ne conseillerais pas, dit-il, de mélanger morphine et beaujolais...

Une veine à son front palpite légèrement.

– Je vous ai déjà vu, dit Werner. Devant la boulangerie. Avec un journal.

– Moi aussi je t'ai vu, petit soldat !

Dans son sourire, Werner croit deviner l'insinuation qu'ils sont complices. Des camarades. Venus l'un et l'autre ici pour le même motif.

Derrière le Stabsfeldwebel, de l'autre côté du palier : des flammes. Un rideau dans la pièce d'en face a pris feu. Déjà les flammes lèchent le plafond. Le Stabsfeldwebel glisse un doigt dans son col qu'il cherche à desserrer. Sa figure est émaciée, ses dents grincent. Il s'assoit sur le lit. L'éclat des étoiles fait briller son arme.

Au pied du lit, Werner distingue à peine une table basse sur laquelle des maisons en bois composent une ville. Saint-Malo ? Son regard va de cette maquette aux flammes, et des flammes au fusil de Volkheimer, calé contre le lit. L'officier se penche en avant, au-dessus de la maquette comme quelque gargouille grimaçante.

Des volutes de fumée noire traversent le palier.

– Le rideau... il est en train de brûler !

– Le cessez-le-feu aura lieu à midi, paraît-il, déclare l'autre d'une voix blanche. Inutile de se presser. On a tout le temps.

Il promène ses doigts dans une rue miniature.

– On veut la même chose, toi et moi, mais cette chose-là, un seul de nous peut l'avoir... Et moi seul sait où ça se trouve. Ce qui te pose un problème. Est-ce ici, là, ou là ?

Il se frotte les mains, puis s'allonge sur le lit, pointe le pistolet au plafond.

– Ou là-haut ?

Dans l'autre pièce, le rideau en feu se décroche de sa tringle. Il va peut-être s'envoler dehors, se dit Werner, partir tout seul.

Il pense aux hommes parmi les fleurs de tournesol et à une centaine d'autres : chacun d'entre eux est mort, étendu dans sa cabane, à bord d'un camion ou dans un bunker, avec l'air de celui qui a appris à fredonner une chanson célèbre. Une ride entre les yeux, la bouche molle. Un air qui dit : si tôt ? Mais n'est-ce pas toujours trop tôt ?

La lueur du feu joue de l'autre côté du palier. Toujours sur le dos, le Stabsfeldwebel prend son arme à deux mains et ouvre et referme la culasse.

– Te gêne pas pour moi : bois ! dit-il en désignant le seau entre les mains de Werner. Je vois bien que tu es assoiffé. J'ai pas pissé dedans, juré !

Werner repose le seau. L'autre se redresse, remue la tête comme pour dissiper des contractures au cou. Puis il braque son arme sur la poitrine de Werner. Du côté du palier, du rideau qui brûle, un bruit métallique assourdi, quelque chose qui rebondit contre des échelons et touche le sol, et l'attention du Stabsfeldwebel en est détournée tandis que le canon de son pistolet s'abaisse.

Werner se jette sur le fusil de Volkheimer. Toute ta vie, tu as attendu ce moment ; enfin il est venu – mais es-tu prêt ?

La simultanéité des instants

La brique tombe par terre. Les voix se taisent. Elle entend une bagarre, puis le coup de feu – comme une trouée écarlate : l'éruption du Krakatoa. La maison coupée en deux.

Elle dévale la petite échelle, applique son oreille contre le double fond de l'armoire. Des pas traversent rapidement le palier et entrent dans la chambre d'Henri. Un bruit d'eau qu'on jette, un sifflement, l'odeur de fumée et de vapeur.

À présent, les pas se font hésitants : ils diffèrent de ceux de l'Allemand. Plus légers. Avancent, s'arrêtent. On ouvre l'armoire.

Léger frottement contre le fond de l'armoire. Elle serre très fort son couteau.

Un peu plus loin, Frank Volkheimer cligne des yeux, assis dans un appartement dévasté à l'angle de la rue des Lauriers et de la rue Thévenard, tout en mangeant avec les doigts du thon en boîte. Plus haut sur la Rance, sous plus d'un mètre cinquante de béton, un soldat aide le commandant de la garnison à enfiler sa veste. Juste au même moment, un éclaireur américain qui grimpait en direction des casemates s'arrête et se retourne pour tendre le bras au soldat derrière lui, tandis que, visage pressé contre le sol en granit du fort National, Étienne Leblanc décide que si jamais Marie-Laure et lui en réchappent, il la laissera choisir un endroit sur l'équateur et ils prendront l'avion pour aller se promener dans une forêt

536

tropicale, parmi des fleurs dont ils ne connaissent pas encore le parfum, et des oiseaux dont ils ne connaissent pas encore le chant. À cinq cents kilomètres de là, l'épouse de Reinhold von Rumpel réveille ses filles pour aller à la messe et considérer la bonne mine du voisin qui est revenu de la guerre avec un pied en moins. Pas si loin d'elle, Jutta Pfennig dort dans les ombres outremer du dortoir des filles et rêve d'une lumière qui s'épaissirait et se poserait sur un champ comme de la neige ; et pas si loin de Jutta, le Führer porte un verre de lait tiède (mais pas bouilli) à ses lèvres, une tranche de pain noir dans son assiette et une pomme à côté, son petit déjeuner quotidien ; tandis que dans un ravin à l'extérieur de Kiev, deux détenus frottent avec du sable leurs mains gluantes, puis reprennent le brancard tandis qu'un Sonderkommando attise les flammes sur le tas de cadavres avec une perche en acier ; une bergeronnette volète de dalle en dalle dans une cour à Berlin, cherchant à attraper un escargot, et à Schulpforte, cent dix-neuf élèves de douze ou treize ans font la queue derrière un camion où on leur distribue des mines antichars, élèves qui, dans quelques mois, coincés par l'avancée russe, l'école isolée comme une île, recevront une boîte du dernier ersatz de chocolat du Reich et des casques récupérés sur des morts allemands, et cette dernière promotion se précipitera avec le chocolat pas encore digéré et les casques trop grands qui ballottent, ainsi que soixante petits lance-grenades dans les mains, dans une dernière tentative inutile pour défendre un pont qui n'a plus besoin de l'être, au moment même où des chars T-34 venant de Russie rouleront, grondant et cliquetant, dans leur direction pour les anéantir tous jusqu'au dernier. À Saint-Malo, c'est l'aube et il y a une présence derrière l'armoire – Werner entend Marie-Laure respirer, Marie-Laure entend Werner gratter le bois, bruit pas si différent de celui de l'aiguille sur le sillon du disque – et leurs visages sont tout près l'un de l'autre.

– *Êtes-vous là ?* dit-il.

Êtes-vous là ?

C'est un fantôme. Il vient d'un autre monde. C'est son père, Mme Manec, Étienne – tous ceux qui l'ont abandonnée et qui sont enfin revenus. À travers le panneau, il dit :

– Je ne suis pas là pour vous tuer. Je vous ai entendue. À la radio. C'est pour cela que je suis venu...

Il s'interrompt, peinant à traduire.

– La... chanson. L'air... « Clair de lune » ?

Elle en sourit presque.

Nous sommes tous au début une simple cellule, plus petite qu'un grain de poussière. Bien plus petite. Qui se divise, se multiplie. Addition, soustraction. La matière se transforme, les atomes vont et viennent, les molécules pivotent, les protéines se raccordent, les mitochondries lancent leurs diktats oxydatifs ; au début nous ne sommes qu'un essaim électrique. Poumons, cerveau, cœur. Neuf mois plus tard, six trillions de cellules se retrouvent comprimées dans l'étau du canal utérin de notre mère et nous braillons. Alors le monde s'attaque à nous.

Marie-Laure fait coulisser le double fond. Werner lui prend la main et l'aide à sortir. Ses pieds trouvent le sol de la chambre de son grand-père.

– Mes souliers, dit-elle. J'ai perdu mes souliers...

Le second bocal

La jeune fille se tient tranquillement dans son coin et enveloppe ses genoux de son manteau. Cette façon de se lover, de bouger les doigts dans l'espace. Autant de choses qu'il espère ne pas oublier.

À l'est, les canons tonnent ; la citadelle est de nouveau bombardée, et elle réplique.

La fatigue l'écrase. En français, il dit :

— Il va y avoir un cessez-le-feu. À midi. Pour que les civils puissent quitter la ville. Je vous aiderai.

— Vous êtes sûr que c'est vrai ?

— Non, dit-il. Je n'en sais rien.

Il examine son pantalon, sa tenue poussiéreuse. Cet uniforme fait de lui un complice de tout ce qu'elle déteste.

— Il y a de l'eau, reprend-il, et il va dans l'autre pièce chercher le second seau sans un regard pour le cadavre de von Rumpel, sur le lit.

Toute la tête de Marie-Laure disparaît à l'intérieur du seau, que ses bras minces comme des allumettes ont soulevé.

— Vous avez été très courageuse, dit-il.

— Comment vous appelez-vous ?

— Werner...

— Quand j'ai perdu la vue, on m'a dit que j'étais courageuse. Quand mon père est parti, on a encore dit que j'étais courageuse. Mais ce n'est pas du courage : je n'avais pas le choix. Tous les matins, je me réveille et je vis ma vie. Pas vous ?

— Non. Sauf aujourd'hui. Peut-être...

Elle n'a plus ses lunettes, et ses pupilles semblent pleines de lait, mais curieusement cela ne le gêne pas.

— Quel jour sommes-nous ?

Il regarde autour de lui. Rideaux noirâtres et traînées de suie au plafond.

— Je ne sais pas. Il ne fait pas encore tout à fait jour.

Un obus siffle par-dessus la maison. Il pense : si je pouvais rester ici avec elle pendant un moment..., mais l'obus éclate quelque part, la maison gémit, et il dit :

— Il y a un homme qui utilisait cet émetteur pour diffuser des leçons sur la science. Quand j'étais petit. Nous les suivions ensemble, ma sœur et moi.

— C'était la voix de mon grand-père. Vous l'écoutiez ?

— Très souvent. C'était passionnant.

La fenêtre rougeoie. Une clarté indécise investit la pièce. Tout est éphémère, douloureux ; tout hésite. Être ici, dans cette chambre, en haut de cette maison, hors de la cave, avec elle : c'est comme un remède.

— Je mangerais bien du jambon, dit-elle.

— Quoi ?

— Un porc tout entier !

Il sourit.

— Moi une vache tout entière...

— Notre gouvernante, Mme Manec, faisait des omelettes fantastiques.

— Quand j'étais petit, on cueillait des baies au bord de la rivière, ma sœur et moi. Certaines, aussi grosses que mon pouce...

La jeune fille rampe dans l'armoire, disparaît un instant pour revenir avec un bocal cabossé.

— Vous pouvez me dire ce que c'est ?

– Il n'y a plus d'étiquette.

– Je pense qu'il n'y en a jamais eu... Ouvrons-la !

D'un coup appliqué avec la brique, il fait sauter le couvercle avec la pointe du couteau. Aussitôt, l'odeur : c'est si parfumé, si exagérément fruité, qu'il manque défaillir. Des pêches.

La jeune fille se penche en avant, les joues parsemées de taches de rousseur, pour s'en enivrer.

– Partageons...

– Doucement..., dit-il.

Elle plonge deux doigts dans la douceur du sirop. Puis il en fait autant. La première bouchée glisse en lui, merveilleuse. Un soleil.

Ils mangent. Ils boivent le sirop. S'en lèchent les babines.

Oiseaux d'Amérique

Que de merveilles dans cette maison ! Elle lui montre l'émetteur au grenier ; sa paire de batteries, son phonographe, l'antenne mobile qui peut être déployée le long de la cheminée grâce à un ingénieux système de leviers. Et même un disque où est gravée la voix de son grand-père, des leçons de vulgarisation scientifique pour les enfants. Et tous ces bouquins ! Il y a des piles partout – Becquerel, Lavoisier, Fischer –, une vie entière de lecture. Et s'il passait dix ans de la sienne dans cette maison-là, coupé du monde extérieur, à étudier ses secrets, à s'instruire par ces lectures, en compagnie de la jeune fille ?

– À votre avis, dit-il, le capitaine Nemo a survécu au maelström ?

Marie-Laure est assise sur le palier du quatrième étage, dans son manteau trop grand, comme si elle attendait le train.

– Non, dit-elle. Oui. Je ne sais pas. Je suppose que c'est tout l'intérêt de cette fin, non ? Faire qu'on s'interroge ?

Elle penche la tête sur son épaule.

– C'était un fou. Et pourtant, je ne voulais pas qu'il meure...

Dans l'antre de son grand-oncle, parmi le capharnaüm, il trouve un exemplaire d'*Oiseaux d'Amérique*, l'ouvrage d'Audubon. Une édition qui n'est pas luxueuse comme celle de

Frederick, mais tout de même admirable : quatre cent trente-cinq planches en couleur. Il revient sur le palier.

– Votre oncle vous avait parlé de ceci ?

– Qu'est-ce que c'est ?

– Des oiseaux. Des oiseaux, des oiseaux...

Dehors, les belligérants s'échangent des obus.

– Il faut descendre, dit-elle.

Mais pendant un bon moment, ils restent là.

Carouge de Californie.

Sterne pierregarin.

Frégate superbe.

Werner revoit Frederick agenouillé à sa fenêtre, le nez contre la vitre. Un petit oiseau gris sautillant dans les branches. *Pas très impressionnant, hein ?*

– Je peux garder cette page ?

– Pourquoi pas ? On va s'en aller bientôt, n'est-ce pas ? Pour se mettre à l'abri...

– À midi.

– Comment on saura qu'il est midi ?

– Au silence.

Des avions arrivent. Des douzaines et des douzaines d'avions. Werner se met à frissonner de manière incontrôlable. Marie-Laure l'emmène au rez-de-chaussée, où les cendres et la suie ont tout recouvert ; il repousse les meubles renversés, tire à lui la trappe, et ils descendent dans la cave. Quelque part dans le ciel, trente forteresses volantes lâchent leurs bombes et Werner et Marie-Laure sentent le soubassement rocheux s'ébranler, ils entendent les explosions plus haut sur la Rance.

Et si... ? Et s'ils restaient ici jusqu'à la fin de la guerre ? Jusqu'à ce que les armées cessent de s'entretuer au-dessus de leurs têtes, jusqu'à ce qu'il n'y ait plus qu'à soulever la trappe, déplacer quelques pierres, pour constater que la maison n'est plus qu'une ruine au bord de la mer ? Jusqu'à ce qu'il puisse la guider au soleil ? Il serait prêt à tout pour que ça marche, prêt à tout endurer ; dans un an – ou dix –, la France et l'Allemagne ne seront plus ce qu'elles sont à présent ; ils pourraient quitter la maison et aller dans un restaurant pour touristes, commander un repas tout simple et manger en silence – ce silence tranquille propre aux amants heureux.

– Est-ce que vous savez, demande Marie-Laure d'une voix douce, pourquoi il était là ? L'Allemand ?

– À cause de la radio ?

Mais il a des doutes.

– Peut-être, dit-elle. C'est peut-être pour ça.

La minute d'après, ils sont endormis.

Cessez-le-feu

Une lumière blafarde filtre à travers la trappe de la cave. C'est peut-être déjà l'après-midi. Plus de canonnades. Pendant quelques instants, il la regarde dormir.

Ensuite, ils se hâtent. Comme ils n'arrivent pas à retrouver les souliers qu'elle cherchait, il déniche une paire de mocassins dans un placard et l'aide à les enfiler. Par-dessus son uniforme, il passe un pantalon de tweed, une chemise aux manches trop longues. S'ils tombent sur des Allemands, il ne parlera que français, dira qu'il l'aidait à quitter la ville. S'ils tombent sur des Américains, il dira qu'il a déserté.

– Il y aura un point de rassemblement, dit-il, pour les réfugiés.

Il trouve une taie d'oreiller blanche dans un placard renversé et la fourre dans la poche de Marie-Laure.

– Le moment venu, vous la tiendrez en l'air.

– J'essaierai. Et ma canne ?

– Voilà !

Dans le vestibule, ils hésitent, ne sachant ce qui les attend au-dehors. Il se rappelle la grande salle surchauffée, il y a quatre ans, celle où il avait passé ses examens : l'échelle vissée au mur, le drapeau d'un rouge écarlate avec la croix gammée dans le disque blanc. Tu t'avances – et tu sautes.

Dehors, des monceaux de décombres partout. Des cheminées qui tiennent encore debout avec leurs briques à découvert. La fumée étalée dans le ciel. Il sait que les obus venaient de l'est, qu'il y a six jours les Américains étaient quasiment à Paramé, aussi oriente-t-il Marie-Laure dans cette direction.

À tout moment, ils peuvent être interceptés, soit par des Américains, soit par les siens, et obligés de faire quelque chose. Travailler, se rallier, se confesser, mourir. On entend un crépitement de flammes, le bruit de roses séchées qu'on écrase dans un poing. Rien d'autre : ni moteurs, ni avions, ni coups de feu, ni cris de blessés ou jappements de chiens. Il lui prend la main pour l'aider à escalader ces débris. Pas d'obus, pas de rafales de mitraillette et la lumière est douce, tamisée par les cendres.

Jutta, songe-t-il, je t'ai enfin écoutée.

Pendant un certain temps, ils ne voient personne. Volkheimer est peut-être en train de manger quelque part – voilà comment Werner se plaît à l'imaginer : ce géant de Volkheimer, en train de manger tout seul à une petite table, avec vue sur la mer.

– Quel calme...

La voix de Marie-Laure est légère, toute claire. Il se dit : Je ne veux pas que tu t'en ailles.

– Est-ce qu'on nous surveille ?

– Je ne sais pas. Je ne crois pas, non.

Un peu plus loin, du mouvement : trois femmes chargées de ballots. Marie-Laure l'agrippe par la manche.

– C'est quoi, cette rue perpendiculaire ?

– La rue des Lauriers.

– Venez ! dit-elle, et elle marche en frappant le sol de sa canne.

Ils tournent à droite, puis à gauche, passent devant un arbre calciné qui est comme un cure-dent géant planté en terre, des corbeaux qui se disputent une chose non identifiable, et finissent par arriver au pied des remparts. Du

lierre forme une voûte au-dessus d'une ruelle particulièrement étroite. À sa droite, Werner voit une femme en robe
de taffetas bleu qui hisse une valise pleine à craquer par-
dessus la bordure d'un trottoir. Suit un garçon en culotte
trop petite pour son âge, un béret sur la tête, une sorte de
veste lustrée sur le dos.

– Ce sont des civils… Je les hèle ?
– Je n'en ai que pour un moment.

Elle l'entraîne au fond du passage. Une brise marine,
douceâtre, se déverse par une ouverture invisible : c'en est
vivifiant.

Au bout du passage, une grille. Elle sort une clé de sa
poche.

– C'est marée haute ?

Il voit juste un espace bas de plafond, ouvert sur l'extérieur
par un genre de soupirail tout au fond.

– L'eau est en train de monter. Il faut qu'on se presse…

Mais déjà elle entre et descend dans la grotte avec ses
mocassins trop grands, se déplaçant avec assurance, passant
les doigts le long des murs comme si c'était de vieux amis
qu'elle avait cru ne jamais revoir. La marée amène des vaguelettes qui déferlent sur ses tibias, trempent le bord de sa robe.
De son manteau, elle sort une babiole qu'elle dépose dans
l'eau. Elle parle légèrement, sa voix résonne :

– Dites-moi, c'est bien dans la mer ? Il faut que ce soit
dans la mer.
– Oui. Il faut y aller, maintenant…
– Vous êtes certain que c'est dans l'eau ?
– Oui.

Elle ressort, hors d'haleine, le pousse dehors et referme à
clé derrière eux. Il lui tend sa canne, puis ils repartent par
le même chemin, accompagnés par le bruit spongieux des
mocassins de Marie-Laure, passant sous la voûte formée par
le lierre. Tournent à gauche. Puis tout droit jusqu'à un petit
groupe de civils à un carrefour : une femme, un enfant, deux

hommes qui en transportent un troisième sur une civière, tous trois avec une cigarette aux lèvres.

De nouveau, Werner voit flou et se sent faible. Bientôt, ses jambes le trahiront. Un chat assis sur la chaussée se lèche une patte qu'il passe et repasse par-dessus ses oreilles. Il songe à ces mineurs usés par la vie, qu'il voyait dans son enfance, prostrés sur des caisses ou dans des fauteuils, inertes, attendant la mort. Pour eux, le temps était un tonneau qui se vide lentement. Alors qu'en fait, c'est une coupe précieuse ; il faudrait employer toute son énergie à protéger ce qu'elle contient, lutter pour elle. Ne pas en perdre une seule goutte.

– À présent, dit-il dans son meilleur français, voici la taie d'oreiller. Suivez ce mur. Arrivée au croisement, continuez tout droit. Il n'y a quasiment pas d'obstacle. Tenez bien la taie d'oreiller en l'air. Compris ?

Elle se tourne vers lui, mordillant sa lèvre inférieure.

– Ils vont me tirer dessus...

– Pas avec ce drapeau blanc. Pas sur une fille. Vous n'êtes pas la seule. Suivez le mur.

De nouveau, il guide sa main.

– Dépêchez-vous. Et n'oubliez pas la taie d'oreiller...

– Et vous ?

– J'irai dans l'autre direction.

Elle se tourne vers lui, et quoiqu'elle soit aveugle, il sent qu'il ne pourrait de toute façon pas soutenir son regard.

– Vous ne venez pas avec moi ?

– Ce sera mieux pour vous si on ne nous voit pas ensemble.

– Mais comment vous retrouverai-je ?

– Je ne sais pas.

Elle lui tend la main, met quelque chose dans sa paume, et lui fait refermer le poing.

– Au revoir, Werner.

– Au revoir, Marie-Laure.

Puis elle s'en va. De temps en temps, la pointe de sa canne bute sur une pierre, qu'il lui faut contourner. Elle progresse lentement, tâtonnant avec sa canne, le bord humide de sa robe lui battant les jambes. Elle brandit la taie d'oreiller. Il ne se détourne que lorsqu'elle a traversé le carrefour, atteint l'autre rive, et disparu.

Il guette des voix. Des armes ?

On l'aidera. Il le faut.

Lorsqu'il rouvre la main, il y a une petite clé dans sa paume.

Chocolat

Mme Rudelle trouve Marie-Laure ce soir-là dans une école réquisitionnée. Elle lui saisit la main et ne la lâche plus. Les gens des affaires civiles ont fait main basse sur des stocks d'ersatz de chocolat allemand, qu'elles dévorent.

Le lendemain matin, les Américains prennent le château, la dernière batterie de DCA, et libèrent les détenus du fort National. Mme Rudelle extrait Étienne de cette cohorte, et il prend Marie-Laure dans ses bras. Le colonel de la forteresse souterraine au bord de la Rance tient trois jours de plus, jusqu'à ce qu'un avion américain – un Lightning – largue une citerne de napalm par une bouche d'aération – une chance sur un million –, et cinq minutes plus tard un drap blanc s'élève au bout d'une perche et le siège de Saint-Malo est terminé. Des pelotons de recherche enlèvent tous les engins explosifs qu'ils peuvent trouver, des photographes de l'armée vont dans la ville avec leurs trépieds, et une poignée d'habitants reviennent de la campagne ou sortent des caves pour errer à travers les ruines. Le 25 août, Mme Rudelle est autorisée à retourner à sa boulangerie pour constater les dégâts, mais Étienne et Marie-Laure partent dans l'autre sens, vers Rennes où ils trouvent une chambre à l'hôtel et peuvent prendre un bain chaud. Comme le soir tombe, dans le reflet de la vitre, Étienne la voit s'approcher du lit, mettre les mains sur sa figure.

– On ira à Paris, dit-il. Moi, je n'y suis jamais allé. Tu me feras visiter…

Lumière

Werner est capturé à deux kilomètres de Saint-Malo par trois FFI en civil qui sillonnent les petites routes, juchés sur un camion. D'abord, ils pensent avoir secouru un petit vieux à cause de ses cheveux blancs, puis ils distinguent son accent, la vareuse allemande sous la chemise de grand-père, et croient détenir un espion – prise fabuleuse. Enfin, ils réalisent la jeunesse de Werner et le livrent alors à un greffier américain dans un hôtel réquisitionné. Au début, Werner craint qu'on ne l'emmène au sous-sol – pas ça ! – mais il est conduit au deuxième étage où un interprète épuisé qui fait ce travail depuis un mois note son nom et son grade, puis pose quelques questions de routine tandis que le greffier fouille dans le barda de Werner, qu'il finit par lui rendre.

– Une fille, dit Werner en français. Vous n'auriez pas vu... ?

Mais l'interprète se borne à sourire et dit quelque chose en anglais au greffier, comme si tous les soldats allemands interrogés par lui avaient une fille à retrouver.

Il est amené dans une cour cernée de barbelés, où huit ou neuf autres Allemands sont assis, avec leurs bottes, tenant des bidons cabossés. L'un d'eux porte encore les vêtements féminins dans lesquels il avait apparemment tenté de déser-

ter. Deux sous-officiers et trois simples soldats, mais pas de
Volkheimer.

Le soir, la soupe est servie dans une marmite, et il en
avale quatre rations dans son quart. Cinq minutes plus tard,
il vomit. Le lendemain, pareil. Des bancs de nuages passent
dans le ciel. Son oreille gauche est toujours bouchée. Il pense
sans cesse à Marie-Laure – ses mains, ses cheveux – tout en
craignant d'user ses souvenirs à force d'y revenir. Le lendemain de son arrestation, il fait partie d'un groupe de vingt
prisonniers qui marche en direction de l'est pour en rejoindre
un autre, plus important, qu'on cantonne dans un hangar.
Par les portes ouvertes, il ne peut pas voir Saint-Malo, mais
il entend les avions, des centaines d'avions, et une grande
nappe de fumée stagne au-dessus de l'horizon. Par deux fois
des secouristes tentent de lui faire avaler de la bouillie mais
son estomac renâcle. Depuis les pêches au sirop, il n'a rien
pu garder.

C'est peut-être un regain de fièvre, ou cette horrible mixture au fond du pot de peinture qui l'a empoisonné. Ou son
corps qui ne tient plus le coup. S'il ne mange pas, il mourra ;
mais quand il mange, il lui semble que cela revient au même.

Après le hangar, on les conduit – à pied – jusqu'à Dinan.
La plupart des prisonniers sont des enfants ou des hommes
d'un certain âge, les vestiges d'une armée. Ils transportent des
ponchos, des paquetages, des caisses ; certains trimbalent des
valises colorées, volées Dieu sait où. Parmi eux, il y en a qui
ont combattu côte à côte tout en restant des étrangers, et qui
n'ont qu'une envie : oublier ce qu'ils ont pu voir. Et toujours
cette impression d'une grande vague derrière eux, qui s'élève,
prend de l'ampleur, grosse d'une colère vengeresse.

Il a encore sur lui le pantalon en tweed du grand-oncle
de Marie-Laure ; à l'épaule, son barda. Dix-huit ans. Toute
sa vie, ses professeurs, la radio, ses chefs lui ont parlé de
l'avenir. Et pourtant, quel avenir a-t-il ? La route s'allonge
devant lui, monotone, et ses pensées retournent toujours en

arrière : il voit Marie-Laure disparaître au bout de la rue avec sa canne, et une poignante nostalgie l'étreint.

Le premier septembre, impossible de se lever. Deux détenus l'aident à aller aux toilettes, puis l'allongent dans l'herbe. Un jeune soignant canadien braque une lampe-stylo sur ses pupilles, puis le fait transporter à bord d'un camion qui l'emmène un peu plus loin, jusqu'à une tente pleine de mourants. Une infirmière lui fait une injection dans le bras. On lui fait avaler des cuillerées d'une solution.

Pendant une semaine, il reste couché là, baigné dans cette étrange lueur verdâtre de la tente, serrant son barda contre lui, la maisonnette en bois dans la main. Lorsqu'il en a la force, il joue avec – il tord la cheminée, fait glisser les trois panneaux du toit, regarde à l'intérieur. Quelle ingéniosité...

Tous les jours, près de lui, une âme s'envole vers le ciel et il lui semble entendre une musique lointaine, comme si une porte s'était refermée sur une ancienne et majestueuse radio, et pour l'entendre il doit coller sa bonne oreille contre la toile du lit de camp, mais la musique est faible et il n'est pas toujours convaincu qu'elle existe.

Il devrait être en colère, mais contre quoi ? – il ne le sait pas très bien.

– Celui-ci ne mange rien, dit une infirmière en anglais.

Brassard de soignant.

– Fièvre ?

– Beaucoup.

Encore des mots. Puis des chiffres. En rêve, il voit une nuit cristalline avec des canaux gelés et les lanternes de maisons de mineurs qui brûlent et les fermiers qui patinent entre les champs. Il voit un sous-marin endormi dans les profondeurs opaques de l'Atlantique ; Jutta presse sa figure contre le hublot et respire contre la vitre. Il s'attend presque à voir la grosse main de Volkheimer surgir, l'aider à se lever, et le pousser dans l'Opel.

Et Marie-Laure ? Sent-elle encore la pression de leurs mains ?

Une nuit, il se redresse. Autour de lui, quelques dizaines de malades ou blessés. Un vent tiède de septembre balaie la campagne et fait onduler la toile de tente.

Sa tête pivote légèrement. Le vent souffle avec force – de plus en plus fort, et les coins de la tente tirent sur les cordes, et là où les rabats se rejoignent, il peut voir des arbres se courber et osciller. Tout bruisse. Werner range son cahier d'écolier et la petite maison dans son paquetage, l'homme auprès de lui se marmonne des questions à lui-même et les autres dorment. Même sa soif s'est estompée. Il ne ressent que la clarté brute, imperturbable du clair de lune qui frappe la tente et se disperse. Les nuages courent au-dessus des arbres. Allant vers l'Allemagne, vers chez lui.

Argent et bleu, bleu et argent.

Des feuilles de papier courent le long des lits de camp, et sous la poitrine de Werner – panique. Il voit Frau Elena agenouillée près du poêle à charbon, et qui couvre le feu. Des enfants dans leurs lits. Jutta bébé dans son berceau. Son père allume une lampe, monte dans l'élévateur, et disparaît.

La voix de Volkheimer. *Tu m'étonneras toujours.*

Son corps semble n'avoir plus de poids sous la couverture, et en dehors de la tente aux rabats qui claquent, les arbres dansent et les nuages poursuivent leur marche en avant, et il sort une jambe, puis l'autre du lit.

– Ernst…, dit son voisin. Ernst.

Mais il n'y a pas d'Ernst ; les autres hommes ne bronchent pas. Le soldat à l'entrée est endormi. Werner passe devant lui et va marcher dans l'herbe.

Le vent transperce son maillot de corps. Il est un cerf-volant, une baudruche.

Un jour, Jutta et lui avaient fabriqué un petit voilier avec des bouts de bois et elle avait peint la coque en bleu et vert. Ils étaient allés au bord de la rivière, et elle l'avait déposé sur l'eau en grande pompe. Mais l'embarcation avait chaviré sitôt que le courant l'avait emportée ; elle avait surnagé, hors d'atteinte, puis l'eau noire l'avait engloutie. Jutta avait regardé Werner, les larmes aux yeux, tout en tirant sur son pull.

– Ne pleure pas, lui avait-il dit. C'est pas grave. On fera mieux la prochaine fois...

Avait-il tenu parole ? Il espère que oui. Il se rappelle en effet un autre bateau – plus performant, celui-là – voguant au gré de l'onde et disparaissant derrière un méandre.

Le clair de lune reluit et ondule ; les nuages brisés défilent au-dessus des arbres. Partout volent des feuilles. Mais le clair de lune n'est pas agité par le vent ; ses rayons, ou ce qui y ressemble, transpercent les nuages, l'air. Ils restent suspendus au-dessus de l'herbe qui se déforme.

Pourquoi le vent ne fait-il pas bouger la lumière ?

De l'autre côté du pré, un Américain voit le jeune homme quitter la tente des invalides et évoluer contre l'arrière-plan des arbres. Il se redresse. Il lève la main.

– Stop ! dit-il. Halte !

Mais franchissant la limite du pré, Werner pose le pied sur une mine posée par sa propre armée, trois mois plus tôt, et il disparaît dans une gerbe de terre.

Onze

1945

Berlin

En janvier 45, Frau Elena et les quatre dernières filles de l'orphelinat – les jumelles, Hannah et Susanne Gerlitz, Claudia Förster, et Jutta Pfennig, quinze ans – sont transférées d'Essen à Berlin pour travailler dans une usine de décolletage.

À la cadence de dix heures par jour, six jours par semaine, elles démontent de grosses presses à forger et flanquent le métal recyclable dans des caisses qui sont ensuite chargées dans des trains de marchandises. Dévisser, scier, traîner. La plupart du temps, Frau Elena travaille près d'elles, vêtue d'une veste de ski déchirée, marmonnant en français ou chantant des comptines pour enfants.

Elles logent au-dessus d'une imprimerie abandonnée depuis un mois. Des centaines de caisses de dictionnaires comportant des fautes d'impression sont entassés dans les couloirs, et on les brûle page après page dans le poêle ventru.

Hier *Dankeswort, Dankesworte, Dankgebet, Dankopfer.*

Aujourd'hui *Frauenverband, Frauenverein, Frauenvorsteher, Frauenwahlrecht.*

Les repas, c'est chou et orge à la cantine, d'interminables files d'attente le soir. Le beurre est débité en minuscules portions : trois fois par semaine, chacune d'elles en reçoit un cube pas plus gros qu'un demi-sucre. L'eau coule d'un robinet qui se trouve à deux pâtés de maisons. Pour les jeunes mères il n'y a pas de vêtements pour bébé, pas de landaus, et très peu de lait de vache. Certaines déchirent des draps de lit pour en faire des couches, ou plient des feuilles de papier journal en triangles, qu'elles épinglent entre les jambes des nourrissons.

Comme la moitié au moins des ouvrières ne savent ni lire ni écrire, Jutta leur lit les lettres envoyées par leur ami, leur frère ou leur père qui sont au front. Parfois, elle rédige les réponses : *Tu te souviens quand on mangeait des pistaches, et ces glaces au citron en forme de fleurs ? Quand tu disais...*

Tout au long du printemps les bombardiers arrivent, toutes les nuits sans exception. Leur unique but semble être de réduire la ville en cendres. En général, les filles se hâtent de gagner l'abri bondé qui se trouve à l'extrémité du pâté de maisons, et sont tenues éveillées par les bruits des blocs qui s'écroulent.

De temps en temps, sur le chemin de l'usine, elles voient des cadavres, momies transformées en cendres, grands brûlés méconnaissables. D'autres fois, les blessures ne sont pas évidentes, et c'est cela que redoute Jutta : ceux qui ont l'air sur le point de se lever et d'aller au travail, comme elles.

Sauf qu'ils ne se réveillent pas.

Un jour, elle voit trois enfants face contre terre, le cartable sur le dos. Sa première pensée est : Réveillez-vous ! Allez à l'école ! Puis elle se dit : Et s'il y avait quelque chose à manger dans ces cartables ?

Claudia Förster ne parle plus. Pendant des journées entières, elle garde le silence. L'usine finit par manquer de matériaux. La rumeur prétend qu'il n'y a plus de responsable, que le cuivre, le zinc et l'inox récupérés au prix de tant d'efforts sont embarqués sur des trains qui stationnent sur des voies de garage.

Le courrier n'arrive plus. Fin mars, l'usine est fermée, et elles se joignent aux groupes de femmes qui déblaient les rues après les bombardements. Il faut soulever de lourds gravats, évacuer à la pelle la poussière et les bris de verre. Il paraît que des garçons de seize ans, terrifiés, se présentent à la porte de leur mère pour être tirés du grenier, deux jours plus tard, en larmes, et abattus dans la rue comme déserteurs. Des images de son enfance – quand son frère la traînait dans un wagonnet, quand ils allaient à la pêche au trésor, dans les tas d'ordures – lui reviennent. Cherchant à récupérer une jolie chose dans le bourbier.

– Werner…, chuchote-t-elle.

À l'automne dernier, dans le Zollverein, elle a reçu deux lettres annonçant la mort de celui-ci. Chacune indiquait un lieu d'enterrement différent. La Fresnais, Cherbourg – il faudra qu'elle regarde où c'est. Des villes françaises. Parfois, en rêve, elle se tient avec lui au-dessus d'une table jonchée d'engrenages, de courroies et de moteurs. *Je fabrique quelque chose,* dit-il. *J'y travaille.* Mais il n'en dit pas plus.

En avril, les femmes ne parlent plus que des Russes et de ce qu'ils feront, des formes que prendra leur vengeance. Des barbares. Mongols, Russkofs, sauvages, porcs. Les porcs sont à Strausberg. Les ogres sont dans les banlieues.

Hannah, Susanne, Claudia et Jutta dorment par terre, enlacées. Quelle humanité pourrait subsister encore dans ce bastion décrépi ? Et pourtant. Un jour que Jutta revient, grise de poussière, elle découvre que la grosse Claudia Förster est tombée par hasard sur une boîte de gâteaux scellée par du scotch doré. Des taches de graisse ont transpercé le carton. Les filles n'en reviennent pas. Elles contemplent cela comme une météorite.

À l'intérieur, quinze petits gâteaux fourrés à la confiture de fraise et présentés dans leurs caissettes de papier sulfurisé. Assises dans leur taudis, tandis qu'une averse printanière tombe sur la ville, chassant la cendre des ruines, délogeant les rats des grottes faites de briques écroulées, elles savourent chacune trois gâteaux, sans en laisser de côté pour plus tard, se poudrant le nez de sucre glace, étourdies comme si elles avaient bu.

Que l'apathique Claudia ait pu se montrer aussi généreuse relève du miracle.

Les jeunes Berlinoises sont en haillons, se terrent dans des caves. Il paraît que des grands-mères tartinent leurs petites-filles d'excréments, tailladent leurs cheveux au couteau, dans l'espoir d'en dégoûter les Russes.

Il paraît que des mères noient leurs filles.

Qu'on détecte le sang qu'ils ont sur eux à un kilomètre à la ronde.

– Ça ne sera plus long, maintenant, déclare Frau Elena, tendant les mains vers le poêle, alors que l'eau refuse de bouillir.

Les Russes arrivent en mai, par une journée sans nuage. Ils ne sont que trois, et ne viendront qu'une seule fois. Ils s'introduisent par effraction dans l'imprimerie, à la recherche d'alcool, et n'en trouvant pas commencent à faire des trous dans les murs. Une balle ricoche contre une vieille presse démontée, et dans l'appartement du dessus Frau Elena s'as-soit dans sa parka de ski, une version abrégée du Nouveau Testament dans la poche, tenant la main des filles et récitant tout bas une prière.

Jutta se dit qu'ils ne monteront pas. Et pendant quelques minutes, ils ne montent pas. Puis ils se décident, et leurs bottes font du boucan sur les marches.

– Restez calmes, dit Frau Elena aux jeunes filles.

Aucune n'a plus de seize ans. La voix de Frau Elena est basse, découragée, mais ne semble pas apeurée. Déçue, peut-être.

– Restez calmes et ils ne tireront pas. Je m'arrangerai pour passer la première. Ensuite, ils seront moins brutaux.

Jutta croise les mains derrière sa tête pour ne pas trembler. Claudia semble sourde et muette.

– Et fermez les yeux…

Hannah sanglote. Jutta dit :
– Moi, je veux les voir !
– Alors, garde-les ouverts…

Les pas s'arrêtent en haut de l'escalier. Les Russes entrent dans le cagibi du palier, shootent dans des balais comme des ivrognes et une caisse pleine de dictionnaires valdingue au bas des marches, puis quelqu'un secoue la poignée de la porte. Éclats de voix, le chambranle saute et la porte s'ouvre à la volée.

L'un d'eux est un officier. Les deux autres n'ont pas plus de dix-sept ans. Tous trois sont d'une crasse indescriptible, mais ils ont apparemment eu l'occasion de s'asperger de parfums de femme. Les deux garçons, en particulier, cocotent. Ils ont l'air pour une part de collégiens penauds, et pour une autre de déments qui n'ont plus qu'une heure à vivre. Le premier n'a qu'une corde en guise de ceinture, et il est si maigre qu'il n'a pas besoin de la dénouer pour quitter son pantalon. Le second rit : un étrange rire emprunté, comme s'il avait du mal à croire que les Allemands aient pu venir dans son pays en laissant une ville pareille derrière eux. L'officier est assis près de la porte, jambes écartées, et il regarde dans la rue. Hanna pousse un cri puis plaque d'elle-même sa main sur sa bouche pour s'empêcher de hurler.

Frau Elena conduit les hommes dans l'autre pièce. Elle n'émet qu'un seul son : un toussotement, comme si elle avait une chose coincée dans la gorge.

Claudia passe après. Elle n'émet que des plaintes.

Jutta garde les dents serrées. Tout est curieusement ordonné. L'officier passe en dernier, essayant chacune d'elles à tour de rôle, et il ne lâche que des mots sans suite tandis qu'il est sur Jutta, les yeux ouverts mais sans rien voir. À voir sa figure congestionnée, crispée, il est difficile de savoir si ce sont des paroles tendres ou des insultes. Sous l'eau de Cologne, il dégage une odeur épouvantable.

Des années plus tard, Jutta se rappellera ces mots – *Kirill, Pavel, Afanasy, Valentin* – et jugera que c'étaient les prénoms de soldats morts. Mais elle pourrait se tromper.

Avant de repartir, le plus jeune tire deux fois dans le plafond et le plâtre dégringole sur Jutta, et dans l'écho qui suit, elle entend Susanne qui est couchée par terre, auprès d'elle, non pas sangloter mais respirer tout doucement, tandis que l'officier se rajuste. Puis ils sortent dans la rue, Frau Elena remonte le zip de sa parka, pieds nus, se frottant le bras gauche comme pour s'efforcer de réchauffer cette parcelle d'elle-même.

Paris

Étienne a conservé l'appartement, rue des Patriarches, où Marie-Laure a grandi. Chaque jour il achète les journaux pour consulter la liste des prisonniers libérés, et écoute avec assiduité la radio. Les mêmes noms reviennent sans cesse : De Gaulle, l'Afrique du Nord. Hitler, Roosevelt, Dantzig, Bratislava – mais jamais celui du père de Marie-Laure.

Tous les matins, ils se rendent à la gare d'Austerlitz. Une grande horloge scande la succession implacable des secondes, et Marie-Laure s'assoit près de son grand-oncle pour suivre à l'oreille les départs et les arrivées des trains.

Étienne voit des soldats aux joues creuses. Des hommes de trente ans qui en paraissent quatre-vingts. Des hommes en complet élimé qui font mine de soulever des chapeaux qu'ils n'ont plus sur la tête. Marie-Laure déduit ce qu'elle peut du bruit de leurs pas : celui-ci est lourd, celui-ci léger, celui-là quasi inexistant.

Le soir, elle lit pendant qu'Étienne téléphone, implore la Direction du rapatriement, écrit des lettres. Elle découvre qu'elle ne peut dormir que par phases de deux ou trois heures. Des obus fantômes la réveillent.

– C'est seulement l'autobus, dit Étienne, qui dort par terre, à côté d'elle.

Ou : « C'est juste des oiseaux. »

Ou : « Ce n'est rien. »

La plupart du temps, M. Gérard, le vieux zoologue du Jardin des plantes, attend avec eux dans la gare, avec sa barbichette et son nœud papillon, son odeur de romarin, de menthe, ou de vin. Il la surnomme toujours Laurette ; il lui dit combien elle lui a manqué, qu'il pensait à elle chaque jour, que la voir, c'est croire de nouveau que la bonté, plus que tout autre chose, est ce qui compte.

Elle attend sur le banc, l'épaule contre celle d'Étienne ou de M. Gérard. Son père pourrait être n'importe où. Il pourrait être cette voix qui se rapproche, ces bruits de pas à sa droite. Ou dans une cellule, un fossé, à des milliers de kilomètres. Mort depuis longtemps.

Elle retourne au musée, au bras d'Étienne, pour parler avec divers officiels, dont beaucoup se souviennent d'elle. Le directeur lui-même explique qu'ils ont procédé à des recherches approfondies pour retrouver son père, qu'ils continueront à la soutenir financièrement. Aucune mention n'est faite de l'Océan de Flammes.

Le printemps se déroule, des communiqués empruntent la voie des ondes. Berlin capitule, Göring se rend ; la grande et mystérieuse chambre forte du nazisme s'ouvre. Des défilés se matérialisent spontanément. Les autres personnes qui attendent à la gare chuchotent qu'il n'en reviendra qu'un pour cent, qu'avec le pouce et l'index, on peut faire le tour de leur cou, et que lorsqu'ils ôtent leur chemise, on peut voir bouger leurs poumons.

Chaque bouchée qu'elle prend est une trahison.

Même ceux qui reviennent, elle le sent, sont différents, vieillis, comme s'ils avaient vécu sur une planète où les années passent plus vite.

— Il se peut, déclare Étienne, qu'on ne sache jamais ce qui s'est passé. Il faut s'y préparer.

Marie-Laure entend Mme Manec dire : *Il ne faut jamais perdre la foi.*

Pendant tout l'été, ils attendent. Étienne est toujours à son côté, M. Gérard assez souvent. Et puis, un midi, en août, Marie-Laure les entraîne en haut de l'escalier, en plein soleil et demande si on peut traverser. Ensuite, elle les guide le long du quai et ils franchissent la grille du Jardin des plantes.

Dans les allées, des petits garçons s'égosillent. Quelqu'un joue du saxophone. Elle se tient à côté d'une tonnelle bruissante d'abeilles. Le ciel semble très haut, lointain. Quelque part, certains parviennent peut-être à surmonter leur douleur, mais pas Marie-Laure – pas encore. La vérité est qu'elle n'est qu'une jeune aveugle qui n'a plus ni parent ni réel foyer.

– Et maintenant, dit Étienne. On va déjeuner ?

– À l'école, dit-elle. Je veux aller à l'école.

Douze

1974

Volkheimer

L'appartement de Frank Volkheimer, au troisième étage d'un immeuble sans ascenseur, dans la banlieue de Pforzheim, Allemagne, a trois fenêtres. Un panneau d'affichage, fixé à la corniche du bâtiment de l'autre côté de la ruelle, lui bouche la vue ; sa surface miroite à quelques mètres seulement des vitres. Sur ce panneau, une publicité pour de la charcuterie des produits qui ont la même taille que lui, rouges et roses gris sur les bords, garnis de brins de persil gros comme des buissons. La nuit, les quatre projecteurs baignent l'appartement d'une lumière crue.

Il a cinquante et un ans.

Une pluie d'avril tombe à l'oblique à travers leurs faisceaux, l'écran bleuté de son téléviseur tremblote, et il se baisse machinalement pour passer le seuil qui marque la transition entre la cuisine et la pièce principale. Pas d'enfants, pas de chiens, pas de plantes vertes, quelques livres sur les étagères. Juste une table de jeu, un matelas, et un seul fauteuil orienté vers le poste de télévision où il s'est installé avec un paquet de biscuits. Il les grignote au fur et à mesure, d'abord tous ceux en forme de fleurs, puis ceux en forme de bretzels, et enfin les trèfles

À l'écran, un cheval noir contribue a liberer un homme bloqué sous un tronc d'arbre.

Volkheimer installe et répare des antennes de télévision. Tous les matins il enfile un survêtement bleu, décoloré là où le tissu est déformé au niveau de ses larges épaules, trop court au niveau des chevilles, et s'en va travailler dans ses grosses bottes noires. Parce qu'il est assez costaud pour transporter lui-même la grande échelle coulissante, et peut-être aussi parce qu'il n'est pas causant, il assure seul la plupart des interventions. Les clients téléphonent à l'agence pour demander une installation, ou se plaindre de signaux fantômes, d'interférences, d'étourneaux sur les câbles – et le voilà parti. Il réalise une épissure, déloge un nid ou rehausse une antenne.

C'est seulement les jours où le vent souffle et où il fait bien froid qu'il se sent chez lui, à Pforzheim. Il aime sentir le froid s'infiltrer sous le col de son survêtement, voir le ciel nettoyé par le vent, les collines poudrées de neige, les arbres de la ville (tous plantés après la guerre, tous ayant le même âge) étincelants de glace. Les après-midi d'hiver, il évolue parmi les antennes tel un marin parmi des haubans. Dans la lumière du soir, il voit les gens dans les rues, pressés de rentrer chez eux, et parfois des mouettes passent, blanches sur fond noir. Le poids modeste des outils à sa ceinture, l'odeur de la pluie intermittente, et la brillance cristalline des nuages au crépuscule : c'est seulement dans ces moments-là qu'il se sent à peu près épanoui.

Mais la plupart du temps, même quand il fait beau, la vie lui pèse : les embouteillages, les graffitis et la politique de l'entreprise, tout ce monde qui râle à propos de primes, d'avantages sociaux, d'heures supplémentaires. Parfois, dans la chaleur étouffante de l'été, bien avant l'aurore, il fait les cent pas dans la lueur blafarde des projecteurs du panneau d'affichage, et sent sa solitude l'accabler comme une maladie. Il voit de grandes rangées de sapins osciller dans une tempête, entend gémir leur cœur de bois. Il voit le sol en terre battue de sa maison natale, la lumière arachnéenne de l'aube filtrer à travers les conifères. À d'autres moments, les yeux des hommes sur le point de mourir l'obsèdent, et il les tue à nouveau. L'un à Lodz. L'autre à Lublin. À Radom. Cracovie. Pluie sur les fenêtres, pluie sur le toit. Avant d'aller se coucher, il descend prendre son courrier. Il n'a pas ouvert sa boîte depuis plus d'une semaine, et parmi deux prospectus, sa paie et une facture, se trouve un petit paquet envoyé par une association d'anciens combattants basée à Berlin-Ouest.

Trois objets ont été photographiés contre le même fond blanc, avec une étiquette soigneusement numérotée.

14-6962. Un sac de soldat en toile, gris souris, et ses deux sangles matelassées.

14-6963. Une petite maison en bois, légèrement abîmée.

14-6964. Un cahier à couverture souple, à l'intitulé laconique : *Fragen.*

Ce bibelot, il ne l'a jamais vu, et le sac aurait pu appartenir à n'importe qui, mais le cahier... Il y a un *W.P.* inscrit à l'encre, en bas à droite. Volkheimer met deux doigts sur la photo comme s'il pouvait en extraire le cahier et le feuilleter.

Il n'était qu'un gamin. Comme les autres. Comme l'étaient même les plus grands d'entre eux.

La lettre explique que l'association s'efforce de restituer aux familles les affaires de soldats inconnus. Or, lui, l'Ober-feldwebel, aurait servi dans la même unité que celui qui possédait ce sac, sac qui fut recueilli dans un camp de transit pour prisonniers, en France, en 1944.

Sait-il à qui appartenaient ces affaires ?

Il pose les photos sur la table et se tient là, avec ses grosses mains ballantes. Il entend des essieux cahotants, un pot d'échappement qui pétarade, la pluie sur le toit de l'Opel Des nuées de moucherons. Un bruit de bottes et des réponses aboyées par des voix juvéniles.

Grésillements, coups de feu.

Mais était-ce humain de laisser son cadavre comme ça ? Après sa mort ?

Tu m'étonneras toujours.

Il était petit. Il avait les cheveux blancs et les oreilles décollées. Il boutonnait le col de sa vareuse jusqu'au cou quand il avait froid et rentrait les mains dans ses manches. Volkheimer sait de qui il s'agit.

Jutta

Jutta Wette enseigne l'algèbre au lycée d'Essen : nombres entiers, probabilités, paraboles. Chaque jour, elle enfile la même tenue : pantalon noir et corsage en nylon – alternativement beige, anthracite, ou bleu pâle. De temps en temps, le jaune canari, quand elle est d'humeur. Sa peau est d'une blancheur laiteuse et ses cheveux sont toujours aussi blancs.

Son mari, Albert, est un homme lent et doux, gagné par la calvitie – un comptable de profession, dont le hobby consiste à faire rouler des trains électriques dans leur sous-sol. Longtemps elle s'était crue stérile, jusqu'au jour où, à l'âge de trente-neuf ans, c'est arrivé. Leur fils, Max – six ans –, adore barboter dans la boue, aime les chiens, et poser des questions auxquelles personne ne sait répondre. En ce moment, il se passionne pour les avions en papier. Après l'école, il s'agenouille dans la cuisine et en fabrique des quantités avec une application presque effrayante, testant diverses longueurs d'aile, d'empennage. C'est surtout l'aspect fabrication, la transformation d'une chose plate en chose volante, qui semble lui plaire.

C'est un jeudi après-midi, début juin, alors que l'année scolaire s'achève, et ils sont à la piscine municipale. Des nuages gris ardoise voilent le ciel, des enfants s'égosillent dans le petit bassin, les parents bavardent, feuillettent des magazines ou somnolent dans leur fauteuil – et tout est normal. Posté à la buvette, en bermuda, sa petite serviette drapée autour de sa forte taille, Albert considère la sélection d'eskimos glacés.

Max nage bizarrement, moulinant un bras puis l'autre, vérifiant régulièrement que sa mère le surveille. Ensuite, il s'enveloppe dans une grande serviette et vient s'installer à côté d'elle. Max est petit, trapu, et il a les oreilles décollées. Des gouttelettes brillent sur ses cils. Le crépuscule est venu avec les nuages, le temps se rafraîchit et les familles partent une à une, rentrant chez elles à pied, à vélo ou en bus. Max extrait un biscuit du paquet et le grignote avec entrain.

– J'aime bien ceux-là ! dit-il.

– Je sais, mon chéri.

Albert les ramène dans leur petite Volkswagen à l'embrayage grinçant, et Jutta sort une liasse de copies qu'elle commence à corriger dans la cuisine. Albert met de l'eau à chauffer pour les nouilles et fait frire des oignons. Max prend une feuille volante sur la table à dessin et s'attaque à ses pliages.

On frappe.

Pour des raisons que Jutta ne comprend pas entièrement, son pouls commence à marteler ses tympans. La pointe de son stylo reste en l'air. C'est seulement une visite – un voisin, une connaissance, ou Anna, la copine de Max, qui vient parfois lui apprendre à construire des villes assez sophistiquées avec ses cubes en plastique. Mais ce n'est pas son style.

Max se précipite pour ouvrir, avec son petit avion.

– Qui est-ce, chéri ?

Il ne répond pas, ce qui signifie que c'est un inconnu. Elle va dans le couloir et là, dans l'embrasure de la porte, s'encadre un géant.

Max croise les bras, intrigué et intimidé. Son avion est par terre, à ses pieds. Le géant retire sa casquette. Son crâne dégarni reluit.

– Frau Wette ?

Il porte un survêtement gris argent XXL avec des touches bordeaux sur les côtés, le zip remonté jusqu'au cou. Précautionneusement, il lui présente un genre de fourre-tout en toile.

Les voyous dans le parc. Hans et Herribert. C'est sa taille qui lui rafraîchit la mémoire. Cet individu a dû se présenter à d'autres portes, et là, sans prendre la peine de s'annoncer.

– Oui ?

– Votre nom de jeune fille, c'est bien Pfennig ? J'ai quelque chose pour vous.

Avant même de le faire entrer, elle a compris.

Le survêtement en nylon bruisse quand il la suit dans le couloir. Albert, qui lève les yeux de la gazinière, semble surpris, mais dit seulement « Bonjour » et « Attention la tête » en agitant sa cuillère en bois au moment où le géant esquive la suspension.

Quand il lui propose de se joindre à eux, l'autre accepte. Albert écarte la table du mur et met un quatrième couvert. En voyant leur invité sur cette chaise, Jutta repense à cette image dans l'album de Max : l'éléphant coincé sur un siège d'avion. Le sac qu'il a apporté est resté sur la table du couloir.

La conversation démarre difficilement.

Il a passé plusieurs heures dans le train.

Il est venu de la gare à pied.

Pas d'apéritif pour lui, merci.

Max mange vite. Albert, lentement. Jutta glisse ses mains sous ses cuisses pour ne pas montrer qu'elle tremble.

– Une fois qu'ils ont eu votre adresse, j'ai demandé la permission de vous remettre cela moi-même. Il y avait une lettre…

De sa poche il sort une feuille pliée en deux.

Dehors, des voitures passent, des merles font des trilles.

Une part d'elle-même n'a aucune envie de lire cette lettre, ni d'entendre ce que cet homme a à lui dire. Il y a des

périodes où elle s'interdit de penser à la guerre, à Frau
Elena, à ces terribles derniers mois à Berlin. À présent elle
peut acheter du porc sept jours par semaine, et s'il fait un
peu froid dans la maison, elle tourne un bouton – et voilà.
Elle ne veut pas devenir l'une de ces femmes d'un certain
âge repliées sur leurs malheurs. Parfois elle regarde dans les
yeux de ses collègues plus âgés et se demande ce qu'ils
faisaient quand l'électricité était coupée, qu'il n'y avait pas
de bougie, que la pluie transperçait le plafond. Ce qu'ils ont
vu. Il est rare qu'elle s'autorise à penser à Werner. À bien
des égards, ses souvenirs sont devenus tabous. En 1974, un
professeur de mathématiques au Helmoltz-Gymnasium ne
parle pas d'un frère qui était scolarisé chez les nazis.

Albert dit :

– À l'est ?

Volkheimer répond :

– On était à l'école ensemble, et on s'est retrouvés sur
le terrain... On a fait la Russie, la Pologne, l'Ukraine, l'Autriche. Et puis la France...

Max croque dans une pomme.

– Combien tu mesures ?

Volkheimer sourit.

Albert lui propose de se resservir, lui offre du sel, du vin.
Il est plus jeune que Jutta, et pendant la guerre il a servi
d'estafette entre abris antiaériens, à Hambourg. Il avait neuf
ans, en 1945 – c'était encore un enfant.

– La dernière fois que je l'ai vu, c'était dans une ville
française nommée Saint-Malo.

Du fond de la mémoire de Jutta, cette phrase : *Aujourd'hui,
je veux te parler de la mer...*

– On a passé un mois là-bas. Je crois qu'il était tombé
amoureux.

Jutta se raidit. Comme le langage est inadéquat. Une ville
française ? Amoureux ? Rien ne sera apaisé dans cette cuisine.
Certaines blessures sont inguérissables.

Volkheimer recule sa chaise.

– Je ne voulais pas vous peiner.

Il les domine de toute sa hauteur, les réduisant à l'état de nains.

– Ne vous inquiétez pas, dit Albert. Max, tu veux bien emmener notre invité sur la terrasse ? Je vais apporter le gâteau.

Max ouvre la vitre coulissante pour Volkheimer, qui sort en baissant la tête. Jutta va déposer les assiettes dans l'évier. Soudain, elle est très fatiguée. Elle voudrait qu'il s'en aille. Qu'une vague de normalité vienne tout recouvrir de nouveau.

Albert lui touche le coude.

– Qu'est-ce qu'il y a ?

Elle ne répond pas, mais passe une main lasse sur son front.

– Je t'aime, Jutta...

Par la fenêtre, on peut voir le visiteur agenouillé sur le ciment, auprès de Max. Le petit garçon pose à terre deux feuilles de papier, et si elle n'entend rien, elle devine que le géant lui montre la marche à suivre. Max est très concentré, il retourne son feuillet lorsque Volkheimer retourne le sien, reproduisant ses pliages, humectant son doigt, le passant le long d'un pli.

Bientôt, chacun a un avion à larges ailes, à la queue fourchue. Celui de Volkheimer vole en ligne droite à travers le jardin et va se casser le nez contre la clôture. Max applaudit.

Il s'accroupit sur la terrasse dans le crépuscule, contrôlant l'allure de son avion, l'angle des ailes. Volkheimer, toujours à genoux, acquiesce, patient.

– Moi aussi, je t'aime, dit-elle.

Musette

Volkheimer est parti. Le sac attend sur la table du couloir. C'est tout juste si elle en supporte la vue.

Elle aide Max à enfiler son pyjama et l'embrasse. Elle se brosse les dents en évitant de croiser son propre reflet dans la glace, redescend au rez-de-chaussée et regarde par l'imposte de la porte d'entrée. Au sous-sol, Albert est en train de faire circuler ses trains à travers son univers méticuleusement peint, sous les tunnels, par-dessus les ponts-levis électriques ; ronron modeste, mais inlassable, qui pénètre jusque dans la charpente de la maison.

Elle va déposer le sac dans sa chambre, par terre, au pied de son secrétaire où elle entreprend de corriger une copie. Les trains s'arrêtent, reprennent leur monotone ronronnement.

Elle tente de noter une troisième copie, mais impossible de se concentrer : les chiffres dérivent sur les pages, se ramassent en bas, y formant des tas inintelligibles. Elle prend le sac sur ses genoux.

Au début de leur mariage, Albert était souvent en déplacement professionnel. Un peu avant l'aube elle se réveillait et se revoyait à l'époque où Werner l'avait quittée pour aller à Schulpforte, revivant la même souffrance.

Étant donné son âge, la fermeture éclair glisse facilement. À l'intérieur, une grosse enveloppe et un colis enveloppé de papier journal. Une fois ceci déballé, elle découvre une maison miniature, haute et étroite, pas plus grosse que son poing.

L'enveloppe contient le cahier qu'elle lui avait envoyé, il y a trente ans. Son livre de questions. Cette écriture minuscule, gauche, obliquant vers le haut. Dessins, schémas, pages de listes.

Un genre de mixer actionné par l'énergie d'un cycliste pédalant à toute vitesse.

Un moteur pour modèle réduit d'avion.

Pourquoi certains poissons ont-ils des moustaches ?

Est-il vrai que la nuit, tous les chats sont gris ?

Quand la foudre tombe en mer, comment se fait-il que les poissons n'en meurent pas ?

Au bout de trois pages, elle doit refermer ce cahier. Les souvenirs se précipitent. Le petit lit de Werner dans le grenier, le mur tapissé de ses dessins à elle, représentant des villes imaginaires. La pharmacie, la radio, et le câble sorti de la fenêtre. En bas, les trains franchissent un décor sur trois niveaux, tandis qu'à côté son fils livre des batailles dans son sommeil, bougeant les lèvres, paupières tressaillantes, et Jutta aimerait bien que les chiffres remontent et retrouvent leur place sur les copies.

Elle rouvre le cahier.

Pourquoi un nœud reste-t-il noué ?

Si cinq chats attrapent cinq souris en cinq minutes, combien de chats faut-il pour attraper cent souris en cent minutes ?

Pourquoi un drapeau claque-t-il au vent ?

Coincée entre les deux dernières pages, elle trouve une vieille enveloppe cachetée avec cette inscription : *Pour Frederick*. Frederick, son copain de chambrée dont il lui parlait dans ses lettres, l'ornithologue amateur.

Il voit ce que les autres ne voient pas.

Ce que la guerre fit aux rêveurs.

Lorsque Albert finit par monter, elle garde la tête basse et fait semblant de travailler. Il se déshabille, soupire en se couchant, éteint la lampe en lui souhaitant bonne nuit, et elle n'a pas bougé.

Saint-Malo

Jutta a rendu ses copies, Max est en vacances, et que pourrait-il bien faire à part aller à la piscine tous les jours, enquiquiner son père avec ses devinettes, plier trois cents avions ? Et puis, cet enfant n'aurait-il pas intérêt à visiter un autre pays, apprendre un peu de français, voir la mer ? Elle pose ces questions à Albert, mais tous deux savent que c'est elle qui doit demander une autorisation. Pour y aller elle-même, en emmenant leur fils.

Le 26 juin, une heure avant l'aurore, Albert prépare six sandwiches au jambon qu'il enveloppe de papier alu. Puis il les conduit à la gare, embrasse Jutta sur les lèvres, et elle monte dans le train avec le cahier de Werner et la maisonnette dans son sac à main.

Le voyage dure toute la journée. Non loin de Rennes, le soleil est bas sur l'horizon ; l'odeur de fumier tiède passe par les fenêtres, et des rangées d'arbres étêtés défilent. Mouettes et corneilles en quantités égales suivent un tracteur à travers son sillage de poussière. Max grignote un second sandwich et relit un illustré, des nappes de fleurs jaunes brillent dans les champs, et Jutta se demande si certaines ne pousseraient pas au-dessus des ossements de son frère.

Avant la nuit, un homme bien habillé avec une jambe de bois monte à bord. Il prend place à côté d'elle et allume une cigarette. Jutta serre son sac entre ses genoux ; elle est certaine qu'il a été blessé à la guerre, qu'il va essayer d'engager la conversation, que son français à elle la trahira, ou que Max dira quelque chose. Ou que l'homme a déjà deviné. Peut-être que les Allemands ont une odeur particulière.

Il dira : *C'est à cause de vous autres...*

S'il vous plaît, pas devant le petit.

Mais le train s'ébranle, l'homme finit sa cigarette, lui lance un sourire absent et s'endort rapidement.

Elle manipule inlassablement la petite maison. Ils arrivent à Saint-Malo aux alentours de minuit, un taxi les conduit place Chateaubriand. Le réceptionniste de l'hôtel accepte l'argent qu'Albert a changé pour elle, Max s'appuie contre sa hanche, à moitié endormi, et elle a si peur d'étrenner son français qu'elle va se coucher sans manger.

Le lendemain matin, l'enfant l'entraîne par une brèche dans les remparts et ils se retrouvent sur la plage. Il galope sur le sable, puis s'arrête et contemple les remparts qui se dressent devant lui comme s'il imaginait des oriflammes, des canons et des archers alignés contre le parapet.

Jutta ne peut détacher les yeux de l'océan. Il est d'un vert émeraude et si vaste... Une voile blanche vire en quittant le port. Deux chalutiers à l'horizon apparaissent et disparaissent entre les vagues.

Parfois je me surprends à la contempler et j'en oublie mon devoir. Elle semble assez vaste pour contenir tout ce qu'un être humain pourra jamais ressentir.

L'accès à la tour du château est payant.

— Viens ! dit Max qui grimpe à toute vitesse l'étroit escalier à vis, et Jutta le suit, essoufflée, et chaque quart tournant réserve une étroite ouverture sur le ciel bleu, tandis que son fils doit quasiment la tracter.

Du sommet, ils contemplent les petites silhouettes des touristes qui font du lèche-vitrines. Elle s'est documentée sur le siège de Saint-Malo ; elle a examiné des photos de la vieille ville avant la guerre. Mais à présent, devant ces dignes demeures de granit, ces centaines de toits, elle ne voit aucune trace de bombardement, ni cratères ni immeubles sinistrés. C'est une ville toute neuve.

À midi, ils commandent des galettes de blé noir. Elle s'attendait à être dévisagée, mais personne ne lui prête attention. Le serveur semble ou ignorer, ou négliger sa qualité d'Allemande. Dans l'après-midi elle emmène Max sous cette majestueuse arche à l'extrémité de la ville appelée Porte de Dinan. Ils traversent le quai et escaladent un autre promontoire au-delà de l'embouchure du fleuve. À l'intérieur du parc, il y a les ruines d'un fort rongé par la végétation. Max s'arrête le long du sentier pour jeter des cailloux dans la mer.

Tous les cent mètres, ils croisent de grosses cloches blindées d'où un soldat pouvait orienter le tir des canons contre quiconque tentait de prendre la colline. Certaines de ces casemates ont été si éprouvées par les impacts qu'elle n'a aucun mal à se représenter la violence de l'affrontement. Trente centimètres d'acier semblent avoir été malaxés comme du beurre tiède, pétris par des doigts d'enfant.

Quelle épreuve, pour ceux qui se trouvaient là-dedans.

À présent, ces endroits sont envahis de sachets de chips, de mégots et de papier gras. Des drapeaux français et américains flottent au sommet d'une colline, au milieu du mémorial. Ici, disent les panneaux, des Allemands se sont terrés dans des galeries souterraines pour combattre jusqu'au dernier.

Trois adolescents passent en riant et Max les regarde avec intensité. Sur une plaque rongée par le lichen, fixée à un muret, on peut lire : *Ici a été tué Buy Gaston Marcel âgé de 18 ans, mort pour la France le 11 août 1944 en montant à l'assaut.* Jutta s'assoit par terre. La mer est houleuse, d'un gris ardoise. Il n'y a pas de plaque pour les Allemands morts ici.

Pourquoi est-elle venue ? Quelles réponses espérait-elle trouver ? Le lendemain matin, ils sont assis place Chateaubriand tout près du musée historique, là où de robustes bancs font face à des massifs de fleurs. Sous les auvents, des touristes regardent sans acheter des pulls marins et des aquarelles représentant des bateaux corsaire. Un père chantonne en prenant sa fille par l'épaule.

Max détache les yeux de son livre et dit :

— Maman, qu'est-ce qui fait le tour du monde tout en restant dans son coin ?

— Je ne sais pas, Max.

— Un timbre !

Il lui sourit.

— Je reviens tout de suite..., dit-elle.

L'homme au guichet du musée est barbu et doit avoir une cinquantaine d'années. En âge de se souvenir. Elle ouvre son sac à main, déballe la petite maison abîmée et dit dans son meilleur français :

— C'était à mon frère. Je crois qu'il l'avait trouvé ici. Pendant la guerre...

L'homme secoue la tête et elle remet la maison dans son sac. Puis il demande à la revoir. Tenant l'objet sous la lampe, il le tourne de façon à avoir la façade sous les yeux.

— Ah oui..., dit-il enfin.

Il lui fait signe d'attendre à l'extérieur, et quelques instants plus tard ferme derrière lui et les emmène dans des rues étroites et pentues. Après quelques tours et détours, ils se trouvent au pied de la maison. L'équivalent grandeur nature de celle que Max est en train de tripoter.

— Le 4 rue Vauborel, dit-il. La maison Leblanc. Transformée en locations de tourisme depuis des années.

Le granit est taché par du lichen jaune, des mousses arachnéennes. Des jardinières débordant de géraniums agrémentent les fenêtres. Werner aurait-il fabriqué la petite maison ? L'aurait-il achetée ?

— Et la jeune fille ? Vous savez s'il y avait une jeune fille ?

– Oui, une jeune aveugle a vécu ici pendant la guerre. Ma mère m'en a parlé. Ensuite, elle est partie.

Des pointillés troublent la vision de Jutta : comme si elle avait regardé le soleil en face pendant trop longtemps.

Max la tire par la manche :

– Maman, maman !

– Pourquoi, dit-elle dans son français hésitant, mon frère avait-il cette reproduction ?

– Celle qui a vécu ici pourrait peut-être vous répondre. Je pourrais vous trouver son adresse...

– Maman, maman, regarde ! dit Max, qui la tire si vivement qu'elle lui accorde son attention.

– Je crois que ça s'ouvre. Je crois qu'on peut l'ouvrir...

Le laboratoire

Marie-Laure Leblanc dirige un petit laboratoire au Muséum d'histoire naturelle et a contribué de façon significative à l'étude des mollusques : une monographie sur la logique adaptative des plis chez les Bivetiella Cancellata ; un article souvent cité sur le dimorphisme sexuel des volutes des Caraïbes. Elle a nommé deux nouvelles sous-espèces de chitons. Jeune doctorante, elle est allée à Bora Bora et Bimini ; elle a pataugé sur des récifs avec un chapeau de soleil et un seau pour récolter des spécimens sur trois continents.

Marie-Laure n'est pas une collecteuse au sens où M. Gérard l'était, un amasseur, toujours prêt à chambouler la taxinomie : ordre, famille, genre, espèce, sous-espèce. Elle aime se trouver parmi les créatures vivantes, tant sur des récifs que dans ses aquariums. Savoir ces mollusques en train de ramper sur les pierres, ces êtres minuscules qui filtrent l'eau pour en tirer le calcium avec lequel ils filent leur coquille polie sur leur dos – c'est suffisant. Plus que suffisant.

Étienne et elle ont voyagé aussi longtemps qu'il en fut capable. Ils sont allés en Sardaigne, en Écosse, ont roulé sur l'étage supérieur d'un bus londonien qui volait au-dessus des arbres. Il s'était acheté deux petits transistors, est mort tranquillement dans son bain à l'âge de quatre-vingt-deux ans, et il lui a laissé beaucoup d'argent.

Bien qu'ayant recruté un détective, dépensé des milliers de francs et dépouillé des tas de documents allemands, ils n'ont jamais su exactement ce qui était arrivé à son père. On leur a confirmé qu'il avait été interné à Breitenau, un camp de travail, en 1942. Et la note d'un médecin d'un sous-camp à Cassel indique que Daniel Leblanc avait contracté la grippe au début de l'année 1943. C'est tout.

Marie-Laure habite toujours l'appartement de son enfance, et se rend toujours à pied au musée. Elle a eu deux amants. Le premier était un chercheur-invité qui n'a jamais reparu, le second un Canadien nommé John, qui semait ses affaires partout – cravates, pièces de monnaie, pastilles de menthe. Ils se sont connus dans le cadre universitaire : il allait de labo en labo avec une prodigieuse curiosité mais peu de persévérance. Il s'intéressait aux courants marins, à l'architecture et à Charles Dickens, et face à une telle diversité elle se sentait limitée, trop spécialisée. Lorsqu'elle est tombée enceinte, ils se sont séparés sans faire de drame.

Hélène, leur fille, a dix-neuf ans à présent. Elle est menue, a les cheveux courts, et rêve d'une carrière de violoniste. Posée, comme souvent les enfants d'aveugle. Hélène vit chez sa mère, mais tous trois – John, Marie-Laure et Hélène – déjeunent ensemble tous les vendredis.

Difficile d'avoir vécu dans les années quarante en France sans que la guerre soit le centre à partir duquel le reste de votre existence gravitera toujours. Marie-Laure a la phobie des chaussures trop grandes, des topinambours. Elle déteste les listes de noms : listes de joueurs de football, citations à la fin des journaux, introductions à des réunions de professeurs – c'est toujours un rappel de ces listes de prisonniers qui ne contenaient jamais le nom de son père.

Elle compte toujours les bouches d'égout : trente-huit entre chez elle et le laboratoire. Des fleurs poussent sur son petit balcon filant, et l'été elle peut savoir l'heure rien qu'en palpant les pétales des fleurs d'onagre, qui s'ouvrent quelques minutes avant la nuit. Lorsque Hélène est sortie avec ses amis et que l'appartement lui paraît trop calme, elle va à la même brasserie, Le Village Monge, tout près du Jardin des plantes, et commande du canard rôti en souvenir de M. Gérard.

Est-elle heureuse ? Par moments. Quand elle se tient sous un arbre, par exemple, et qu'elle écoute les feuilles vibrer dans le vent, ou quand elle ouvre l'envoi d'un collecteur et que l'odeur de marée lui saute au visage. Lorsqu'elle se revoit lisant du Jules Verne à Hélène, qui s'endormait contre elle – le contact dur et brûlant de sa petite tête contre sa cage thoracique.

Mais parfois Hélène est en retard, et alors son anxiété grandit. Penchée au-dessus d'une paillasse, elle sent cette présence du musée tout autour d'elle, les placards pleins de grenouilles, d'anguilles et d'orvets conservés dans le formol, les tiroirs remplis d'insectes épinglés et de fougères pressées, les caves pleines d'ossements, et soudain elle a l'impression de travailler dans un mausolée, que les services sont des cimetières, que tous ces gens – savants, gardiens, vigiles et visiteurs – occupent des catacombes.

Mais ces moments sont rares. Dans son laboratoire, six aquariums d'eau de mer émettent de réconfortants glouglous ; contre le mur du fond, se dressent trois meubles comprenant quatre cents tiroirs chacun, récupérés il y a des années dans le bureau de M. Gérard. Tous les ans, à l'automne, elle enseigne à des étudiants en licence, et ses élèves vont et viennent, traînant des odeurs de frites, ou d'eau de Cologne, ou de carburant à moto, et elle se plaît à les interroger sur leur vie, à s'interroger sur les aventures qu'ils ont vécues, quelles envies, quelles folies secrètes abrite leur cœur.

Un mercredi soir en juillet, son assistant frappe à la porte entrouverte. Les aquariums bouillonnent, les filtres ronronnent et le chauffe-eau du système s'arrête et redémarre. Une femme demande à la voir. Marie-Laure garde les deux mains sur le clavier de sa machine à écrire en braille.

– Une collecteuse ?

– Je ne crois pas. Elle dit avoir eu votre adresse par l'intermédiaire d'un musée en Bretagne.

Premières notes de vertige.

– Elle est accompagnée d'un petit garçon. Ils attendent au fond du couloir. Je lui dis de revenir demain ?

– De quoi a-t-elle l'air ?

– Cheveux blancs…

Il se rapproche.

– Mal habillée. Le teint pâle. Elle a parlé d'une maison en bois…

Quelque part derrière elle, Marie-Laure entend tinter dix mille clés sur dix mille crochets.

– Professeur Leblanc ?

La pièce chavire. Dans un instant, elle va passer par-dessus bord.

Visite

— Vous avez appris le français dans votre enfance, dit Marie-Laure, qui se demande comment elle parvient à parler.
— Oui. Voici mon fils, Max.
— *Guten Tag*, murmure Max.
Sa main est petite et chaude.
— Lui, il n'a pas appris le français dans son enfance, dit Marie-Laure et toutes deux rient.
— Je vous ai apporté quelque chose. .
À travers le papier journal, Marie-Laure devine que c'est la petite maison ; c'est comme si cette femme avait lâché une braise dans ses mains.
Elle n'arrive pas à se tenir debout.
— Francis, dit-elle à son assistant. Pouvez-vous montrer quelque chose au petit ? Les scarabées, par exemple ?
— Bien sûr, madame.
La femme parle à l'enfant en allemand. Francis dit :
— Je ferme la porte ?
— Oui, merci.
Déclic. Marie-Laure entend l'aquarium gargouiller, la femme respirer et les embouts en caoutchouc du tabouret couiner quand celle-ci bouge. Ses doigts trouvent les petites encoches dans les flancs de la maison, la pente du toit. Elle l'a manipulée si souvent

592

– C'est mon père qui l'avait fabriquée, dit-elle.

– Vous savez comment mon frère s'est retrouvé en sa possession ?

Autour d'elle, la pièce tournoie. Le jeune soldat. La maquette. Qui connaît la cachette ? Elle repose brusquement l'objet.

Cette femme, Jutta, doit l'observer de près. Comme pour s'excuser, elle dit :

– Il vous l'avait volée ?

Avec le temps, songe Marie-Laure, des événements confus le deviennent encore plus, ou se mettent peu à peu en place. Ce jeune homme lui a sauvé la vie par trois fois. La première fois, en ne dénonçant pas Étienne alors que c'était son devoir. La deuxième fois, en la débarrassant de ce gradé allemand. La troisième fois, en l'aidant à quitter la ville.

– Non, dit-elle.

– Ce n'était pas très facile, hasarde Jutta, qui atteint les limites de son français, de bien se conduire à l'époque.

– J'ai passé une journée avec lui. Moins d'une journée.

– Quel âge aviez-vous ?

– Seize ans à la Libération. Et vous ?

– Quinze ans. À la fin...

– Nous n'avons pas eu d'enfance. Est-ce qu'il... ?

– Il est mort.

Bien sûr. Après-guerre, tous les héros de la Résistance étaient de sémillants jeunes gens capables de fabriquer des mitrailleuses à partir de trombones. Et les Allemands, soit des têtes blondes de demi-dieu émergeant des tourelles de leurs chars pour voir défiler des villes en ruines, soit des psychopathes doublés de maniaques sexuels violeurs de belles Juives. Quelle est la place de ce garçon ? Sa présence était si modeste. Une plume. Mais son âme rayonnait de douceur, non ?

On cueillait des mûres au bord de la rivière, ma sœur et moi.

– Ses mains étaient plus petites que les miennes, dit-elle.

La femme se racle la gorge.

– Il a toujours été petit pour son âge. Mais il veillait sur moi. Désobéir était difficile à l'époque… est-ce bien comme ça qu'on dit ?

– C'est parfait…

L'aquarium gargouille. Les mollusques vaquent. Quelles épreuves cette femme a-t-elle traversées ? Marie-Laure l'ignore. Et la petite maison ? Werner était-il retourné dans la grotte pour la récupérer ? A-t-il laissé le diamant à l'intérieur ?

– Il disait que vous aviez écouté le programme radiophonique de mon grand-père. Que vous pouviez les capter jusqu'en Allemagne.

– Votre grand-père… ?

À présent, Marie-Laure se demande quels souvenirs hantent son interlocutrice. Elle est sur le point d'en dire davantage, quand des pas dans le couloir s'arrêtent à la porte du laboratoire. Max bredouille une chose inintelligible en français. Francis rit : « Non, *le derrière* de la porte, ça ne se dit pas… ! »

– C'est l'insouciance des enfants qui nous sauve, n'est-ce pas… dit-elle en riant.

La porte s'ouvre et Francis dit :

– Vous avez encore besoin de moi, madame ?

– Non, vous pouvez y aller.

– Nous partons, nous aussi, dit Jutta, qui repousse son tabouret sous la table. Je voulais vous la rendre. C'est mieux ainsi.

Marie-Laure pose ses mains à plat sur la table. Elle imagine la mère et l'enfant s'éloignant vers la porte, une petite main dans une grande, et sa gorge se serre.

– Attendez, dit-elle. Avant de vendre la maison, après la guerre, mon grand-oncle est retourné à Saint-Malo et il a sauvé l'un des 78 tours de mon grand-père. Avec un morceau intitulé « Clair de lune »…

– Je me souviens...

Parquet qui grince, aquariums qui bouillonnent. Mollusques qui glissent le long du verre. La petite maison sur la table, entre ses mains.

– Laissez votre adresse à Francis. C'est un vieux disque, mais je vous l'enverrai. Max l'appréciera peut-être.

Avion en papier

– Et Francis a dit qu'il y a quarante-deux mille tiroirs pleins de plantes séchées, et il m'a montré le bec d'un calmar géant et un plésiosaure...

Le gravier crisse sous ses pas et Jutta doit s'appuyer à un arbre.

Des phares se braquent sur elle, puis disparaissent.

– Je suis fatiguée, mon chéri. Voilà tout.

Elle déplie la carte et s'efforce de trouver le chemin de l'hôtel. Il y a quelques voitures dehors, et à la plupart des fenêtres des immeubles on peut voir le reflet bleuté d'un téléviseur. C'est l'absence de tous ces cadavres, se dit-elle, qui nous permet d'oublier. La terre qui les recouvre.

Dans l'ascenseur, Max presse le bouton et la cabine s'élève jusqu'au sixième étage. Le tapis du couloir est une rivière lie-de-vin traversée de trapèzes dorés. Elle tend la clé à Max, qui tâtonne un peu, puis finit par ouvrir la porte.

– Tu as montré à la dame comment la petite maison s'ouvre, maman ?

– Je crois qu'elle le savait déjà...

Jutta allume la télévision et se déchausse. Max ouvre les portes-fenêtres et confectionne un avion avec le papier à en-tête de l'hôtel. Cette vue de Paris lui rappelle ces villes qu'elle dessinait, enfant : une centaine d'immeubles, un millier de fenêtres, des nuées d'oiseaux. À la télévision, des joueurs en maillot bleu courent sur un terrain qui se trouve à trois mille kilomètres de là. Le score est de deux à trois. Mais un gardien de but a fait une chute, et un ailier a poussé du pied le ballon, légèrement mais assez pour que celui-ci roule lentement vers la ligne de but. Personne n'est là pour l'intercepter. Jutta décroche le téléphone près du lit, compose un numéro à neuf chiffres, et Max lance son avion du balcon. Il plane pendant quelques instants, s'immobilise, puis la voix d'Albert fait : « Allô ? ».

La clé

Seule dans le laboratoire, elle touche les coquilles de *Dosinia* l'une après l'autre sur leur plateau. Des souvenirs affluent : le contact du pantalon de son père, quand elle s'y cramponnait, les poux de mer sautillant autour de ses genoux, le sous-marin du capitaine Nemo flottant dans les ténèbres, accompagné par le chant funèbre de l'orgue.

Elle secoue la petite maison, tout en sachant que celle-ci ne se trahira pas.

Il était retourné la chercher. Est mort avec. Qui était vraiment ce garçon ? Par la pensée, elle le revoit feuilletant le livre d'Étienne :

Des oiseaux. Des oiseaux, des oiseaux, des oiseaux.

Elle se revoit quitter la ville en brandissant la taie d'oreiller blanche. Lorsqu'elle a disparu, il rebrousse chemin et retourne à l'intérieur de l'ancien chenil, sous la masse sombre des remparts. Les vagues passent à travers le soupirail. Elle le voit résoudre l'énigme, ouvrir la petite maison. Peut-être dépose-t-il le diamant dans une flaque, parmi les milliers de bigorneaux. Puis il referme le casse-tête, et s'en va.

Ou bien il remet la pierre à l'intérieur de la maison.

À moins qu'il ne la glisse dans sa poche. Dans son souvenir, cette phrase de M. Gérard · *Qu'une chose aussi petite*

598

soit aussi belle... Aussi précieuse ! Pour résister à cela, il faut une force d'âme exceptionnelle.

Elle tord la cheminée à 90 degrés. Aussi facilement que si sa fabrication datait d'hier. Lorsqu'elle tente de faire coulisser le premier des trois panneaux du toit, il s'avère que c'est coincé. Mais avec la pointe d'un stylo, elle parvient à les forcer l'un après l'autre.

Quelque chose tombe dans sa paume.

Une clé.

Océan de Flammes

C'est dans les sous-sols en fusion du monde, à quelque trois cents kilomètres de profondeur, que le diamant se forme. Un cristal dans une veine d'autres cristaux. Carbone pur, chaque atome relié à quatre voisins équidistants, parfaitement soudé, octaédrique, d'une dureté inégalée. Déjà il est ancien : d'une ancienneté incalculable. Il se passe encore des millions d'années. La terre bouge, se soulève, s'étire. Un jour, une grosse explosion de magma recueille un filon de diamants et le propulse jusqu'à la surface, kilomètre après kilomètre ; il se refroidit à l'intérieur d'un énorme morceau de kimberlite fumant, et c'est là qu'il attend. Siècle après siècle. Pluie, vent, kilomètres cubes de glace. La kimberlite s'érode, se change en roche plus tendre, la roche se change en rochers, en pierres ; la glace se retire, un lac se forme, et des galaxies de bivalves font claquer leurs coquilles au soleil, et meurent au moment où le lac s'évapore. Des bouquets d'arbres préhistoriques poussent et meurent, repoussent. Jusqu'au jour où une tempête arrache un gemme d'un canyon et l'entraîne dans un flot d'alluvions où il finit par attirer l'attention d'un prince qui passait par là.

Il est taillé, poli ; il passe entre les mains des hommes.

Une autre heure, un autre jour, une autre année. Fragment de carbone pas plus gros qu'un marron. Couvert d'algues, d'anatifes. Sur lequel rampent des escargots. Il bouge parmi les galets.

Frederick

Il vit avec sa mère dans les faubourgs de Berlin-Ouest. Leur appartement donne sur des liquidambars, un parking vaste et peu fréquenté, et l'autoroute au-delà.

Il passe ses journées à regarder le vent chasser les sacs en plastique à travers cet espace. Parfois, ils s'envolent dans les airs, décrivent d'imprévisibles arabesques et se prennent dans les branches ou disparaissent complètement. Muni d'un crayon, il dessine des spirales, des tire-bouchons au trait appuyé – deux ou trois par feuillet, après quoi il le retourne et noircit l'autre face. L'appartement en est jonché : des milliers sur les comptoirs, dans les tiroirs, sur le réservoir des WC. Sa mère avait l'habitude de les jeter, mais depuis quelque temps, elle a renoncé.

– Une vraie usine, ce gosse, disait-elle aux amis, avec un sourire brave qui cachait mal son désespoir.

Aujourd'hui, les amis qui viennent les voir se font rares. C'est qu'il en reste peu.

Un mercredi – mais que sont les mercredis pour Frederick ? – sa mère apporte du courrier.

– Une lettre, dit-elle. Pour toi.

Son instinct depuis la guerre a été de se cacher. Se cacher elle-même, cacher ce qui est arrivé à son enfant. Ce n'est pas la seule veuve à qui on fait sentir qu'elle a été complice d'un crime abominable. À l'intérieur de la grande enveloppe, une lettre et une enveloppe plus petite. La lettre est d'une femme à Essen qui retrace le parcours de l'autre enveloppe depuis les affaires de son frère, prisonnier de guerre des Américains, en France, jusqu'à un entrepôt militaire dans le New Jersey, puis une association d'anciens combattants à Berlin-Ouest. Avant de finir chez un ancien Oberfeldwebel, et dans ses propres mains.

Werner. L'image de ce garçon lui est resté : cheveux blancs, timide, sourire craquant.

– Il était très petit, dit-elle tout haut.

Elle montre l'enveloppe cachetée à son fils – froissée, jaunie, vieille, son nom inscrit en petites lettres – mais il ne manifeste aucun intérêt. Elle la laisse sur le comptoir de la cuisine, tandis que le soir tombe, pèse du riz et met de l'eau à chauffer. Puis elle allume partout comme elle le fait toujours, pas pour y voir plus clair, mais parce qu'elle est seule, que les appartements voisins sont vides, et que cela lui donne l'impression d'attendre quelqu'un.

Elle mixe les légumes, le fait manger à la cuillère, et il fredonne tout en avalant : il est content. Elle lui essuie le menton, lui met une feuille de papier sous les yeux, et il se remet à dessiner.

Elle remplit l'évier d'eau savonneuse, puis ouvre l'enveloppe.

À l'intérieur, une reproduction de deux oiseaux en couleur. *Paruline hochequeue. Mâle 1. Femelle 2.* Tous deux sur une tige de navet indien. Elle cherche un mot, une explication dans l'enveloppe, mais il n'y a rien.

Le jour où elle avait acheté ce livre pour Fredde, le libraire avait mis une éternité à en emballer les deux tomes. Quoique ne la partageant pas, elle respectait la passion de son fils.

Les médecins prétendent qu'il n'a aucun souvenir, que seules les fonctions élémentaires du cerveau ont été préservées, mais parfois elle s'interroge. Elle défroisse la reproduction de son mieux, rapproche la lampe, et la place devant son fils. Il incline la tête et elle tente de se convaincre que c'est pour mieux l'examiner, mais ses yeux sont vitreux et au bout d'un moment il se remet à crayonner.

Après la vaisselle, elle le conduit sur le toit-terrasse, comme d'habitude, où il s'assoit avec son bavoir encore autour du cou, et regarde dans le vide. Elle essaiera à nouveau demain.

C'est l'automne et les étourneaux volent au-dessus de la ville, en gros essaims palpitants. Parfois, elle a l'impression qu'il réagit à leur vue, au froissement de toutes ces ailes.

Mais alors qu'il contemple le vaste parking désert à travers la rangée d'arbres, une forme noire passe à travers le halo d'un réverbère. Elle disparaît, réapparaît, et soudain atterrit en silence sur la rambarde, à deux mètres d'eux.

C'est une chouette. Grosse comme un matou. Sa tête opère une rotation complète, ses yeux d'ambre clignent, et dans l'esprit de la mère de Frederick, cette seule pensée : *C'est pour moi que tu es là.*

Frederick se redresse, très droit.

La chouette perçoit quelque chose. Elle reste là, en alerte. Sa vigilance est extraordinaire. Frederick ouvre grand les yeux.

Puis, c'est fini : trois vigoureux coups d'ailes et l'obscurité l'engloutit.

– Tu as vu ? chuchote-t-elle. Tu as vu ça, Frederick ?

Il continue à regarder vers l'obscurité. Mais il n'y a que les sacs en plastique qui crissent dans les branches et les dizaines de halos lumineux sur le parking.

– Maman ? dit-il. Maman ?

– Je suis là, Frederick.

Elle met la main sur son genou. Les doigts de son fils se referment sur l'accoudoir. Tout son corps se rigidifie. Les veines de son cou saillent.

603

– Frederick ? Qu'est-ce qu'il y a ?

Il la regarde. Ses yeux ne cillent pas.

– Qu'est-ce qu'on fait, maman ?

– Oh, Fredde. On ne fait rien ! On regarde seulement la nuit...

Treize

2014

Elle vit jusqu'au tournant du siècle. Et après.

C'est un samedi matin, début mars, et Michel, son petit-fils, passe la prendre pour se promener avec elle dans le Jardin des plantes. Il y a du givre dans l'air et Marie-Laure s'avance, armée de sa canne, ses fins cheveux rabattus par le vent et la ramure des arbres défilant au-dessus de leurs têtes tandis qu'elle imagine des bancs de vessies de mer traînant leurs longs tentacules derrière elles.

Une pellicule de glace s'est formée sur les flaques des allées. Chaque fois que sa canne en touche une, elle se baisse pour essayer de soulever ce disque sans le briser. C'est comme une loupe qu'elle approcherait de son œil. Puis elle le repose soigneusement.

L'enfant est patient. Il ne la prend par le coude que lorsque c'est utile.

Ils se dirigent vers le labyrinthe de verdure. Le chemin monte, tourne progressivement vers la gauche. Elle grimpe, s'arrête régulièrement pour reprendre son souffle. Une fois au niveau de la gloriette métallique au sommet, elle va s'asseoir avec lui sur le petit banc.

Personne ici : il fait trop froid ou c'est trop tôt. Elle écoute le vent passer à travers le fin treillis, la rumeur de Paris à leurs pieds, le ronron somnolent d'un samedi matin.

– C'est bien dans une semaine que tu auras douze ans, n'est-ce pas ?

– Pas trop tôt !

– Tu as hâte ?

– Maman me laissera peut-être conduire une fois son scooter...

– Ah, le scooter ! fait Marie-Laure en riant.

Sous ses ongles, le givre dessine des millions de diadèmes et couronnes sur les lattes du banc, treillage d'une confondante complexité.

Michel se serre contre elle et reste silencieux. Seules ses mains s'activent. Petits clics, pianotement.

– À quoi tu joues ?

– Lord of War.

– Tu joues contre ton ordinateur ?

– Contre Jacques.

– Où est Jacques ?

L'attention de l'enfant reste polarisée. Qu'importe où est Jacques : il appartient au jeu. Elle reste assise, sa canne à portée de main, et l'enfant presse ses touches par rafales. Au bout d'un moment, il fait « Ah ! », et la partie se conclut sur quelques gazouillis.

– Ça ne va pas ?

– Il m'a tué...

Il est de nouveau présent, avec elle.

– Jacques, je veux dire... Je suis mort.

– En tant que joueur ?

– Oui, mais je peux toujours recommencer.

Sous leurs yeux, le vent balaie le givre des arbres. Elle se concentre sur cette sensation du soleil sur ses mains. La chaleur corporelle de son petit-fils.

– Mamie ? Tu voulais un truc précis, toi, pour ton douzième anniversaire ?

– Justement, oui. Un livre de Jules Verne.

– Celui que maman m'a lu ? On te l'a offert ?

– Oui. En un sens...

– Il y avait plein de noms de poissons compliqués là-dedans !

Elle rit :

– De coraux et de mollusques aussi...

– Surtout de mollusques. Qu'est-ce qu'il fait beau ce matin, hein ?

– Oui, très beau...

Les promeneurs empruntent les sentiers du jardin en contrebas, le vent entonne des hymnes dans les haies, et les grands cèdres centenaires grincent à l'entrée du labyrinthe. Marie-Laure imagine les ondes électromagnétiques traversant la petite machine de Michel, contournant leurs personnes, tout comme dans les explications d'Étienne, sauf qu'aujourd'hui il y a bien plus de chassés-croisés dans l'air qu'à son époque – tellement plus. Déluges de conversations au téléphone portable, de vidéos à télécharger, de mails, vastes réseaux de fibres et câbles entrelacés au-dessus et au-dessous de la ville, traversant des édifices, activant les antennes-relais dans les tunnels du métro, au-dessus des toits, dans les éclairages publics. Spots publicitaires pour Carrefour, Évian ou des surgelés, qui passent comme l'éclair dans l'espace et reviennent sur terre. *Je vais être en retard* et *Si on réservait ?* et *Prends des avocats* et *Qu'est-ce qu'il a dit ?* et dix mille *je t'aime*, cinquante mille *Baisers*, messages d'insultes, rappels de rendez-vous, cours de la Bourse, pubs pour des bijoux, pubs pour du café, pubs pour des meubles survolant, invisibles, les dédales de Paris, les champs de bataille et les tombes, les Ardennes, le Rhin, la Belgique et le Danemark – ces territoires marqués par des cicatrices et aux frontières mouvantes qu'on appelle « nations ». Et est-ce si difficile de croire que des âmes pourraient elles aussi emprunter ces mêmes chemins ? Que son père, Étienne, Mme Manec et le jeune Allemand nommé Werner Pfennig puissent hanter le ciel par nuées, comme des aigrettes, des hirondelles, des

609

étourneaux ? Que ces âmes migratrices puissent emprunter la voie des airs, souffle perceptible seulement à une oreille attentive ? Elles volent au-dessus des cheminées, passent sur les trottoirs, se faufilent à travers vos vêtements, votre veste et votre chemise, votre sternum et vos poumons, s'en échappent — notre atmosphère est une bibliothèque recueillant toutes les vies qui ont jamais été vécues, toutes les phrases jamais prononcées, les mots jamais transmis.

À chaque instant, se dit-elle, quelqu'un qui a vécu cette guerre disparaît.

Nous ressuscitons dans l'herbe. Dans les fleurs, la musique.

Michel la prend par le bras et ils ressortent du labyrinthe, se retrouvent rue Cuvier. Elle compte les bouches d'égout, et, une fois au pied de son immeuble, dit :

— Tu peux me laisser ici, Michel. Tu sauras rentrer ?

— Bien sûr !

— Alors, à la semaine prochaine...

Il l'embrasse sur les deux joues.

— À la semaine prochaine, mamie.

Elle l'entend s'éloigner. Jusqu'à ce qu'il n'y ait plus que les soupirs des voitures, le grondement des trains et la rumeur de ceux qui se hâtent dans le froid.

Remerciements

Je remercie l'American Academy de Rome, l'Idaho Commission on the Arts, et la John Simon Guggenheim Memorial Foundation. Merci à Francis Geffard, qui m'a fait découvrir Saint-Malo. À Binky Urban et à Clare Reihill pour leur enthousiasme et leur confiance. Et merci tout spécialement à Nan Graham, qui après dix ans d'attente, a consacré à ce livre tant de travail et d'attention.

J'ai une dette envers *Et la lumière fut* de Jacques Lusseyran, *Kaputt* de Curzio Malaparte, *Le Roi des Aulnes* de Michel Tournier et *Vous voulez rire, monsieur Feynman* de Richard Feynman. Envers Cort Conley, qui m'a fourni tant de documentation ; envers ces lecteurs précoces que furent Hal et Jacque Eastman, Matt Crosby, Jessica Sachse, Megan Tweedy, Jon Silverman, Steve Smith, Stefani Nellen, Mark Doerr, Chris Doerr, Dick Doerr, Michèle Mourembles, Kara Watson, Cheston Knapp, Meg Storey, et Emily Forland ; et surtout envers ma mère, Marilyn Doerr, qui fut mon professeur Gérard – mon Jules Verne.

Tous mes remerciements à Owen et Henry, qui ont vécu toute leur vie avec ce livre, et à Shauna, sans qui tout ceci n'aurait pu exister, et dont tout dépend.

DU MÊME AUTEUR

Aux Éditions Albin Michel

LE NOM DES COQUILLAGES, nouvelles, 2003
À PROPOS DE GRACE, roman, 2006
LE MUR DE MÉMOIRE, nouvelles, 2013

« LES GRANDES TRADUCTIONS »

(extraits du catalogue)

CHRIS ABANI
Graceland
traduit de l'anglais (Nigeria) par Michèle Albaret-Maatsch
Le Corps rebelle d'Abigaïl Tansi
Comptine pour enfant-soldat
traduits de l'anglais (Nigeria) par Anne Wicke

DANIEL ALARCÓN
Lost City Radio
La Guerre aux chandelles
traduits de l'anglais (États-Unis) par Pierre Guglielmina

SASCHA ARANGO
La Vérité et autres mensonges
traduit de l'allemand par Dominique Autrand

ALESSANDRO BARICCO
Châteaux de la colère, prix Médicis étranger 1995
Soie
Océan mer
City
Homère, Iliade
traduits de l'italien par Françoise Brun

MISCHA BERLINSKI
Le Crime de Martyia Van der Leun
traduit de l'anglais (États-Unis) par Renaud Morin

ANDREI BITOV
Les Amours de Monakhov
traduit du russe par Antonina Roubichou-Stretz
La Datcha
traduit du russe par Christine Zeytounian-Belos
Un Russe en Arménie
traduit du russe par Dimitri Sesemann

ELIAS CANETTI
Histoire d'une jeunesse, la langue sauvée, 1905 1921
Les Années anglaises
traduits de l'allemand par Bernard Kreiss

Le Flambeau dans l'oreille, histoire d'une vie, 1921-1931
traduit de l'allemand par Michel-François Démet
Jeux de regard, histoire d'une vie, 1931-1937
traduit de l'allemand par Walter Weideli

VEZA ET ELIAS CANETTI
Lettres à Georges
traduit de l'allemand par Claire de Oliveira

ELIAS CANETTI ET MARIE-LOUISE MOTESIZKI
Amants sans adresse, correspondance 1942-1992
traduit de l'allemand par Nicole Taubes

GIUSEPPE CULICCHIA
Le Pays des merveilles
traduit de l'italien par Vincent Raynaud

DANIEL DEFOE
Robinson Crusoé
traduit de l'anglais par Françoise du Sorbier

DAPHNÉ DU MAURIER
Rebecca
traduit de l'anglais par Anouk Neuhoff

JOHN VON DÜFFEL
De l'eau
Les Houwelandt
traduits de l'allemand par Nicole Casanova

TOM FRANKLIN
Braconniers
La Culasse de l'enfer
traduits de l'anglais (États-Unis) par François Lasquin et Lise Dufaux
Smonk
traduit de l'anglais (États-Unis) par Michel Lederer

FABIO GEDA
Le Dernier Été du siècle
traduit de l'italien par Dominique Vittoz

HEIKE GEISSLER
Rosa
traduit de l'allemand par Nicole Taubes

Le Petit Salaud
traduit du russe par Catherine Prokhorov

PAUL LYNCH
Un ciel rouge, le matin
traduit de l'anglais (Irlande) par Marina Boraso

DAVID MALOUF
Harland et son domaine
traduit de l'anglais (Australie) par Antoinette Roubichou-Stretz
Ce vaste monde, prix Femina étranger 1991
L'Étoffe des rêves
traduits de l'anglais (Australie) par Robert Pépin
Chaque geste que tu fais
Une rançon
traduits de l'anglais (Australie) par Nadine Gassie

THOMAS MANN
Les Confessions du chevalier d'industrie Felix Krull
Dr Faustus
traduits de l'allemand par Louise Servicen

SÁNDOR MÁRAI
Les Braises
traduit du hongrois par Marcelle et Georges Régnier
L'Héritage d'Esther
Divorce à Buda
Un chien de caractère
Mémoires de Hongrie
Métamorphoses d'un mariage
Le Miracle de San Gennaro
traduit du hongrois par Georges Kassai et Zéno Bianu
Libération
Le Premier Amour
L'Étrangère
La Sœur
Les Étrangers
Les Mouettes
Ce que j'ai voulu taire
traduits du hongrois par Catherine Fay

VALERIE MARTIN
Maîtresse
Indésirable
Période bleue
traduits de l'anglais (États-Unis) par Françoise du Sorbier

JOHN MCGAHERN
Les Créatures de la terre et autres nouvelles
Pour qu'ils soient face au soleil levant
traduits de l'anglais (Irlande) par Françoise Cartano
Mémoire
traduit de l'anglais (Irlande) par Marie-Lise Marlière

ADRIENNE MILLER
Fergus
traduit de l'anglais (États-Unis) par Marie-Lise Marlière
et Guillaume Marlière

STEVEN MILLHAUSER
La Vie trop brève d'Edwin Mulhouse, écrivain américain, 1943-1954,
racontée par Jeffrey Cartwright,
prix Médicis étranger 1975,
prix Halpérine-Kaminsky 1976
traduit de l'anglais (États-Unis) par Didier Coste
Martin Dressler, le roman d'un rêveur américain,
prix Pulitzer 1997
Nuit enchantée
traduits de l'anglais (États-Unis) par Françoise Cartano
Le Roi dans l'arbre
Le Lanceur de couteaux
traduits de l'anglais (États-Unis) par Marc Chénetier

ROHINTON MISTRY
Une simple affaire de famille
L'Équilibre du monde
traduits de l'anglais (Canada) par Françoise Adelstain

STUART NADLER
Le livre de la vie
Un été à Bluepoint
traduits de l'anglais (États-Unis) par Bernard Cohen

KALANIT OCHAYON
De la place pour un seul amour
traduit de l'hébreu par Catherine Werchowski

CHRISTOPH RANSMAYR
La Montagne volante
Le Syndrome de Kitahara
Atlas d'un homme inquiet
traduits de l'allemand par Bernard Kreiss

Composition Nord Compo
Impression CPI Firmin Didot en juin 2015
Éditions Albin Michel
22, rue Huyghens, 75014 Paris
www.albin-michel.fr
ISBN : 978-2-226-31718-6
ISSN : 0755-1762
N° d'édition : 21359/06 – N° d'impression : 129256
Dépôt légal : mai 2015
Imprimé en France